Y0-BSL-100

Britannica®
ENCICLOPEDIA UNIVERSAL ILUSTRADA

Chamberlen

coro

Britannica
ENCICLOPEDIA UNIVERSAL ILUSTRADA

Edición en español de BRITANNICA CONCISE ENCYCLOPEDIA

Edición promocional para América Latina desarrollada, diseñada y publicada por Sociedad Comercial y Editorial Santiago Ltda., Avda. Apoquindo 3650, Santiago, Chile.

ISBN 956-8402-79-9 (Obra completa)
ISBN 956-8402-84-5 (Volumen 5)

Impreso en Chile, Printed in Chile.
Código de barras 978 956840284 - 6

Chamberlen, Hugh (1630, Londres, Inglaterra–c. 1720, Londres). Partero británico. Sobrino nieto de Peter Chamberlen el Mayor (n. 1560–m. 1631), quien inventó el fórceps obstétrico. Partero de la reina Catalina, esposa de Carlos II de Inglaterra, Hugh Chamberlen aprovechó su posición privilegiada para promocionar el empleo del fórceps, hasta entonces un secreto de familia, y al cual se refiere en el prefacio de su traducción de un tratado francés de obstetricia, un clásico obstétrico por 75 años. Poco antes de morir, vendió su secreto a un cirujano holandés.

Chambers, (David) Whittaker *orig.* **Jay Vivian Chambers** (1 abr. 1901, Filadelfia, EE.UU.–9 jul. 1961, cerca de Westminster, Md.). Periodista estadounidense, figura principal en el caso ALGER HISS. Ingresó al Partido Comunista en 1923 y en distintas épocas fue director de *New Masses*, *The Daily Worker* y de la revista *Time*. En agosto de 1948, en su declaración ante el Comité de Actividades Antinorteamericanas, de la Cámara de Representantes, mencionó a Alger Hiss, ex funcionario del Departamento de Estado, como compañero suyo en un círculo de espionaje comunista que funcionó en los años treinta. Hiss negó la acusación y lo demandó por calumnia. En los juicios que siguieron, Chambers presentó como prueba unos documentos que, según sostuvo, Hiss le había dado para que los entregara a agentes soviéticos. Su autobiografía, *Witness* [Testigo], se publicó en 1952.

Chambers, Robert y William (10 jul. 1802, Peebles, Tweeddale, Escocia–17 mar. 1871, St. Andrews, Fifeshire) (1800, Peebles–1883). Editores escoceses. Robert, que comenzó su carrera como vendedor callejero de libros y periódicos en Edimburgo, escribió obras históricas, literarias y geológicas. En 1832, ambos hermanos fundaron el *Chambers's Edinburgh Journal*, que más tarde llevaría a la creación de la casa editorial W. & R. Chambers, Ltd. Su *Chambers's Encyclopaedia* (1859–68) estaba modelada en una traducción del *Konversations-Lexikon* alemán. Esta enciclopedia, que se considera académicamente seria y confiable para temas históricos, ha sido editada varias veces. Sin embargo, la falta de un sistema adecuado de revisión ha sido la causa de que gran parte de su material haya quedado obsoleto.

Chambord, Henri Dieudonné d'Artois, conde de (29 sep. 1820, París, Francia–24 ago. 1883, Frohsdorf, Austria). Noble francés, último heredero de la rama más antigua de la casa de BORBÓN y pretendiente al trono de Francia (como Enrique V) desde 1830. Hijo del duque de BERRY, fue forzado a huir de Francia en 1830 cuando su abuelo CARLOS X abdicó y LUIS FELIPE se apoderó del trono. En 1870, tras la caída de NAPOLEÓN III, invitó al país a reconciliarse bajo los Borbones. Aunque por un tiempo pareció posible la restauración de la monarquía, la hostilidad que manifestaba hacia los principios de la REVOLUCIÓN FRANCESA terminó por socavar el apoyo que tenía.

Chamil ver SHAMIL

Chamorro, Violeta Barrios de ver Violeta BARRIOS DE CHAMORRO

Chamoun, Camille (Nimer) *o* **Kamīl Sham'ūn** (3 abr. 1900, Dayr al-Qamar, Líbano–7 ago. 1987, Beirut). Presidente del Líbano (1952–58). Reorganizó las reparticiones de gobierno para incrementar la eficiencia y concedió un considerable grado de libertad a la prensa y a los grupos de oposición. En 1956 rehusó romper relaciones con Gran Bretaña y Francia a raíz de la crisis del canal de SUEZ, lo cual provocó tensiones internacionales. En 1958, cuando Siria y Egipto formaron la República Árabe Unida, de corta vida, rechazó las peticiones de los musulmanes libaneses para unirse a ella. Estalló una rebelión armada y no se presentó para un segundo período presidencial. Desempeñó cargos ministeriales durante la guerra civil LIBANESA (1975–91).

Champa Antiguo reino del SUDESTE ASIÁTICO. Ocupaba una región que corresponde actualmente a la parte central de Vietnam. Se formó en el s. II DC durante la división de la dinastía HAN de China, cuando la autoridad han que estaba a cargo de la región estableció su propio reino alrededor de la actual HUE. Quedó bajo la influencia cultural de India, y resistió durante varios siglos los ataques de China, JAVA, Vietnam y el Imperio JMER. A fines del s. XIV, incesantes guerras produjeron su desaparición.

Escultura tradicional del reino de Champa, detalle.
FOTOBANCO

Champaigne, Philippe de (26 may. 1602, Bruselas–12 ago. 1674, París, Francia). Pintor francés de origen flamenco. Se formó en Bruselas y llegó a París en 1621. Entre sus mecenas figuraron LUIS XIII, MARÍA DE MÉDICIS y el cardenal RICHELIEU. Se convirtió en el retratista francés más sobresaliente del período barroco. Fue profesor en la Academia Real (1653) y realizó muchas obras para palacios e iglesias de París. Sus mejores obras incluyen dos retratos de Richelieu y varias pinturas para el convento jansenista de Port-Royal, especialmente el austero *Exvoto: madre Agnes y hermana Catherine* (1662), que conmemora la cura milagrosa de su hija Catherine por medio de las oraciones de la madre Agnes.

"Exvoto: madre Agnes y hermana Catherine", pintura de Philippe de Champaigne, 1662; Museo del Louvre, París.
TELARCI—GIRAUDON DE ART RESOURCE/EB INC.

champaña VINO espumante. Llamado así por su lugar de origen, la región de Champaña del nordeste de Francia. Es elaborado a partir de sólo tres cepas: pinot y meunier (ambas de uva negra) y chardonnay (blanca). El mosto de estas uvas es fermentado inicialmente en cubas de acero inoxidable. Se le agrega una mezcla de vino, azúcar y levadura, y luego es transferido a tanques a presión para una segunda FERMENTACIÓN que produce dióxido de carbono y efervescencia. Es enfriado, endulzado, embotellado y dejado añejar. Generalmente tiene gusto fresco, a pedernal, que varía en grado de dulzor dependiendo de su tipo.

Champaña Región histórica y cultural del nordeste de Francia. El terreno está formado por colinas bajas y por el valle del río MARNE. Este importante condado medieval francés perteneció a las casas de Vernandois, Blois y NAVARRA. En los s. XII y XIII albergó seis grandes ferias comerciales y fue el centro bancario de Europa. Los conflictos entre los condes de Champaña y los reyes de Francia terminaron con el matrimonio (1284) de Juana de Navarra y Champaña y el futuro rey FELIPE IV de Francia; Champaña se unió a la corona francesa en 1314. Al ser una región fronteriza, sufrió numerosas invasiones; durante la primera y la segunda guerra mundial fue escenario de cruentas batallas. La región es famosa por sus vinos.

champiñón ver AGÁRICO

Champlain, lago Lago entre los estados de Vermont y Nueva York, EE.UU. Ubicado en el límite norte se adentra en Canadá aprox. 10 km (6 mi); mide alrededor de 200 km (125 mi) de largo y ocupa una superficie de 1.115 km² (430 mi²). En 1609 fue avistado por SAMUEL DE CHAMPLAIN. En 1776 fue escenario de la primera batalla naval entre británicos y estadounidenses y, en 1814, de una victoria naval estadounidense sobre los británicos. Punto de conexión del canal que existe entre el puerto de la ciudad de Nueva York y el curso inferior del río SAN LORENZO, muy utilizado para la navegación con fines comerciales y recreativos.

Champlain, Samuel de (1567, Brouage, Francia–25 dic. 1635, Quebec, Nueva Francia). Explorador francés. Realizó varias expediciones a América del Norte antes de fundar QUEBEC en 1608 junto a 32 colonos, la mayoría de los cuales no sobrevivió al primer invierno. Se alió con las tribus indígenas del norte para derrotar a los merodeadores iroqueses y promovió el comercio de pieles con los nativos. Descubrió el lago Champlain en 1609 y emprendió otras exploraciones en el norte del actual estado de Nueva York, el río Ottawa y el este de los Grandes Lagos. Cuando Inglaterra y Francia estuvieron en guerra, corsarios ingleses sitiaron Quebec en 1628 y fue tomado prisionero. En 1632, la colonia fue restituida a Francia y en 1633 hizo su último viaje a Quebec, donde permaneció hasta su muerte.

champlevé *o* **campeado** Técnica de esmaltado decorativo. El proceso consiste en el excavado de celdas o alvéolos en una placa de metal y, posteriormente, en el relleno de las depresiones con esmalte de vidrio pulverizado. Las líneas elevadas de metal entre las áreas excavadas forman el esquema del diseño. El champlevé se practicó en las áreas celtas de Europa occidental durante el período romano. Prosperó en el valle del Rin, cerca de Colonia, y en Bélgica en los s. XI–XII. Los esmaltadores más notables fueron Nicolás de Verdún y Godofredo de Claire.

Máscara funeraria en aleación de oro y plata con ojos y orejas en cobre, cultura chimú (c. 1000–c. 1465).

FERDINAND ANTON

Champollion, Jean-François (23 dic. 1790, Figeac, Francia–4 mar. 1832, París). Egiptólogo francés. Tuvo un papel principal en el desciframiento de jeroglíficos egipcios. Champollion fue un lingüista prodigio, a los 19 años ya dominaba el hebreo, el árabe, el siríaco y el copto, como también el griego y el latín. Después de estudiar la piedra de ROSETTA y otros textos, Champollion demostró en forma concluyente en su obra *Précis du système hiéroglyphique des anciens Egyptiens* [Resumen del sistema jeroglífico de los antiguos egipcios] (1824) que podía asignarse un valor fonético a algunos jeroglíficos. Fue nombrado conservador de la colección egipcia del Louvre (1826) y condujo una expedición arqueológica a Egipto (1828–30). Ver también EGIPCIO.

Champs-Elysées ver CAMPOS ELÍSEOS

chamula ver TZOTZIL

Chancellorsville, batalla de Acción militar de la guerra de SECESIÓN. En mayo de 1863, cerca de Chancellorsville, Va., el ejército de la Unión en Virginia, al mando de JOSEPH HOOKER, intentó rodear y destruir a las fuerzas confederadas de Virginia del Norte comandadas por ROBERT E. LEE. Un movimiento envolvente de fuerzas al mando de STONEWALL JACKSON sorprendió al ejército de la Unión. Después de tres días de combate los unionistas debieron retirarse al norte del río Rappahannock; sufrieron una pérdida superior a 17.000 hombres de un contingente de 130.000. El ejército confederado compuesto por 60.000 efectivos tuvo más de 12.000 bajas, entre ellas Jackson.

Llegada del general unionista J. Hooker a Chancellorsville, previo a su derrota ante los confederados.

FOTOBANCO

Chanchán Ciudad antigua del norte del Perú. Situada a 480 km (300 mi) al norte de la actual Lima, fue la capital de los chimú, civilización preincaica que prosperó c. 1200–1400. Las ruinas, que cubren casi 36 km² (14 mi²), consisten en ciudadelas amuralladas que contienen templos, cementerios y jardines. Los chimú, sucesores de la civilización MOCHICA, cayeron bajo dominio INCA c. 1465–70.

chancro Llaga o úlcera primaria en el sitio de entrada de un patógeno; específicamente, la lesión cutánea típica de la SÍFILIS primaria. En las mujeres es a menudo interna y puede pasar inadvertida. Esta pápula (protuberancia) roja, aislada, que suele aparecer unas tres semanas después de la infección, y la hinchazón indolora de los ganglios linfáticos regionales, son los signos principales de la sífilis temprana. La identificación del *Treponema pallidum* en su líquido confirma el diagnóstico. El chancro cura en dos a seis semanas, pero la sífilis sigue progresando, a menos de que sea tratada con PENICILINA.

chancro del castaño Enfermedad vegetal causada por el HONGO *Endothia parasitica*. Importado de Asia oriental por accidente y observado por primera vez en 1904, en Nueva York, ha exterminado a casi todos los CASTAÑOS americanos nativos (*Castanea dentata*) de EE.UU. y Canadá y es destructivo en otros países. Otras especies susceptibles son el castaño europeo (*C. sativa*), el roble de poste (*Quercus stellata*) y el ROBLE DE VIRGINIA. Los síntomas son manchas marrón rojizas en la corteza que devienen en chancros resquebrajados, hundidos o hinchados, que destruyen ramillas y ramas. Las hojas de esas ramas se ponen marrón y se marchitan, pero permanecen fijadas por meses. Paulatinamente todo el árbol muere. El hongo persiste por años en brotes efímeros de las raíces de castaños viejos y en huéspedes de menor susceptibilidad. Se extiende localmente por la salpicadura de la lluvia, el viento y los insectos y, a largas distancias, por los pájaros. El castaño chino (*C. mollissima*) y el japonés (*C. crenata*) son resistentes a este chancro.

Chandigarh Ciudad (pob., est. 2001: 808.796 hab.) y territorio de la Unión (pob., est. 2001: 900.914 hab.), capital de los estados de HARYANA y PANJAB, en el norte de India. El territorio, en la frontera entre ambos estados, tiene una superficie de 114 km^2 (44 mi^2). Se ubica en los faldeos meridionales de los montes Shiwalik y el lugar de su emplazamiento fue escogido para reemplazar la antigua capital de LAHORE, que pasó a formar parte de Pakistán con la partición de 1947. La ciudad fue diseñada en la década de 1950 por LE CORBUSIER, en colaboración con arquitectos indios. En la actualidad es un importante centro de enlace de las comunicaciones.

Chandler, Raymond (Thornton) (23 jul. 1888, Chicago, Ill., EE.UU.–26 mar. 1959, La Jolla, Cal.). Escritor estadounidense de novelas detectivescas. Chandler trabajó como ejecutivo en una compañía petrolera en California antes de comenzar su carrera como escritor durante la gran depresión. Después de escribir sus primeros cuentos redactó varios guiones de cine, entre ellos *Double Indemnity* [Doble indemnidad] (1944), *La dalia azul* (1946) y *Strangers on a Train* [Extraños en un tren] (1951). Su personaje Philip Marlowe, un duro detective privado que trabaja en el submundo de Los Ángeles, protagoniza sus siete novelas, entre ellas *El sueño eterno* (1939; adaptada al cine en 1946 y 1978), *Adiós, muñeca* (1940; adaptada al cine como *El enigma del collar* en 1944, y como *Adiós, muñeca* en 1975) y *El largo adiós* (1953; película, 1973). Chandler y DASHIELL HAMMETT son considerados los autores clásicos de la novela negra.

Chandragupta (floreció s. IV–III AC, India). Fundador de la dinastía Maurya y el primer emperador (reinó c. 321–c. 297 AC) en unificar la mayor parte de India bajo un solo gobernante (ver Imperio MAURYA). Nacido en una familia de inmigrantes indigentes, Maurya fue vendido como esclavo y posteriormente comprado por un político brahmán, quien lo educó en las artes y en las tácticas militares. Después de reclutar a soldados mercenarios y conseguir el apoyo popular, derrocó a la dinastía NANDA y estableció su propia dinastía en la actual Bihar. A la muerte de ALEJANDRO MAGNO (323 AC), logró conquistar el Panjab (c. 322). Expandió su imperio hacia el oeste hasta los límites con Persia; al sur hasta el extremo de India; y hacia el norte hasta los Himalaya y el valle del río Kabul. Organizó su administración según el modelo de la dinastía AQUEMÉNIDA de Persia. Murió ayunando en solidaridad con su pueblo durante un período de hambruna.

Chandragupta II *o* **Vikramaditya** (floreció s. IV–V DC, India). Poderoso emperador (reinó c. 380–c. 415) de la dinastía GUPTA en India septentrional. Nieto de Chandragupta I (r. 320–c. 335), el fundador de la dinastía, se cree que ascendió al trono después de asesinar a su débil hermano mayor. Heredó un gran imperio y extendió su dominio sobre los territorios vecinos mediante la guerra y las alianzas matrimoniales. Bajo su reinado, India disfrutó de la paz y de una relativa prosperidad. Su sistema de gobierno y su caridad merecieron la admiración del peregrino chino Fa Xian. Fue mecenas del poeta KALIDASA. Aunque devoto hindú, toleró las religiones budista y jainista.

Chandrasekhar, Subrahmanyan (19 oct. 1910, Lahore, India–21 ago. 1995, Chicago, Ill., EE.UU.). Astrofísico estadounidense de origen indio. En 1938 dejó la Universidad de Cambridge para integrarse al grupo de investigadores de la Universidad de Chicago. Determinó que, después de su etapa de gigante roja, una estrella cuya masa remanente es mayor que 1,4 veces la del Sol (el límite de Chandrasekhar) colapsa y se transforma en una estrella de neutrones durante una explosión de SUPERNOVA. Los remanentes estelares mayores que unas tres masas solares colapsan aún más, para transformarse en AGUJEROS NEGROS. En 1983 compartió el Premio Nobel con WILLIAM A. FOWLER.

Chanel, Gabrielle *llamada* **Coco Chanel** (19 ago. 1883, Saumur, Francia–10 ene. 1971, París). Diseñadora de modas francesa. Se sabe poco de los inicios de su vida. En 1913 abrió una sombrerería para damas en Deauville, y al cabo de cinco años, su innovador uso de las telas tejidas en forma suelta y de los accesorios llamó la atención de clientes adinerados. Sus diseños inconformistas, que acentuaban la simplicidad y la comodidad, revolucionaron la industria de la moda durante los siguientes 30 años. Popularizó los suéteres de cuello de tortuga, el "vestido negro" y el muy copiado "traje Chanel". Las industrias Chanel incluían una casa de modas parisiense, un negocio textil, laboratorios de perfumes y un taller de bisutería. La base financiera de su imperio fue el perfume Chanel N° 5, introducido en 1922 y aún popular.

Coco Chanel, afamada diseñadora de modas, 1929.
FOTOBANCO

Chaney, Lon *p. ext.* **Alonso Chaney** (1 abr. 1883, Colorado Springs, Col., EE.UU.–26 ago. 1930, Los Ángeles, Cal.). Actor de cine estadounidense. Fue hijo de padres sordomudos, aprendió pantomima y se hizo actor a la edad de 17 años. Se mudó a Hollywood en 1912 e interpretó papeles secundarios hasta que la película *The Miracle Man* (1919) lo convirtió en estrella. Fue conocido como "el hombre de las mil caras", y se hizo famoso por su habilidad para caracterizar a múltiples personajes a través del uso del maquillaje. En los largometrajes que dirigió TOD BROWNING, muchas veces interpretó a personajes grotescos o de doble personalidad, como en *El trío fantástico* (1925). Entre sus otras películas mudas destacan *El jorobado de Notre Dame* (1923), *El fantasma de la ópera* (1925) y *La casa del horror* (1927). Su hijo Lon Chaney, Jr. (n. 1905–m. 1973) actuó en numerosas películas de terror en papeles tan conocidos como el Hombre Lobo y la Momia, y se destacó en *De ratones y de hombres* (1939).

Chang Chih-tung ver ZHANG ZHIDONG

Chang Chü-cheng ver ZHANG JUZHENG

Chang Ta-ch'ien ver ZHANG DAQIAN

Chang Tao-Ling ver ZHANG DAOLING

Chang Tso-lin ver ZHANG ZUOLIN

Chang'an *o* **Ch'ang-an** Antigua capital de China durante las dinastías HAN, SUI y TANG, ubicada cerca de la actual XI'AN. Desde mediados del s. IV fue un centro de estudios budistas. WENDI, primer emperador de los Sui, expandió la ciudad, cuyas murallas exteriores medían 9,7 km (6 mi) por 8,2 km (5 mi); contaba con 14 avenidas que corrían de norte a sur y 11 de este a oeste. En el centro del límite norte se situaba el palacio imperial; al frente de este estaba ubicado un complejo administrativo de 4,5 km^2 (3 mi^2). Hasta la proscripción de las religiones extranjeras en la década de 840, la ciudad tuvo numerosos templos budistas, además de iglesias nestorianas, maniqueas y zoroastrianas, y varios monasterios taoístas. Quedó reducida a ruinas en la década de 880 por el rebelde Huang Zhao y las siguientes dinastías establecieron sus capitales en otros lugares.

Ch'ang-ch'uen ver CHANGCHUN

Changchun *o* **Ch'ang-ch'uen** Ciudad (pob., est. 1999: 2.072.324 hab.), capital de la provincia de JILIN, del nordeste de China. Fue un pequeño poblado hasta fines del s. XVIII, cuando campesinos provenientes de SHANDONG comenzaron a instalarse cerca del río SUNGARI. Adquirió importancia después de completarse la construcción del ferrocarril chino oriental. Cayó bajo control japonés después de la guerra CHINO-JAPONESA de 1894–95. Cuando los japoneses capturaron Manchuria en 1931, la capital del estado títere japonés de MANCHUKUO fue trasladada desde Mukden (SHENYANG) a Changchun. Después de la segunda guerra mundial, la ciudad sufrió graves daños debido a los enfrentamientos entre comunistas y nacionalistas, pero tuvo un desarrollo extraordinario durante el régimen comunista chino. Hoy es un centro de expansión industrial, así como el corazón cultural y educacional de la provincia.

Changsha *o* **Ch'ang-sha** Ciudad (pob., est. 1999: 1.334.036 hab.), capital de la provincia de HUNAN en China. Ubicada en el centro-sudeste de China, estuvo circundada (de acuerdo con la tradición) por una muralla construida en 202 AC. En 750–1100 DC fue una importante ciudad comercial y su población aumentó considerablemente. Desde 1664, bajo la dinastía QING, fue la capital de la provincia de Hunan y uno de los principales mercados de arroz. Estuvo sitiada durante la rebelión TAIPING, pero nunca cayó. Es el lugar donde MAO ZEDONG se convirtió al comunismo. Fue escenario de importantes batallas durante la guerra chino-japonesa de 1937–45 y ocupada por los japoneses durante un breve período. Reconstruida desde 1949, hoy la ciudad es un importante puerto y centro comercial e industrial.

Channel Islands Cadena de islas en el sur del estado de California, EE.UU. Se extienden 240 km (150 mi) a lo largo de la costa y 40–145 km (25–90 mi) mar adentro. Se dividen entre el grupo Santa Bárbara (San Miguel, Santa Rosa, Santa Cruz y Anacapa) y el grupo Santa Catalina (San Nicolás, Santa Catalina y San Clemente). El tamaño de las islas varía desde la isla Santa Cruz (254 km^2 [98 mi^2]) hasta los pequeños islotes de Anacapa. Escarpadas y montañosas, son visitadas con frecuencia por colonias de leones marinos, focas y aves, y son célebres por su vida vegetal característica (cerca de 830 variedades). Las islas más grandes albergan granjas dedicadas a la crianza de ganado bovino y ovino, y Santa Catalina es un centro vacacional muy conocido. El parque nacional de las Channel Islands (declarado monumento nacional en 1938) comprende Anacapa, San Miguel, Santa Bárbara, Santa Cruz y Santa Rosa.

Channel Islands ver islas ANGLONORMANDAS

Channing, William Ellery (7 abr. 1780, Newport, R.I., EE.UU.–2 oct. 1842, Bennington, Vt.). Clérigo unitarista (ver UNITARISMO) estadounidense. Estudió teología en la Universidad de Harvard y se transformó en un predicador exitoso. Desde 1803 hasta su muerte, fue pastor de la Boston's Federal Street Church. Comenzó su carrera en el CONGREGACIONALISMO, pero paulatinamente fue adoptando una visión liberal y racionalista que vino a denominarse unitaria. En 1820 fundó una conferencia del clero congregacionalista liberal, que fue luego reorganizada como la Asociación Unitaria Americana. Conocido como el "apóstol del unitarismo", se convirtió también en una figura destacada del TRASCENDENTALISMO de Nueva Inglaterra; sus conferencias y ensayos sobre la esclavitud, la guerra y la pobreza hicieron de él uno de los clérigos más influyentes de su época.

chanson (francés: "canción"). Canción artística francesa. Las *chansons* monofónicas sin acompañamiento nacieron en el s. XII, compuestas por los TROVADORES y después por los TROVEROS. En los s. XIV y XV GUILLAUME DE MACHAUT y otros comenzaron a escribir *chansons* con acompañamiento, con partes para uno o más instrumentos, de acuerdo con las normas de las FORMES FIXES ("formas fijas"). JOSQUIN DES PREZ y sus contemporáneos escribieron cerca de 1.500 *chansons* para varias voces. En los últimos siglos, el término se ha usado a menudo para referirse a las canciones francesas cabareteras.

Chantilly, encaje de Encaje fabricado en la ciudad de Chantilly, al norte de París, a partir del s. XVII. Los encajes de seda, que hicieron famosa a la ciudad, datan del s. XVIII. En el s. XIX se fabricaban encajes negros, blancos y de seda (a base de seda natural). Ya en 1840 existían imitaciones disponibles hechas a máquina. Los diseños originales se caracterizan por flores y cintas naturalistas sobre un fondo moteado.

Chantilly, porcelana de Cualquiera de dos tipos de porcelana de pasta blanda fabricadas desde c. 1725 hasta c. 1800 en Chantilly, Francia. En el primer tipo, fabricado hasta c. 1750, se aplicaba un esmalte estannífero blanco lechoso y opaco sobre una base amarillenta; los diseños correspondían a patrones japoneses simplificados. En el segundo tipo (c. 1750–1800), se aplicaba un esmalte plúmbico transparente tradicional sobre una base coloreada; los diseños dejaban sentir la influencia de las porcelanas de MEISSEN y de SÈVRES. La producción consistía principalmente en loza doméstica (platos, vasijas, jarros) con decoración pintada en una gama limitada de colores. Los motivos solían corresponder a pequeños ramos de flores, conocidos como ramitos de Chantilly, o volutas y trenzas.

Plato en porcelana de Chantilly decorado con dragones, c. 1725.

GENTILEZA DEL MUSEO VICTORIA Y ALBERTO, LONDRES

Chao Phraya, río *o* **Me Nam** Río de Tailandia. Fluye hacia el sur desde las tierras altas de la frontera norte del país para desembocar en la cabecera del golfo de Tailandia, cerca de BANGKOK. Tiene un curso de 365 km (227 mi) de largo y es el principal río de Tailandia. Es de gran importancia para el transporte de productos de exportación. También forma un valle agrícola altamente productivo. En términos estrictos el nombre es aplicable sólo al curso inferior del río, que se inicia en el punto de confluencia de los ríos Nan y Ping y alcanza 257 km (160 mi) de largo.

chapa emplomada Chapa de ACERO revestida con una aleación de PLOMO y ESTAÑO aplicada por inmersión del acero en metal fundido. El contenido de plomo le da a la chapa una apariencia opaca, una superficie no corrosiva y aptitud para la soldadura al estaño. El estaño (12–50% de la aleación) humecta el acero, haciendo posible la unión del plomo y el hierro, que de lo contrario no se alearían. Aun cuando la chapa emplomada sigue usándose para techumbre, canaletas y tubos de bajada de aguas lluvias, revestimientos de urnas, tanques de gasolina, latas de aceite y diversos contenedores, ha sido reemplazada en gran parte por otros productos de acero más durables y más fáciles de fabricar. Ver también ESTAÑADO; GALVANIZADO.

Chapala, lago de Lago del estado de JALISCO, México. Es el lago más grande de México, con cerca de 80 km (50 mi) de largo y 15 km (10 mi) de ancho; cubre una superficie cercana a los 1.000 km^2 (400 mi^2). Alimentado principalmente por el río Lerna, es un punto turístico muy popular.

Centro turístico en el lago de Chapala, estado de Jalisco, México.

CHARLES TOWNSEND—SHOSTAL

chaparral Vegetación que se compone de arbustos, matorrales y arbolillos siempreverdes de hoja ancha y que a menudo forman monte tupido. Existe en regiones con clima mediterráneo, caracterizadas por tener veranos secos y cálidos e inviernos lluviosos y templados. El nombre se aplica principalmente a la vegetación costera y de montaña continental del sudoeste de Norteamérica. La vegetación del chaparral se pone extremadamente seca hacia finales del verano. Los incendios que suelen ocurrir en esa época son necesarios para que germinen las semillas de muchos arbustos y ralean la cobertura vegetal tupida, manteniendo así el crecimiento arbustivo de la vegetación al impedir la propagación de árboles. El chaparral que se ha renovado así es un buen pasto para el ganado. El chaparral es también valioso para la protección de cuencas en zonas con pendientes fuertes de fácil erosión.

chapitel Remate puntiagudo de una torre o techo. En la arquitectura GÓTICA, el chapitel es una espectacular culminación visual del edificio, así como un símbolo de aspiración celestial. El chapitel de iglesia se originó en el s. XII como un simple techo piramidal de cuatro lados, que coronaba la torre. Los métodos desarrollados para integrar un chapitel octogonal encima de una torre cuadrada, comprenden secciones triangulares inclinadas de albañilería agregadas a la parte inferior de las cuatro caras del chapitel octogonal, que no coinciden con los lados de la torre cuadrada; se agregaron buhardillas en gablete a las caras del chapitel y empinados piñones (ornamentos verticales de forma piramidal o cónica) en las esquinas de la torre. Durante el período decorativo (s. XIV), en Inglaterra era popular colocar un chapitel en aguja muy esbelto desplazado desde el borde de la torre; los piñones esquineros y un parapeto bajo alrededor del borde de la torre también se hicieron habituales. En el s. XX, los arquitectos tendieron a limitar los chapiteles a formas geométricas bastante elementales.

Chapiteles de la catedral de Milán, Italia, de estilo gótico.
ARCHIVO EDIT. SANTIAGO

Chaplin, Charlie *p. ext.* **Sir Charles Spencer Chaplin** (16 abr. 1889, Londres, Inglaterra–25 dic. 1977, Corsier-sur-Vevey, Suiza). Actor y director britanicoestadounidense. Fue hijo de actores de variedades sumidos en la pobreza, y se hizo artista de vodevil a los ocho años de edad. De gira en Nueva York (1913), MACK SENNETT se fijó en él y lo contrató para actuar en cine. En su segunda película, *Carreras sofocantes* (1914), Chaplin creó el vestuario de pantalones anchos, sombrero hongo, zapatos grandes y bastón, que se convirtió en el sello de su famoso personaje "el pequeño vagabundo". Poco después dirigió sus propias películas, y con *Charlot vagabundo* (1915) se hizo estrella de inmediato. Después de cofundar UNITED ARTISTS en 1919, produjo, dirigió y protagonizó clásicos como *La quimera del oro* (1925), *Luces de ciudad* (1931), *Tiempos modernos* (1936), *El gran dictador* (1940), *Monsieur Verdoux* (1947) y *Candilejas* (1952). En 1952 emigró a Suiza al ser perseguido por sus ideas políticas de izquierda. Regresó a EE.UU. en 1972 para recibir un premio especial de la Academia.

Chapman, Frank Michler (12 jun. 1864, Englewood, N. J., EE.UU.–15 nov. 1945, Nueva York, N.Y.). Ornitólogo estadounidense autodidacta. Comenzó su carrera en el Museo Americano de Historia Natural en 1887 y fue el curador de la colección ornitológica entre 1908 y 1942; sus exposiciones fueron de las primeras en mostrar aves en entornos naturales. Fundó y editó (1899–1935) la revista *Bird-Lore*. Entre sus muchas obras importantes están *Handbook of Birds of Eastern North America* [Manual de aves del este de América del Norte] (1895) y varias acerca de aves sudamericanas.

Chapman, Maria Weston *orig.* **Maria Weston** (25 jul. 1806, Weymouth, Mass., EE.UU.–12 jul. 1885, Weymouth). Abolicionista estadounidense. Fue directora del Young Ladies' High School, en Boston, entre 1828 y 1830, cuando se casó con Henry Chapman, comerciante de Boston. En 1832, con otras 12 mujeres, fundó la Asociación de mujeres antiesclavistas de Boston. Más adelante pasó a ser asistente jefe de William Lloyd Garrison y le ayudó a dirigir la Asociación abolicionista de Massachusetts y a dirigir *The Liberator*, publicación antiesclavista de amplia circulación. En 1839 publicó un panfleto en el que sostenía que las divisiones entre los abolicionistas surgían de sus desacuerdos acerca de los derechos de las mujeres.

Chapultepec Cerro rocoso al sudoeste de Ciudad de MÉXICO, México. A principios del s. XIV, los AZTECAS lo fortificaron y erigieron allí un centro religioso y una residencia para sus gobernantes. Los CONQUISTADORES españoles edificaron una capilla en 1554 y en la década de 1780 los virreyes españoles construyeron un palacio de verano que más tarde pasó a ser la Academia Militar Nacional (1841). Tropas estadounidenses capturaron el cerro en un asalto (1847) durante la guerra MEXICANO-ESTADOUNIDENSE. En la década de 1860, el emperador MAXIMILIANO de México reconstruyó el castillo; hasta 1940 se mantuvo como residencia oficial de los presidentes mexicanos, fecha en que se convirtió en museo.

chaqueta amarilla Cualquiera de 35–40 especies (género *Dolichovespula* o *Vespula*) de AVISPAS sociales, en general del hemisferio norte, llamadas así por tener listado negro su abdomen amarillo. Difieren de otras avispas por tener las alas plegadas longitudinalmente cuando están en reposo. Las especies de *Dolichovespula* por lo general construyen nidos a la intemperie. Las de *Vespula* arman nidos ocultos subterráneos o en cavidades protegidas; cuando se pisa un nido, la colonia puede transformarse en un enjambre iracundo y punzante. El tamaño de los nidos varía mucho; algunos pueden asirse con una mano, mientras que los de climas más cálidos pueden pesar media tonelada.

Chaqueta amarilla (*Vespula sp.*).

Charcot, Jean-Martin (29 nov. 1825, París, Francia–16 ago. 1893, Morvan). Profesor de medicina y clínico francés. Se lo considera, junto con Guillaume Duchenne (n. 1806–m. 1875), el fundador de la neurología moderna. En 1882 inauguró la mayor clínica neurológica de Europa de la época. Maestro extraordinario, se hizo conocido por sus trabajos sobre la histeria y la hipnosis, que influyeron en muchos estudiantes, incluso SIGMUND FREUD. Describió los síntomas de la ataxia locomotora y la desintegración que provoca de los ligamentos y las superficies articulares (enfermedad de Charcot, articulación de Charcot). Fue pionero en vincular determinados sitios del encéfalo con funciones específicas y descubrió los aneurismas miliares cerebrales.

Chardin, Jean-Baptiste-Siméon (2 nov. 1699, París, Francia–6 dic. 1779, París). Pintor francés. Fue aclamado por primera vez en 1728, cuando se hizo miembro de la Academia Real de Pintura de París. Fue un exitoso pintor de naturalezas muertas y de escenas domésticas que destacan por su realismo íntimo, atmósfera tranquila y luminosidad.

En sus últimos años realizó magníficos retratos en pastel. Fue el mejor pintor de naturaleza muerta del s. XVIII, y muy conocido en su época gracias a sus grabados. La quietud meditativa de su obra contrasta con el exceso de brillos y superficialidad de las pinturas de muchos de sus contemporáneos. Varios artistas del s. XX se inspiraron en las cualidades abstractas de sus composiciones.

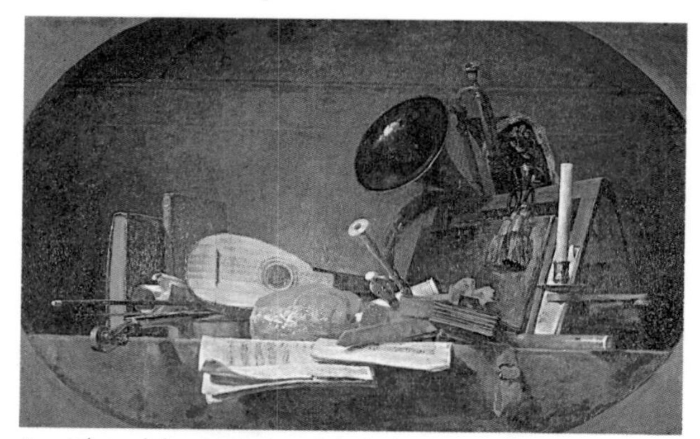

"Los atributos de la música", óleo sobre tela de Jean-Baptiste-Siméon Chardin, 1765; Museo del Louvre, París.

GIRAUDON/ART RESOURCE, NUEVA YORK

Charente, río Río del oeste de Francia. Nace en el departamento de Haute-Vienne, fluye generalmente hacia el oeste 360 km (226 mi) hasta el golfo de VIZCAYA. Recibe las aguas de su principal afluente, el río Boutonne, desde la llanura de Poitou hacia el norte. Es navegable por pequeñas embarcaciones hasta la ciudad de ANGULEMA.

Chargoggagoggmanchauggauggagoggchaubunagungamaugg, lago ver lago WEBSTER

Chari, río Río del centro-norte de África. Recorre cerca de 949 km (590 mi) desde la República Centroafricana hacia el noroeste para desembocar en el lago Chad; tiene numerosos tributarios en la República Centroafricana. N'Djamena está localizada en la cabecera de su delta.

charla Cualquiera de las diversas especies de aves canoras llamadas así por su trino áspero y castañeteado. Las charlas genuinas (zorzal charlo) integran el mayor grupo de la familia Turdidae (ver ZORZAL). Las charlas o ratonas australianas (habitualmente clasificadas en la familia Maluridae), que habitan en terrenos abiertos con matorrales, tienen una longitud de 13 cm (5 pulg.). La charla de pecho amarillo (*Icteria virens*, familia Parulidae) de Norteamérica es el mayor de los MOSQUITEROS: 19 cm (7,5 pulg.) de largo. De color gris verdoso en el dorso y amarillo brillante en el vientre, con "anteojos" blancos, se esconde en la espesura, pero puede posarse en lugares abiertos donde emite sonidos parecidos a maullidos, zumbidos y silbidos. Ver también COLIRROJO.

Charla de pecho amarillo (*Icteria virens*).

© ENCYCLOPÆDIA BRITANNICA, INC.

Charleroi Ciudad (pob., est. 2000: 200.800 hab.) del sudoeste de Bélgica. Luego del tratado de los Pirineos (1659), por el cual España recibió territorio francés, decretó en 1666 que se construyera en el lugar, sitio de un poblado medieval, un nuevo fuerte, y le dieron el nombre de Carlos II. Entre los s. XVII y XIX tuvo una importancia estratégica y fue controlada por Francia, España, Austria y Holanda. Aunque la fortaleza fue desmantelada a fines del s. XIX, la zona mantuvo su importancia estratégica; fue escenario de una de las primeras batallas de la segunda guerra mundial.

Charles Leonard, Ray ver Sugar Ray LEONARD

Charles, Ray *orig.* **Ray Charles Robinson** (23 sep. 1930, Albany, Ga., EE.UU.–10 jun. 2004, Beverly Hills, Cal.). Pianista y cantautor estadounidense. Su familia se mudó a Greenville, Fla., donde a los cinco años de edad comenzó su carrera en un café del vecindario. A los siete perdió completamente la vista y aprendió a escribir partituras en el sistema Braille. Huérfano a los 15 años, dejó la escuela para tocar en forma profesional. Entre 1952 y 1953 grabó "Mess Around" e "It Should've Been Me", y su arreglo de "The Things That I Used to Do" para Guitar Slim se convirtió en un éxito de ventas. Al combinar las influencias del BLUES y de la música GOSPEL, con su voz áspera característica y un fraseo suave, Charles triunfó con los éxitos "What'd I Say", "Georgia on My Mind" y "Hit the Road, Jack". Su álbum *Modern Sounds in Country and Western Music* (1962) vendió más de un millón de copias, algo desusado para un músico afroamericano. Recibió 13 premios Grammy y un galardón por una vida exitosa en 1987. En 1986, Charles fue incorporado al Salón de la Fama del rock and roll.

Charles, río Río en el este del estado de Massachusetts, EE.UU. Es el más largo de los cursos fluviales que discurren por completo en el estado y desagua en la bahía de Boston después de recorrer alrededor de 130 km (80 mi). Navegable en unos 11 km (7 mi), su estuario separa las ciudades de BOSTON y CAMBRIDGE.

charlestón Danza social de jazz que estuvo de moda en la década de 1920 y posteriores, caracterizada por el paso de torsión de las puntas de los pies y las rodillas hacia adentro y los talones hacia fuera. Se originó como un baile folclórico afroamericano del sur de EE.UU.; tenía semejanzas con bailes de Trinidad, Nigeria y Ghana. En 1923 se popularizó al figurar en el musical afroamericano *Runnin' Wild* y adoptó el nombre de una de las canciones que JAMES P. JOHNSON escribió para dicho espectáculo.

Charleston Ciudad (pob., 2000: 53.421 hab.), capital del estado de Virginia Occidental, EE.UU. Ubicada en los montes ALLEGHENY en la confluencia de los ríos Elk y Kanawha. Sus colonos se establecieron alrededor de Fort Lee poco después de la guerra de independencia de los ESTADOS UNIDOS DE AMÉRICA. DANIEL BOONE vivió en ella por un tiempo. Con su lealtad dividida durante la guerra de SECESIÓN, las tropas de la Unión la ocuparon en 1862. Fue nombrada capital del estado en 1870; por breve tiempo Wheeling pasó a ser la capital, pero Charleston recuperó el papel en 1885. Es un centro de distribución de carbón, petróleo y gas, así como también de fabricación de productos químicos, entre otros. Su capitolio (terminado en 1932) fue diseñado por CASS GILBERT.

Charleston Ciudad portuaria (pob., 2000: 96.650 hab.), en el sudeste del estado de Carolina del Sur, EE.UU. Originalmente denominada Charles Towne, fue fundada por colonos ingleses en 1670. Durante la guerra de independencia de los ESTADOS UNIDOS DE AMÉRICA estuvo bajo dominio británico (1780–82). Se conoce como Charleston desde 1783 y fue el puerto de invierno más importante de EE.UU. hasta la guerra ANGLO-ESTADOUNIDENSE (1812). En 1861, la captura de FORT SUMTER en el puerto de Charleston por los confederados precipitó la guerra de SECESIÓN. Bloqueada por las fuerzas de la Unión, permaneció sitiada (1863–65) para ser luego evacuada por las fuerzas del gral. WILLIAM SHERMAN. Sufrió grandes daños a causa de un terremoto en 1886 y un huracán en 1989. Es la sede del College of Charleston (1770), The CITADEL (1842) y el museo de Charleston (1773), el más antiguo de EE.UU.

Charlotte Ciudad (pob., 2000: 540.828 hab.), en el estado de Carolina del Norte, EE.UU. Es la metrópolis más grande de ambas Carolinas y se ubica cerca del río CATAWBA, 24 km (15 mi) al norte del estado de Carolina del Sur. Fue colonizada c. 1748 y recibió su nombre en honor a Charlotte Sophia de

Mecklemburgo-Strelitz (posteriormente esposa de JORGE III). Durante la guerra de independencia de los ESTADOS UNIDOS DE AMÉRICA fue ocupada por Lord CORNWALLIS, quien la apodó "the hornet's nest" (lugar donde se arma revuelo). Hasta la FIEBRE DEL ORO de California que comenzó en 1848, fue el centro de la producción aurífera de EE.UU. Durante la guerra de SECESIÓN se instaló en la ciudad un astillero naval de la Confederación. Los presidentes ANDREW JACKSON y JAMES POLK nacieron en un lugar cercano y cursaron sus primeros años escolares allí. Entre sus productos industriales se cuentan los artículos textiles, maquinaria y agentes químicos. Es además sede de varias instituciones de educación superior.

Charlotte *orig.* **Charlotte Sophia de Mecklemburgo-Strelitz** (19 may. 1744–17 nov. 1818). Reina consorte de JORGE III de Inglaterra. En 1761 fue escogida como futura esposa sin ser vista personalmente, después de que el rey británico pidió examinar a todas las posibles candidatas entre las princesas alemanas protestantes. El matrimonio fue un éxito y la pareja tuvo 15 hijos, entre ellos JORGE IV. Cuando el rey fue declarado demente (1811), el parlamento puso sus esperanzas en el futuro Jorge IV, mientras que a ella se le encomendó el cuidado de su esposo.

Charlotte Harbor Ensenada del golfo de MÉXICO, en la costa occidental del estado de Florida, EE.UU. Mide aprox. 40 km (25 mi) de largo por 8 km (5 mi) de ancho. Recibe al río Peace por el nordeste y un canal dragado es utilizado por el puerto de Punta Gorda. En 1521 JUAN PONCE DE LEÓN intentó establecer una colonia en la zona, pero fue rechazado por indios hostiles.

Charlottesville Ciudad (pob., 2000: 45.049 hab.), en el centro del estado de Virginia, EE.UU. Ubicada a los pies de las montañas BLUE RIDGE y colonizada en la década de 1730, se convirtió en centro de comercialización de tabaco y posteriormente adquirió celebridad como lugar de residencia de los presidentes THOMAS JEFFERSON y JAMES MONROE. En 1781, los británicos asaltaron Charlottesville con la esperanza de capturar a Jefferson y otros dirigentes de la guerra de independencia de los ESTADOS UNIDOS DE AMÉRICA. Entre los sitios de interés destacan la casa de Jefferson, MONTICELLO; la casa de Monroe, Ash Lawn, y la Universidad de VIRGINIA.

Charlottetown, conferencia de Primera de una serie de reuniones celebradas en 1864 que condujeron a la formación del Dominio de Canadá, en 1867. El objetivo original de la conferencia, que tuvo lugar en Charlottetown, isla del Príncipe Eduardo, fue debatir la unión de las tres Provincias Marítimas. Los asistentes no lograron llegar a un acuerdo, pero volvieron a reunirse en Halifax y posteriormente en Quebec, donde se redactó una constitución para una unión federal, que condujo al BRITISH NORTH AMERICA ACT (ley para la América del Norte británica).

Charolais Raza de GANADO BOVINO, grande y de color claro, desarrollada en Francia como animal de tiro, pero destinada ahora a la producción de carne y usada para hibridación. El ganado bovino blanco ha sido desde mucho tiempo característico de la región gala del Charolais, pero la raza se reconoció por primera vez c. 1775. Un Charolais típico es corpulento, cornudo y de color crema o levemente más oscuro. En 1936 se llevó por primera vez a EE.UU. procedente de una manada mexicana, pero a causa de problemas con enfermedades en el ganado francés, hubo poca importación posterior. Es un híbrido de razas cárnica y lechera.

Charpentier, Marc-Antoine (1634, París, Francia–24 feb. 1704, París). Compositor francés. En la década de 1660 estudió con GIACOMO CARISSIMI en Roma. De regreso en París, sucedió a JEAN-BAPTISTE LULLY como director musical de la compañía teatral de MOLIÈRE (la futura COMÉDIE-FRANÇAISE). Fue director musical de la principal iglesia jesuita en París y durante sus últimos seis años de vida desempeñó el prestigioso cargo de maestro de capilla de la Sainte-Chapelle. Muy prolífico, fue el compositor francés más importante de su generación. Escribió 11 misas, 84 salmos y 207 motetes, entre ellos 35 motetes dramáticos u oratorios en latín, género que introdujo en Francia. Entre sus obras figuran el oratorio *El juicio de Salomón* (1702), la misa *Assumpta est Maria* y las óperas *Medea* (1693) y *David y Jonatán* (1688).

charrán ver GAVIOTÍN ÁRTICO

Charte Constitutionnelle ver CARTA DE 1814

Chartres Ciudad (pob., 1999: 40.361 hab.) del noroeste de Francia. Situada a orillas del río EURE al sudoeste de PARÍS, fue la capital y centro de culto druídico de los carnutos, tribu celta. En 858 los normandos atacaron e incendiaron la ciudad. Durante la Edad Media fue dominada por los condes de Blois y CHAMPAÑA. En 1286 la ciudad fue vendida a Francia y entre 1417 y 1432 fue ocupada por los ingleses. En 1594 ENRIQUE IV fue coronado rey en Chartres. En 1870 fue ocupada por los alemanes y resultó seriamente dañada en la segunda guerra mundial. Entre los monumentos notables se encuentra la catedral de CHARTRES, construcción gótica.

Chartres, catedral de Catedral de Nuestra Señora en la ciudad de Chartres, Francia, uno de los ejemplos más notables y paradigmáticos del apogeo de la arquitectura GÓTICA. La parte principal de esta gran catedral fue construida entre 1194 y 1220, reemplazando a una iglesia del s. XII de la cual sólo se mantuvo la CRIPTA, la base de las torres y la fachada occidental. La eliminación de la tradicional GALERÍA con tribunas y el uso de un tipo exclusivo de ARBOTANTE hicieron posible un TRIFORIO de mayores proporciones. Sus extraordinarios vitrales y la mampara renacentista de su coro contribuyen a la belleza de su interior.

Catedral gótica de Chartres, Francia.
EVERETT C. JOHNSON–DEWYS INC.

Chase Manhattan Corp. Ex SOCIEDAD DE CARTERA estadounidense constituida en 1969, cuya principal subsidiaria es el Chase Manhattan Bank. El banco propiamente tal fue creado en 1955 tras la fusión del Bank of Manhattan Co. (fundado en 1799) con el Chase National Bank (fundado en 1877). La creación del Chase Manhattan obedeció a una tendencia general de la banca estadounidense a establecer sociedades de cartera que pudieran albergar en forma conjunta a bancos y a instituciones financieras, generalmente consideradas por las leyes de la época como excluidas del sector bancario. En 1996, la compañía se fusionó con la CHEMICAL BANKING CORP., dueña, a la sazón, del segundo banco más grande del país, pero conservó el nombre de Chase Manhattan. Una fusión posterior con el banco de inversiones J.P. Morgan & Co en 2000 dio origen a la J.P. MORGAN CHASE & CO. Ver también DAVID ROCKEFELLER.

Chase, Salmon P(ortland) (13 ene. 1808, Cornish Township, N.H., EE.UU.–7 may. 1873, Nueva York, N.Y.). Dirigente antiesclavista estadounidense y sexto presidente de la Corte Suprema de EE.UU. (1864–73). Ejerció como abogado en Cincinnati a partir de 1830, donde defendió a esclavos prófugos y a abolicionistas blancos. Desde 1841 dirigió el Partido de la Libertad, en Ohio, y colaboró en la fundación del PARTIDO FREE SOIL (1848) y del PARTIDO REPUBLICANO (1854). Se desempeñó en el Senado (1849–55, 1860–61) y fue el primer gobernador republicano de Ohio (1855–59). Ocupó el cargo de secretario del tesoro durante el gobierno de ABRAHAM LINCOLN (1861–64). Nombrado presidente de la Corte Suprema de los ESTADOS UNIDOS DE AMÉRICA, encabezó el juicio político contra el pdte. ANDREW JOHNSON y procuró evitar violaciones a los derechos civiles de los negros.

Chase, Samuel (17 abr. 1741, Princess Anne, Md., EE.UU.–19 jun. 1811, Washington, D.C.). Jurista estadounidense. Fue miembro de la asamblea de Maryland (1764–84). Ardiente patriota, ayudó a dirigir a los Hijos de la libertad en su violenta resistencia contra la ley del TIMBRE. Se desempeñó en el COMITÉ DE CORRESPONDENCIA (1774), fue elegido al Congreso CONTINENTAL, y firmó la Declaración de INDEPENDENCIA. Cuando ALEXANDER HAMILTON puso en evidencia su intento de monopolizar el mercado de la harina (1778), Chase se retiró del congreso, sólo para regresar en 1784. Se desempeñó como juez supremo del Tribunal General de Maryland desde 1791 a 1796, cuando el pdte. GEORGE WASHINGTON lo nombró para la Corte Suprema de los ESTADOS UNIDOS DE AMÉRICA. Chase apoyó la primacía de los tratados internacionales de EE.UU. por sobre los estatutos de los estados en el caso Ware v. Hylton. En el caso Calder v. Bull (1798), contribuyó a la definición de DEBIDO PROCESO. Por instigación del pdte. THOMAS JEFFERSON, Chase fue acusado de conducta partidista en 1804. Su absolución estableció el principio de que los jueces federales sólo pueden ser removidos por actos delictivos procesables, fortaleciendo de esa manera la independencia de la judicatura. Chase sirvió en la corte hasta 1811.

Chase, William Merritt (1 nov. 1849, Williamsburg, Ind., EE.UU.–25 oct. 1916, Nueva York, N.Y). Pintor y profesor estadounidense. Estudió en Nueva York, y luego, durante seis años en Munich. Llegó a ser el profesor de arte estadounidense más importante de su generación, primero en el Art Students League de Nueva York, y después en su propia escuela, fundada en 1896. Sus enseñanzas, en las que promovió en especial el uso de los colores frescos y las técnicas atrevidas, influenciaron fuertemente el curso de la pintura estadounidense de principios del s. XX. Entre sus alumnos figuran GEORGIA O'KEEFFE y CHARLES DEMUTH. Como pintor fue muy prolífico; sus 2.000 pinturas incluyen retratos, interiores (p. ej., *En el taller*, 1880–83), estudios de figuras, naturalezas muertas y paisajes caracterizados por una pincelada audaz y espontánea.

"En el taller", óleo sobre tela de William Merritt Chase, 1880–83; The Brooklyn Museum, Nueva York.

GENTILEZA DE THE BROOKLYN MUSEUM, NUEVA YORK, DONACIÓN DE LA SEÑORA CARLL H. DESILVER

chat Conversación en tiempo real entre usuarios de computadoras en un ambiente de red como INTERNET. Después de que un usuario escribe un mensaje de texto y presiona la tecla "enter", el texto aparece inmediatamente en la computadora del otro usuario, lo que permite conversaciones por escrito que a menudo son sólo un poco más lentas que la conversación normal. Una conversación puede ser privada (entre dos usuarios) o pública (donde otros usuarios pueden ver los mensajes y participar si lo desean). Las conversaciones públicas se llevan a cabo en un "salón de conversación", sitios web dedicados a conversaciones, en general acerca de un tema específico. Los miles de salones de conversación disponibles hoy usan comúnmente el PROTOCOLO IRC (sigla en inglés de *Internet Relay Chat*: transmisión de charla por internet), desarrollado en 1988 por Jarkko Oikarinen, de Finlandia. Ver también BBS.

chatarra METALES usados que son una fuente importante de metales y ALEACIONES industriales, particularmente en la producción de acero, cobre, plomo, aluminio y cinc. También se recuperan de la chatarra cantidades menores de estaño, níquel, magnesio y metales preciosos. Las impurezas de la chatarra, compuestas de materiales orgánicos como madera, plástico, pintura y tela, pueden removerse quemándolas. La chatarra se suele mezclar y refundir para producir aleaciones similares o incluso más complejas que las que le dieron origen. Ver también RECICLADO.

Chateaubriand, (François-Auguste-) René, vizconde de (4 sep. 1768, Saint-Malo, Francia–4 jul. 1848, París). Escritor y estadista francés. Mientras se desempeñaba como oficial de caballería en los comienzos de la Revolución francesa, rehusó unirse a los realistas y se embarcó rumbo a EE.UU., donde se dedicó a viajar con los comerciantes de pieles. Con la caída de Luis XVI regresó para integrarse al ejército realista. *Atala* (1801), parte de una epopeya inacabada, da cuenta de sus viajes por EE.UU. *El genio del cristianismo* (1802), obra en la cual reivindica el valor del cristianismo sobre la base de su atractivo poético y artístico, influyó sobre varios escritores románticos y en poco tiempo le significó el favor de Napoleón I. Con la Restauración en 1814, se transformó en una figura política de importancia. Otras obras comprenden la novela *René* (1805) y sus memorias (6 vol., 1849–50), quizá su legado más duradero. Fue el más grande escritor francés de su tiempo.

Chateaubriand, pintura al óleo de Girodet-Trioson; Museo Nacional de Versalles y de Trianón, Francia.

CLICHÉ MUSÉES NATIONAUX

Châteauguay, batalla de (26 oct. 1813). Acción bélica que tuvo lugar durante la guerra ANGLO-ESTADOUNIDENSE, en la cual los ingleses obligaron a una fuerza estadounidense a desistir de un ataque a Montreal. Soldados británicos (en su mayoría francocanadienses), que ocuparon los bosques en las márgenes del río San Lorenzo, detuvieron en Châteauguay, Quebec, a una unidad de avanzada compuesta por 1.500 hombres de una fuerza estadounidense invasora de unos 4.000 efectivos al mando de WADE HAMPTON. Tras la batalla, las tropas de EE.UU. se retiraron de Canadá.

Chatham, estrecho de Paso angosto del Pacífico norte. Se extiende 240 km (150 mi) hacia el sudeste de Alaska entre las islas del ALMIRANTAZGO y Kuiu por el este y las islas Chicagof y Baranof por el oeste. Tiene 5–16 km (3–10 mi) de ancho. Forma parte del INSIDE PASSAGE (paso interior) entre los estados de Alaska y Washington.

chatria *o* **ksatriya** En la India hinduista, la segunda en jerarquía de las cuatro VARNAS o clases sociales, tradicionalmente la clase militar o gobernante. En tiempos antiguos, antes de que el sistema de CASTAS estuviese completamente definido, eran considerados los primeros en rango, ubicados sobre los BRAHMANES o la clase sacerdotal. La leyenda de que fueron degradados por una encarnación de VISNÚ, como castigo por su tiranía, reflejaría una lucha histórica por la supremacía entre sacerdotes y gobernantes. En tiempos modernos, la clase chatria comprende miembros de varias castas, unidos por su estatus en el gobierno, en las fuerzas armadas o como terratenientes.

Chattahoochee, río Río del sudeste de EE.UU. Nace en la parte nororiental del estado de Georgia, corre hacia el sudoeste en dirección a la frontera con el estado de Alabama y luego hacia el sur, dando forma a un sector de los límites de

Alabama-Georgia y Georgia-Florida, para unirse al río Flint en Chattahoochee, Fla., después de un curso aprox. de 702 km (436 mi). Contenido por un embalse en el límite de los estados de Georgia y Florida, forma el lago Seminole; más al sur, el río recibe el nombre de Apalachicola.

Chattanooga Ciudad (pob., 2000: 155.554 hab.) y puerto de entrada en el sudeste del estado de Tennessee, EE.UU. Se ubica junto al río TENNESSEE entre Missionary Ridge por el este y Lookout Mountain por el sudoeste. Se estableció como puesto comercial (Ross's Landing) en 1815. Cambió de nombre a Chattanooga en 1838 y creció como puerto fluvial. Punto de comunicaciones estratégico de la Confederación durante la guerra de SECESIÓN, fue uno de los principales objetivos de los ejércitos de la Unión y estas escaramuzas culminaron con las batallas de CHICKAMAUGA y CHATTANOOGA (1863).

Chattanooga, batalla de (23–25 nov. 1863). Combate decisivo de la guerra de SECESIÓN. La batalla tuvo lugar en Chattanooga, Tenn., un empalme ferroviario de vital importancia. En septiembre de 1863 un ejército confederado al mando de BRAXTON BRAGG sitió a un ejército de la Unión y, para poner fin al sitio, soldados unionistas comandados por ULYSSES S. GRANT marcharon sobre las tropas de Bragg. Tras las batallas de Lookout Mountain y Missionary Ridge, las tropas de la Unión obligaron al ejército de la Confederación a retirarse. Esta victoria dejó al Norte en condiciones de dividir horizontalmente el Sur con una marcha que cruzaría Georgia hasta llegar al mar. Ver también batalla de CHICKAMAUGA.

Chatterjee, Bankim Chandra *orig.* **Bankim Chandra Cattopadhyay** (26/27 jun. 1838, cerca de Naihati, Bengala, India–8 abr. 1894, Calcuta). Novelista indio. Chatterjee se educó en Calcuta (ahora Kolkata) y se desempeñó durante varios años como juez de causas menores en el servicio civil. Su primera gran obra bengalí fue *Daughter of the Lord of the Fort* [La hija del señor del fuerte] (1865). Un hito en la historia de la prensa escrita india es el periódico de su propiedad, *Bangadarsan*, donde publicó por entregas algunas de sus últimas novelas. Aunque sus obras fueron criticadas por sus deficiencias estructurales, sus contemporáneos lo vieron como un profeta, y sus valientes héroes hindúes despertaron gran orgullo y patriotismo. Ayudó a crear la tradición novelística en India y a consagrar la prosa bengalí como lengua literaria. Chatterjee es considerado el más grande novelista bengalí.

Chatterton, Thomas (20 nov. 1752, Bristol, Gloucestershire, Inglaterra–24 ago. 1770, Londres). Poeta inglés. A los 11 años, Chatterton escribió una égloga pastoril en un viejo pergamino y logró hacerla pasar por una obra del s. XV. A partir de entonces, escribió más poemas de similar estilo, atribuyéndoselos a un monje ficticio al cual llamaba Thomas Rowley. Después de una falsa amenaza de suicidio, que lo liberó de ser aprendiz de un abogado, se trasladó a Londres. Allí obtuvo cierto éxito con una ópera cómica, *The Revenge* [La revancha]; sin embargo, cuando falleció el que posiblemente iba a ser su protector, se encontró sin dinero y sin futuro, debido a lo cual se suicidó a los 17 años. Considerado uno de los precursores del ROMANTICISMO, fue admirado por poetas como SAMUEL TAYLOR COLERIDGE, JOHN KEATS, Lord BYRON y WILLIAM WORDSWORTH.

Chattisgarh Estado (pob., est. 2001: 20.795.956 hab.) en India central. Limita con los estados de MADHYA PRADESH, UTTAR PRADESH, JHARKHAND, ORISSA, ANDHRA PRADESH y MAHARASHTRA y ocupa una superficie de 135.194 km^2 (52.199 mi^2); su capital es Raipur. La llanura de Chattisgarh cubre gran parte del estado, y el terreno se hace más accidentado hacia el norte y el oeste. El área que hoy ocupa Chattisgarh era la zona oriental del estado de Madhya Pradesh antes de que se la convirtiera en un nuevo estado en 2000. Es rico en yacimientos minerales, pero la agricultura es la actividad principal de la población.

Chaucer, Geoffrey (c. 1342–43, ¿Londres?, Inglaterra–25 oct. 1400, Londres). Poeta inglés. Nacido en una familia de clase media, fue cortesano, diplomático, funcionario civil y poeta de vocación. Gozó del favor real de tres monarcas durante su activa y variada carrera. Dedicó a la duquesa de Lancaster su primer poema importante, *Libro de la duquesa* (1369–70), una elegía en que se describe una visión onírica. En la década de 1380 produjo obras de mayor madurez, entre ellas *El parlamento de las aves*, una visión onírica con ocasión del día de San Valentín, donde relata una asamblea de aves en que estas eligen a sus parejas; el magnífico romance trágico en verso *Troilo y Criseida*, y la visión onírica *La leyenda de las mujeres virtuosas* (sin terminar). Su obra más conocida, *Cuentos de Canterbury* (escrita entre 1387 y 1400), que no llegó a terminar, es una intrincada narración conversacional que cuenta lo que dialogan varios peregrinos que se dirigen al santuario de santo TOMÁS BECKET, en Canterbury, como recurso para enmarcar un gran número de historias; no sólo es una de las obras literarias más famosas del medievo inglés, sino también una de las grandes creaciones de la literatura inglesa. En esta y otras obras, Chaucer estableció el dialecto del inglés medio como la lengua literaria de Inglaterra. Es considerado el primer gran poeta inglés.

Chaumette, Pierre-Gaspard (24 may. 1763, Nevers, Francia–13 abr. 1794, París). Líder revolucionario francés. En 1791 firmó la petición que exigía la abdicación de LUIS XVI. Como procurador general de la comuna de PARÍS desde 1792, estableció reformas sociales como el mejoramiento de las condiciones hospitalarias. Encarnizado anticatólico y misógino, fomentó el culto anticristiano de la diosa Razón y prohibió la participación de mujeres en las manifestaciones políticas. Fue ejecutado durante el régimen de el TERROR debido a su extremismo democrático.

Pierre-Gaspard Chaumette, grabado de F.-B. Lorieux según un retrato de F. Bonneville.
GENTILEZA DE LA BIBLIOTHÈQUE NATIONALE, PARÍS

Chaumont, tratado de (1814). Tratado firmado por Austria, Prusia, Rusia y Gran Bretaña que estableció una alianza para derrotar a NAPOLEÓN I. El secretario de asuntos exteriores británico, vizconde CASTLEREAGH, cumplió un papel protagónico en la negociación del tratado, por medio del cual los firmantes se comprometieron a no negociar por separado y prometieron continuar la lucha hasta que Napoleón fuese depuesto. El tratado estrechó la unidad de los aliados y sentó las bases para un acuerdo perdurable en Europa.

Chauncy, Charles (1 ene. 1705, Boston, Mass., EE.UU.–10 feb. 1787, Boston, Mass.). Clérigo estadounidense. Fue ministro de la Primera Iglesia de Boston desde 1727 hasta su muerte. Se opuso al establecimiento de un obispado anglicano en las colonias americanas y se hizo célebre como importante crítico del GRAN DESPERTAR. También escribió libros, panfletos y sermones en defensa de la guerra de independencia de los ESTADOS UNIDOS DE AMÉRICA.

Chausson, (Amédée-) Ernest (21 ene. 1855, París, Francia–10 jun. 1899, Limay). Compositor francés. Estudió con JULES MASSENET y CÉSAR FRANCK. Gracias a su holgada situación económica mantuvo un importante salón artístico en París y no tuvo necesidad de un empleo estable. Sus obras más importantes son el ciclo de canciones para orquesta *Poema del amor y del mar* (1893), la música incidental para *La leyenda de santa Cecilia* (1891), una sinfonía (1890), la ópera *El rey Arturo*

(1895) y *Poema*, para violín y orquesta (1896). Falleció en un accidente de bicicleta.

Chautauqua, movimiento de Popular movimiento educativo y cultural estadounidense fundado en 1874. Se inició como una asamblea de preparación dominical para profesores en Chautauqua Lake, N.Y. Se extendió en forma gradual a varios círculos "chautauquas", y amplió su radio de acción para abarcar educación general y entretenimientos o espectáculos populares, muchos de los cuales incorporaban temas religiosos. Se invitaba a oradores de renombre para dictar charlas y cursos de verano. En 1924, el movimiento declinó luego de alcanzar su máximo apogeo (a pesar de que la institución Chautauqua aún celebra reuniones), pero su legado contribuyó al crecimiento de los JUNIOR COLLEGES (colegios universitarios con programas de estudio de dos años) y los programas de EDUCACIÓN CONTINUA. Ver también movimiento LYCEUM.

Chautemps, Camille (1 feb. 1885, París, Francia–1 jul. 1963, Washington, D.C., EE.UU.). Político francés. Socialista radical, fue elegido diputado en 1919. Desempeñó varios cargos ministeriales y fue primer ministro de Francia en 1930, 1933–34 y 1937–38. Como miembro del gabinete en 1940, fue uno de los primeros que sugirió la rendición de Francia ante la Alemania nazi. Estuvo a cargo de un ministerio en el gobierno de Vichy (ver Francia de VICHY), pero rompió con el gobierno de PHILLIPE PÉTAIN después de llegar a EE.UU. en una misión oficial. Vivió en este país gran parte del resto de su vida. Después de finalizada la segunda guerra mundial, un tribunal francés lo condenó en ausencia por colaborar con el enemigo.

chaveta (sujetador) En ingeniería mecánica y civil, clavija o barra diseñadas para sujetar entre sí componentes estructurales y de máquinas o para mantenerlos alineados. Las clavijas de centrado se usan para mantener la alineación de los componentes de máquinas, a veces sin hacer una unión rígida (como en una viga de celosía articulada). Las chavetas cónicas se emplean para fijar el cubo de un engranaje o de una polea a un eje. Las chavetas hendidas impiden que las tuercas giren en los pernos y así mantienen en su lugar a los pasadores que no están ajustados. El pasador de horquilla tiene un reborde en un extremo y se mantiene en su sitio mediante una chaveta hendida inserta a través de un agujero en el otro extremo. Se utilizan muchos otros tipos de chavetas en diversas máquinas.

Chávez, César (Estrada) (31 mar. 1927, Yuma, Ariz., EE.UU.–23 abr. 1993, San Luis, Ariz.). Organizador y líder estadounidense de los obreros agrícolas inmigrantes. Hijo de jornaleros inmigrantes mexicano-estadounidenses, pasó sus primeros años en varios campos para inmigrantes y sólo asistió a la escuela en forma esporádica. Estuvo dos años en la marina y a su regreso, volvió al trabajo campesino de los inmigrantes. En 1962 empezó a organizar a los trabajadores agrícolas, en su mayoría de origen hispano, de Arizona y California. Figura carismática, logró, a través de huelgas y boicots nacionales, que los productores de uva y lechuga de California reconocieran su sindicato y extendieran contratos laborales. Afilió su sindicato a la AFL-CIO, el que se transformó en 1971 en la Unión de trabajadores agrícolas de América (inglés UFW). En la década de 1970 luchó exitosamente contra el sindicato de transportistas por el derecho a organizar la mano de obra campesina. No obstante, fue perdiendo liderazgo en los años siguientes y la importancia de la UFW decayó. En reconocimiento a su activismo no violento y al apoyo otorgado a los trabajadores, Chávez fue premiado en forma póstuma en 1994 con la Medalla Presidencial de la Libertad.

Chávez (y Ramírez), Carlos (Antonio de Padua) (13 jun. 1899, Ciudad de México, México–2 ago. 1978, Ciudad de México). Compositor y director de orquesta mexicano. Formado como pianista, fue en gran medida un compositor autodidacta. En 1928, cuando se creó la primera orquesta sinfónica permanente de México, se desempeñó como su director. Ocupó ese puesto por 20 años, período en el que realizó numerosas giras y dirigió varios estrenos. Como director del conservatorio nacional (1928–34) reformó el currículo y organizó varias series de conciertos. Fue el músico mexicano más prominente y condecorado del s. XX. Entre sus obras, notables por su vitalidad rítmica y color orquestal, figuran siete sinfonías, entre ellas la *Sinfonía de Antígona* (1933) y la *Sinfonía india* (1936), ambas obras en un solo movimiento basadas en temas indígenas mexicanos; el *Concierto Nº 1 para piano y orquesta* (1940), altamente percuciente, y *Xochipilli Macuilxochitl* (1940) para orquesta con instrumentos indígenas.

Chavín de Huántar Yacimiento arqueológico en el centro-oeste del Perú. Las ruinas pertenecen a la cultura precolombina Chavín, que prosperó c. 900–200 AC. El edificio central es un masivo complejo de templos construido con bloques de piedra rectangulares; tiene galerías interiores e incorpora tallados en bajorrelieve en los pilares y dinteles.

Ruinas del yacimiento arqueológico precolombino Chavín de Huántar, Perú. FOTOBANCO

Chayefsky, Paddy *orig.* **Sidney Stychevsky** (29 ene. 1923, Nueva York, N.Y., EE.UU.–1 ago. 1981, Nueva York). Dramaturgo estadounidense. Escribió su primera obra dramática para televisión en 1952, y su trabajo fue un prominente aporte a los comienzos de la serie dramática. Conocido por retratar la vida de personas comunes, obtuvo su mayor éxito televisivo y cinematográfico con *Marty* (1955, premio de la Academia); *Banquete de bodas* (1956) y *La noche de los maridos* (1957) también fueron bien recibidas. Entre sus obras teatrales se destacan *El décimo hombre* (1959), *Gideon* (1961) y *The Latent Heterosexual* (1968). Con *Anatomía de un hospital* (1971, premio de la Academia) y *Network* (1976, premio de la Academia) retomó su carrera de guionista.

chayote Enredadera perenne con zarcillos (*Sechium edule*) de la familia de las CUCURBITÁCEAS, originaria de los trópicos del Nuevo Mundo, donde se siembra extensamente por sus frutos comestibles. También se cultiva como planta anual en climas templados. La enredadera, de rápido crecimiento, da florecillas blancas y frutos verdes o blancos piriformes con surcos. Cada fruto tiene una semilla. Los frutos se comen cocidos o crudos y los tubérculos radiculares tiernos se preparan como las patatas.

CHECA, REPÚBLICA

- **Superficie:** 78.866 km² (30.450 mi²)
- **Población:** 10.235.000 hab. (est. 2005)
- **Capital:** PRAGA
- **Moneda:** corona checa

Checa, República *ant. (1918–92, con Eslovaquia)* **Checoslovaquia** País de Europa central. Los checos constituyen el 90% de la población; los eslovacos son la principal minoría. Idioma: checo (oficial). Religiones: catolicismo y protestantismo. El país, sin salida al mar, está dominado por el macizo bohemio, un anillo de montañas que se eleva a 900 m (3.000 pies) y circunda la meseta de Bohemia. El valle del río MORAVA, conocido como el corredor moravo, separa el macizo bohemio de los CÁRPATOS. La principal característica del paisaje checo son sus bosques; la mayoría de sus regiones tienen un clima oceánico moderado. La economía ha sido privatizada a partir del colapso comunista y en la actualidad está principalmente orientada hacia el mercado. La República Checa es una república pluripartidista bicameral; el jefe de Estado es el presidente y el jefe de Gobierno, el primer ministro. Hasta 1918 su historia corresponde principalmente a la de BOHEMIA. Ese año nació la república independiente de Checoslovaquia a partir de la unión de Bohemia y MORAVIA con ESLOVAQUIA. Checoslovaquia cayó bajo el dominio de la Unión Soviética tras la segunda guerra mundial, y entre 1948 y 1989 fue controlada por gobiernos comunistas. Su creciente liberalización política fue sofocada por una invasión soviética en 1968 (ver primavera de PRAGA). Tras la caída del gobierno comunista en 1989–90, surgieron sentimientos separatistas entre los eslovacos, y en 1992 checos y eslovacos acordaron terminar con el estado federal. El 1 de enero de 1993, Checoslovaquia se disolvió pacíficamente y fue reemplazada por dos nuevos países, la República Checa (incluida la región de Moravia) y Eslovaquia. En 1999 ingresó a la OTAN y en 2004 fue admitida en la UNIÓN EUROPEA.

Vista de Praga, capital de la República Checa, atravesada por el río Moldava.
FOTOBANCO

Chechenia República de la región sudoccidental de Rusia. Fue parte de la república autónoma de Chechenia-Ingushetia en la ex U.R.S.S. En 1992 se transformó en una república al interior de Rusia, al igual que Ingushetia. Su población está compuesta principalmente por chechenos, grupo de mayoría musulmana. En 1992 demandó su independencia de Rusia, hecho que desencadenó la invasión de tropas rusas en 1993–94. Los combates provocaron una grave devastación de la región. En 1996 se alcanzó un acuerdo de cese del fuego, pero la guerra se reanudó en 1999. La capital, Grozni (pob., est. 1999: 186.000 hab.), importante centro petrolero con oleoductos a los mares Caspio y Negro, resultó dañada seriamente en ambos períodos del conflicto.

Che-chiang ver ZHEJIANG

checo *ant.* **bohemio** Lengua ESLAVA occidental hablada por unos 12 millones de personas en las regiones históricas de Bohemia, Moravia y el sudoeste de Silesia, todas hoy pertenecientes a la República Checa, y comunidades de emigrantes, incluido posiblemente un millón de hablantes en América del Norte. Los primeros textos en checo antiguo datan de fines del s. XIII. El sistema ortográfico característico del checo, que agrega diacríticos a las letras del alfabeto LATINO para representar consonantes que no existían en latín y para marcar longitud vocálica, fue introducido a comienzos del s. XV, vinculado con el reformador religioso JAN HUS. Más tarde, este sistema fue adoptado por otras lenguas eslavas que emplean el alfabeto latino, como el ESLOVACO, el ESLOVENO y el croata (ver lenguas SERBOCROATAS). Cuando el checo resurgió como lengua literaria a comienzos del s. XIX, JOSEF DOBROVSKÝ basó en gran medida su codificación de la lengua en las normas del checo del s. XVI, ejemplificado en la Biblia de Kralice (1579–93), una fehaciente traducción. De esta decisión surgió la inmensa brecha existente entre el checo estándar, la lengua literaria y el checo común, que es la lengua que se habla.

Cheever, John (27 may. 1912, Quincy, Mass., EE.UU.–18 jun. 1982, Ossining, N.Y.). Cuentista y novelista estadounidense. Cheever vivió gran parte de su vida en el sur de Connecticut. Sus cuentos aparecieron principalmente en *The New Yorker*. Su prosa clara y elegante narra el drama y la tristeza de la vida en los cómodos suburbios de EE.UU. y recurre a menudo al género del cuento fantástico y la comedia irónica. Se lo ha llamado el Chéjov de los suburbios. Sus antologías comprenden *La monstruosa radio* (1953), *El brigadier* (1964) y *Relatos de John Cheever* (1978, Premio Pulitzer). Entre sus novelas se destacan *Crónica de los Wapshot* (1957), *El escándalo Wapshot* (1964) y *Falconer* (1977). Sus reveladores diarios se publicaron en 1991. Dos de sus hijos, Susan y Benjamin, también son escritores.

Chéjov, Antón (Pávlovich) (29 ene. 1860, Taganrog, Rusia–14/15 jul. 1904, Badenweiler, Alemania). Dramaturgo y escritor de relatos ruso. Hijo de un ex siervo, mientras estudiaba medicina en Moscú, escribió historietas cómicas para mantener a su familia. Cuando se desempeñaba como médico estrenó su primera obra, *Ivanov* (1887), la que no fue bien recibida. Escribió cuentos sobre temas profundos como "La estepa" (1888) y "Una historia monótona" (1889). Entre sus cuentos posteriores se destacan "El monje negro" (1894) y "Campesinos" (1897). Reescribió su segunda obra, *El genio del bosque* (1889), en la obra maestra *Tío Vania* (1897). Su obra *La gaviota* (1896) no fue bien acogida hasta que KONSTANTÍN STANISLAVSKI la reestrenó con el Teatro de Arte de MOSCÚ exitosamente en 1899. Se mudó a Crimea para cuidarse de una tuberculosis que con el tiempo llegaría a ser fatal; ahí escribió sus grandes obras postreras, *Tres hermanas* (1901) y *El jardín de los cerezos* (1904), para el Teatro de Arte de Moscú. Las obras de Chéjov, con su mirada tragicómica sobre el estancamiento de la vida rural y la declinación del modo de vida burgués ruso, fueron internacionalmente aclamadas después de su traducción al inglés y a otros idiomas. Como escritor de relatos cortos todavía es considerado un maestro insuperable.

Antón Chéjov, 1902.
DAVID MAGARSHACK

Cheke, Sir John (16 jun. 1514–13 sep. 1557, Londres, Inglaterra). Humanista inglés. Partidario de la REFORMA, fue nombrado profesor de griego en la Universidad de Cambridge por Enrique VIII, y Eduardo VI le confirió el título de caballero. Junto con su amigo el estadista Thomas Smith (n. 1513–m. 1577), defendió con vehemencia la pronunciación histórica del griego ático, introducida por ERASMO DE ROTTERDAM, contra la pronunciación posclásica que entonces era la norma. Cheke fue encarcelado por poco tiempo cuando María I ascendió al trono. Huyó al extranjero, pero fue capturado en los Países Bajos en 1556 y confinado en la torre de Londres. Abjuró del protestantismo para evitar ser ejecutado y falleció al año siguiente, supuestamente deprimido por su abjuración forzada.

Sir John Cheke, grabado de William (Willem) van de Pass.
GENTILEZA DEL DIRECTORIO DEL MUSEO BRITÁNICO; FOTOGRAFÍA, J.R. FREEMAN & CO. LTD.

Chekiang ver ZHEJIANG

Cheliábinsk Ciudad (pob., est. 2001: 1.081.800 hab.) del oeste de Rusia. Ubicada a 200 km (125 mi) al sur de YEKATERINBURG en la ruta del ferrocarril TRANSIBERIANO, es la capital de la región (*oblast*) de Cheliábinsk. Fundada en 1736 como puesto fronterizo en el emplazamiento de un poblado bashkir, su crecimiento se vio considerablemente estimulado por la evacuación hacia el este de la industria rusa durante la segunda guerra mundial.

Cheliff, río *o* **río Chélif** Curso fluvial de Argelia. Nace en los montes ATLAS y fluye primero hacia el norte y luego al oeste hasta desembocar en el Mediterráneo, al este de la ciudad de ORÁN. Con un curso de 679 km (422 mi), constituye el río más largo de Argelia, aunque en su mayor parte no es navegable y de flujo irregular.

Chelmsford Ciudad y municipio (pob., 2001: 157.053 hab.), capital del condado de ESSEX, en el sudeste de Inglaterra. Está situada en la periferia nordeste del Gran LONDRES. Quedan vestigios del asentamiento romano de Caesaromagus. En 1227, Chelmsford pasó a ser la sede permanente de las audiencias judiciales del condado, conocidas como "assizes" (indagaciones judiciales). En 1920 se realizó la transmisión del primer radiotelegrama del mundo desde el recinto de la compañía de GUGLIELMO MARCONI en Chelmsford. Parte importante de la economía se basa en la industria liviana, especialmente la electrónica.

Catedral de Saint Mary, Chelmsford, Inglaterra.
THE J. ALLAN CASH PHOTOLIBRARY

Chelmsford (de Chelmsford), Frederic John Napier Thesiger, 1er vizconde (12 ago. 1868, Londres, Inglaterra–1 abr. 1933, Londres). Autoridad colonial inglesa. En 1905 fue nombrado gobernador de Queensland, Australia, y en 1909 de Nueva Gales del Sur. Abandonó Australia en 1913 para servir en India como capitán en el regimiento Dorsetshire. Como virrey de India, en una época de creciente agitación nacionalista (1916–21), contribuyó a establecer reformas que aumentaron la representación india en el gobierno, pero sus severas medidas contra los nacionalistas provocaron rechazo.

chelo ver VIOLONCHELO

Chelsea, porcelana de PORCELANA de pasta blanda fabricada en el barrio londinense de Chelsea. La fábrica, fundada en 1743, produjo sus mejores artículos entre 1750 y 1752, como vajillas y figuras de pájaros con diseños inspirados en la porcelana de MEISSEN, marcados con un ancla levantada o un medallón ovalado. Las marcas posteriormente utilizadas fueron el ancla roja (1752–58) y el ancla dorada (1758–70). La producción, entre 1770 y 1784, cuando la fábrica estuvo mantenida por William Duesbury de Derby, fue conocida como la porcelana de Chelsea-Derby. Existen numerosas reproducciones y falsificaciones de sus obras.

Chemical Banking Corp. Ex SOCIEDAD DE CARTERA bancaria estadounidense que se fusionó en 1996 con la CHASE MANHATTAN CORP. Su filial principal era el Chemical Bank, en cuya escritura de constitución de 1824 figuraba como división de una compañía manufacturera química de Nueva York. A raíz de la fusión realizada en 1996, la empresa resultante (la Chase Manhattan Corp.) fue por breve tiempo el mayor banco de EE.UU. En 2000, una nueva fusión dio nacimiento a J.P. MORGAN CHASE & CO.

chemin de fer *o* **bacará francés** *o* **shimmy** Juego de naipes en que se reparten dos o tres cartas a 12 jugadores máximo, que apuestan, uno a la vez, contra los rivales y no contra la casa. La mano ganadora es la que más se aproxima a los nueve puntos sin excederlos. El juego, cuyo nombre significa "ferrocarril" en francés, deriva del BACARÁ y tiene reglas similares.

Chemnitz *ant. (1953–90)* **Karl-Marx-Stadt** Ciudad (pob., est. 2002: 255.800 hab.) del este de Alemania. Se ubica a orillas del río homónimo, al sudeste de Leipzig. Comenzó siendo lugar de intercambio en una ruta de sal a Praga y en 1143 recibió la carta que le otorgaba el título de ciudad. Ya en 1800 funcionaba en Chemnitz la primera fábrica de hilados de Alemania, y la primera locomotora alemana se construyó allí. La ciudad sigue siendo un centro industrial.

Chemulpo ver INCHON

Chen Duxiu *o* **Chen Tusieu** (8 oct. 1879, cond. Huaining, provincia de Anhui, China–27 may. 1942, Jiangjing, cerca de Chongqing). Líder político e intelectual chino, cofundador del PARTIDO COMUNISTA CHINO (PCCH). En su juventud estudió en Japón. En China fundó periódicos subversivos que fueron rápidamente suprimidos por el gobierno. En 1915, después del establecimiento de la República de China, creó la publicación mensual *Qingnian zazhi* ("Revista Juventud"), rebautizada como *Xin qingnian* ("Nueva Juventud"), en la que propuso que la juventud china renovara intelectual y culturalmente a la nación; LU XUN, HU SHIH y MAO ZEDONG fueron colaboradores de la revista. En 1917 fue nombrado decano de la escuela de letras de la Universidad de Beijing. Encarcelado por breve tiempo en 1919 a causa de su participación en el movimiento del CUATRO DE MAYO, tras su liberación se convirtió en marxista. Junto con LI DAZHAO fundó el Partido Comunista Chino en 1920; se lo considera el "Lenin de China". La Internacional Comunista lo removió de la dirección del partido cuando fracasó la alianza con el GUOMINDANG, y fue expulsado de la organización en 1929. Arrestado en 1932, pasó cinco años en prisión.

Chen Shui-bian (n. 18 feb. 1951, condado de Tainán, Taiwán). Presidente de la República de China (Taiwán) desde 2000. Estudió derecho en la Universidad Nacional de Taiwán y más tarde llegó a ser uno de los abogados más destacados de la isla. Por defender infructuosamente a los manifestantes que se oponían al gobernante Partido Nacionalista o Guomindang, se lo vinculó al movimiento de oposición y a mediados de la década de 1980 fue encarcelado por el cargo de difamación contra un militante de esa colectividad política. Con posterioridad ingresó al Partido Demócrata Progresista y se convirtió en un miembro destacado del movimiento en pro de la independencia de Taiwán. Fue diputado de la Asamblea Nacional taiwanesa (1989–94) antes de ser elegido alcalde de Taipei en 1994. Perdió la reelección al cargo en 1998, pero eso le permitió presentarse a las presidenciales de 2000 y derrotar al candidato del Guomindang, terminando así con el control que ese partido había mantenido en Taiwán durante 55 años. En marzo de 2004 fue reelegido por estrecha mayoría, sólo un día después de que él y su compañera de lista, la vicepresidenta Annette Lu, sufrieran heridas leves provocadas por unos disparos mientras hacían campaña en Tainán.

Chenab, río *antig.* **río Acesines** Río de India y Pakistán. Nace en el estado de HIMACHAL PRADESH en el HIMALAYA indio y fluye hacia el oeste cruzando el sur del estado de Jammu y Cachemira y el centro de la provincia de PANJAB, en Pakistán, para unirse al JHELUM y seguir su curso hasta desembocar en el SUTLEJ, tributario importante del río INDO. Es uno de los "cinco ríos" del Panjab; tiene un curso de 965 km (600 mi) y es la fuente de un extenso sistema de canales y regadío.

Cheney, Richard B(ruce) (n. 30 ene. 1941, Lincoln, Neb., EE.UU.). Político estadounidense, vicepresidente de EE.UU. a partir de 2001. Se crió en Casper, Wy., y se tituló de bachiller y master en la Universidad de Wyoming. Fue auxiliar adjunto del pdte. GERALD FORD en 1974 y su jefe de gabinete entre 1975 y 1977. En 1978 fue elegido en representación de Wyoming, como republicano, a la Cámara de Representantes, cargo que ocupó durante seis períodos. Como secretario de defensa (1989–93) en el gobierno del pdte. GEORGE BUSH, dirigió la reducción de las fuerzas armadas que siguió al derrumbe de la Unión Soviética. Luego de la derrota electoral de Bush en 1992, se hizo miembro del American Enterprise Institute, grupo de estudio conservador, y más adelante fue presidente del directorio y presidente ejecutivo de la Halliburton Company, empresa proveedora de tecnología y servicios a las industrias del petróleo y del gas. En 2000 fue elegido vicepresidente como compañero de fórmula de GEORGE W. BUSH.

Cheng Ch'eng-kung ver ZHENG CHENGGONG

Cheng Hao y Cheng Yi *o* **Ch'eng Hao y Ch'eng I** (1032, Henan, China–1085, Henan) (1033, Henan–1107, Henan). Hermanos que desarrollaron y transformaron el NEOCONFUCIANISMO en una escuela filosófica organizada. Cheng Hao estudió BUDISMO, TAOÍSMO y luego CONFUCIANISMO. Fue despedido de un cargo en el gobierno chino por oponerse a las reformas de WANG ANSHI y se reunió con su hermano en Henan, donde formaron un círculo de discípulos. La estricta moralidad de Cheng Yi lo hizo rechazar un alto cargo y criticar a quienes ocupaban el poder, por lo que fue censurado dos veces y luego perdonado. Los hermanos Cheng elaboraron sus filosofías a partir del concepto de *li* (verdades esenciales), pero Cheng Hao privilegió la introspección serena mientras que Cheng Yi enfatizó la investigación de las innumerables cosas del universo y la participación en asuntos humanos. El idealismo de Cheng Hao fue continuado por LU XIANGSHAN y WANG YANGMING, y el realismo de Cheng Yi fue promovido por ZHU XI.

Cheng Ho ver ZHENG HE

Cheng-chou ver ZHENGZHOU

Ch'eng-Chu, escuela de ver escuela de CHENG-ZHU

Chengdu *o* **Ch'eng-tu** Ciudad (pob., est. 1999: 2.146.126 hab.), capital de la provincia de SICHUAN, China. Está situada en la fértil llanura de Chengdu, lugar de uno de los sistemas de riego más antiguos y exitosos de China, alimentado por aguas del río MIN JIANG. Iniciado a finales del s. III AC, el sistema ha sobrevivido y ha permitido sostener una de las poblaciones agrarias más densas del mundo. Chengdu fue la capital de varias dinastías y, en el s. X DC, inmensamente próspera; sus mercaderes introdujeron el uso de dinero en papel, que bajo la dinastía SONG se extendió por toda China. Chengdu era famosa por sus brocados y satenes. Ha sido la capital de Sichuan desde 1368 y ha mantenido un importante rol administrativo. Hoy es un centro de desarrollo industrial, de transporte y educacional.

Cheng-hsien ver ZHENGZHOU

Ch'eng-tu ver CHENGDU

Cheng-Zhu, escuela de *o* **escuela Ch'eng-Chu** Escuela china de NEOCONFUCIANISMO. Sus filósofos principales fueron Cheng Yi (ver CHENG HAO Y CHENG YI) y ZHU XI, de quienes la escuela tomó el nombre. Cheng Yi enseñó que para entender el *li* (verdades esenciales), uno debería investigar todas las cosas del mundo a través de la inducción, la deducción, el estudio histórico o la actividad política. Zhu Xi sostuvo que la investigación racional era esencial para cultivar la moral. La escuela dominó la filosofía china hasta la revolución republicana (1911).

Chennai *ant.* **Madrás** Ciudad (pob., est. 2001: ciudad, 4.216.268 hab.; área metrop., 6.424.624 hab.), capital del estado de TAMIL NADU, India, en la costa de Coromandel del golfo de BENGALA. Fundada en 1639 por la COMPAÑÍA INGLESA DE LAS INDIAS ORIENTALES como fuerte y factoría, era conocida con el nombre de Fort St. George y fue centro de operaciones para la expansión de la Compañía en el sur de India. La ciudad de São Tomé, establecida en el s. XVI por los portugueses, fue cedida a los británicos en 1749, que la incorporaron a Chennai. Los ingleses hicieron de esta ciudad su capital administrativa y comercial c. 1800. Es un centro industrial y sede de numerosas instituciones educacionales y culturales. Tradicionalmente considerada el lugar de sepultura del apóstol santo TOMÁS.

Chennault, Claire L(ee) (6 sep. 1890, Commerce, Texas, EE.UU.–27 jul. 1958, Nueva Orleans, La.). General de brigada estadounidense. Prestó servicios en la aviación del ejército durante 20 años antes de retirarse en 1937 debido a una sordera progresiva. Fue asesor en asuntos aéreos de CHIANG KAI-SHEK y formó el grupo de aviadores voluntarios estadounidenses, llamado los TIGRES VOLADORES, cuyo objetivo era combatir a los japoneses. Llamado nuevamente a servicio activo en la segunda guerra mundial, estuvo al mando de fuerzas aéreas militares estadounidenses en China (1942–45). Con Anna, su esposa china, fueron partidarios influyentes de Chiang Kai-shek.

cheque Letra de cambio girada contra un banco y pagadera a la vista. Los cheques han llegado a ser la principal modalidad de DINERO en el comercio interno de los países desarrollados. Al ser una orden escrita de pagar dinero, un cheque puede ser transferido de una persona a otra a través del endoso. La mayoría de los cheques no se pagan en efectivo sino que pasan al debe y al haber de los depósitos bancarios. Hay varias formas especiales de cheques. Un cheque de caja es emitido por un banco y su aceptabilidad es incuestionable, al igual que los cheques certificados, que son cheques de un depositante garantizados por un banco. Los cheques de viaje son cheques de caja vendidos a viajeros; el comprador debe firmarlos dos veces, la primera vez cuando los recibe y la segunda cuando los canjea. En este tipo de cheques se garantiza el reembolso en caso de pérdida o robo.

Cher, río Río de Francia central. Nace en el noroeste del macizo CENTRAL FRANCÉS y corre hacia el noroeste cruzando Chenonceaux, lugar donde un castillo histórico hace de puente. Luego pasa por el sur de TOURS para desembocar en el río LOIRA con un recorrido total de 349 km (217 mi).

Cherburgo Puerto (pob., 1999: 25.370 hab.) y base naval del noroeste de Francia. Situado a orillas del canal de la MANCHA, se cree que era el emplazamiento de una antigua estación romana. En la Edad Media fue objeto de disputas entre franceses e ingleses. En 1758 fue ocupado por los ingleses, luego pasó a Francia y extensamente fortificado por LUIS XVI. Durante la segunda guerra mundial, los alemanes la ocuparon hasta que en 1944 fue capturada por los aliados, para quienes pasó a ser un importante puerto de abastecimiento. Entre las actividades económicas de la zona se destacan el tráfico de transatlánticos, los astilleros y la fabricación de equipos electrónicos y de telefonía. Además son de importancia la navegación en yate y la pesca comercial.

Cherenkov, radiación Luz producida por partículas cargadas cuando atraviesan un medio ópticamente transparente a velocidades mayores que la de la luz en ese medio. Por ejemplo, cuando los ELECTRONES de un reactor nuclear se mueven en el agua de protección, lo hacen a una velocidad mayor que la de la luz en el agua, y desplazan algunos electrones de los átomos en su camino. Esto causa la emisión de RADIACIÓN ELECTROMAGNÉTICA que aparece como un aura de luz azulada débil. El fenómeno lleva el nombre de Pavel A. Cherenkov (n. 1904–m. 1990), quien lo descubrió; compartió en 1958 el Premio Nobel con Igor Y. Tamm (n. 1895–m. 1971) e Ilya M. Frank (n. 1908–m. 1990), quienes interpretaron el efecto.

cherkés *o* **cherqués** Lengua CAUCÁSICA noroccidental con importantes grupos dialectales orientales y occidentales. Hasta la década de 1860, los grupos de habla cherkés vivían en toda la región noroccidental del Cáucaso, incluida la costa del mar Negro. Después de la conquista de esta región efectuada por los rusos en 1864, la mayor parte de los hablantes de cherkés emigraron al Imperio otomano y se establecieron finalmente en lo que en la actualidad es Turquía, Siria, Jordania e Israel. En Rusia permanecieron sólo algunos enclaves dispersos de hablantes de cherkés occidental. Un mayor número de hablantes de cherkés oriental permanecieron en el territorio; la mayoría vive hoy en las repúblicas rusas del Cáucaso norte. Actualmente, los hablantes rusos de cherkés suman alrededor de 550.000. No se puede determinar la cantidad fuera de Rusia, porque muchas personas de etnia cherkés han cambiado su lengua por la que es dominante en sus países de adopción.

Chernenko, Konstantín (Ustínovich) (11 sep. 1911, Bolsháia Tes, Yeniseysk, Imperio ruso–10 mar. 1985, Moscú, Rusia, U.R.S.S.). Líder soviético. Se incorporó al Partido Comunista en 1931 y ascendió hasta convertirse en jefe de gabinete de LEONID BRÉZHNEV (1964). Fue miembro pleno del comité central desde 1971 y del Politburó desde 1977. Conservador de la vieja guardia, fue considerado por algunos como el seguro heredero de Brézhnev, pero fracasó en su intento por sucederlo en 1982 como líder del partido. En 1984 asumió el cargo tras el fallecimiento de YURI ANDRÓPOV. Sin embargo, muy pronto su debilidad física se hizo patente, lo que hizo pensar que su elección había sido una medida provisional. Murió al año siguiente.

Chernígov Ciudad (pob., 2001: 241.000 hab.), capital de la región homónima, Ucrania. Se encuentra al nordeste de KÍEV, a orillas del río Desna. Ya en 907 DC existían menciones de la ciudad y en el s. XI pasó a ser la capital del principado de Chernígov, cuando se construyó su catedral. Perdió importancia después de la invasión TÁRTARA (1239–40) y se mantuvo como un centro provincial secundario hasta la época actual, en que se ha desarrollado como nudo ferroviario.

Chernishevski, N(ikolái) G(avrílovich) (12 jul. 1828, Sarátov, Rusia–17 oct. 1889, Sarátov). Político y periodista radical ruso. En 1854 se incorporó a la redacción de la revista *Sovremennik* ("Contemporánea"), en donde se dedicó a escribir sobre los males sociales y económicos. Arrestado por cargos de subversión, fue puesto en prisión en 1862 y luego exiliado a Siberia, donde permaneció hasta 1883. En prisión escribió la clásica novela *¿Qué hay que hacer?* (1863), que tuvo gran influencia en los futuros revolucionarios rusos.

N.G. Chernishevski, detalle de un retrato por un artista desconocido.
AGENCIA NOVOSTI

Chernobil, desastre de Accidente ocurrido en la central de energía nuclear de Chernobil (Ucrania) en la ex Unión Soviética, el más grave en la historia de la generación de energía nuclear. Sucedió cuando el 25–26 de abril de 1986, los técnicos intentaron realizar un experimento deficientemente planificado, lo que provocó que una reacción en cadena en el núcleo quedara

Granja colectiva abandonada, en las cercanías de Chernobil, Ucrania, después del accidente nuclear.
FOTOBANCO

fuera de control. La cubierta del reactor reventó y gran cantidad de material radiactivo fue liberado a la atmósfera. También se produjo una fusión parcial del núcleo. Se trató de encubrir la situación, pero las estaciones suecas de monitoreo comenzaron a denunciar niveles altamente anormales de radiactividad esparcida por el viento, por lo que el gobierno soviético debió reconocer la verdad de los hechos. Más allá de las 32 muertes directas, en el largo plazo se esperan varias miles de muertes por cáncer y otras enfermedades provocadas por la radiación. El incidente desencadenó un clamor internacional acerca de los peligros que involucran las emisiones radiactivas.

Chernov, Víktor (Mijáilovich) (19 nov. 1873, Kamishin, Rusia–15 abr. 1952, Nueva York, N.Y., EE.UU.). Revolucionario y cofundador del PARTIDO SOCIALISTA REVOLUCIONARIO ruso. Revolucionario desde 1893, se convirtió en miembro del comité central de su partido en 1902 y fue el redactor de su plataforma política. En 1917 fue por breve tiempo ministro de agricultura. Fue elegido presidente de la Asamblea Constituyente que se inauguró en Petrogrado el 18 de enero de 1918, pero esta fue disuelta al día siguiente por los bolcheviques. Emigró en 1920 y fijó residencia en París, donde escribió (usando a veces el pseudónimo de Borís Olenin) hasta 1940. Luego se trasladó a EE.UU., para dedicarse a escribir artículos en periódicos anticomunistas.

cherokee Pueblo indígena de América del Norte de linaje iroqués, que vive mayoritariamente en Oklahoma, EE.UU. Su tierra originaria se encuentra en el este de Tennessee y en el oeste de las Carolinas. Esta cultura se asemeja a la de los CREEK y otros indios del SUDESTE. Su nombre deriva de una palabra creek cuyo significado es "pueblo de habla diferente"; muchos de ellos prefieren que se los llame keetoowah o tsalagi. El cherokee es un lenguaje iroqués, pero difiere considerablemente de otras lenguas IROQUESAS. Al momento del primer contacto contaban con utensilios de piedra, eran tejedores de cestas, alfareros, cultivadores de maíz, frijoles y calabazas, así como cazadores de venados, osos y alces. Las guerras y los tratados de fines del s. XVIII redujeron drásticamente su poder y sus dominios territoriales. Luego de una serie de fallidas incursiones contra las tropas estadounidenses y asentamientos civiles, cedieron tierras para obtener la paz y pagar sus deudas. Después de 1800 fueron notables por su capacidad de asimilar la cultura europeo-americana, y llegaron a constituir un gobierno inspirado en el de EE.UU. y a adoptar los métodos europeos de labranza y de construcción de viviendas. La mayoría fue alfabetizada gracias a la elaboración de un silabario por SEQUOYAH. Desde 1835, cuando se descubrió oro en sus tierras en Georgia, aumentó la agitación que incitaba su traslado al Oeste. El consiguiente curso de los acontecimientos culminó con el TRAIL OF TEARS (La senda de las lágrimas), que dejó unos 4.000 muertos. Unas 281.000 personas declararon tener ascendencia exclusivamente cherokee en el censo estadounidense de 2000.

cherqués ver CHERKÉS

Cherry Valley, matanza de (11 nov. 1778). Durante la guerra de independencia de los ESTADOS UNIDOS DE AMÉRICA, ataque de indios IROQUESES a una colonia fronteriza de Nueva York. En represalia por asaltos anteriores a dos poblados indígenas, el jefe iroqués JOSEPH BRANT se unió a los leales a la corona británica para conducir el ataque contra el pueblo fortificado de Cherry Valley. Allí murieron treinta milicianos y colonos.

Cherubini, Luigi (Carlo Zanobi Salvadore Maria) (14 sep. 1760, Florencia–15 mar. 1842, París, Francia). Compositor italofrancés. Nacido en el seno de una familia de músicos, su precocidad lo llevó a escribir decenas de obras antes de los 20 años. En 1786 se estableció permanentemente en París. En la década de 1790 disfrutó de éxitos en la ópera y NAPOLEÓN I le expresó su admiración. En 1816 se convirtió en subintendente de la capilla real y en 1822 asumió la dirección del conservatorio de París, cargo que desempeñó por el resto de su vida. LUDWIG VAN BEETHOVEN se refirió a Cherubini como su más grande contemporáneo. Su texto de contrapunto (1835) fue muy usado durante un siglo. De sus cerca de 40 óperas, las más populares fueron *Lodoïska* (1791), *Medea* (1797) y *Les Deux Journées* (1800). Entre sus otras obras importantes figuran una sinfonía (1815), seis cuartetos de cuerda, los réquiem en do menor (1816) y en re menor (1836) y nueve misas que se conservan.

Chesapeake Ciudad (pob., 2000: 199.184 hab.), en el sudeste del estado de Virginia, EE.UU. Ubicada al sur de NORFOLK, se formó como ciudad independiente en 1963 debido a la fusión del condado de Norfolk y la ciudad de South Norfolk. Su superficie de 883 km² (341 mi²) es una de las más grandes entre las ciudades de EE.UU. Comprende parte del gran pantano DISMAL y en el pasado vivieron allí los indios chesapeake. Fue colonizada en la década de 1630.

Chesapeake, bahía de Ensenada del océano Atlántico, en el este de EE.UU. Su sección inferior se encuentra en el estado de Virginia y la superior en el estado de Maryland, mide 311 km (193 mi) de largo por 5–40 km (3–25 mi) de ancho con una superficie aproximada de 8.365 km² (3.230 mi²). Muchos ríos, entre los principales el SUSQUEHANNA, el Patuxent, el POTOMAC y el James desembocan en la bahía. JAMESTOWN, el primer asentamiento europeo de la zona, fue fundado en 1607; un año más tarde, el cap. JOHN SMITH exploró y elaboró un mapa de la bahía. Sus aguas siempre habían albergado cantidades enormes de vida marina, pero en la década de 1970 el desarrollo de la zona circundante provocó una alarmante contaminación de la bahía y la pesca se redujo drásticamente. Desde entonces se realizan esfuerzos para revertir el daño.

Cheselden, William (19 oct. 1688, Somerby, Leicestershire, Inglaterra–10 abr. 1752, Bath, Somersetshire). Cirujano y profesor británico. Sus obras *Anatomy of the Human Body* [Anatomía del cuerpo humano] (1713) y *Osteographia* [Osteografía] (1733) fueron usadas durante casi un siglo por los estudiantes de anatomía. Su técnica para extraer cálculos vesicales mediante una incisión lateral (1727), en lugar de una anterior, fue empleada pronto por cirujanos de toda Europa. También concibió una manera de construir quirúrgicamente una "pupila artificial" para tratar algunas formas de ceguera.

Cheshire Condado (pob., 2001: 673.777 hab.) administrativo, geográfico e histórico del oeste de INGLATERRA. Fue establecido en 1974 e incluye gran parte del antiguo condado de Cheshire a excepción de zonas que ahora pertenecen a MERSEYSIDE y al gran MANCHESTER. La capital del condado es CHESTER. Limita con GALES, entre los estuarios del Dee y del MERSEY al norte y una parte se encuentra dentro del parque nacional Peak District. Se han encontrado restos de fortificaciones en colinas de la edad del bronce y del hierro; asimismo se han encontrado ruinas de construcciones del período de la ocupación romana. La principal actividad económica del condado es la agraria; predomina la industria lechera.

Chesnut, Mary *orig.* **Mary Boykin Miller** (31 mar. 1823, Pleasant Hill, S.C., EE.UU.–22 nov. 1886, Camden, S.C.). Escritora estadounidense. Hija de un destacado político de Carolina del Sur, de joven asistió a colegios privados. En 1840 se casó con James Chesnut, Jr., quien habría de cumplir un papel importante en el movimiento secesionista y en la Confederación. Cuando su marido obtuvo el grado de oficial en el ejército confederado, lo acompañó en sus misiones militares y escribió en su diario sus opiniones y observaciones. Su *Diary from Dixie*, penetrante descripción de la vida en el Sur durante la guerra de Secesión, se publicó en 1905.

Chesnutt, Charles (Waddell) (20 jun. 1858, Cleveland, Ohio, EE.UU.–15 nov. 1932, Cleveland). Escritor estadounidense y primer novelista afroamericano importante. Mientras se desempeñaba como un joven director de colegio en Carolina del Norte, decidió trasladarse a Cleveland con su familia, ya que le afligía el trato que recibían los afroamericanos. Allí se recibió de abogado y empezó a escribir en su tiempo libre. Publicó ensayos, dos antologías de cuentos, una biografía de FREDERICK DOUGLASS y tres novelas, entre ellas *The Colonel's Dream* [El sueño del coronel] (1905). Con el realismo psicológico que caracteriza sus relatos, describió escenas familiares de la vida del pueblo para protestar contra la injusticia social.

Chess, Leonard *orig.* **Lejzor Czyz** (12 mar. 1917, Motule, Polonia–16 oct. 1969, Chicago, Ill., EE.UU.). Productor discográfico estadounidense de origen polaco. En 1928 emigró a EE.UU. con su madre, hermana, hermano y futuro socio, Fiszel (llamado después Philip; n. 1921), y se reunieron en Chicago con su padre, quien los había precedido. Después de desempeñarse en diversos oficios, Leonard Chess abrió un salón y Phil se incorporó al negocio. En 1947, Leonard ingresó a la compañía discográfica Aristocrat y en 1950 la compró, con Phil como socio, rebautizándola Chess. Admiradores del blues eléctrico que se escuchaba en Chicago después de la segunda guerra mundial, contrataron a artistas como MUDDY WATERS, WILLIE DIXON, CHUCK BERRY, Howlin' Wolf (n. 1910–m. 1976), Etta James (n. 1938), Koko Taylor (n. 1935) y Bo Diddley (n. 1928), desempeñando así un papel importante en la introducción de la música afroamericana a un público blanco más amplio.

Chester *antig.* **Deva** *o* **Devana Castra** Ciudad y distrito administrativo (pob., 2001: 118.207 hab.), capital del condado de CHESHIRE, Inglaterra. Situada sobre el río Dee, al sur de LIVERPOOL, Chester es un activo centro portuario y ferroviario. Durante varios siglos a partir de 60 DC, fue un "campamento romano en el Dee", cuartel general de la 20ª legión; aún se conservan vestigios de muros romanos. Fue el último lugar de Inglaterra en rendirse frente a GUILLERMO I (el Conquistador) (1070). En los s. XIII–XIV pasó a ser un puerto importante, desde el cual se realizaba intercambio comercial especialmente con Irlanda. Aproximadamente desde el s. XIV, comenzaron los ciclos de Chester con la representación de MISTERIOS. La creciente sedimentación del río Dee llevó a la decadencia de la ciudad, pero en el s. XIX el tráfico ferroviario la hizo prosperar nuevamente.

Chesterton, dibujo al clarión de James Gunn, 1932.

Chesterton, G(ilbert) K(eith) (29 may. 1874, Londres, Inglaterra–14 jun. 1936, Beaconsfield, Buckinghamshire). Hombre de letras británico. Chesterton fue periodista, erudito, novelista, cuentista y poeta. Sus obras de crítica social y literaria comprenden *Robert Browning* (1903), *Charles Dickens* (1906) y *La época victoriana en la literatura* (1913). Antes de su conversión al catolicismo en 1922, ya demostraba interés por la teología y por la argumentación teológica. Entre sus obras de ficción se encuentran *El Napoleón de Notting Hill* (1904), la conocida novela alegórica *El hombre que fue jueves* (1908), y su más conocida creación, la serie de novelas detectivescas protagonizadas por el padre Brown, un sacerdote detective.

Chetumal Ciudad (pob., 2000: 121.602 hab.), capital del estado de QUINTANA ROO, México. Se ubica en la costa oriental de la península de YUCATÁN, al norte de Belice, y a sólo 6 m (20 pies) sobre el nivel del mar. Fundada en 1899, pasó a ser la capital estatal cuando Quintana Roo fue separado del estado de YUCATÁN en 1902. Rodeada de selvas tropicales húmedas, los productos forestales forman la base de su economía local.

Chevalier, Maurice (12 sep. 1888, París, Francia–1 ene. 1972, París). Actor y cantante francés. Debutó como cantante y comediante en el FOLIES-BERGÈRE en 1909. Pasó dos años en un campo de prisioneros alemán durante la primera guerra mundial. Fue conocido por su elegante sombrero de paja y corbatín, y su modo alegre y picaresco. Se mudó a Hollywood, EE.UU., en 1929, donde actuó en películas que ayudaron a establecer la comedia musical como género fílmico, entre ellas *El desfile del amor* (1929) y *La viuda alegre* (1934). Fue criticado por actuar para los alemanes durante la ocupación militar de Francia en la segunda guerra mundial. Entre sus películas posteriores se cuentan *Gigi* (1958) y *Fanny* (1961). En 1958 recibió un premio honorario de la Academia.

Maurice Chevalier.
BROWN BROTHERS

Cheviot, montes Cadena de bajas montañas que bordean la frontera entre Inglaterra y Escocia. Se extiende de nordeste a sudoeste siguiendo el límite entre ambos países. Su cumbre más elevada es el monte Cheviot con 816 m (2.676 pies). Se encuentran rastros de asentamientos prehistóricos. Las tierras administradas por el servicio forestal pasaron a ser un parque nacional forestal en 1955, y a una zona aún más grande se le llamó parque nacional de Northumberland.

Duquesa de Chevreuse, retrato de Jean Le Blond.
AGENCIA NOVOSTI

Chevreuse, duquesa de *orig.* **Marie de Rohan-Montbazon** *llamada* **Madame de Chevreuse** (dic. 1600–12 ago. 1679, Gagny, Francia). Princesa francesa. Participó en varias conspiraciones contra ministros durante el reinado de LUIS XIII y la regencia de LUIS XIV. Fue exiliada varias veces por sus actividades, como la participación en un complot contra el cardenal RICHELIEU, la revelación de secretos de Estado a España y la conspiración para asesinar al cardenal JULIO MAZARINO.

chewa Pueblo de lengua bantú del este de Zambia, noroeste de Zimbabwe y Malawi. Practican la agricultura de corte y roza, además de la caza y la pesca. En una época la esclavitud fue una práctica generalizada en este pueblo. La descendencia, la herencia y la sucesión son matrilineales y está muy difundida la poliginia. Sus aldeas son gobernadas por un jefe hereditario y un consejo de ancianos.

cheyene Pueblo de los indios de las LLANURAS de estirpe algonquina (ver lenguas ALGONQUINAS), que viven principalmente en Montana y Oklahoma, EE.UU. Eran labradores, cazadores y recolectores que habitaban en el centro de Minnesota, se desplazaron a inicios del s. XIX a regiones cercanas a los ríos Platte y Arkansas, y se dividieron en cheyenes del norte y del sur. En esas regiones adoptaron el estilo de vida de los indios de las llanuras; después de adquirir caballos, se volvieron más dependientes del búfalo para su alimentación y desarrollaron una forma de vida nómada sobre la base de asentamientos con tiendas. Practicaban la DANZA DEL SOL y prestaban gran atención a las visiones en que el espíritu de algún animal adoptaba a alguien y le investía con poderes especiales. Constituían sociedades militares bien organizadas y peleaban constantemente con los KIOWAS hasta 1840. En la década de 1870 participaron en varios alzamientos indígenas; se unieron a los SIOUX en la batalla de LITTLE BIGHORN en 1876. Más de 11.100 personas declararon descender exclusivamente de los cheyenes en el censo estadounidense de 2000.

Cheyenne Ciudad (pob., 2000: 53.011 hab.), capital del estado de Wyoming, EE.UU. Es la mayor urbe del estado y ha sido su capital desde 1869. Se convirtió en punto de aprovisionamiento para los yacimientos auríferos de Black Hills hacia el nordeste y uno de los puntos principales de embarque de ganado desde el estado de Texas. Sus tierras de pastoreo son famosas por sus rebaños y los magnates de la ganadería que viven en ellas. En julio se celebra la festividad llamada Frontier Days (Tiempos de la frontera); uno de los rodeos más grandes y antiguos de EE.UU. se desarrolla en dicha fiesta. Cerca de Fort Francis E. Warren, se instaló la primera base para misiles intercontinentales de la nación (1957).

Cheyenne, río Río en el centro-norte de EE.UU. Nace en la parte oriental del estado de Wyoming y fluye hacia el nordeste por 850 km (527 mi) para unirse al río MISSOURI en la parte central del estado de Dakota del Sur. La represa Angostura, parte del proyecto de riego de la cuenca del Missouri, se encuentra en el río Cheyenne, cerca de Hot Springs, S.D.

Cheyne, Sir William Watson (14 dic. 1852, costa afuera de Hobart, Tasmania–19 abr. 1932, Fetlar, islas Shetland, Escocia). Cirujano y bacteriólogo inglés. Sus primeros trabajos sobre medicina preventiva y las causas bacterianas de las enfermedades recibieron la fuerte influencia de los de ROBERT KOCH. Fue un devoto seguidor de JOSEPH LISTER y pionero de los métodos quirúrgicos antisépticos en Gran Bretaña. Publicó los importantes trabajos *Antiseptic Surgery* [Cirugía antiséptica] (1882) y *Lister and His Achievements* [Lister y sus logros] (1885).

Ch'i ver QI

Chiang Chieh-shih ver CHIANG KAI-SHEK

Chiang Ch'ing ver JIANG QING

Chiang Ching-kuo *o* **Jiang Jinguo** (18 mar. 1910, Qikou, provincia de Zhejiang, China–13 ene. 1988, Taipei, Taiwán). Hijo de CHIANG KAI-SHEK y su sucesor como líder del gobierno nacionalista (ver GUOMINDANG) en TAIWÁN. Fue oficialmente elegido por la asamblea nacional por un período presidencial de seis años en 1978 y reelegido en 1984. Intentó mantener las relaciones de comercio exterior y la independencia política de Taiwán cuando otros países comenzaron a romper las relaciones diplomáticas para establecer vínculos con China continental. Otras acciones durante su presidencia fueron el fin de la ley marcial, la autorización de los partidos de oposición y el llamado a participar en el gobierno a los naturales taiwaneses.

Chiang Kai-shek *o* **Chiang Chieh-shih** *o* **Jiang Jieshi** (31 oct. 1887, Zhejiang, China–5 abr. 1975, Taipei, Taiwán). Jefe del gobierno nacionalista en China (1928–49) y luego en Taiwán (1949–75). Después de recibir adiestramiento militar en Tokio, en 1918 se unió a SUN YAT-SEN, líder del GUOMINDANG que estaba intentando consolidar su control militar sobre un país en caos. En la década de 1920 se convirtió en comandante en jefe del ejército revolucionario,

Chiang Kai-shek.
CAMERA PRESS

al que envió para aplastar a los jefes militares que operaban en el norte (ver expedición al NORTE). En la década de 1930, él y WANG JINGWEI se disputaron el control del nuevo gobierno central con capital en NANJING. Enfrentado a la agresión japonesa en Manchuria y a la oposición comunista liderada por MAO ZEDONG en el interior, decidió enfrentar primero a los comunistas. Esto resultó ser un error y se vio forzado a pactar una alianza transitoria con ellos cuando estalló la guerra con Japón en 1937. Después del conflicto bélico, se reanudó la guerra civil china, que finalizó con la huida de los nacionalistas a Taiwán en 1949, donde gobernó con el apoyo económico y militar de EE.UU. hasta su muerte, momento en que su hijo CHIANG CHING-KUO tomó el control del gobierno. Aunque dictatorial, su gobierno fomentó el desarrollo económico y la creciente prosperidad de la isla, a pesar de la precaria situación geopolítica. Su fracaso en cuanto a mantener el control de China continental ha sido atribuido a la deficiente moral de sus tropas, a la carencia de sensibilidad frente al sentimiento popular y a la ausencia de un plan coherente para efectuar los profundos cambios sociales y económicos que requería el país.

Chiang Mai Ciudad (pob., est. 1999: 171.594 hab.) del noroeste de Tailandia. Situada en las riberas del río Ping, 130 km (80 mi) aprox. al este de Myanmar. Fue fundada a finales del s. XIII como capital del reino independiente de LAN NA. Pasó a dominio de Myanmar y fue capturada por los siameses en 1774, pero mantuvo un grado de independencia de BANGKOK hasta fines del s. XIX. Hoy es el centro religioso, económico y cultural del norte de Tailandia. El complejo del templo de Wat Phra Dhat Doi Suthep, cuyo monasterio se construyó en el s. XIV, se encuentra en las cercanías.

Chiang-su ver JIANGSU

Chiapas Estado (pob., 2000: 3.920.892 hab.) del sudeste de México. Cubre una superficie de 74.211 km² (28.653 mi²) y su capital es TUXTLA GUTIÉRREZ. Montañoso y cubierto por bosques, limita al este con Guatemala, al sur con el golfo de Tehuantepec, al oeste con los estados de Veracruz y Oaxaca, y al norte con Tabasco. La mayoría de sus habitantes son pueblos indígenas. Las extraordinarias ruinas MAYAS de PALENQUE se encuentran en las selvas del nordeste. Desde la capital se puede visitar Bonampak, con sus famosos murales mayas. Durante la colonia estuvo vinculado con Guatemala, y pasó a ser un estado mexicano en 1824; sus fronteras se fijaron en 1882. En 1994, indígenas empobrecidos y residentes de clase media, en protesta por las inequidades económicas y sociales, formaron el Ejército Zapatista de Liberación Nacional e iniciaron un levantamiento armado que se ha extendido hasta el s. XXI.

chibcha *o* **muisca** Pueblo indígena sudamericano que al momento de la conquista española ocupaba los valles altos que rodean las actuales ciudades de Bogotá y Tunja, Colombia. Tenían una población de más de 500.000 habitantes, y se regían por un gobierno más centralizado políticamente que cualquier otro pueblo sudamericano, a excepción del Imperio INCA. Su economía se basaba en la agricultura intensiva, en múltiples oficios y en el comercio; la sociedad era altamente estratificada. Su estructura política fue abatida por los conquistadores españoles en el s. XVI y ya en el s. XVIII se habían incorporado al resto de la población. Ver también civilizaciones ANDINAS.

Chicago Ciudad (pob., 2000: 2.896.016 hab.) en el nordeste del estado de Illinois, EE.UU. Ubicada junto al lago MICHIGAN y el río CHICAGO, tiene extensas instalaciones portuarias. En el s. XVII, el nombre se asociaba con el transporte entre los ríos DES PLAINES y Chicago que conectan el río SAN LORENZO y los GRANDES LAGOS con el río MISSISSIPPI. El fuerte Dearborn se construyó en 1803 en una zona adquirida a los indios. Después de terminado el canal de Illinois y Michigan (1848), la ciudad se expandió rápidamente y se convirtió también en el principal centro ferroviario del país. Reconstruida rápidamente después de un voraz incendio en 1871, fue sede de la World's Columbian Exposition en 1893, evento que dio origen a los rascacielos con estructura de acero a fines del s. XIX y diseñado por eminentes arquitectos, como LOUIS H. SULLIVAN, FRANK LLOYD WRIGHT y LUDWIG MIES VAN DER ROHE. En 1942, los científicos nucleares produjeron la primera reacción nuclear en cadena en la Universidad de CHICAGO. Después de la segunda guerra mundial, la ciudad vivió otro período de auge de la construcción, pero, como sucede en otras ciudades, su población disminuyó a medida que crecían los barrios residenciales en la periferia. Es la tercera ciudad más grande de EE.UU. y centro industrial, comercial y de transporte importante, con su propia bolsa mercantil y cámara de comercio. Tiene también varios museos y el ART INSTITUTE OF CHICAGO.

Vista aérea de Lake Shore Drive, a orillas del lago Michigan, sector también conocido como Costa Dorada, distrito residencial de Chicago, EE.UU.
ARCHIVO EDIT. SANTIAGO

Chicago de 1919, disturbios raciales de Los más graves entre unos 25 disturbios raciales que se desataron en todo EE.UU. en el verano siguiente a la primera guerra mundial. La fricción racial se intensificó con la migración de afroamericanos hacia el norte. En 10 años, el barrio South Side de Chicago experimentó un aumento de 44.000 a 109.000 habitantes afroamericanos. Los disturbios se desataron con la muerte de un joven que estaba nadando en el lago Michigan, cerca de una playa reservada para blancos; lo apedrearon y al poco rato se ahogó. Cuando la policía se negó a detener al hombre blanco supuestamente responsable, empezaron las riñas entre pandillas raciales. La violencia se expandió por la ciudad, sin que la milicia del estado interviniera. Pasados 13 días, había 38 muertos (23 afroamericanos y 15 blancos) y 537 heridos, 1.000 familias afroamericanas quedaron sin hogar.

Chicago, escuela de Grupo de arquitectos e ingenieros que en la década de 1890 aprovecharon el desarrollo tanto de las estructuras de marcos de acero como del ascensor eléctrico, transformándose en precursores de los omnipresentes rascacielos actuales. Su trabajo le ganó a Chicago la reputación de ser el "lugar de nacimiento de la arquitectura moderna". Entre los miembros de la escuela figuran LOUIS SULLIVAN, DANIEL BURNHAM y John Wellborn Root (n. 1850–m. 1891).

Chicago, Judy *orig.* **Judy Cohen** (n. 20 jul. 1939, Chicago, Ill., EE.UU.). Artista multimedial estadounidense. Estudió en la UCLA (Universidad de California, Los Ángeles), y en 1970 adoptó el nombre de su ciudad natal. Motivada por la discriminación percibida en el mundo del arte y la alienación de las tradiciones canónicas artísticas, desarrolló "ambientaciones" que presentaban imaginería femenina. Su obra más notable, *The Dinner Party* (1974–79), es una mesa triangular con puestos para 39 mujeres importantes, cada una representada con platos de cerámica personalizados y bordados típicos de sus épocas. Esta instalación la consagró como líder del arte feminista. En 1973 cofundó el Taller Feminista y el Edificio de la Mujer en Los Ángeles.

Chicago, río Curso fluvial en el nordeste del estado de Illinois, EE.UU. Es un río pequeño que consta de una bifurcación norte y otra sur. Originalmente pasaba por CHICAGO para desembocar en el lago MICHIGAN. Después de que una fuerte tormenta en 1885 hizo que el río vaciara enormes cantidades de agua contaminada en el lago, se revirtió la dirección de su cauce por medio de un canal construido en 1900, cuya construcción fue considerada una hazaña de ingeniería. En la actualidad corre hacia el interior y se conecta con el río DES PLAINES a través de los canales Chicago Sanitary (canal sanitario) y Ship Canal (de navegación).

Chicago Tribune Periódico publicado en Chicago. El *Tribune* es uno de los periódicos estadounidenses más importantes, y durante mucho tiempo ha sido la voz dominante de la región central de EE.UU. Fue fundado en 1847, y comprado en 1855 por seis socios, entre ellos Joseph Medill (n. 1823–m. 1899), quien logró convertir el diario en un verdadero éxito, incrementando su importancia a la vez que divulgaba sus puntos de vista, por lo general, liberales. Pasó a controlarlo en 1874 y fue editor hasta su muerte. Bajo la dirección de Robert McCormick (1914–55), el periódico alcanzó la mayor circulación entre los diarios de formato estándar de EE.UU. y encabezó la incorporación de publicidad en los diarios. El *Tribune* también reflejó sus visiones nacionalistas y aislacionistas; sin embargo, después de su muerte la posición editorial pasó a ser más moderada. Posteriormente se transformó en el buque insignia de la Tribune Company, la cual posee participación en televisión y radiodifusión, TV cable, editoriales y otros medios de comunicación.

Chicago, Universidad de Universidad independiente ubicada en Chicago, Ill., EE.UU. Fue fundada en 1890, gracias a la donación de DAVID ROCKEFELLER. William Rainey Harper, su primer presidente (1891–1906), se esforzó mucho para aumentar la fama de la universidad, y bajo el mandato de ROBERT MAYNARD HUTCHINS (1929–51), esta llegó a ser reconocida por su amplio programa de estudios de las artes liberales o humanidades. En 1892, bajo la dirección de ROBERT E. PARK, fue instituido el primer departamento de SOCIOLOGÍA del mundo. En 1942, bajo la dirección de ENRICO FERMI, se llevó a cabo la primera reacción nuclear controlada en cadena. Otros logros importantes comprenden el desarrollo de la DATACIÓN POR CARBONO 14 y el aislamiento del PLUTONIO. Más de 70 ex alumnos de la Universidad de Chicago han recibido el Premio Nobel en sus respectivas disciplinas. La universidad comprende un *college* (colegio universitario) de pregrado, numerosas escuelas profesionales y centros de investigación avanzada, incluido el Instituto Oriental, el Yerkes Observatory, el Instituto Enrico Fermi y el Center for Policy Study. La universidad tiene a su cargo además el funcionamiento del Laboratorio nacional Argonne.

chicha Bebida de baja graduación alcohólica fermentada generalmente de maíz en agua azucarada. Desde la época prehispánica se elaboró en Sudamérica, desde Venezuela, Colombia, Ecuador hasta el Perú, Bolivia, Argentina y Chile. También se llama chicha la bebida fermentada de frutas, como uva o manzana.

chicharra ver CIGARRA

Chichén Itzá Antigua ciudad maya en ruinas ubicada en el estado de Yucatán, México. Fue fundada por los MAYAS hacia el s. VI DC, en una región árida donde el agua se obtenía de pozos naturales llamados cenotes. La ciudad fue invadida en el s. X, probablemente por un grupo de habla maya bajo fuerte influencia TOLTECA; los invasores levantaron otra serie de construcciones, entre ellas la famosa pirámide escalonada conocida como El Castillo y el recinto del juego de pelota. El lugar, si bien ya abandonado hacía mucho cuando los españoles arribaron en el s. XVI, seguía siendo sagrado para el pueblo maya. Fue declarado Patrimonio de la Humanidad en 1988.

El Castillo, pirámide escalonada maya, la más alta de Chichén Itzá.
ARCHIVO EDIT. SANTIAGO

Chicherin, Gueorgui (Vasílievich) (24 nov. 1872, provincia de Tambar, Rusia–7 jul. 1936, Moscú, Rusia, U.R.S.S.). Diplomático ruso. Aristócrata de nacimiento, ingresó al servicio diplomático imperial en 1897, pero renunció para unirse al movimiento revolucionario y al grupo MENCHEVIQUE (1905). En 1918 se unió a los BOLCHEVIQUES, se reincorporó a la carrera diplomática y ayudó a negociar el tratado de BREST-LITOVSK. Como comisario del pueblo para asuntos exteriores (1918–28), encabezó la delegación soviética en la conferencia de GÉNOVA y más tarde negoció en forma secreta el tratado de RAPALLO con Alemania.

Chichester Ciudad (pob., est. 1995: 28.000 hab.) de Inglaterra, capital del condado de West Sussex, situada al nordeste de PORTSMOUTH. El plano básico de la antigua ciudad romana se mantiene en la ciudad moderna. Esta zona es fundamentalmente residencial y agrícola. Chichester destaca por su catedral de los primeros tiempos de la conquista normanda, cuya construcción se inició a fines del s. XI, y por sus paisajes pastoriles.

Chickamauga, batalla de (19–20 sep. 1863). Combate durante la guerra de SECESIÓN por el control del centro ferroviario en el cercano Chattanooga, Tenn. Fuerzas confederadas al mando de BRAXTON BRAGG y JAMES LONGSTREET atacaron a las tropas de la Unión lideradas por WILLIAM ROSECRANS. Pasados dos días de lucha encarnizada, la mayor parte del ejército unionista se retiró en desorden; otras fuerzas al mando de GEORGE H. THOMAS resistieron el asalto hasta que el apoyo de un cuerpo de reserva permitió una retirada ordenada a Chattanooga. Con 16.000 bajas de la Unión y 18.000 de la Confederación, esta batalla fue una de las más sangrientas de la guerra. Bragg y el ejército confederado no remataron su victoria y la posterior batalla de CHATTANOOGA revirtió el resultado.

chickasaw Pueblo indígena de América del Norte que vive principalmente en Oklahoma, EE.UU. Su idioma, el chickasaw, es una de las lenguas MUSKOGEANAS con estrechas relaciones con la de los CHOCTAW. Este pueblo, que alguna vez habitó en Kentucky, Tennessee, el norte de Mississippi y Alabama, era seminómada y sus asentamientos aparecían desperdigados a lo largo de los ríos más que agrupados en aldeas. La descendencia se transmitía a través de la línea materna. La deidad suprema estaba asociada con el cielo, el sol y el fuego.

A menudo atacaban a otras tribus y se casaban con miembros de estas: eran conocidos por los comerciantes blancos como "mestizos" o "castas". En la década de 1830 fueron forzosamente trasladados a territorio indígena (Oklahoma). En el censo estadounidense de 2000 unas 20.000 personas declararon descender exclusivamente de los chickasaw.

chicozapote Árbol tropical SIEMPREVERDE (*Manilkara zapota* o *Achras zapota*) de la familia Sapotaceae, originario del sur de México y el norte de América Central, y su fruto característico. El fruto de color pardo herrumbroso se come fresco en muchas regiones tropicales y subtropicales. Su sabor dulce ha sido comparado con una mezcla de peras y azúcar morena. Cuando el fruto está maduro, las semillas de color negro lustroso permanecen rodeadas de una pulpa clara, jugosa, de color pardo amarillento; al estar inmadura, su pulpa contiene tanino y látex lechoso y tiene un gusto desagradable. El látex es la fuente principal del chicle, antaño importante en la industria de la GOMA DE MASCAR.

Chicozapote (*Manilkara zapota* o *Achras zapota*).

WALTER DAWN

Chiemsee, lago Lago del sur de Alemania. Se ubica al sudeste de MUNICH, a 518 m (1.699 pies) sobre el nivel del mar, y desagua en el río INN a través del río Alz. Con 15 km (9 mi) de longitud y 8 km de ancho (5 mi) es el lago más grande de BAVIERA. Una de sus tres islas tiene un monasterio benedictino y un castillo real construido según el modelo del palacio de VERSALLES.

Ch'ien-lung, emperador ver QIANLONG

Chih-i ver ZHIYI

Chihli ver HEBEI

Chihli, golfo de ver golfo del BOHAI

chihuahua La más diminuta de las razas caninas reconocidas, llamada así por el estado mexicano donde se observó por primera vez a mediados del s. XIX. Probablemente derive del techichi, un perro pequeño y mudo que mantenía el pueblo TOLTECA ya en el s. IX. Se caracteriza por ser un perro de aspecto vivaz, alerta y más fuerte de lo que su contextura pequeña pudiera sugerir. Su alzada es de unos 13 cm (5 pulg.) y pesa 0,5–2,7 kg (1–6 lb). Es de cabeza redonda, orejas grandes y erectas, ojos prominentes y cuerpo compacto. El pelaje varía de color y puede ser liso y brillante o bien largo y suave.

Cañón de Sinforosa en las montañas Tarahumara, parte de la Sierra Madre occidental, estado de Chihuahua, México.

WALTER AGUIAR—EB INC.

Chihuahua Estado (pob., 2000: 3.052.907 hab.) del norte de México. Es el más grande del país, que cubre 244.938 km² (94.571 mi²) de territorio y limita al norte y nordeste con los estados de Nuevo México y Texas, EE.UU., al sur con el estado mexicano de Durango, al este con el de Coahuila y al oeste con los de Sinaloa y Sonora. Su capital es la ciudad de CHIHUAHUA. En su mayor parte está conformado por una llanura elevada que se inclina hacia el norte, en dirección al río BRAVO. En la región occidental se levanta la SIERRA MADRE occidental. La barranca del Cobre de Chihuahua se parece en escala al Gran Cañón (EE.UU.), pero es casi inaccesible. Durante la colonia española era gobernado en conjunto con DURANGO, pero en 1823 se separó y al año siguiente se convirtió en un estado. Su principal industria es la minería; la crianza de ganado también es importante para la economía del estado.

Chihuahua Ciudad (pob., 2000: 657.876 hab.), capital del estado de CHIHUAHUA, México. Fundada en 1709, fue un próspero centro minero durante el período colonial. En dos ocasiones fuerzas estadounidenses la capturaron durante la guerra MEXICANO-ESTADOUNIDENSE (1846–48). Hoy es el centro de una zona de crianza de ganado vacuno. Posee muchos edificios notables, entre ellos la iglesia de San Francisco, uno de los mejores ejemplos de arquitectura colonial mexicana del s. XVIII.

chiita Miembro de la rama chiita del ISLAM, que resultó de la primera *fitna*, o división interna, por causa del liderazgo religioso. Pertenecientes a la facción política que apoyó a ʿALĪ, el yerno de MAHOMA, como heredero del Profeta después del asesinato del tercer califa, ʿUthmān, los chiitas se convirtieron gradualmente en un movimiento religioso cuando ʿAlī fue asesinado. Sus seguidores insistieron en que el CALIFA o IMÁN debía ser descendiente directo de este y de su esposa FÁTIMA. La tradición legal chiita es diferente de las cuatro grandes escuelas de pensamiento del Islam sunní, y considerada generalmente como la más conservadora. Aunque representan sólo un 10% de los musulmanes en el mundo, la mayoría están en Irán e Irak y existen poblaciones numerosas en Yemen, Siria, Líbano, África oriental, Pakistán y el norte de India. La subdivisión más grande es la ITHNĀ ʿASARIYĀ, también llamados duodecimanos, que reconoció 12 imanes históricos (incluido ʿAlī); otras subsectas son los ismaelíes (ver ISMAELÍ) y los zaydíes.

Chikamatsu Monzaemon *orig.* **Sugimori Nobumori** (1653, Echizen, Japón–6 ene. 1725, Osaka). Dramaturgo japonés. Nació en el seno de una familia samurái y fue adscrito a la aristocracia de la corte en Kioto antes de trasladarse a Osaka, para trabajar en el famoso teatro de títeres de esa ciudad. Se le atribuyen más de 100 obras de teatro, básicamente de asunto histórico y tragedias domésticas, muchas de ellas basadas en incidentes reales. La mayoría fueron escritas para el BUNRAKU, género teatral que llevó a alturas artísticas. Su obra más conocida es *Los combates de Coxinga* (1715), melodrama histórico basado en la vida de ZHENG CHENGGONG. También es famosa su obra *Los amantes suicidas de Amijima* (1720). Es considerado uno de los más grandes dramaturgos japoneses.

Child, Julia *orig.* **Julia McWilliams** (n. 15 ago. 1912, Pasadena, Cal., EE.UU.). Experta culinaria y figura de la televisión estadounidense. Después de su matrimonio en 1945, vivió en París donde estudió en el Cordon Bleu y con un chef maestro. Tras mudarse a Boston y coescribir el exitoso libro *Mastering the Art of French Cooking* (1961), creó la popular serie de cocina *The French Chef* (1962–73) para la PBS. Hizo otros programas de cocina con posterioridad. Sus libros y programas ayudaron a educar al público estadounidense en el tema de la cocina francesa tradicional y difundieron el interés por las artes culinarias.

Child, Lydia Maria *orig.* **Lydia Maria Francis** (11 feb. 1802, Medford, Mass., EE.UU.–20 oct. 1880, Wayland). Abolicionista y escritora estadounidense. Se crió en el seno de una familia abolicionista y recibió la influencia de su hermano, un clérigo unitario. Escribió novelas históricas y publicó un manual popular, *The Frugal Housewife* [El ama de casa frugal] (1829). Después de conocer a William Lloyd Garrison en 1831, se dedicó activamente a la labor abolicionista. Su *Appeal in Favor of That Class of Americans Called Africans* [Llamado en favor de aquella clase de americanos que se llaman africanos] (1833) tuvo amplia circulación y convenció a muchos de adherir a la causa abolicionista. Entre 1841 y 1843 dirigió el diario *National Anti-Slavery Standard*. Su hogar era una de las estaciones en el UNDERGROUND RAILROAD (red clandestina), sistema de huida de los esclavos fugitivos.

Childe, V(ere) Gordon (14 abr. 1892, Sydney, Nueva Gales del Sur, Australia–19 oct. 1957, Mount Victoria, Nueva Gales del Sur). Arqueólogo británico de origen australiano. Fue docente en la Universidad de Edimburgo (1927–46) y posteriormente dirigió el Instituto de arqueología de la Universidad de Londres (1946–56). Sus estudios sobre la prehistoria europea, presentados especialmente en su libro *The Dawn of European Civilization* [El amanecer de la civilización europea] (1925), se orientaron a evaluar las relaciones entre Europa y el Medio Oriente y examinar la estructura y el carácter de las culturas antiguas del mundo occidental. Entre sus obras posteriores figuran *The Most Ancient Near East* [El Próximo Oriente más antiguo] (1928) y *The Danube in Prehistory* [El Danubio en la prehistoria] (1929) y, la más difundida, *Los orígenes de la civilización* (1936). Sus enfoques instituyeron una tradición en los estudios prehistóricos.

Childeberto II (570–dic. 595). Rey merovingio de Austrasia (575–95) y rey de Borgoña (592–95). (Ver dinastía merovingia.) Heredó el reino franco oriental de Austrasia a la muerte de su padre, Sigeberto I, y estuvo bajo la autoridad de su madre en los primeros años de su reinado. Su tío Guntram de Borgoña lo adoptó como su heredero en 577. Cuando alcanzó su mayoría de edad, depuró a la nobleza austrasiana (584) y emprendió una serie de campañas fracasadas contra los lombardos de Italia. Se convirtió en gobernante de Borgoña a la muerte de su tío en 592.

Childress, Alice (12 oct. 1916, Charleston, S.C., EE.UU.–14 ago. 1994, Nueva York, N.Y.). Dramaturga, novelista y actriz estadounidense. Creció en Harlem y estudió teatro con el American Negro Theatre, donde dirigió, escribió y protagonizó su primera obra, *Florence* (producida en 1949). Sus otras obras, algunas de las cuales incorporan música, son *Trouble in Mind* [Problema en mente] (producida en 1955), *String* [Cordel] (1969), *The African Garden* [El jardín africano] (1971) y *Gullah* (1984). También fue una popular escritora de libros para niños, entre ellos *A Hero Ain't Nothing but a Sandwich* [Un héroe no es más que un emparedado] (1973).

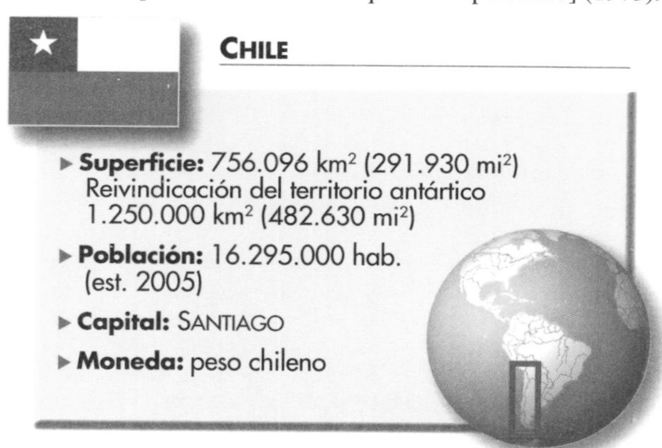

Chile *ofic.* **República de Chile** País del sudoeste de América del Sur. Superficie: 756.096 km² (291.930 mi²). Chile mantiene una reivindicación territorial de 1.250.000 km² (482.630 mi²) en la Antártida, entre los meridianos 53° y 90° longitud oeste. Población (est. 2005): 16.295.000 hab. Capital: Santiago. Pueblos indígenas habitaban estas tierras antes de la colonización española, como los diaguitas, mapuches (entre los cuales estaban los picunches, huilliches y pehuenches) y cuncos. Los colonos españoles llegaron en el s. XVI, y se mantuvo la migración en los s. XVII–XVIII, en particular de los vascos. Existe una población mestiza relativamente homogénea. Idioma: español (oficial). Religión: católica. Moneda: peso chileno. Chile se destaca por su topografía singular; es un país largo y angosto que se extiende entre la cordillera de los Andes y el océano Pacífico. De norte a sur tiene una extensión de 4.265 km (2.650 mi) y su ancho promedio es de 180 km (ancho máximo: 356 km [221 mi]). El norte tiene una meseta árida, el desierto de Atacama, y varias cumbres sobre los 4.900 m (16.000 pies) de altura, aunque los picos más elevados están en las fronteras con Bolivia y la Argentina. Los ríos, incluido el Biobío, no son de gran tamaño. Hay muchos lagos, entre ellos el más extenso es el Llanquihue. La costa del extremo sur se distingue por el gran número de ensenadas, islas y archipiélagos; la mitad occidental de Tierra del Fuego, así como el cabo de Hornos, el archipiélago Juan Fernández y las pequeñas islas Salas y Gómez, San Félix, San Ambrosio, Diego Ramírez e isla de Pascua se encuentran en territorio chileno. El país tiene una economía de libre mercado parcialmente desarrollada, basada en la minería y la manufactura, principalmente. Es una república bicameral; el jefe de Estado y de Gobierno es el presidente. Habitada en sus orígenes por pueblos autóctonos, entre ellos los mapuches, la región fue conquistada por los españoles en 1536. Un asentamiento, establecido en Santiago en 1541, estuvo gobernado por el virreinato del Perú, pero en 1778 pasó a ser capitanía general. La población criolla se rebeló contra el dominio español en 1810; la independencia definitiva se selló en la batalla de Chacabuco en 1817, con el triunfo de las tropas chilenas y argentinas comandadas por los generales Bernardo O'Higgins y José de San Martín. El país fue gobernado hasta 1823 por O'Higgins. Al término de la guerra del Pacífico contra el Perú y Bolivia (1879–83), el Perú cedió a perpetuidad las provincias de Tarapacá y Arica, y Bolivia, el territorio entre el río Loa y el paralelo 23° sur. Chile permaneció neutral en la primera guerra mundial (1914–18). En la segunda guerra mundial (1939–45) fue partidario del Eje, hasta que en 1943 se desvinculó de esa alianza. En 1970 fue elegido presidente Salvador Allende, el primer marxista confeso que era elegido jefe de Estado en América Latina. Después de graves trastornos económicos, fue derrocado en 1973 por un golpe de Estado encabezado por Augusto Pinochet, cuyo régimen militar suprimió duramente la oposición interna. Un plebiscito celebrado en 1988 y las elecciones del año siguiente removieron a Pinochet del poder y retornó el régimen democrático al país. La coalición triunfante, Concertación de Partidos por la Democracia, ha mantenido cuatro gobiernos sucesivos: el de Patricio Aylwin, que inició el proceso de transición a la democracia (1990–94), el de Eduardo Frei Ruiz-Tagle (1994–2000), el de Ricardo Lagos (2000–06) y el de Michelle Bachelet, que se inició en 2006. Los gobiernos de la Concertación han mantenido la política general de economía de mercado instaurada por el régimen militar,

Iglesia de Parinacota, declarada monumento nacional en 1979, localizada en el norte de Chile.
THOMAS SCHMITT/THE IMAGE BANK/GETTY IMAGES

Vista de Santiago, capital de Chile, desde el cerro San Cristóbal y, al fondo, la cordillera de los Andes.
FOTOBANCO

y la economía chilena es considerada como una de las más fuertes de América Latina.

Cuernos del Paine, junto al lago Pehoé, en el parque nacional Torres del Paine, Región de Magallanes y de la Antártida chilena, Chile.

FOTOBANCO

Chile, Universidad de Universidad pública de Chile, fundada en 1843, aun cuando sus orígenes datan de 1738, cuando el rey FELIPE V de España concedió la fundación de la universidad real, docente y de claustro que, en su honor, pasó a llamarse de San Felipe. Su primer rector fue ANDRÉS BELLO. En la actualidad es una institución integral de enseñanza superior e investigación que ofrece licenciaturas y programas de posgrado, tanto de magíster como Ph.D., en las principales disciplinas académicas. Además imparte diversos cursos de extensión y de educación permanente. Cuenta con 14 facultades, todas en Santiago; posee además tres observatorios astronómicos (astronomía, astrofísica y radioastronomía), diversos centros de investigaciones y estudios (entre ellos, el centro de estudios espaciales), el servicio sismológico y de vigilancia de volcanes, la orquesta sinfónica, el ballet y coro, el Museo de Arte Popular Americano, y el Teatro Nacional. Su hospital clínico es el más grande del país.

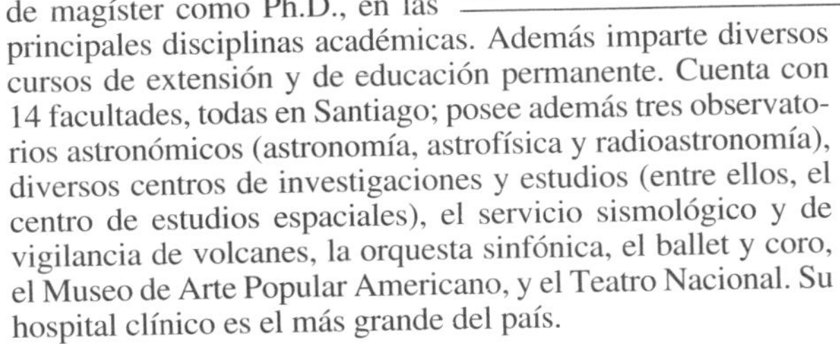

Chilka, lago Lago del este de India. Se encuentra en el estado de ORISSA y una angosta lengua de tierra lo separa del golfo de BENGALA. Con 65 km (40 mi) de largo y 8–20 km (5–13 mi) de ancho, es uno de los lagos más grandes de India. Originalmente fue una ensenada del océano hasta que fue obstruida por el légamo acumulado por las mareas y los monzones. Con numerosas islas, ofrece buena caza, navegación recreativa y pesca.

Chillida, Eduardo (n. 10 ene. 1924, San Sebastián, España). Escultor español. Estudió arquitectura y dibujo en Madrid. En 1947 comenzó a realizar sus primeras esculturas y al año siguiente se trasladó a París. En 1951 regresó a España para realizar sus primeras investigaciones con fragua en hierro, obras a las que posteriormente fue agregando nuevos materiales como el mármol, el acero y la madera. Entre 1964 y 1977 participó en más de una oportunidad en la DOCUMENTA DE KASSEL y en la Bienal de VENECIA, recibiendo varios premios y distinciones. Su obra madura, de formatos monumentales, se caracteriza por integrar elementos del CONSTRUCTIVISMO a su propia intensidad expresiva.

Chiloé, isla Grande de Isla del sudoeste de Chile. Separada a unos 2 km del continente por el canal de Chacao, tiene una superficie de 8.394 km^2 (3.241 mi^2). Los españoles conquistaron Chiloé en 1567 y mantuvieron su control hasta 1826, en lo que fue el último reducto de las fuerzas realistas en Chile durante las guerras de independencia. Con densos bosques, la isla ha tenido poco desarrollo. Sus habitantes se dedican a la pesca, agricultura y la explotación forestal. Destacan sus palafitos e iglesias, varias de ellas declaradas Patrimonio de la Humanidad.

Chilpancingo *p. ext.* **Chilpancingo de los Bravos** Ciudad (pob., 2000: 136.243 hab.), capital del estado de GUERRERO, en el sur de México. Se ubica en la SIERRA MADRE del sur, fue fundada en 1591 y ganó prominencia como el lugar del primer Congreso mexicano, convocado en 1813. Fue escenario de batallas, tanto de la independencia de España como de la REVOLUCIÓN MEXICANA. Es un mercado agrícola para la región circundante.

Chilperico I (c. 539–sep./oct. 584, Chelles, Francia). Rey de Soissons, de la dinastía MEROVINGIA. A la muerte de su padre, CLOTARIO I, con sus tres hermanastros se dividieron el reino. Aunque de la repartición recibió Soissons, la porción más pobre, obtuvo más territorio cuando uno de sus hermanos murió. Se convirtió así en el gobernante de la mayor parte del reino más tarde llamado NEUSTRIA. Ambicioso, brutal y libertino, fue llamado el NERÓN y el HERODES de su época por un escritor contemporáneo. Asesinó a su propia esposa con el fin de casarse con su amante Fredegunda. Familiares de la asesinada intrigaron durante años con el fin de vengarse y desencadenar la guerra civil. Fue finalmente asesinado por un desconocido, posiblemente por órdenes de Fredegunda. Le sobrevivieron su esposa y un hijo pequeño.

Chilwa, lago Lago del sudeste de Malawi. Se encuentra en una depresión al sudeste del lago MALAWI entre la región montañosa del río Shire y la frontera con Mozambique. Hoy cubre cerca de 2.600 km^2 (1.000 mi^2); cuando DAVID LIVINGSTONE arribó a su ribera en 1859 era mucho más grande y originalmente lienaba por completo la depresión.

Chimborazo, pico Cumbre de Ecuador. Es el pico más alto del sector de los Andes conocido como cordillera Real, con 6.310 m (20.702 pies) de altura; en el pasado se pensaba que era la más alta cumbre de la cordillera de los ANDES (ver ACONCAGUA). Es un volcán activo, cubierto profusamente por glaciares. Se hicieron muchos intentos para escalarlo durante los s. XVIII y XIX, pero no fue hasta 1880 que el montañista inglés EDWARD WHYMPER alcanzó su cima por primera vez.

El volcán Chimborazo en los Andes ecuatorianos.

LOREN MCINTYRE—AUDIO VISUAL PRODUCTION

chimenea submarina Chimenea hidrotermal (de agua caliente) formada en el suelo oceánico cuando el agua circula a través de rocas volcánicas calientes, con frecuencia localizadas en zonas de formación de corteza oceánica. Las chimeneas también aparecen en volcanes submarinos. En ambos casos, la solución caliente que emerge hacia el agua marina fría precipita depósitos minerales ricos en hierro, cobre, cinc y otros metales. La salida de estas aguas calientes probablemente representa el 20% de la pérdida de calor de la Tierra. Se sabe que alrededor de estas chimeneas existen comunidades biológicas exóticas; estos ecosistemas son totalmente independientes de la energía solar, no dependen de la fotosíntesis, sino de la quimiosíntesis efectuada por bacterias que fijan los sulfuros.

Chimkent *o* **Shimkent** Ciudad (pob., est. 1999: 360.100 hab.) en el centro-sur de Kazajstán. Se encuentra a una altitud de 512 m (1.680 pies) al pie de los montes Ugam, al norte de TASHKENT. Originalmente fue un poblado en la ruta de caravanas de Asia central a China, que data al menos del s. XII DC. Fue destruida varias veces por ataques de tribus nómadas y pasó a ser parte del kanato de QO'QON a inicios del s. XIX. Fue anexada por el Imperio ruso en 1864. El ferrocarril Turkestán-Siberia pasa por Chimkent y su población aumentó notoriamente durante el s. XX. Hoy es un centro industrial y cultural.

chimpancé Especie (*Pan troglodytes*) de gran SIMIO que habita los bosques lluviosos y sabanas boscosas del África ecuatorial, el pariente vivo más próximo a los seres humanos. Los chimpancés tienen una estatura erguida de 1–1,7 m (3–5,5 pies), pesan 32–60 kg (70–130 lb), poseen un pelaje marrón o negro y una cara lampiña. Se alimentan principalmente en los árboles, columpiándose de rama en rama; para desplazarse a cualquier distancia caminan y apoyan normalmente los cuatro miembros en el suelo. Comen de preferencia frutas, bayas, hojas y semillas, algunos termes y hormigas y, de vez en cuando, crías de babuino o de marrano del bosque. Son capaces de resolver problemas, usar herramientas y engañar. Los chimpancés son muy sociales y conviven en grupos variables (15–100 o más miembros), conocidos como comunidades. En condiciones naturales viven unos 45 años; en cautiverio, más de 50. Ver también Bonobo.

chimpancé enano ver Bonobo

chimú Pueblo indígena sudamericano; mantuvo el más amplio e importante sistema político en el Perú antes del advenimiento de los Incas. El estado chimú se formó en los inicios del s. XIV. Era una sociedad altamente estratificada, con una masa de campesinos que trabajaba bajo una nobleza gobernante. Su capital, Chanchán, en la costa norte del actual Perú, es en la actualidad un gran sitio arqueológico. Producían finos textiles y objetos de oro, plata y cobre. En el s. XV fueron conquistados por los incas, quienes absorbieron gran parte de la alta cultura chimú en su propia organización imperial.

Ch'in, dinastía ver dinastía Qin

Ch'in Kuei ver Qin Gui

Chin, montes Región montañosa del noroeste de Myanmar (Birmania). Se extiende a lo largo de la frontera con India y forma la parte central de un arco que va desde los montes Arakan hasta los montes Patkai. Los montes Chin varían de 2.000 a 3.000 m (7.000 a 10.000 pies) de altura. Junto con el resto del arco forman parte de la cadena montañosa en dirección norte-sur del Sudeste asiático que ha dificultado el movimiento en dirección este-oeste; la región fue poblada por pueblos chin, provenientes del norte. Es una zona fronteriza entre las culturas myanmar e india.

Ch'in, tumba de ver tumba de Qin

China *ofic.* **República Popular de China** País de Asia oriental. Los han o chinos étnicos constituyen más de 90% de la población. Idiomas: dialectos del chino han, siendo el mandarín el más importante. Religiones: budismo, Islam, protestantismo, catolicismo, taoísmo (todas ellas autorizadas legalmente). China presenta varias regiones topográficas. El área sudoccidental comprende la meseta del Tíbet, con un promedio de más de 4.000 m (13.000 pies) sobre el nivel del mar y cuya área central, con promedios de más de 5.000 m (16.000 pies) de altura, es llamada el "techo del mundo". De mayor altura todavía son los montes fronterizos Kunlun hacia el norte y el Himalaya hacia el sur. La región noroccidental de China se extiende desde Afganistán hasta la llanura de Manchuria nororiental. Las Tian Shan ("montañas celestiales") separan las dos principales cuencas interiores de China, la

La bóveda imperial del cielo, de base octogonal y techo redondo, integra el gran conjunto del templo del Cielo, en la antigua ciudad exterior de Beijing, China.
ARCHIVO EDIT. SANTIAGO

cuenca del Tarim (que incluye el desierto de Taklamakan) y la cuenca de Dzungaria (Junggar Pendi). La meseta de Mongolia Interior abarca el extremo meridional del desierto de Gobi. Las tierras bajas de la región oriental incluyen la cuenca de Sichuan, que se extiende a lo largo del río Yangtzé (Chang Jiang). Este río divide la región oriental en dos partes, septentrional y meridional. El Tarim es el principal río en el noroeste. En la cuenca más pequeña de China, ubicada en el sudoeste, nacen los ríos Brahmaputra, Saluén e Irawadi. Entre otros de sus numerosos ríos están el Xi Jiang, Sungari, Zhu Jiang (Perla) y el Lancang, que en el Sudeste asiático se convierte en el Mekong. El descubrimiento del hombre de Pekín en 1927 (ver Zhoukoudian) remontó la aparición de los primeros homínidos al período Paleolítico. La civilización china se propagó probablemente desde el valle del Huang He (río Amarillo), en donde ya existía c. 3000 AC. La primera dinastía de la que existe material histórico preciso es la dinastía Shang (c. siglo XVII AC), que tenía un sistema de escritura y un calendario. La dinastía Zhou, cuyo estado era vasallo de los Shang, derrocó a estos últimos en el s. XI y gobernó hasta el s. III AC. El taoísmo y el confucianismo fueron fundados en ese tiempo. Una época de conflicto llamada período de los Estados Guerreros duró desde el s. V hasta 221 AC. Luego se estableció la dinastía Qin (Ch'in, de cuyo nombre deriva China), después de que sus gobernantes conquistaron a varios estados rivales y crearon un imperio unificado. La dinastía Han se estableció en 206 AC y gobernó hasta 220 DC. Siguió luego un tiempo de turbulencia y la reunificación de China sólo fue lograda con el establecimiento de la dinastía Sui en 581. Después de la fundación de la dinastía Song en 960, la capital fue trasladada al sur a causa de las invasiones provenientes del norte. En 1279, esta dinastía fue derrocada y comenzó la dominación mongol (dinastía Yuan). En esa época, Marco Polo visitó a Kublai Kan. Al gobierno mongol sucedió la dinastía Ming, que perduró desde 1368 hasta 1644; fomentó sentimientos xenófobos, hasta el punto de que China se aisló del resto del mundo. Pueblos venidos de Manchuria invadieron China en 1644 y establecieron la dinastía Qing (manchú). La siempre creciente penetración de intereses occidentales y japoneses provocaron durante el s. XIX las guerras del opio, la rebelión Taiping y la guerra chino-japonesa, conflictos que debilitaron a los manchúes. La dinastía cayó en 1911 y Sun Yat-sen proclamó en 1912 la república, la que se vio debilitada por las luchas de poder entre los jefes militares. Bajo el gobierno de Chiang Kai-shek se alcanzó cierto grado de unificación nacional durante la década

Vista de la Gran Muralla, que se extiende por 6.400 km aprox., de este a oeste, en China septentrional.
ARCHIVO EDIT. SANTIAGO

de 1920, pero pronto Chiang rompió con los comunistas, quienes formaron entonces sus propios ejércitos. Japón invadió el norte de China en 1937 y su ocupación duró hasta 1945, (ver MANCHUKUO). Los comunistas ganaron apoyo después de la LARGA MARCHA (1934–35), en la que MAO ZEDONG surgió como su líder. La rendición de Japón al final de la segunda guerra mundial dio comienzo a una feroz guerra civil. En 1949, los nacionalistas huyeron a Taiwán y los comunistas proclamaron la República Popular de China. Estos emprendieron vastas reformas, alternando políticas pragmáticas con períodos de gran agitación revolucionaria, especialmente durante el GRAN SALTO ADELANTE y la REVOLUCIÓN CULTURAL. La anarquía, el terror y la parálisis económica de este último período provocaron, después de la muerte de Mao en 1976, un viraje hacia la moderación bajo la conducción de DENG XIAOPING, quien emprendió reformas económicas y reanudó relaciones con Occidente. Desde fines de 1979, la economía se encuentra en un proceso de transición, evolucionando desde un sistema de planificación centralizada y de industrias estatales hacia uno mixto de empresas de propiedad estatal y privada en las áreas de la industria manufacturera y los servicios, proceso que ha permitido un crecimiento drástico y la transformación de la sociedad china. El incidente de la plaza de TIANANMEN en 1989 fue un desafío a un ambiente político claramente más estable desde 1980. En 1997, HONG KONG fue restituida a China, al igual que MACAO en 1999.

Artista de la ópera de Pekín, teatro tradicional chino.
FOTOBANCO

China, mar de Sector del océano Pacífico. Abarca desde Japón hasta el extremo sur de la península de MALACA; la isla de Taiwán lo divide en dos. La sección norte corresponde al mar de China oriental, que cubre una superficie de 1.249.157 km^2 (482.300 mi^2), tiene una profundidad máxima de 2.782 m (9.126 pies) y lo rodean China oriental, Corea del Sur, la isla KYUSHU, el archipiélago de RYUKYU y Taiwán. La sección sur corresponde al mar de China meridional y con frecuencia se le llama simplemente mar de China. Cubre una superficie de 2.319.086 km^2 (895.40^0 mi^2), tiene una profundidad máxima de 4.600 m (15.000 pies) y lo rodean el sudeste de China, Indochina, la península de Malaca, Borneo, Filipinas y Taiwán.

China meridional, mar de ver mar de CHINA

China nacionalista ver TAIWÁN

China oriental, mar de ver mar de CHINA

china, sistema de escritura Sistema de símbolos empleado para escribir la lengua CHINA. La escritura china es fundamentalmente ideográfica; existe una correspondencia exacta entre un solo símbolo o carácter en la escritura y un MORFEMA. Más allá de su complejidad, cada carácter se inserta en un rectángulo hipotético del mismo tamaño. Los primeros testimonios de la escritura china se encuentran en inscripciones adivinatorias, talladas en hueso o en caparazones de tortugas, que se remontan a la dinastía SHANG. Las formas primitivas de los caracteres eran con frecuencia claramente pictóricas o icónicas. Los elementos compartidos de los caracteres, denominados radicales, proporcionan un medio para clasificar la escritura china. Se estima que un chino alfabetizado medio puede reconocer entre 3.000 y 4.000 caracteres. Se ha procurado reducir el número de caracteres y simplificar su forma, aunque el hecho de que puedan ser leídos por un hablante de cualquier lengua china y su profundo nexo con los 3.000 años de cultura hacen poco probable que se abandone el sistema. Los caracteres chinos también han sido adaptados para escribir el japonés, el coreano y el vietnamita.

chinas, lenguas *o* **lenguas siníticas** Familia de lenguas que comprende una de las dos ramas de las lenguas CHINOTIBETANAS. Son habladas por casi 95% de los habitantes de China y por muchas comunidades de inmigrantes chinos en otros lugares. Los lingüistas consideran los principales grupos dialectales del chino como lenguas distintas aunque, debido a que todos los chinos escriben con un sistema común de ideogramas o caracteres (ver sistema de escritura CHINA) y comparten el chino clásico como patrimonio común, tradicionalmente todas las variedades de chino se consideran dialectos. Existe una división primaria de las lenguas chinas entre los llamados dialectos mandarines, que poseen un alto grado de inteligibilidad mutua y abarcan toda el área lingüística china al norte del río Yangtzé (Chang Jiang) y al oeste de las provincias de Hunán y Guangdong, y una cantidad de otros grupos dialectales concentrados en China sudoriental. Más de 885 millones de personas hablan una variedad de chino mandarín como lengua materna, lo que significa que hay más hablantes de ese idioma que de cualquier otro del mundo. El dialecto mandarín del norte, hablado en Beijing, es la base del chino estándar moderno, norma hablada que sirve de LINGUA FRANCA supradialectal. Otros grupos dialectales importantes, además del mandarín, son el wu (hablado en Shanghai), el gan, el xiang, el min (hablado en Fujián y en Taiwán), el yue (incluido el cantonés, hablado en Guangzhou [Cantón] y Hong Kong) y el kejia (hakka), hablado por los HAKKA. Las lenguas chinas modernas son lenguas tonales. El número de TONOS fluctúa entre cuatro, en el chino estándar moderno, y nueve, en algunos dialectos.

chinche Cualquiera de unas 75 especies de insectos nocturnos (familia Cimicidae) que se alimentan chupando sangre humana o de otros animales homeotermos. El adulto es marrón rojizo, ancho y plano, y mide menos de 4–5 mm (0,2 pulg.) de largo. Es uno de los parásitos humanos más cosmopolitas y habita en todo tipo de moradas. Digiere el alimento lentamente; los adultos han llegado a vivir un año o más sin alimento. Aunque la picadura es irritante, se desconoce si transmite enfermedades a los seres humanos.

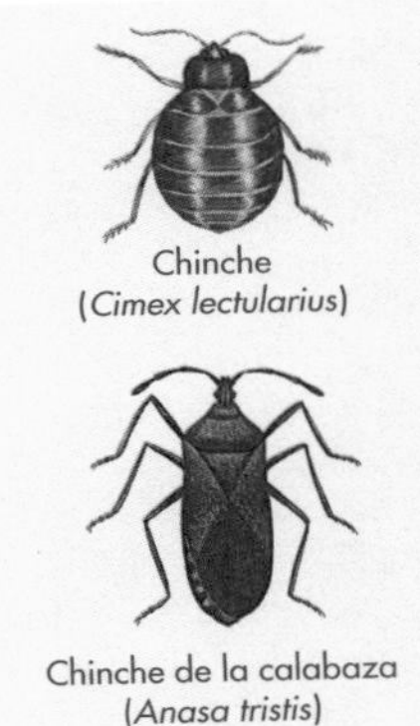

Chinches.
© ENCYCLOPÆDIA BRITANNICA, INC.

chinche asesina ver REDUVIO

chinche de la calabaza Cualquiera de más de 2.000 especies de insectos de distribución amplia (familia Coreidae), incluidas muchas plagas vegetales importantes. La mayoría de las especies es de color mate y mide más de 10 mm (0,4 pulg.) de largo. Muchas tienen prolongaciones ensanchadas y planas en las patas. Este insecto (*Anasa tristis*) es una plaga importante de la calabaza, el melón y el zapallo (plantas de la familia de las CUCURBITÁCEAS). Es básicamente amarillo, pero está cubierto de fositas oscuras que lo hacen parecer negro. Las larvas son de alimentación subterránea, y las piezas bucales taladradoras y chupadoras de los adultos les permiten atacar partes de la planta donde los insecticidas penetran excepcionalmente.

chinchilla Pequeño ROEDOR sudamericano (género *Chinchilla*, familia Chinchillidae) apreciado desde antaño por su piel de textura finísima. Las chinchillas parecen conejos colilargos de orejas pequeñas. Tienen unos 35 cm (14 pulg.) de largo, incluida la cola penachuda. La piel, suave, es gris con matices oscuros; una raya negra longitudinal circunda la cola. Las chinchillas viven en comunidades abiertas en regiones áridas y rocosas de los Andes de Chile y Bolivia, en madrigueras o en grietas rocosas. Se alimentan de semillas, frutas, cereales, hierbas y musgo. Cazadas otrora hasta el borde de la extinción, todavía son escasas en condiciones naturales. Se crían con fines comerciales; casi todos los animales en cautiverio descienden de unos pocos ejemplares introducidos en EE.UU. en 1923.

Chindwin, río Río del oeste de Myanmar. Nace en las montañas del norte y fluye por 1.158 km (720 mi), primero hacia el noroeste a través del valle Hukawng y luego hacia el sur siguiendo la frontera con India para unirse al IRAWADI en Myingyan. En general es navegable a partir de su confluencia con el río Uyu. Fue escenario de duras batallas durante la segunda guerra mundial.

chinesco, estilo Imaginativas interpretaciones europeas de los estilos chinos en el diseño de interiores, mobiliario, alfarería, textiles y jardines. En los s. XVII–XVIII, la expansión del comercio con Asia oriental despertó un vivo interés por la moda china. El más notable ejemplo de interiores chinescos fue el Trianon de porcelana (1670–71), construido para LUIS XIV en Versalles. El estilo presentaba un abundante uso del dorado y del laqueado, del azul y del blanco (como la cerámica de DELFT), formas asimétricas, perspectiva heterodoxa y motivos asiáticos. En el s. XIX, la moda dio lugar al estilo turco y a otros que se consideraron exóticos.

Ch'ing, dinastía ver dinastía QING

Chinggis Kan ver GENGIS KAN

chino, derecho Derecho desarrollado en China desde la antigüedad hasta el s. XX, cuando se introdujo el derecho occidental socialista (ver derecho SOVIÉTICO). El código chino más antiguo y completo que subsiste fue compilado en 653 DC durante la dinastía TANG. El derecho tradicional chino recibió la influencia a la vez del CONFUCIANISMO, que permitía cierta variación del comportamiento moral según la condición y las circunstancias de las personas y de los principios legalistas o de Fajia, que hacían hincapié en la aplicación de normas objetivas y uniformes. También influía en el derecho el papel divino que correspondía al emperador en el universo. Se consideraba que el emperador era responsable ante el cielo por cualquier perturbación que se produjera en la tierra; cuando ocurría algún trastorno de la naturaleza el castigo era el medio de restablecer el equilibrio cósmico. Todos los ciudadanos estaban obligados a denunciar a los malhechores ante los tribunales locales. El magistrado examinaba los hechos, y aplicando el código penal establecía las penas, que incluían los azotes y la tortura. En China nunca se desarrolló la profesión de abogado. El derecho tradicional continuó ejerciendo influencia incluso después de que los comunistas conquistaron el poder en 1949.

chino, sistema de exámenes Sistema competitivo de exámenes para reclutar funcionarios en China, que vinculó al Estado con la sociedad y que dominó la educación desde la dinastía SONG (960–1279) en adelante, aunque sus raíces se remontan a la universidad imperial establecida en la dinastía HAN (206 AC–220 DC). Los candidatos se enfrentaban en una durísima competencia a través de una serie de exámenes que trataban principalmente sobre textos confucianos y eran llevados a cabo a nivel prefectural, provincial y nacional. A pesar de una persistente tendencia a privilegiar el aprendizaje mecánico por sobre el pensamiento original, y la forma por sobre lo sustantivo, los exámenes consiguieron crear una elite educada en un conjunto de enseñanzas comunes, y dar credibilidad a quienes sostenían que el sistema privilegiaba la meritocracia. Demasiado inflexible como para ser modernizado, el sistema fue finalmente abolido en 1905. Ver también CINCO CLÁSICOS; CUATRO LIBROS.

chino-francesa, guerra (1883–85). Conflicto militar entre China y Francia por el control de Vietnam. Reveló lo inadecuado de los esfuerzos de modernización en China e hizo surgir un sentimiento nacionalista en el sur del país. En 1880, cuando Francia comenzó a extender su presencia en Vietnam, desde las tres provincias meridionales que estaban bajo su control, hacia el norte, China envió tropas y libró combates en pequeña escala. El gobernador general LI HONGZHANG negoció un acuerdo según el cual el norte de Vietnam sería un protectorado en común, pero fue rechazado por una facción de línea dura del gobierno chino. Los franceses derrotaron a las tropas chinas en 1883 y se llegó a un nuevo acuerdo que era aun más favorable a Francia, el que también fue rechazado. Tras ulteriores hostilidades, la moderna flota china de 11 buques de vapor resultó destruida, al igual que un gran astillero en Fuzhou. En 1885, China firmó un tratado de paz en el que aceptaba el acuerdo de 1883.

chino-japonesa, guerra Cada uno de los dos conflictos bélicos librados entre China y Japón en los s. XIX y XX. El primero (1894–95), por el control de Corea, marcó el surgimiento de Japón como potencia mundial y demostró la fragilidad de China. Aunque Corea había sido por largo tiempo el más importante estado-cliente de China, Japón comenzó a interesarse en ese país por sus recursos naturales y su ubicación estratégica, y logró que se abriera al comercio internacional en 1875. A raíz de lo anterior, aumentaron las tensiones entre los coreanos radicales pro japoneses que favorecían la modernización y los funcionarios del gobierno conservador coreano apoyado por China, lo que provocó que esta última entrara en conflicto con Japón. Aunque los observadores extranjeros predijeron una fácil victoria para el ejército chino, debido a su superioridad numérica, los japoneses obtuvieron triunfos aplastantes tanto en tierra como en mar. En el tratado de Shimonoseki, China reconoció la independencia de Corea y cedió Taiwán, las islas Pescadores y la península Liaodong a Japón (más tarde, los japoneses fueron obligados a devolver esta última). El segundo conflicto (1937–45) se refiere al período en que China resistió la agresión nipona a su territorio tras el establecimiento de Japón en Manchuria y que finalizó con la derrota japonesa en la segunda GUERRA MUNDIAL. Ver también MANCHUKUO; masacre de NANJING; incidente del puente MARCO POLO; rebelión TONGHAK.

Escena de la primera guerra chino-japonesa; ilustración de la derrota de la flota china frente a la armada japonesa.
FOTOBANCO

chinook Pueblo nativo de la COSTA NOROCCIDENTAL, en Washington y Oregón, EE.UU. Al momento de su primer contacto –en realidad se componían de varios grupos pequeños, los chinook inferiores, clatsop, clackamas y wascos– vivían junto al curso inferior del río Columbia y hablaban lenguas chinookan. Eran famosos como comerciantes, con conexiones que alcanzaban hasta las grandes planicies. Comerciaban salmón seco, canoas, conchas y esclavos. La jerga chinook, lengua de intercambio comercial en la costa noroeste, era una combinación de chinook con nootka y otros términos indígenas, ingleses y franceses. Los chinook fueron descritos por primera vez por los exploradores Lewis y Clark, quienes los hallaron en 1805. La unidad social básica era el CLAN. La religión se concentraba en rituales relativos al salmón y en los espíritus guardianes, y el POTLATCH era una de sus principales ceremonias sociales. Tras una epidemia de viruela que, a comienzos del s. XIX trajo consigo el colapso de la cultura chinook, la mayor parte de los sobrevivientes fueron absorbidos por otros grupos de la costa noroeste y muchos fueron trasladados a reservas. Apenas unas 600 personas declararon ser sus descendientes en el censo estadounidense de 2000. En el año 2001 obtuvieron el reconocimiento federal de su condición tribal.

chinotibetanas, lenguas *o* **lenguas sinotibetanas** Gran familia de lenguas cuyas dos ramas son la familia de las lenguas CHINAS y la familia tibetano-birmana, agrupación de varios cientos de lenguas muy diversas habladas por cerca de 65 millones de personas desde el norte de Pakistán a Vietnam por el este, y desde la meseta tibetana hasta la península de Malaca por el sur. Las lenguas tibetano-birmanas occidentales abarcan el TIBETANO y las lenguas bodish e himalaya, habladas principalmente en Nepal. Las lenguas tibetano–birmanas del nordeste de la India incluyen las lenguas bodo-garo (habladas en ASSAM) y las lenguas nagas del norte en NAGALAND; tal vez se agrega a estas el jingpo, que se habla en el norte de Myanmar. Las lenguas kukichin y las nagas del sur se hablan en el este de la India, el este de Bangladesh y el oeste de Myanmar. Las lenguas tibetano-birmanas centrales se hablan principalmente en Arunachal Pradesh en India y en las regiones adyacentes de China y Myanmar; incluyen el lepcha, una de las lenguas oficiales de SIKKIM. Las tibetano-birmanas del nordeste comprenden un grupo heterogéneo de lenguas habladas en el oeste de Sichuan y el noroeste de Yunnan en China. El lolos birmano, subgrupo de amplia distribución geográfica, incluye el birmano, que es la lengua nacional de Myanmar (Birmania). Las lenguas lolos abarcan el habla de los yis o lolos de Yunnan, como asimismo varias lenguas esparcidas por Yunnan y partes del Sudeste de Asia, incluidos el lahu y el akha. El karen, hablado por los KAREN de Myanmar y Tailandia, forma un subgrupo distinto. El tibetano y el birmano son las únicas lenguas tibetano-birmanas con larga tradición literaria. El birmano se escribe mediante una adaptación de la escritura mon (ver lenguas MON-JMER).

Chinsha ver JINSHA JIANG

Chíos, isla ver isla QUÍOS

chip ver CIRCUITO INTEGRADO

chip de computadora CIRCUITO INTEGRADO u oblea pequeña de material SEMICONDUCTOR embebido en circuitería integrada. Los chips contienen las unidades de procesamiento y memoria de la COMPUTADORA DIGITAL moderna (ver MICROPROCESADOR; RAM). La fabricación de los circuitos integrados es extremadamente precisa y por lo general se realiza en un "ambiente limpio", dado que la contaminación, aunque sea microscópica, puede hacerlos defectuosos. Como los componentes de transistores se han reducido en tamaño, su cantidad por chip se duplica cada 18 meses aprox. (fenómeno conocido como la ley de Moore), de unos cuantos miles en 1971 (primer circuito integrado de INTEL CORP.) a millones en 1989. Se prevé que la NANOTECNOLOGÍA hará que durante el s. XXI los transistores sean aún más pequeños y en consecuencia los chips más poderosos.

Chippendale, estilo Estilo de mobiliario derivado de los diseños de THOMAS CHIPPENDALE. El término se refiere específicamente al mobiliario inglés fabricado en un estilo ROCOCÓ modificado en las décadas de 1750–60, aunque Chippendale también diseñó mobiliario en estilo gótico y chino. Algunos de sus modelos son adaptaciones del estilo LUIS XV. También se fabricó mobiliario basado en sus diseños en Europa y en las colonias norteamericanas.

Chippendale, Thomas (bautizado el 5 jun. 1718, Otley, Inglaterra–nov. 1779, Londres). Ebanista inglés. Se sabe poco de su vida antes de 1753, año en que abrió una sala de ventas y un taller en Londres. En 1754 publicó *The Gentleman and Cabinet-Maker's Director*, una popular colección de diseños que ilustra casi todos los tipos de mobiliario doméstico. Los diseños eran en su mayoría mejoras a los estilos existentes. Aunque se le atribuye gran parte del mobiliario del s. XVIII, con certeza sólo unas pocas piezas pueden ser asignadas a su taller. Ver también estilo CHIPPENDALE.

chippewa ver OJIBWA

Chippewa, batalla de (5 jul. 1814). Combate de la guerra ANGLO-ESTADOUNIDENSE que levantó la moral militar de EE.UU. Cuando soldados estadounidenses al mando de WINFIELD SCOTT capturaron Fort Erie, N.Y., siguieron avanzando hacia el norte y entraron en Canadá. Una fuerza británica salió hacia el sur desde Fort George y los atacó en Chippewa. Los ingleses fueron derrotados y tuvieron 604 bajas contra 335 de EE.UU.

CHIPRE

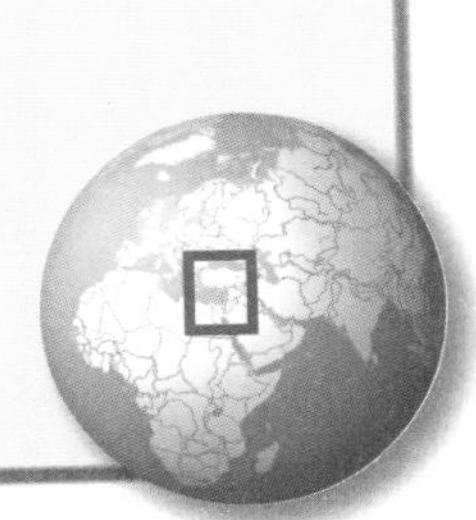

- **Superficie:** 9.251 km² (3.572 mi²)
- **Población total de la isla:** 968.000 hab. (est. 2005)
- **Capital:** NICOSIA
- **Monedas:** libra chipriota, lira turca

Chipre *ofic.* **República de Chipre** *griego* **Kípros** *turco* **Kıbrıs** País insular de la zona nororiental del mar Mediterráneo. En la actualidad Chipre está dividido de hecho en dos estados. La República de Chipre, cuyo gobierno es reconocido internacionalmente, ocupa dos tercios de la región meridional. Su población está compuesta principalmente por griegos. Idioma: griego (oficial). Religión: ortodoxa oriental. La República Turca de Chipre del Norte ocupa el tercio septentrional de la isla. Su población es principalmente turca. Idioma: turco (oficial) e inglés. Religión: Islam. Es la tercera isla más grande del Mediterráneo, está ubicada a 65 km (40 mi) de la costa meridional de Turquía. Es principalmente montañosa, con una fértil zona central y planicies costeras. El monte Olimpo es su mayor elevación, a 1.951 m (6.401 pies) sobre el nivel del mar. El clima es mediterráneo. Tiene una economía de libre mercado basada principalmente en el comercio y la manufactura, y destaca a nivel mundial por su flota mercante. La república, cuyo gobierno goza de reconocimiento internacional, está organizada en un régimen multipartidario unicameral; el jefe de Estado y de Gobierno es el presidente. Chipre fue poblada desde principios del NEOLÍTICO; a fines de la EDAD DE BRONCE fue explorada y colonizada por MICÉNICOS y aqueos, quienes introdujeron la cultura e idioma griegos, y se transformó en un centro comercial. En 800 AC los FENICIOS habían comenzado a asentarse en la isla. Gobernada durante siglos por los imperios asirio, persa y tolemaico, fue anexada por Roma en 58 AC. Formó parte del Imperio bizantino en los s. IV–XI DC. Fue conquistada en 1191 por el rey inglés RICARDO I (Corazón de León). Pasó a integrar el imperio comercial veneciano desde 1489, y fue tomada por el Imperio otomano en 1573. En 1878, los británicos pasaron a controlar la isla y Chipre se transformó en 1924 en una colonia de la Corona británica. Obtuvo su independencia en 1960. El conflicto entre grecochipriotas y turcochipriotas llevó al establecimiento de una misión de paz de las Naciones Unidas (ONU) en 1964. En 1974, el temor a un movimiento que buscaba unir Chipre a Grecia, llevó a que la República de Turquía enviara tropas para ocupar el tercio septentrional de la isla. Los turcochipriotas establecieron un gobierno, que sólo obtuvo el reconocimiento de Turquía. El conflicto ha persistido y la misión de paz de la ONU ha permanecido en el lugar. Las negociaciones para reunificar la isla bajo un gobierno único no han obtenido resultados.

Chiquita Brands International, Inc. *ant. (1970–90)* **United Brands Co.** Compañía estadounidense especializada en alimentos procesados y productos tropicales. Fue creada en 1970 por la fusión de UNITED FRUIT CO., empresa productora y comercializadora de bananas, y AMK Corp., la SOCIEDAD DE CARTERA de la firma envasadora de carnes John Morrell and Co. Chiquita posee y arrienda extensas granjas y plantaciones en América Central, América del Sur septentrional y el Caribe. A lo largo de su historia, la compañía ha cultivado bananas, azúcar, cacao y abacá. También ha explotado maderas tropicales, aceites esenciales y caucho. Más recientemente, la empresa se ha concentrado en las bananas y otros productos. Además, procesa y distribuye alimentos envasados. Su conocida marca "Miss Chiquita" fue registrada en 1944. En 1963 se aplicaron por primera vez las famosas etiquetas adhesivas Chiquita a las bananas de la compañía.

Chirac, Jacques (René) (n. 29 nov. 1932, París, Francia). Presidente de Francia (desde 1995). En 1967 fue elegido a la Asamblea Nacional como gaullista. Siendo primer ministro (1974–76), renunció por diferencias con VALÉRY GISCARD D'ESTAING y formó un grupo neogaullista, AGRUPACIÓN PARA LA REPÚBLICA (RPR). Como alcalde de París (1977–95), continuó en su intento por estructurar una base política conservadora. Su campaña para la presidencia en 1981 dividió el voto conservador, lo que permitió al socialista FRANÇOIS MITTERRAND ganar las elecciones. Más tarde Mitterrand lo nombró primer ministro (1986–88), en un inusual acuerdo para compartir el poder después del arrollador triunfo derechista en las elecciones parlamentarias. Aunque derrotado nuevamente en las elecciones presidenciales de 1988, ganó la presidencia en su tercer intento en 1995. Fue reelegido en 2002 en una aplastante victoria sobre JEAN-MARIE LE PEN.

Jacques Chirac.
FOTOBANCO

Chirico, Giorgio de (10 jul. 1888, Vólos, Grecia–19 nov. 1978, Roma, Italia). Pintor italiano de origen griego, de padres italianos. Estudió arte en Munich y comenzó a pintar imágenes, yuxtaponiendo lo fantástico con lo trivial. En 1911 se mudó a París, donde realizó escenas siniestras de plazas desiertas, con estatuas clásicas, figuras aisladas y arquitectura opresiva. El elemento misterioso en su obra ejerció gran influencia sobre el SURREALISMO de la década de 1920. Se lo conoce como el fundador de la pintura METAFÍSICA, junto con Carlo Carrà y GIORGIO MORANDI.

chirimía *o* **caramillo** Instrumento de VIENTO-MADERA renacentista de doble lengüeta, antepasado del OBOE. Su tubo cónico y su campana son más amplios que los del oboe. Un disco denominado "pirueta" sostiene normalmente los labios del intérprete. Las chirimías se fabricaban en varios tamaños, desde el sopranino hasta el doble bajo. Quizás hace 2.000 años ya se empleaban en el Medio Oriente y fueron introducidas en Europa durante las cruzadas. Con su sonido potente, las chirimías se clasificaban como instrumentos "fuertes (en intensidad sonora)" o "de exterior", y se usaban en bailes y en música ceremonial.

chirimoyo Cualquiera de varias especies del género *Annona* de arbustos o arbolillos de la familia de las Anonáceas, originarios de la América tropical. La familia es la más grande del orden Magnolia y contiene unas 1.100 especies de plantas repartidas en 122 géneros. Muchas especies de la familia son apreciadas por sus frutos grandes y pulposos. Otras tienen valor como maderables y otras como plantas ornamentales. Las hojas y la madera son a menudo fragantes. El fruto es una baya. El anón (*Annona reticulata*), tropical y pequeño, da frutos con una pulpa amarillo rojiza y dulzona, parecida al flan. Otras especies incluyen el chirimoyo verrugoso (*A. squamosa*) y el guanábano (*A. muricata*). La corteza, las hojas y las raíces de muchas especies son importantes en la medicina popular.

Chirimoyo o anón (*Annona reticulata*).
WALTER DAWN

chirivía Planta (*Pastinaca sativa*) de la familia de las Umbelíferas (ver PEREJIL), cultivada por su raíz fusiforme, carnosa, grande, blanca y comestible, de sabor dulce característico y que por lo general se consume como vegetal cocido. A fines del verano, las sustancias sólidas de la raíz consisten fundamentalmente en almidón, pero un período de baja temperatura convierte buena parte de este en azúcar. La raíz es resistente y las heladas no la dañan. Originaria de Gran Bretaña, Europa y las zonas templadas de Asia, la chirivía se ha aclimatado extensamente en Norteamérica.

chirla ver BECADA

Chisinau *ant. (1812–1918, 1940–91)* **Kishinev** Ciudad (pob., 1999: 655.000 hab.), capital de Moldavia. Situada sobre un afluente del río DNIÉSTER. En el s. XVI fue capturada por los turcos otomanos y en 1812 fue cedida a Rusia. Desde 1918 la ciudad estuvo controlada por Rumania y en 1940 fue devuelta a Rusia, y pasó a ser la capital de la República Socialista Soviética de Moldavia. La ciudad constituye un centro mercantil y cuenta con una universidad.

Chittagong Ciudad (pob., 1991: ciudad, 1.392.860 hab.; área metrop., 2.040.663 hab.) y principal puerto de Bangladesh en el océano Índico. Es la segunda ciudad en importancia industrial del país, con hilanderías de yute, plantas metalmecánicas y una gran refinería de petróleo. En el s. X DC ya era conocida por los marinos árabes; fue conquistada por los musulmanes en el s. XIV y ocupada por el gob. de BENGALA en el s. XVII. Fue cedida a la COMPAÑÍA INGLESA DE LAS INDIAS ORIENTALES en 1760 y se constituyó en municipio en 1864. Sufrió daños durante el conflicto entre India y Pakistán en 1971, pero sus instalaciones portuarias fueron reconstruidas. Es la sede de la Universidad de Chittagong (fundada en 1966).

Chivington, masacre de ver masacre de SAND CREEK

chivo expiatorio En el Antiguo Testamento, el macho cabrío que se cargaba simbólicamente con los PECADOS de las personas y luego era sacrificado en la fiesta del YOM KIPPUR para librar a Jerusalén de sus iniquidades. Rituales similares se realizaban en otras partes del mundo antiguo para transferir la culpa o el pecado. En la antigua Grecia, las víctimas propiciatorias humanas eran golpeadas y expulsadas de las ciudades para mitigar las calamidades. En el derecho romano primitivo, se permitía que una persona inocente asumiera el castigo de otro. En el CRISTIANISMO, esta noción aparece reflejada en la creencia de que JESÚS murió para expiar los pecados de la humanidad.

chlorella Cualquiera de las ALGAS verdes del género *Chlorella*, que viven en aguas dulces o saladas y en el suelo. Tienen un CLOROPLASTO caliciforme. Las chlorellas se emplean a menudo para estudiar la FOTOSÍNTESIS, en experimentos con cultivos masivos, y para purificar aguas servidas. Como se multiplican rápidamente, y son ricas en proteínas y vitaminas del complejo B, han sido estudiadas como fuentes potenciales de productos alimentarios para el ser humano, tanto en la Tierra como en el espacio exterior. En EE.UU., Japón, Países Bajos, Alemania e Israel se han establecido granjas de chlorella, sistemas cerrados para proporcionar al hombre alimentos, agua y oxígeno.

Chobe, parque nacional Reserva nacional del norte de Botswana. La reserva, que adquirió la condición de parque nacional en 1968, sigue el límite con Namibia y toca las fronteras de Zimbabwe y Zambia; cubre una superficie de 11.700 km^2 (4.500 mi^2). Es conocido por sus animales salvajes, en particular su gran población de elefantes.

Cucarachero (*Troglodytes aedon*), especie de chochín, y su nido.

chochín Cualquiera de 59 especies (familia Troglodytidae) de aves canoras rechonchas que habitan en el hemisferio occidental. Una especie típica es *Troglodytes troglodytes*, que se ha propagado al Viejo Mundo; tiene unos 10 cm (4 pulg.) de largo y color marrón con listas oscuras, pico corto levemente encorvado, alas pequeñas redondeadas y cola que levanta al posarse. El cucarachero (*Troglodytes aedon*) es común en todo el hemisferio occidental. La especie más grande de EE.UU. (20 cm u 8 pulg. de largo) es la matraca, de los desiertos sudoccidentales. Cazan insectos en pantanos, eriales rocosos o matorrales, revelando su presencia con gorjeos y canto estridente. Anidan en hoyos, chaparrales o en salientes de acantilado.

chocolate Alimento preparado a partir de granos tostados de CACAO molidos. Se consume en forma de CARAMELOS Y BOMBONES, se usa para hacer bebidas y se agrega como saborizante o bajo la forma de recubrimiento en confituras y productos horneados. Fue introducido en Europa por HERNÁN CORTÉS luego de su visita en 1519 a la corte de MOCTEZUMA II, quien le sirvió al conquistador una bebida amarga a base de granos de cacao, *xocoatl*. En la fabricación del chocolate, las pepas de granos de cacao fermentados y tostados son molidas hasta llegar a una pasta llamada licor de chocolate, que puede ser solidificada en moldes para formar chocolate de cocinar (amargo), o sometida a presión para reducir el contenido de mantequilla de cacao (grasa vegetal) y luego pulverizada para producir cacao en polvo, o mezclada con azúcar y mantequilla de cacao para fabricar chocolate dulce (comestible). El chocolate con leche es simplemente chocolate dulce con leche concentrada. El chocolate blanco, fabricado con mantequilla de cacao, azúcar, leche y vainilla, no contiene otros sólidos de cacao. Rico en CARBOHIDRATOS y GRASAS, además de contener una pequeña cantidad de CAFEÍNA, el chocolate es una excelente fuente rápida de energía.

choctaw Pueblo indígena de América del Norte que vive en Oklahoma, EE.UU. Hablan una lengua MUSKOGEANA que está estrechamente relacionada con la de los CHICKASAW. Alguna vez habitaron en lo que hoy es el sudeste del estado de Mississippi. Eran los más diestros entre los agricultores del sudeste y lograban tener con regularidad producción excedente para vender o intercambiar. Pescaban, recolectaban nueces y otros frutos de corteza dura y silvestres, cazaban ciervos y osos, además de cultivar maíz, frijoles y calabazas. Su principal ceremonia religiosa era el festival del Busk (grano verde), rito de los primeros frutos y del nuevo fuego celebrado a mitad del verano. En el s. XIX, la presión de los plantadores blancos de algodón forzó a que renunciaran a terrenos cercanos a los 2.000.000 de ha (5.000.000 de acres), y la mayoría de ellos fueron trasladados a Oklahoma. Unas 87.300 personas declararon descender exclusivamente de los choctaw en el censo estadounidense de 2000.

Ch'oe Si-hyŏng (1827, Corea–1898, Seúl). Segundo líder del movimiento religioso coreano Tonghak (actual CH'ŎNDOGYO). Tras la ejecución del fundador, Ch'oe Che-u (n. 1824–m. 1864), Si-hyŏng organizó la red clandestina que difundió las creencias de la secta Tonghak, apocalíptica y xenófoba. Publicó los dos primeros escritos Tonghak en 1880 y 1881, y añadió el servicio público a los principios del fundador, relativos a la igualdad de los seres humanos y la obligación de servir al cielo. En 1894 lideró la rebelión TONGHAK, predicando la necesidad de que Corea se volviese tan fuerte como las potencias imperialistas occidentales, pero el levantamiento fue sofocado cruelmente. En 1898, Si-hyŏng fue arrestado y ejecutado. Al momento de su muerte, el movimiento Tonghak se había extendido por toda Corea.

Choiseul, Étienne-François, duque de (28 jun. 1719, Lorena, Francia–8 may. 1785, París). Ministro de asuntos exteriores francés. Sirvió con distinción en la guerra de sucesión AUSTRÍACA. Después de ser embajador en el Vaticano (1753–57) y en la corte austríaca, fue nombrado duque y ministro de asuntos exteriores (1758), cargo en el que se convirtió en la figura dominante del gobierno de LUIS XV. En 1761, estableció una alianza militar con España (el "Pacto Familiar"), y al final de la guerra de los Siete Años logró negociar los mejores términos posibles para una Francia derrotada. Reconstruyó la fuerza militar francesa, pero fue destituido de su cargo en 1770 por propugnar la guerra contra Gran Bretaña.

Chola, dinastía Gobernantes TAMILES del sur de India, de antigüedad desconocida (c. 200 DC). La dinastía surgió en el fértil valle del río Kaveri (Cauvery) y su capital más antigua fue Uraiyur (Tiruchchirappalli). Su territorio se extendía desde el río Vaigai en el sur hasta Tondaimandalam en el norte. Bajo Rajendra Choladeva I (r. 1014–44) se terminó de conquistar Ceilán (Sri Lanka), se sometió el Decán (c. 1021) y se envió una expedición al norte que llegó hasta el río Ganges (Ganga) (1023). Su sucesor luchó contra la dinastía CHALUKYA en el Decán. Bajo los Chola, se alcanzó un alto nivel de organización en materia de administración de las rentas públicas, el autogobierno de las aldeas y el sistema de riego. Los Pandya conquistaron su territorio en 1257 y la dinastía llegó a su término en 1279.

cholla Cualquier CACTO del género *Opuntia*, originario de Norte y Sudamérica, con espinas aciculares encerradas parcialmente en una vaina papirácea fina. Varían mucho de tamaño y tienen florecillas, a veces verde amarillentas y poco llamativas, pero normalmente de colores más vivos. *O. leptocaulis*, el tasajillo o coyonoztle, da frutos rojo vivo a lo largo del invierno. Las plantas vivas sirven de alimento a los animales del desierto. La madera, un cilindro hueco con perforaciones distribuidas regularmente, se usa como combustible y baratija. Algunos frutos de la cholla son comestibles.

Cholla (*Opuntia bigelovii*).

Chomsky, (Avram) Noam (n. 7 dic. 1928, Filadelfia, Pa., EE.UU.). Lingüista y activista político estadounidense. Recibió su Ph.D. de la Universidad de Pensilvania. Se incorporó al cuerpo de profesores del Instituto de tecnología de Massachusetts (MIT) en 1955. Mediante una larga serie de libros y artículos, comenzando con *Estructuras sintácticas* (1957), Chomsky ha mantenido como meta la elaboración de una teoría de gramática universal, esto es, un marco de principios que explicarían todas las reglas específicas en función de las lenguas. Su obra ha tenido dos efectos decisivos. Uno fue dar nuevo énfasis a la SINTAXIS, área del lenguaje relativamente inexplorada con anterioridad. El otro fue elaborar teorías del lenguaje y de la competencia lingüística independientemente del corpus de cualquier lengua en particular, de manera tal que los lingüistas tendieron a desarrollar modelos de sintaxis o de FONOLOGÍA, y a ponerlos a prueba enfrentándolos con "hechos" lingüísticos reales, en lugar de extraer generalizaciones teóricas a partir de un conjunto de datos. Chomsky también tiene una larga historia de protestas contra la política exterior de EE.UU. Sus puntos de vista políticos han sido expuestos en muchos libros y artículos, como *Necessary Illusions: Thought Control in a Democratic Society* [Ilusiones necesarias: control del pensamiento en las sociedades democráticas] (1989) y *World Orders, Old and New* [El nuevo y el viejo orden mundial] (1994).

Ch'ŏndogyo *ant.* **Tonghak** (coreano: *"Aprendizaje oriental"*) (coreano: "Religión del sendero celestial"). Religión coreana que combina elementos del confucianismo, budismo, taoísmo, chamanismo y catolicismo. Su principio básico de que "hombre y Dios son uno" se realiza a través de la fe en la unidad del cuerpo y del espíritu y en la universalidad de Dios. A los conversos se les instruye a meditar sobre Dios, orar al salir e ingresar al hogar, evitar los malos pensamientos e ir a la iglesia los domingos para adorar a Dios. En 1860, Ch'oe Che-u (n. 1824–m. 1864) fundó este movimiento religioso luego de recibir una inspiración del emperador celestial (Ch'ŏngju). Sus esfuerzos por lograr cambios sociales hicieron que fuese ejecutado. Su sucesor, CH'OE SI-HYŎNG, también fue ejecutado después de la rebelión TONGHAK. Actualmente, el movimiento Ch'ŏndogyo cuenta con alrededor de tres millones de adherentes.

Chongqing *o* **Ch'ung-ch'ing** *convencional* **Chungking** Ciudad y municipalidad con rango provincial (pob., est. 1999: ciudad, 3.193.889 hab.; pob., est. 2000: municipalidad, 30.900.000 hab.). La municipalidad limita con las provincias de SICHUAN, SHAANXI, HUBEI, HUNAN y GUIZHOU y cubre una superficie de 23.000 km² (8.900 mi²). Puerto fluvial y centro industrial más importante del sudoeste de China, Chongqing ("la doblemente bienaventurada") se ubica en la confluencia de los ríos YANGTZÉ y Jialing. En el s. XI AC fue un estado feudal regido por la dinastía occidental ZHOU. Durante las siguientes centurias, pasó de estar regida por un imperio del norte de China a ser un estado independiente. Finalmente pasó a dominio chino bajo la dinastía MING, lo que continuó bajo la dinastía QING. Se abrió al comercio extranjero en 1890. Cumplió un papel importante durante la revolución de 1911. Aunque en sus inicios fue una ciudad de calles angostas e irregulares, Chongqing cambió enormemente como resultado del programa de modernización que se introdujo después de la segunda guerra mundial, cuando pasó a ser la capital del GUOMINDANG. Tras la guerra se ha transformado en un importante centro industrial. Es la sede de la Universidad de Chongqing (fundada en 1929).

Chopin, Frédéric (François) *orig.* **Fryderyk Franciszek Szopen** (1 mar. 1810, Żelazowa Wola, cerca de Varsovia, ducado de Varsovia–17 oct. 1849, París, Francia). Compositor polaco. Hijo de un inmigrante francés en Polonia y de madre polaca, a los siete años publicó su primera composición y a los ocho comenzó a presentarse en los salones aristocráticos. En 1831 se trasladó a París y su primer concierto dado en esa ciudad al año siguiente lo convirtió en una celebridad. Prestigioso profesor de piano, frecuentaba las altas esferas de la sociedad. Al parecer contrajo la tuberculosis en la década de 1830. En 1837 comenzó una relación sentimental con la escritora GEORGE SAND que duró diez años; ella lo abandonó en 1847 y, tras un rápido deterioro de su salud, Chopin murió dos años después. No sólo es el más grande de los compositores polacos, sino tal vez el compositor más importante en la historia del piano, ya que aprovechó al máximo los recursos del instrumento para conseguir encanto, emoción, variedad y belleza de timbre. Sus innovaciones en la digitación, el uso de los pedales y su modo de abordar el teclado tuvieron gran influencia. Con excepción de dos conciertos para piano (ambos de 1830) y otras cuatro obras para piano y orquesta, casi todas sus composiciones son para piano solo, entre ellas cerca de 60 mazurcas, 27 estudios, 26 preludios, 21 nocturnos, cerca de 20 valses, 16 polonesas, cuatro baladas, cuatro *scherzos* y tres sonatas.

Frédéric Chopin, detalle de un retrato de Eugène Delacroix; Museo del Louvre.

GIRAUDON—ART RESOURCE

Chopin, Kate *orig.* **Katherine O'Flaherty** (8 feb. 1851, St. Louis, Mo., EE.UU.–22 ago. 1904, St. Louis). Escritora estadounidense. Chopin vivió en Luisiana mientras estuvo casada, y comenzó a escribir después de la muerte de su marido. Colorista local e intérprete de la cultura de Nueva Orleans, posteriormente abordó temas feministas en sus obras. Entre sus más de 100 cuentos, se encuentran "Désirée's Baby" [El bebé de Désirée] y "Madame Celestin's Divorce" [El divorcio de Madame Celestin]. *El despertar* (1899), novela realista sobre el despertar sexual y artístico de una joven madre que abandona a su familia, fue inicialmente criticada por su franqueza en materias sexuales; sin embargo, más tarde fue aclamada.

choque *o* **colapso circulatorio** Estado en que el sistema circulatorio no suministra la sangre suficiente a los tejidos periféricos para suplir sus requerimientos básicos. No todos los síntomas, PULSO débil y rápido, PRESIÓN SANGUÍNEA baja, y piel fría y sudorosa, están presentes en todos los casos. Sus causas son un volumen sanguíneo disminuido, generado por sangramiento o pérdida de líquidos por QUEMADURAS o DESHIDRATACIÓN; incapacidad del corazón para bombear suficiente sangre, a consecuencia de ATAQUE CARDÍACO, EMBOLIA pulmonar, o taponamiento cardíaco (compresión del corazón por líquido en la membrana que lo envuelve), y dilatación de los vasos sanguíneos por efecto de SEPTICEMIA, alergia (incluida la ANAFILAXIS) o drogas. En todos ellos se produce disminución del flujo capilar; se desencadenan reflejos que aumentan la frecuencia cardíaca y contraen los vasos sanguíneos más pequeños para preservar el suministro de sangre a los órganos esenciales. Sin tratamiento de la afección subyacente, estos mecanismos fallan; puesto que la causa no siempre es clara, algunos casos requieren tratamientos diferentes y a veces contradictorios (p. ej., los líquidos intravenosos pueden salvar la vida de un paciente con una hemorragia masiva, pero sobrecargar el corazón debilitado).

choque eléctrico Efecto físico de una CORRIENTE ELÉCTRICA que penetra en el cuerpo, que va desde una descarga leve de electricidad estática hasta un accidente con una línea de alta tensión, o impacto de un rayo, pero más a menudo, provocado por la corriente domiciliaria. Los efectos dependen de la corriente (no del voltaje) y el peor daño se produce en el trayecto entre los puntos de entrada y de salida. Las causas de muerte instantánea son la FIBRILACIÓN VENTRICULAR y la parálisis del centro encefálico de la respiración o del corazón. La REANIMACIÓN CARDIOPULMONAR es el mejor de los primeros auxilios. Aunque la mayoría de los sobrevivientes se recupera completamente, los efectos posteriores pueden incluir CATARATA, ANGINA DE PECHO o trastornos del sistema nervioso.

chorlito Cualquiera de unas 36 especies (familia Charadriidae, orden Charadriiformes) de aves costeras pechugonas de presencia casi universal. Los chorlitos miden 15–30 cm (6–12 pulg.) de largo, son ali y patilargos, de cuello corto y de pico recto y corto. Muchas especies son completamente marrones o grises o con el dorso rojo amarillento y el vientre blanquecino. Otras, que incluyen a los chorlitos dorados y de vientre negro, son de patrón delicado en el dorso y negras en el vientre durante la temporada reproductora. Muchas especies recorren la playa, picoteando invertebrados acuáticos pequeños. Tienen un reclamo silbante y melodioso. Las posturas son de dos a cinco huevos y ambos padres los incuban y cuidan las crías. Ver también CHORLO GRITÓN.

chorlo gritón Ave (*Charadrius vociferus*) que frecuenta marismas herbosas, pastizales y campos. El nombre alude a su silbido fuerte e insistente. Tiene unos 25 cm (10 pulg.) de largo, dorso marrón, vientre blanco y dos listas pectorales negras. Se crían en toda América del Norte y en el noroeste de América del Sur. Migran sólo para huir de la nieve, retornando antes que la mayoría de las aves canoras. Se alimentan de escarabajos, saltamontes, libélulas y otros insectos. Para proteger a las crías, simulan estar heridos y se alejan del nido revoloteando con dificultad, engatusando a los predadores con la promesa de una presa fácil.

Chorlo gritón (*Charadrius vociferus*).

choro ver MEJILLÓN

Chōshū Señorío o *han* japonés que, junto al de SATSUMA, apoyó el derrocamiento del sogunado de los Tokugawa (ver período de los TOKUGAWA) y la formación de un nuevo gobierno encabezado por el emperador. Gracias a su mayor familiaridad con las armas occidentales, la alianza Satsuma-Chōshū pudo derrotar a las fuerzas del sogunado, y llevó al emperador al poder en la restauración MEIJI de 1868.

Choson ver COREA

Chosŏn, dinastía *o* **dinastía Yi** (1392–1910). Última y más duradera de las dinastías de Corea. Las influencias culturales chinas fueron intensas en este período, cuando el NEOCONFUCIANISMO fue adoptado como la ideología del Estado y la sociedad. A fines del s. XVI y principios del s. XVII, Corea fue invadida por japoneses y MANCHÚES. Muchos valores culturales se perdieron y el país demoró casi un siglo en recuperarse. A fines del s. XIX, las potencias extranjeras amenazaron una vez más a Corea; fue anexada por Japón en 1910. Durante la dinastía Chosŏn se creó la escritura alfabética coreana hangul (ver COREANO) y se estableció una nueva aristocracia, la de los YANGBAN. Ver también YI SONG-GYE.

chotacabras Cualquiera de unas 60–70 especies de aves (familia Caprimulgidae) que viven en las regiones templadas y tropicales de casi todo el mundo. El nombre se aplica a veces a todas las aves del orden Caprimulgiformes. (El nombre chotacabras proviene de una creencia antigua de que mamaban la leche de las cabras en la noche.) Son de color gris, marrón o marrón rojizo. Comen insectos en vuelo durante la noche. El chotacabras común (*Caprimulgus europaeus*) tiene una cabeza aplanada, boca ancha y orlada de cerdas, ojos grandes y plumaje suave que le permite un vuelo silencioso. Mide unos 30 cm (12 pulg.) de largo. El añapero (*Chordeiles minor*) es una especie afín que habita en casi toda América del Norte y migra a América del Sur en invierno. Tiene una longitud de 20–30 cm (8–12 pulg.); es de color pardo grisáceo con la garganta blanca y parches de color blanco en las alas. Tiene un reclamo nasal agudo. Durante el cortejo se lanza en picada velozmente, produciendo un fuerte zumbido. Otro pariente del chotacabras en Norteamérica es el TAPACAMINO.

chotacabras cuerprihuiu ver TAPACAMINO

Chott el-Hodna, lago Lago salino de aguas poco profundas en el centro-norte de Argelia. Se ubica en el fondo de una árida depresión en los llanos de Hodna y actúa como cuenca de drenaje interior. Propenso a una evaporación extrema, su tamaño es variable y se seca con frecuencia. En sus cercanías existen indicios de asentamientos romanos y premodernos, pero en la actualidad presenta un lento desarrollo.

Chou En-lai ver ZHOU ENLAI

Chou, dinastía ver dinastía ZHOU

Chou-k'ou-tien ver ZHOUKOUDIAN

Chou-kung ver ZHOUGONG

Chouteau, (René) Auguste (bautizado 7 sep. 1749, Nueva Orleans, EE.UU.–24 feb. 1829, St. Louis, Mo.). Comerciante de pieles norteamericano y cofundador de SAINT LOUIS. Se trasladó al territorio de Missouri con su madre y Pierre Liguest (n. ¿1724?–m. 1778), con quien cofundó Saint Louis en 1764. Ambos formaron un próspero negocio de pieles, que posteriormente Chouteau amplió. Ya en 1794 tenía el monopolio del comercio con los osage y ayudó a financiar la mayoría de las empresas que comerciaban pieles en el territorio de Luisiana. Fue el banquero oficioso de la comunidad de St. Louis y su mayor terrateniente.

chow chow Raza canina que comparte con el SHAR-PEI una lengua azul negra inusitada. Se originó en China y se remonta a la dinastía Han (206 AC–220 DC), probablemente una de las razas caninas más antiguas. Es compacto, de cabeza grande y pelaje tupido que forma un collarín denso y de color uniforme, ya sea marrón rojizo, negro o azul gris. La alzada del adulto es de unos 46–51 cm (18–20 pulg.) y su peso, 20–32 kg (45–70 lb). La raza es normalmente leal a los dueños, pero distante con los extraños.

Chow chow, antigua raza canina.

Chrétien de Troyes (c. 1165–80). Poeta francés. Se sabe muy poco de su vida. Es autor de cinco poemas caballerescos (ver ROMANCE) sobre Arturo: *Erec*, *Cligès*, *Lancelot*, *Yvain* y *Perceval* y posiblemente también de una obra que no pertenece al ciclo artúrico. Escritos en lengua vernácula, sus poemas tienen origen en los escritos de GEOFFREY DE MONMOUTH y combinan distintas aventuras que logra transformar en historias muy bien entretejidas. Imitados casi en forma inmediata por otros poetas franceses, fueron traducidos y adaptados cada vez con mayor frecuencia a medida que los poemas caballerescos se siguieron desarrollando como forma narrativa. Ver también leyendas del rey ARTURO.

Chrétien, (Joseph-Jacques) Jean (n. 11 ene. 1934, Shawinigan, Quebec, Canadá). Primer ministro de Canadá (1993–2003). Decimoctavo de los 19 hijos de una familia de clase obrera, estudió leyes en la Universidad de Laval y recibió el título de abogado en Quebec en 1958. Se desempeñó en la Cámara de los Comunes de Canadá (1963–86) y ocupó diversos cargos en los gobiernos de Lester Pearson y Pierre Trudeau, incluso el de ministro de hacienda (1977), primer francocanadiense en dicho puesto. En 1986, al perder la elección a la presidencia de su partido para suceder a Trudeau, se retiró del parlamento. Cuatro años después fue elegido nuevamente miembro de la Cámara de los Comunes y asumió como presidente del Partido Liberal de Canadá. En 1993, su partido obtuvo una victoria aplastante y se convirtió en primer ministro. Bajo su liderazgo, los liberales volvieron a triunfar en 1997 y también en 2000. Como primer ministro supervisó en 1998 la aprobación del primer presupuesto equilibrado desde 1970 y llevó adelante reformas sociales progresistas; redactó un anteproyecto de ley en 2003 que reconocería los matrimonios entre personas de un mismo sexo. Las relaciones entre Chrétien y EE.UU. fueron algunas veces tensas y rehusó comprometerse a enviar tropas canadienses a la guerra contra Irak encabezada por EE.UU. en 2003.

Christchurch Ciudad (pob., est. 1999: 324.200 hab.) de la isla del Sur, Nueva Zelanda. Se fundó en 1850 como asentamiento modelo de la Iglesia de Inglaterra y fue el último y más logrado de los proyectos de colonización inspirados por Edward Gibbon Wakefield y su Compañía de Nueva Zelanda. Es la segunda ciudad más populosa del país y un importante centro industrial; su puerto es Lyttelton. Es conocida como la "ciudad jardín de los llanos" por sus numerosos parques y jardines y es la sede de la Universidad de Canterbury, Christ's College y la Universidad de Lincoln.

Christian, Charlie *orig.* **Charles Christian** (29 jul. 1916, Bonham, Texas, EE.UU.–2 mar. 1942, Nueva York, N.Y.). Guitarrista de jazz estadounidense. Se crió en Oklahoma City, Okla., y en 1939 se unió a Benny Goodman para tocar tanto en grandes orquestas como en conjuntos pequeños. Su uso técnicamente experto e innovador de la amplificación causó sensación, cambiando así el papel de la guitarra de instrumento de acompañamiento a instrumento solista. Fue el primer gran guitarrista eléctrico del jazz. Uno de los solistas más avanzados e influyentes de la era del swing, Christian participó con Thelonious Monk y Dizzy Gillespie en aquellas *jam sessions* (sesiones de jazz improvisado) del Minton's Playhouse de Harlem, precursoras de los adelantos armónicos del bebop.

Christian Science Monitor, The Periódico con noticias y artículos nacionales e internacionales; circula de lunes a viernes en Boston bajo el auspicio de la Iglesia de Ciencia Cristiana (ver Ciencia Cristiana). Fue fundado en 1908 a instancias de Mary Baker Eddy en señal de protesta contra el sensacionalismo de la prensa popular. Llegó a convertirse en uno de los periódicos estadounidenses más respetados, conocido por abordar las noticias en forma reflexiva y por la calidad de sus evaluaciones del acontecer político, social y económico. Es muy estricto en el tipo de publicidad que acepta. Tiene oficinas propias establecidas en el extranjero para registrar las noticias directamente desde el país de origen y publica semanalmente una edición mundial. El periódico ganó su sexto Premio Pulitzer en 1996, en la categoría de reportaje internacional.

Christie, Dame Agatha (Mary Clarissa) (15 sep. 1890, Torquay, Devon, Inglaterra–12 ene. 1976, Wallingford, Oxfordshire). Escritora de novelas detectivescas y dramaturga británica. En su primera novela, *El misterioso caso de Styles* (1920), estrenó a Hércules Poirot, excéntrico detective belga que protagonizaría otras 25 novelas. Otro personaje principal y también detective fue Miss Jane Marple, una solterona, que apareció por primera vez en *Muerte en la vicaría* (1930). La mayoría de sus casi 75 novelas, como *Asesinato en el Orient-Express* (1933; película, 1978), fueron éxitos de ventas; traducidos a más de 100 idiomas, sus libros han vendido más de 100 millones de copias. Entre sus obras de teatro se destacan *La ratonera* (1952), la cual estableció un récord mundial por el tiempo que estuvo en cartelera, y *Testigo de cargo* (1953; película, 1958). Estuvo casada con el eminente arqueólogo Sir Max Mallowan (n. 1904–m. 1978).

Agatha Christie, 1946.
UPI/CORBIS-BETTMANN

Christie's Nombre popular de la compañía londinense Christie, Manson & Woods, la casa de subastas de objetos de arte más antigua del mundo. Fue fundada por James Christie (n. 1730–m. 1803), quien abrió sus salas de venta en 1766. Se hizo amigo de Joshua Reynolds y Thomas Gainsborough, entre otros, y desarrolló la tradición de realizar ventas de obras de artistas prominentes. Christie's ha dirigido las más importantes ventas de arte de la historia, entre ellas las pinturas de Catalina II la Grande de Rusia. La compañía, que se hizo pública en 1973, tiene en la actualidad sucursales en todo el mundo.

Christine de Pisan *o* **Christine de Pizan** (1364, Venecia–c. 1430). Escritora francesa. Hija del astrólogo de Carlos V y esposa de un secretario de la corte, empezó a escribir para mantener a sus hijos una vez que enviudó. Dejó diez volúmenes de poesía elegante, entre ellos romances, rondeles, trovas y lamentos, muchos de ellos en la tradición del amor cortés. Algunas de sus obras, tanto en verso como en prosa, abogaban a favor de las mujeres, como el notable *Le Livre de la Cite des Dames* [El libro de la ciudad de las damas] (1405). También escribió una vida de Carlos V y *Le Ditié de Jehanne d'Arc* [La canción de Juana de Arco] (1429), inspirada en las primeras victorias de santa Juana de Arco.

Christo *orig.* **Christo Javacheff** (n. 13 jun. 1935, Gabrovo, Bulgaria). Artista conceptual estadounidense, de origen búlgaro, pionero de la vanguardia del *land art*. Después de asistir a la Academia de Bellas Artes de Sofía, se mudó a París en 1958, donde inventó como lenguaje de arte el *empaquetage*, que consiste en envolver objetos con variados materiales. Comenzó con latas y botellas, y, con el tiempo, sus proyectos se expandieron a edificios y paisajes. En 1964 se mudó a la ciudad de Nueva York. Se destaca por sus proyectos monumentales al aire libre, como *Valley Curtain* (1970–72) en Rifle Gap, Col., y *Running Fence* (1972–76), en los condados de Marin y Sonoma, Cal. En 1995 envolvió el edificio del Reichstag de Berlín, con una tela metálica plateada. Aun cuando sus puestas en escena, que son temporales e involucran a cientos de trabajadores y producen polémica entre los ambientalistas, han sido bien recibidas por la crítica. Desde 1961 ha trabajado la mayoría de sus proyectos en colaboración con su esposa, Jeanne-Claude (n. 1935).

"La Virgen y el Niño en el trono con san Jerónimo y san Francisco", por Petrus Christus, probablemente en 1457; Stadelsches Kunstinstitut, Francfort del Meno, Alemania.
GENTILEZA DEL STADELSCHES KUNSTINSTITUT, FRANCFORT DEL MENO, ALEMANIA

Christus, Petrus (c. 1420, Baerle, Brabante–1472/73, Brujas). Pintor flamenco. Se tienen antecedentes de él trabajando en Brujas (1444), donde fue influenciado por la obra de Jan van Eyck. Christus es conocido por sus retratos sensibles, pero sus contribuciones más importantes fueron la introducción de la perspectiva geométrica a la pintura holandesa y su tratamiento costumbrista de los temas religiosos, apreciados en obras como *San Eligio como orfebre* (1449) y *Virgen y niño en interior doméstico* (c. 1450–60).

Chrysander, (Karl Franz) Friedrich (8 jul. 1826, Lübtheen, Mecklenburgo–3 sep. 1901, Hamburgo). Musicólogo alemán. Formado como maestro de escuela, pronto se involucró en la investigación musical y publicó estudios sobre la canción folclórica (1853). Junto con Philipp Spitta y GUIDO ADLER, fue uno de los fundadores de la disciplina de la musicología. Escribió acerca de varios temas, pero su gran proyecto, al cual se dedicó entre 1858 y 1894, fue la primera edición de las obras completas de GEORG FRIEDRICH HÄNDEL.

Chrysler Corp. Ex compañía fabricante de automóviles de EE.UU. constituida en 1925, que actualmente forma parte de la empresa Daimler-Benz. Fue fundada por Walter P. Chrysler (n. 1875–m. 1940), quien la transformó en la segunda empresa fabricante de autómoviles de EE.UU. Sus productos más conocidos son los modelos Plymouth, Dodge y Chrysler. En 1980, la compañía, entonces al borde de la bancarrota, fue rescatada mediante una operación pública de salvamento organizada por LEE IACOCCA. En 1998, Chrysler Corp. se fusionó con el fabricante alemán de automóviles Daimler-Benz, y pasó a llamarse DAIMLERCHRYSLER AG.

Edificio Chrysler, de diseño art déco, con su chapitel aguzado.
FOTOBANCO

Chrysler, edificio Edificio de oficinas (1928–30) en la ciudad de Nueva York diseñado por William Van Alen (n. 1883–m. 1954). Elegante epítome del diseño ART DÉCO, su aguzado chapitel de acero inoxidable con su diseño de rayos solares sigue siendo un impresionante hito en la edificación en altura de Manhattan. Gran parte de su ornamentación futurista, relacionada con automóviles, fue especificada por su propio dueño, Walter P. Chrysler (ver CHRYSLER CORP.). Por un corto período, hasta que se inauguró el edificio EMPIRE STATE en 1931, fue la construcción más alta del mundo (319,4 m [1.048 pies]).

Chrysorrhoas, río ver río BARADA

Chu Hsi ver ZHU XI

Chu *o* **Ch'u** Uno de los estados que luchó por el control de China en 770–221 AC. Surgió en el s. VIII AC en el valle del río YANGTZÉ (Chang Jiang), que por entonces no era parte de China. Volvió a enfrentarse con otros estados por el control supremo de China en el s. III AC, pero perdió ante la dinastía QIN, que formó el primer gran imperio chino.

Chu Teh ver ZHU DE

Chuan Leekpai (n. 28 jul. 1938, distrito Muang, provincia de Trang, Tailandia). Primer ministro de Tailandia (1992–95, 1997–2001). Hijo de un profesor de escuela, se tituló de abogado y fue elegido al parlamento por primera vez en 1969. Desempeñó varios cargos en el gobierno y fue nombrado primer ministro en 1992, después de que su predecesor renunciara a causa de la violencia callejera provocada por el empeoramiento de la crisis económica. Aunque fue derrotado en las elecciones en 1995, debido en gran parte a que su gobierno se consideraba lento e ineficaz, regresó al poder en 1997; dejó el cargo en 2001 después de que su partido perdió en las elecciones parlamentarias nacionales. Fue el primer ministro de Tailandia en llegar al poder sin el respaldo de la aristocracia o de los militares.

Chuang-tzu ver ZHUANGZI

Chubut, río Río del sur de la Argentina. Nace en la cordillera de los ANDES y discurre hacia el este, atravesando la provincia homónima. Sigue un curso de 800 km (500 mi) y desemboca en el océano Atlántico en Punta Castro. No es navegable, pero las aguas de su curso inferior riegan el valle circundante, lo que da importancia a su agricultura.

Chudskoie, lago ver lago PEIPUS

Chughtai, Abdur Rahman (21 sep. 1894, Lahore, Pakistán–17 ene. 1975, Lahore). Artista pakistaní. En la década de 1920 realizó grandes acuarelas en un estilo modificado de la escuela bengalesa. En la década de 1940, su estilo pictórico fue influenciado por la arquitectura mogol, la caligrafía islámica, la MINIATURA y el ART NOUVEAU. Sus distintos temas incluyen héroes y heroínas de la historia islámica, reyes y reinas mogoles, episodios, leyendas y cuentos populares del Panjab, persas e indoislámicos. Después de la división del subcontinente en 1947, llegó a ser conocido como el artista nacional de Pakistán.

Chuikov, Vasili (Ivánovich) (12 feb. 1900, Serebrianiie Prudi, cerca de Moscú, Imperio ruso–18 mar. 1982, Moscú, Rusia, U.R.S.S.). General soviético. Se unió al Ejército Rojo a la edad de 18 años. En la segunda guerra mundial dirigió la defensa en la batalla de STALINGRADO, luego se sumó a la tarea de hacer retroceder a los ejércitos de ADOLF HITLER y finalmente dirigió la ofensiva soviética sobre Berlín. Aceptó personalmente la rendición alemana de Berlín en 1945. Después de la guerra comandó las fuerzas de ocupación soviética en Alemania (1949–53). Estuvo a cargo del distrito militar de Kíev (1953–60) y a partir de entonces desempeñó diversos cargos militares en Moscú.

chukchi ver SIBERIANO

Chu-ko Liang ver ZHUGE LIANG

Chula Vista Ciudad (pob., 2000: 173.556 hab.) del sudoeste del estado de California, EE.UU. Situada al sur de la ciudad de SAN DIEGO, en la costa oriental de la bahía homónima. Planificada en 1888 por el ferrocarril de Santa Fe, creció como un centro de productos cítricos, con posterioridad se convirtió en centro de horticultura y hoy es una zona principalmente residencial.

Chulalongkorn *o* **Phrachunlachomklao** *o* **Rama V** (30 sep. 1853, Bangkok, Siam [Tailandia]–23 oct. 1910, Bangkok). Rey de Siam (r. 1868–1910). Ascendió al trono a la edad de 15 años, pero no asumió sus deberes hasta que cumplió los 20. Impulsó ambiciosas reformas que siguieron el modelo occidental: abolió la esclavitud, estableció el régimen de ley impersonal y reorganizó su anticuada administración. Convenció a las potencias coloniales occidentales de que Siam era un estado moderno y enfrentó los intereses de unos contra otros, evitando así –durante décadas– que el país fuese colonizado. Sin embargo, en 1907 Siam fue forzado a ceder sus derechos en Laos y Camboya occidental a los franceses y en 1909 entregó cuatro estados malayos a Gran Bretaña.

Chulalongkorn.
BBC HULTON PICTURE LIBRARY

chumbera ver NOPAL

chumpipe ver PAVO

Chung yung ver ZHONG YONG

Ch'ung-ch'ing ver CHONGQING

Chunqiu *o* **Ch'un-ch'iu** (chino: "Anales de primavera y otoño"). Primera historia cronológica china, la historia tradicional de LU, tal como fue corregida por CONFUCIO. Uno de los CINCO CLÁSICOS del CONFUCIANISMO, describe los hechos acontecidos durante los reinados de doce gobernantes del reino de Lu desde 722 AC hasta la víspera de la muerte de Confucio, en 479 AC. El DONG ZHONGSHU confuciano afirmaba que los fenómenos naturales que se registraban (p. ej., sequía, eclipse), tenían por objeto advertir a los gobernantes futuros acerca de lo que pasa cuando los líderes de la sociedad se muestran indignos. Dado que los maestros confucianos eran intérpretes oficiales de los clásicos, el libro fue un medio para imponer los ideales del confucianismo. La obra conocida como *Zuozhuan* es un importante comentario del Chunqiu.

chupón ver RETOÑO

Church, Alonzo (14 jun. 1903, Washington, D.C., EE.UU.–11 ago. 1995, Hudson, Ohio). Matemático estadounidense. Obtuvo su Ph.D. en la Universidad de Princeton. Sus aportes a la teoría de los números y a las teorías de algoritmos y computabilidad establecieron los fundamentos de la ciencia de la computación. La regla conocida como el teorema de Church o la tesis de Church (propuesta independientemente por ALAN TURING), establece que sólo las funciones recursivas pueden calcularse en forma mecánica (o mediante algoritmos) e implica que los procedimientos aritméticos no pueden usarse para decidir la consistencia de enunciados formulados de acuerdo con las leyes de la aritmética. Escribió el texto estándar de consulta *Introducción a la lógica matemática* (1956) y contribuyó a fundar la *Journal of Symbolic Logic* [Revista de lógica simbólica], que dirigió hasta 1979.

Church, Frederic Edwin (4 may. 1826, Hartford, Conn., EE.UU.–7 abr. 1900, cerca de Nueva York, N.Y.). Paisajista estadounidense. Estudió con THOMAS COLE en Catskill, N.Y. Pronto se convirtió en uno de los miembros más prominentes de la escuela del RÍO HUDSON. Viajó exhaustivamente buscando vistas espectaculares y maravillas de la naturaleza, como las cataratas del Niágara, volcanes, icebergs y bosques lluviosos de América del Sur. Logró fama y éxito en su tierra y en Europa. Su casa, Olana, sobre el río Hudson, es actualmente un museo.

Churchill, cataratas *ant.* **Grand Falls** Parte de una serie de cataratas y rápidos del río CHURCHILL en Terranova, Canadá. Estas cataratas tienen una caída de 75 m (245 pies) y 60 m (200 pies) de ancho. Alimentan una de las estaciones hidroeléctricas más grandes de Canadá. Visitadas en 1839 por John McLean de la HUDSON'S BAY COMPANY, las cataratas recibieron el nombre de Grand Falls hasta 1965, cuando ambos saltos y el río fueron rebautizadas en honor a WINSTON CHURCHILL, quien falleció dicho año.

Churchill, Randolph (Henry Spencer), Lord (13 feb. 1849, palacio Blenheim, cerca de Woodstock, Oxfordshire, Inglaterra–24 ene. 1895, Londres). Político británico. Tercer hijo del 7° duque de Marlborough, se incorporó a la Cámara de los Comunes en 1874. A principios de la década de 1880 se unió a otros conservadores en la fundación del Cuarto Partido, que defendió una "democracia tory" de conservadurismo progresista. En 1886, a la edad de 37 años, se convirtió en líder de la Cámara de los Comunes y cancilller del Exchequer (ministro de hacienda), pero renunció después del rechazo de su primer presupuesto. Aunque parecía destinado a ser primer ministro, este mal cálculo puso fin efectivo a su carrera política. Continuó en la Cámara de los Comunes hasta su muerte, pero perdió interés en la política, y dedicó gran parte de su tiempo a las carreras de caballos. Fue padre de WINSTON CHURCHILL.

Churchill, río Curso fluvial del centro de Canadá. Nace en el sudoeste de Saskatchewan y corre en dirección al este a través de Saskatchewan y el norte de Manitoba, donde desvía hacia el nordeste hasta la bahía de Hudson en Churchill. De aprox. 1.609 km (1.000 mi) de largo, tiene muchos rápidos y pasa por varios lagos, entre ellos el lago Churchill (552 km^2 [213 mi^2]) en Saskatchewan y el lago Granville en Manitoba.

Churchill, Sir Winston (Leonard Spencer) (30 nov. 1874, palacio Blenheim, Oxfordshire, Inglaterra–24 ene. 1965, Londres). Estadista y escritor británico. Hijo de Lord RANDOLPH CHURCHILL y de la estadounidense Jennie Jerome, tuvo una infancia infeliz y fue un estudiante poco prometedor. Después de enrolarse en el 4° de Húsares en 1895, fue soldado y periodista, y sus despachos desde India y Sudáfrica concitaron gran atención. Su fama como héroe militar lo ayudó a ser elegido a la Cámara de los Comunes en 1900. Adquirió rápida prominencia y ocupó varios cargos ministeriales, entre ellos el de primer lord del almirantazgo (1911–15), aunque en la primera guerra mundial y durante la siguiente década se hizo conocido por sus juicios erráticos. En los años previos a la segunda guerra mundial, fueron repetidamente soslayadas sus advertencias acerca de la amenaza que representaba la Alemania de ADOLF HITLER. Al estallar la guerra, fue nombrado en su antiguo cargo a la cabeza del almirantazgo. Después de la renuncia de NEVILLE CHAMBERLAIN, encabezó un gobierno de coalición como primer ministro (1940–45). Comprometió a la nación y a sí mismo en una guerra total hasta alcanzar la victoria, y su gran elocuencia, energía e indomable fortaleza lo convirtieron en una inspiración para sus compatriotas, especialmente en la batalla de INGLATERRA. Con FRANKLIN D. ROOSEVELT y STALIN dieron forma a la estrategia aliada a través de la carta del ATLÁNTICO y las conferencias de EL CAIRO, CASABLANCA y TEHERÁN. Aunque fue el artífice de la victoria, su gobierno fue derrotado en las elecciones de 1945. Después de la guerra, alertó a Occidente sobre la amenaza expansionista de la Unión Soviética. Bajo su conducción, el Partido Conservador regresó al poder en 1951 y se mantuvo como primer ministro hasta 1955, fecha en que debió renunciar debido a su precaria salud. Obtuvo el Premio Nobel de Literatura en 1953 por sus numerosos escritos, entre los que se incluye *La segunda guerra mundial* (6 vol., 1948–53). De sus obras posteriores destaca *Historia de los pueblos de habla inglesa* (4 vol., 1956–58). Fue nombrado caballero en 1953; más tarde rehusó recibir un título nobiliario. Fue nombrado ciudadano honorario de EE.UU. en 1963. En sus últimos años alcanzó el rango de héroe al ser considerado uno de los titanes del s. XX.

Sir Winston Churchill, fotografiado por Yousuf Karsh, 1941.

churinga ver TJURUNGA

churrigueresco, estilo Estilo arquitectónico ROCOCÓ español denominado así en honor del arquitecto José Churriguera (n. 1665–m. 1725), su principal cultor. Es un estilo visualmente recargado, con una plétora de ornamentos extravagantes y superficies erizadas de frontones truncados, cornisas ondulantes, espirales, balaustradas, revestimiento de estuco y guirnaldas. En la América hispana, se le incorporaron elementos tanto nativos como mudéjares (morisco español). La columna churrigueresca, cuyo fuste es un cono invertido, se convirtió en el motivo típico del estilo.

Sacristía churrigueresca de la Cartuja, Granada, España, por Luis de Arévalo y Francisco Manuel Vásquez, 1727–64.
A. GUTIÉRREZ/OSTMAN AGENCY

Chuzenji, lago Lago en la isla de HONSHU, Japón. Ubicado a una altura de 1.134 m (4.375 pies), es un lugar de vacaciones célebre por sus templos, navegación a vela, pesca de truchas y esquí. El volcán Nantai se eleva a 2.490 m (8.169 pies) sobre la costa norte del lago; montes más bajos rodean la mayor parte de sus irregulares 24 km (15 mi) de costa.

CI *sigla de* **cociente intelectual** *o* **coeficiente intelectual** Cuantificación que intenta representar una medida de la INTELIGENCIA relativa, determinado por las respuestas de un individuo frente a una serie de problemas de un test. El CI fue originalmente calculado como la razón entre la edad mental de un individuo y su edad cronológica (física) multiplicado por cien, pero el concepto de edad mental ya no se utiliza desde hace mucho tiempo. En la actualidad, el CI es evaluado, por lo general, sobre la base de la distribución estadística de los puntajes. Las pruebas de inteligencia más ampliamente utilizadas son el test para niños de Standford-Binet (1916) y el test de Wechsler (1939), que en su origen era para adultos, pero que hoy también es para niños. Se considera que un puntaje mayor a 130 refleja "talento superior", en cambio un puntaje bajo 70 refleja daño mental o RETRASO MENTAL. Las pruebas de inteligencia han causado gran controversia, especialmente en relación con el tipo de habilidades mentales que constituyen la inteligencia, y si el CI representa de manera adecuada estas habilidades, así como en relación con el sesgo cultural y social en la construcción de los test y en los procesos de estandarización.

Ci Xi *o* **Tz'u-hsi** *llamada* **la Viuda Emperatriz** (29 nov. 1835, Beijing, China–15 nov. 1908, Beijing). Consorte imperial que controló la dinastía QING de China por casi medio siglo. Concubina de rango inferior del emperador Xianfeng (r. 1850–61), dio a luz a su único hijo, el futuro emperador Tongzhi, en 1856. Después de la muerte del emperador, formó parte de una regencia de tres miembros que gobernó en nombre de su hijo, quien tenía sólo seis años cuando ascendió al trono. Durante ese período fueron sofocadas la rebelión TAIPING y la rebelión NIAN y el gobierno atravesó un breve período de fortalecimiento. Cuando su hijo murió en 1875, violó las leyes de sucesión e hizo que su sobrino adoptivo fuese entronizado. Así continuó la regencia y en 1884 Ci Xi ejercía el poder en forma exclusiva. En 1889 renunció nominalmente al poder, pero regresó en 1898 para anular un conjunto de reformas radicales y ordenó que su sobrino fuese hecho prisionero en su propio palacio. Apoyó la fracasada rebelión de los BÓXERS que tuvo desastrosas consecuencias para China. En 1902 comenzó a poner en práctica las reformas que antes había anulado. Antes de morir, ordenó envenenar a su sobrino. Ver también ZENG GUOFAN; ZHANG ZHIDONG.

CIA *p. ext.* **Central Intelligence Agency** *español* **Agencia central de inteligencia** Principal organismo de inteligencia y contrainteligencia de EE.UU., creado en 1947 como sucesor de la OFICINA DE SERVICIOS ESTRATÉGICOS (OSS) de la época de la segunda guerra mundial. La ley limita sus actividades a otros países y tiene prohibido reunir información de inteligencia en suelo norteamericano, asunto que cae bajo la responsabilidad del FBI. Oficialmente forma parte del Departamento de defensa de EE.UU. y está a cargo de preparar análisis para el CONSEJO NACIONAL DE SEGURIDAD. Su presupuesto se mantiene en secreto. Aun cuando la recopilación de información de inteligencia constituye su principal función, el organismo se ha visto también involucrado en muchas operaciones encubiertas, como la expulsión de MUHAMMAD MUSADDAQ de Irán (1953), el intento de invasión de Cuba de bahía de COCHINOS (1961), y el apoyo a los CONTRAS nicaragüenses en la década de 1980.

cianita *o* **disteno** Mineral de SILICATO, una de las muchas fases en el sistema de silicato de aluminio (Ai_2SiO_5). Su color varía desde el verde grisáceo hasta el negro o el azul, siendo el azul y azul grisáceo los más comunes. Se encuentra en Suiza, Italia, los montes Urales y Nueva Inglaterra (EE.UU.). La cianita es materia prima en la fabricación de bujías de encendido. En ocasiones, una variedad clara y de color azul profundo se talla como piedra preciosa.

Ciano, Galeazzo, conde de Cortellazzo (18 mar. 1903, Livorno, Italia–11 ene. 1944, Verona). Político italiano. Participó en la marcha sobre ROMA de los fascistas y después ingresó al cuerpo diplomático. Tras casarse en 1930 con Edda, hija de BENITO MUSSOLINI, se convirtió en ministro de asuntos exteriores (1936), e inició el Eje Roma-Berlín que contribuyó a que Italia entrara en la segunda guerra mundial. Después de varias derrotas del Eje en 1942 propuso firmar una paz por separado con los aliados. Mussolini destituyó a su gabinete (1943), pero Ciano y otros dirigentes fascistas forzaron su renuncia. Posteriormente, por órdenes de Mussolini, Ciano fue enjuiciado por traición y ejecutado.

Galeazzo Ciano, 1938.
FOTOBANCO

cianobacteria *o* **alga verde azul** Cualquiera de los integrantes de un gran grupo de organismos procariontes, la mayoría fotosintéticos. Aunque clasificadas como BACTERIAS, se parecen en muchos aspectos a las ALGAS eucarióticas, incluso en ciertas características físicas y nichos ecológicos, y en alguna época fueron tratadas como algas. Contienen ciertos pigmentos, que, con su clorofila, les dan a menudo un color verde azuloso, aunque muchas especies son de hecho verdes, pardas, amarillas, negras o rojas. Son comunes en el suelo y en aguas dulces y saladas. Pueden crecer en una amplia variedad de temperaturas, desde los lagos antárticos bajo varios metros de hielo, hasta en las aguas termales del parque Yellowstone en EE.UU. Las cianobacterias suelen estar entre las primeras especies que colonizan las rocas desnudas y el suelo. Algunas son capaces de realizar la fijación del NITRÓGENO; otras contienen pigmentos que les permiten producir oxígeno libre como subproducto de la FOTOSÍNTESIS. En condiciones adecuadas (como la contaminación con residuos nitrogenados) pueden reproducirse en forma explosiva, formando densas concentraciones denominadas florecimientos, a menudo de un color verde opaco. Las cianobacterias jugaron un papel importante en elevar el contenido de oxígeno libre atmosférico en los primeros tiempos de la Tierra.

cianuración, proceso de *o* **proceso de MacArthur-Forrest** Método para extraer PLATA y ORO de sus MENAS, disolviéndolos en una solución diluida de CIANURO de sodio o cianuro de potasio. Este proceso –inventado en 1887 por los químicos escoceses John S. MacArthur, Robert W. Forrest y William Forrest– consiste en poner en contacto el mineral en bruto finamente molido con la solución de cianuro, separando los sólidos no deseados de la solución transparente y recuperando los metales preciosos de la solución por precipitación con polvo de cinc.

cianuro Cualquier compuesto químico que contiene el grupo funcional —CN. Los compuestos de cianuro orgánicos y los iónicos (ver ION; ENLACE IÓNICO) difieren en sus propiedades químicas, pero ambos son tóxicos, especialmente los iónicos. El envenenamiento por cianuro inhibe los procesos oxidativos de las células (ver OXIDACIÓN-REDUCCIÓN); su acción es extremadamente rápida y se debe administrar un ANTÍDOTO de inmediato. Los cianuros se encuentran en forma natural en ciertas semillas (p. ej., semillas de manzana, cuescos de cereza silvestre). Los cianuros, como el cianuro de hidrógeno (HCN o ácido cianhídrico), son utilizados industrialmente en la producción de fibras acrílicas, cauchos sintéticos y en plásticos, así como en galvanoplastia, en el templado superficial del hierro y el acero, en fumigación y en la concentración de MENAS.

Fuente de Cibeles en Madrid. La deidad, madre de los dioses, es representada sobre un carro tirado por leones.
ARCHIVO EDIT. SANTIAGO

ciática Dolor en el trayecto del nervio ciático que se irradia desde la región lumbar a la pierna. A menudo comienza después de un esfuerzo violento de la musculatura lumbar y se asocia con la hernia de un disco intervertebral. El dolor aumenta con la tos, estornudos o al inclinar el cuello. Entre los tratamientos figuran relajantes musculares, analgésicos y estimulación del nervio, pero hay que recurrir a la cirugía para aliviar la presión sobre el nervio si el dolor es invalidante o la función del nervio se deteriora progresivamente (con debilidad de la pierna y pérdida de la sensibilidad). Rara vez la ciática obedece a otras causas de compresión del nervio (p. ej., tumor) o afecciones que involucran al sistema nervioso periférico.

Ciba-Geigy AG Ex compañía farmacéutica suiza creada en 1970 por la fusión de Ciba AG con la empresa J.R. Geigy SA. Ciba inició sus actividades en la década de 1850 y se dedicó, en una primera etapa, al negocio del teñido de las sedas. En 1900 se orientó al negocio farmacéutico y llegó a ser, en esa época, la compañía química más grande de Suiza. Por su parte, J.R. Geigy era una empresa creada en 1758, fecha en la cual Johann Rudolf Geigy instaló una farmacia en Basilea. Al poco tiempo, la compañía empezó a fabricar tinturas para la industria textil. En la década de 1930 ingresó al mercado farmacéutico. En 1992, el nombre de la empresa fusionada se acortó a Ciba. La fusión de Ciba con la compañía suiza Sandoz en 1996 dio nacimiento a NOVARTIS AG, una de las empresas farmacéuticas más grandes del mundo.

Cibber, Colley (6 nov. 1671, Londres, Inglaterra–11 dic. 1757, Londres). Actor-empresario, dramaturgo y poeta británico. Empezó su carrera como actor en 1690. Su *Último ardid del amor* (1696) es considerada la primera comedia sentimental. Cibber y otros dos actores-empresarios coadministraron el teatro DRURY LANE (1710–33). Se le otorgó el título de POETA LAUREADO en 1730. Su autobiografía, *An Apology for the Life of Mr. Colley Cibber* (1740), es el mejor recuento de teatro de su tiempo. Fue objeto de muchos ataques personales y políticos, además de ser un hombre desprovisto de tacto, grosero y absolutamente seguro de sí mismo. ALEXANDER POPE se burló de él en el poema satírico *The Dunciad*, en el que lo llamó el rey de los tontos. Ver también método del ACTOR-EMPRESARIO.

Cibeles *o* **madre de los dioses** Deidad del antiguo mundo mediterráneo. Su culto se originó en Frigia, Asia Menor, y se extendió al mundo griego, donde fue identificada con REA. Se incorporó a Roma en el s. III AC y se convirtió en un culto importante durante el Imperio. Conocida por diversos nombres locales, Cibeles era venerada como la madre universal de los dioses, humanos y animales. Su amante era el dios de la fertilidad ATIS. Sus sacerdotes, los galos, se castraban cuando se consagraban a su servicio, y el día de su festividad salpicaban con sangre el altar y el pino sagrado de la diosa.

cibercrimen Utilización de una computadora como instrumento para cometer actos ilegales, como fraude, tráfico de pornografía infantil y de propiedad intelectual, suplantación de identidad o violación de la privacidad. El cibercrimen, especialmente a través de la internet, ha crecido en importancia en la medida que las computadoras han pasado a ser fundamentales en el comercio, esparcimiento y asuntos de gobierno. La naturaleza mundial del cibercrimen ha conducido a la promulgación de legislación internacional para combatirlo.

cibernética Ciencia que estudia los sistemas de control y comunicación de los animales (incluidos los seres humanos) y las máquinas. Fue concebida por NORBERT WIENER, quien acuñó el término en 1948. La teoría es interdisciplinaria y comprende estudios tan diversos como redes neuronales, computadoras, teoría del aprendizaje, teoría de las comunicaciones, servomecanismos y sistemas de control automáticos. Por lo tanto, es una ciencia que da unidad al comportamiento de los servomecanismos y sistemas de la ingeniería de telecomunicaciones, e igualmente a muchos fenómenos fisiológicos, neurológicos, psicológicos, sociológicos y económicos. Se diferencia de las ciencias empíricas (física, biología, etc.) en que no se interesa en la esencia de las entidades, sino en su organización, patrones y comunicaciones. Debido a la creciente sofisticación de las computadoras y a los esfuerzos por hacer que ellas se comporten como los seres humanos, la cibernética en la actualidad está muy ligada a la INTELIGENCIA ARTIFICIAL y a la ROBÓTICA, y se nutre en forma importante de ideas desarrolladas en la teoría de la información.

cibernético, derecho Conjunto de leyes relacionadas con el mundo de las REDES DE COMPUTADORAS, especialmente la INTERNET. Debido al incremento del tráfico por la internet, ha aumentado también el número y tipo de cuestiones legales que rodean a esta tecnología. Entre los temas que han dado lugar a mayor debate al respecto, cabe mencionar la OBSCENIDAD de algunos sitios en línea, el derecho a la INTIMIDAD, la LIBERTAD DE EXPRESIÓN, la regulación del comercio electrónico y la aplicación de las leyes sobre el derecho de AUTOR.

Cibola, siete ciudades de Ciudades legendarias de esplendor y riquezas buscadas por los CONQUISTADORES españoles en América del Norte durante el s. XVI. ÁLVAR NÚÑEZ CABEZA DE VACA fue el primero en informar de estas ciudades al naufragar cerca de la costa de Florida en 1528; después deambularía por lo que posteriormente se convirtió en el estado de Texas y el norte de México antes de ser rescatado en 1536. Las expediciones enviadas para buscar estas ciudades no tuvieron éxito. Una de ellas, dirigida por FRANCISCO VÁZQUEZ DE CORONADO en 1540, ubicó un grupo de aldeas de indios zuñis, pero no encontró los enormes tesoros de los que se hablaba.

ciboney Grupo de indígenas ya extinguidos que habitaban las ANTILLAS Mayores en el mar Caribe. Cuando arribaron los españoles en el s. XVI, ya habían sido reducidos por sus más poderosos vecinos, los TAINOS, a unos pocos lugares aislados en lo que ahora es Cuba y Haití. Vivían en asentamientos de una o dos familias y aparentemente subsistían más que nada a base de mariscos. La tecnología instrumental de los ciboney de Cuba se basaba en las conchas, y la de los de Haití, en la piedra. Se extinguieron al cabo de un siglo del primer contacto con los europeos.

cica Cualquiera de las plantas leñosas palmeadas que constituyen el orden Cycadales, que comprende cuatro familias: Cycadaceae, Zamiaceae, Stangeriaceae y Boweniaceae. Las cicas tienen coronas de hojas compuestas grandes y plumosas y CONOS en las puntas de las ramas. Algunas poseen troncos altos, no ramificados, como armadura; otras tienen tallos semi enterrados con troncos hinchados. Las cicas de crecimiento lento se usan como plantas ornamentales de invernadero, pero algunas sobreviven a la intemperie en regiones templadas. Los tallos de algunas producen almidón, que es comestible si se cocina bien. Las hojas tiernas y semillas de otras también se comen.

cicatriz Marca que queda en la piel después de que una herida sana. Unas células denominadas fibroblastos producen fibras de COLÁGENO, las que forman haces que constituyen el grueso del tejido cicatricial. Las cicatrices tienen aporte sanguíneo, pero carecen de glándulas sebáceas y tejido elástico, así es que pueden picar o ser algo sensibles. Las cicatrices hipertróficas se vuelven demasiado gruesas y fibrosas, pero permanecen en el lugar de la herida original. También pueden crecer como tumores, llamados queloides, que rebasan los límites de la herida. Ambos pueden dificultar los movimientos cuando son consecuencia de quemaduras graves en zonas extensas, especialmente alrededor de las articulaciones. Las cicatrices, en particular las debidas a curación espontánea de quemaduras de tercer grado, pueden malignizarse. El tratamiento de las cicatrices graves es uno de los problemas más importantes en CIRUGÍA PLÁSTICA.

Cicerón, Marco Tulio (106 AC, Arpinum, Lacio–7 dic. 43 AC, Formia). Estadista, abogado, erudito y escritor romano. Nacido en el seno de una familia adinerada, se forjó rápidamente una brillante carrera en leyes y entró en el mundo de la política, marcada en ese entonces por el surgimiento de múltiples facciones y conspiraciones políticas violentas. Fue elegido cónsul en el año 63 AC. De sus discursos forenses, los más conocidos son los que pronunció contra CATILINA, cuyo levantamiento logró frustrar. Trató en vano de salvar los principios republicanos durante las guerras civiles que llevaron la República romana a su fin. Después de la muerte de JULIO CÉSAR, pronunció sus 14 filípicas contra MARCO ANTONIO. Cuando se formó el triunvirato de Octavio (posteriormente CÉSAR AUGUSTO), MARCO EMILIO LÉPIDO y Marco Antonio, Cicerón fue ejecutado a pedido de este último como parte de un acuerdo entre los triunviros de eliminar a sus respectivos enemigos. La parte de su obra que se ha conservado incluye 58 discursos forenses y más de 900 cartas, así como varios poemas, tratados filosóficos y políticos y libros sobre retórica. Es recordado como el más grande orador romano y el creador de lo que se conocería como la retórica ciceroniana, que pasó a ser el modelo retórico más importante en el mundo occidental durante varios siglos.

Cícladas, islas *griego* **Kikládhes** Grupo de islas, en total unas 30, ubicadas en la zona meridional del mar Egeo. Cubren una superficie de 2.528 km^2 (976 mi^2) y constituyen el departamento griego de las Cícladas (pob., 1991: 94.000 hab.), que tiene su capital en Ermoúpolis. Su nombre deriva de una antigua tradición, según la cual formaban un círculo alrededor de la isla sagrada de DELOS. Las principales islas son Andros, Tínos, NAXOS, Amorgós, MILOS, Páros, Syros, Kéa, Kíthnos, Serifos, Íos y THÍRA. Fueron el centro de la cultura cicládica, durante la edad de bronce, que se destacaba por sus ídolos de mármol blanco. Más tarde, en el segundo milenio AC, pertenecieron a la cultura micénica (ver MICÉNICO). Colonizadas por los jonios en los s. X–IX AC, posteriormente estuvieron bajo el control sucesivo de persas, atenienses, egipcios tolemaicos y macedonios. Gobernadas por Venecia desde principios del s. XIII DC, las islas cayeron bajo control turco en 1566. Se transformaron en parte de Grecia en 1829. En la actualidad su economía está basada en el turismo y en la exportación de vino, pieles, cerámica y artesanías.

Thíra, isla meridional de las Cícladas; en primer plano, cúpulas azules de una iglesia ortodoxa.
ARCHIVO EDIT. SANTIAGO

ciclamen ver VIOLETA DE PERSIA

cíclido Cualquiera de más de 600 especies de peces, primordialmente de agua dulce (familia Cichlidae), muchos de los cuales son peces de acuario populares. Viven en los trópicos del Nuevo Mundo, África y Madagascar, y Asia meridional. La mayoría de las especies es africana, con una enorme diversidad en los grandes lagos de África. Son de cuerpo oblongo y de cola redondeada. En general, no crecen más de unos 30 cm (12 pulg.). Las especies pueden ser omnívoras, herbívoras o carnívoras. Son notables por sus conductas complejas de apareamiento y reproducción. Ciertas especies (p. ej., TILAPIA), conocidas como incubadoras bucales, llevan los huevos en la boca hasta que eclosionan. Ver también ESCALAR.

Cíclido enano (*Nannacara anomala*).
© ENCYCLOPÆDIA BRITANNICA, INC.

ciclismo Uso de la BICICLETA en el deporte competitivo o con fines recreacionales. Las carreras profesionales clásicas se realizan principalmente en Europa. La primera tuvo lugar en París, en 1868. Existen dos tipos de carreras ciclísticas: en carretera y en pista. La primera competencia en EE.UU., una carrera de seis días, se realizó en 1891. Las carreras de seis días fueron reintroducidas en el s. XX en Europa con equipos integrados por dos ciclistas, pero prácticamente han desaparecido en EE.UU. El primer Tour de FRANCIA, la competencia más importante, se corrió en 1903. El ciclismo ha sido deporte olímpico desde los primeros juegos modernos, en 1896. Existe una variada gama de competencias en pista y en carretera para varones y damas.

ciclo de Fionn ver ciclo FENIANO

ciclo de Ulaid ver ciclo de ULSTER

ciclo económico Fluctuación periódica del índice de actividad económica, el cual se mide por los niveles de empleo, precios y producción. Por largo tiempo, los economistas han debatido sobre las razones por las que después de períodos de prosperidad se producen finalmente crisis económicas (colapso de los mercados bursátiles, quiebras, desempleo, etc.).

Algunos han identificado ciclos recurrentes de ocho a diez años en las economías de mercado. Otros han establecido también ciclos mayores, en particular NIKOLÁI KONDRÁTIEV. Aparte de las conmociones aleatorias que afectan la economía, como guerras y cambios tecnológicos, la INVERSIÓN y el CONSUMO son los principales factores que inciden en el nivel de actividad económica. Un aumento de la inversión, como la construcción de una fábrica, lleva al consumo, porque los trabajadores contratados para su construcción reciben salarios que pueden gastar. A su vez, el aumento de la demanda del consumidor implica la construcción de nuevas fábricas para satisfacer esa demanda. Finalmente, la economía alcanza su plena capacidad y, con la escasez de capital disponible y sin más demanda, el proceso se invierte y sobreviene la contracción. Como explicaciones de los cambios iniciales en la inversión y el consumo se han propuesto las fluctuaciones naturales en los mercados agrícolas, los factores psicológicos –como el efecto de contagio– y los cambios en la OFERTA MONETARIA. Después de la segunda guerra mundial, muchos gobiernos utilizaron la política MONETARIA para moderar el ciclo económico, a fin de evitar extremos de INFLACIÓN y DEPRESIÓN mediante la estimulación de la economía nacional en tiempos de estancamiento y su restricción en épocas de expansión. Ver también PRODUCTIVIDAD.

ciclo hidrológico ver ciclo HIDROLÓGICO

ciclo osiánico ver ciclo FENIANO

ciclo solar Período durante el cual se repiten importantes tipos de actividad solar, descubierto en 1843 por Samuel Heinrich Schwabe (n. 1789–m. 1875). Con una duración de 22 años como promedio, comprende dos ciclos de 11 años de MANCHAS SOLARES, cuyas polaridades magnéticas se alternan entre los hemisferios norte y sur del SOL, y dos máximos y dos mínimos en fenómenos que varían en el mismo período (p. ej., PROTUBERANCIAS SOLARES y AURORAS). Se ha intentado relacionar el ciclo solar con varios otros fenómenos como posibles variaciones menores en el diámetro del Sol, secuencias en los anillos de crecimiento de los troncos de los árboles e incluso el alza y caída de los mercados bursátiles.

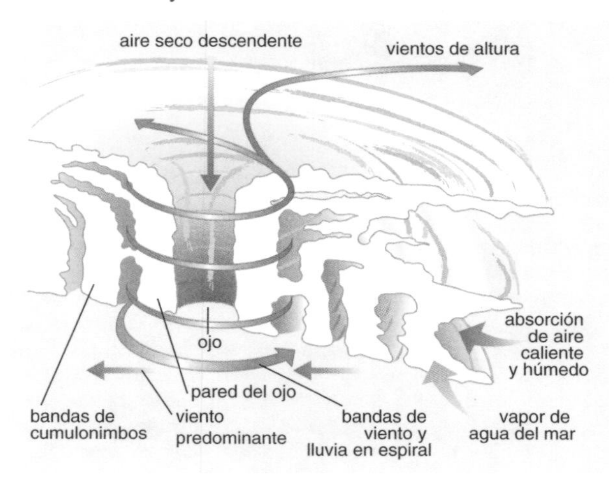

Corte transversal de un ciclón tropical. La fuerza o potencia de un ciclón emana de la presencia del aire y el agua cálidos que se encuentran en las latitudes tropicales. Los vientos giran alrededor del centro de baja presión u "ojo", donde prevalece una calma relativa. Por lo general, el viento y la lluvia son más violentos dentro de la pared del ojo o cerca de ella.

ciclón Sistema de vientos que circula en torno a un centro de baja presión atmosférica en sentido de las manecillas del reloj en el hemisferio sur y, en dirección contraria, en el hemisferio norte. Los ciclones que se producen en latitudes medias y altas se conocen como ciclones extratropicales; con frecuencia son precedidos por nubes que se engruesan y descienden, seguidas de precipitaciones. Los ciclones que se forman en latitudes bajas son conocidos como ciclones tropicales; son más pequeños que los extratropicales, tienden a ser más violentos y pueden causar daños considerables (ver CICLÓN TROPICAL). Los sistemas de vientos que circulan alrededor de un centro de alta presión en direcciones opuestas a las de los ciclones son conocidos como anticiclones.

ciclón tropical Perturbación atmosférica severa que ocurre en los océanos tropicales. Los ciclones tropicales tienen una estructura circular formada por lluvia, nubes y vientos muy fuertes, en cuyo centro (el ojo), calmado y despejado, la presión atmosférica es muy baja. En el Atlántico y en el Caribe se les llama huracanes; en el Pacífico se les conoce como tifones. Debido a la rotación de la Tierra, los ciclones tropicales rotan en el sentido de las manecillas del reloj en el hemisferio sur y en sentido contrario, en el hemisferio norte. Pueden tener un diámetro de 80–800 km (50–500 mi) y son comunes los vientos sostenidos sobre los 160 km/h (100 mi/h). En el ojo, sin embargo, los vientos se convierten abruptamente en suaves brisas o incluso en absoluta calma. Las presiones más bajas a nivel del mar que se registran en la Tierra ocurren en el ojo o cerca de él.

cíclopes En la mitología GRIEGA, cualquiera de los diversos gigantes que tenían un solo ojo. En la *Odisea*, los cíclopes eran caníbales que vivían en una tierra lejana (tradicionalmente Sicilia). ODISEO fue capturado por el cíclope POLIFEMO, pero se salvó de ser devorado cegando al gigante. Según HESÍODO, había tres cíclopes (Arges, Brontes y Steropes) que forjaban rayos para ZEUS. En una tradición posterior, aparecen como ayudantes de HEFESTO en esta tarea. Apolo los destruyó después de que uno de sus rayos matara a ASCLEPIO.

ciclotrón ACELERADOR DE PARTÍCULAS que acelera PARTÍCULAS SUBATÓMICAS o atómicas cargadas en un CAMPO MAGNÉTICO constante. Consiste en dos ELECTRODOS semicirculares huecos, llamados *dees*, en una gran caja cilíndrica al vacío. Un CAMPO ELÉCTRICO alternante entre las *dees* acelera continuamente las partículas de una *dee* a la otra, mientras el campo magnético las orienta en una trayectoria circular. A medida que aumenta la velocidad de las partículas, también aumenta el radio de la trayectoria, y las partículas siguen una espiral centrífuga. De esta manera, un ciclotrón puede acelerar protones hasta energías de 25 millones de electronvoltios.

cicuta Cualquiera de varias plantas herbáceas venenosas de la familia de las Umbelíferas (ver PEREJIL), especialmente *Conium maculatum*, que se cree fue la planta que mató a SÓCRATES. Es una especie común en EE.UU. y Europa. Planta bienal, alta, con tallos verdes manchados de rojo o púrpura, hojas compuestas grandes y flores blancas. Aunque el veneno se concentra en las semillas, toda la planta es peligrosa para el ganado cuando está verde. Otras variedades de cicuta son similares y también peligrosas.

Cicuta (*Conium maculatum*).

Cid, el *orig.* **Rodrigo Díaz de Vivar** *llamado* **Campeador** (c. 1043, Vivar, cerca de Burgos, Castilla–10 jul. 1099, Valencia). Caballero castellano y héroe nacional. Su nombre popular, el Cid (del hispanoárabe *al-sid*, "señor"), data de su época. Educado en la corte de Fernando I, sirvió al hijo mayor del rey, Sancho II, en su campaña para conquistar León. A la muerte de Sancho, se puso a disposición de ALFONSO VI, a quien se había opuesto anteriormente. Su desautorizada incursión militar en el reino moro de TOLEDO (1081) hizo que Alfonso lo desterrara. Se puso entonces al servicio de los gobernantes musulmanes de ZARAGOZA, y llegó a ser conocido como *Campeador* ("vencedor de batallas"). Alfonso intentó sin éxito hacerlo regresar durante la invasión ALMORÁVIDE de España. En 1090, el Cid conquistó para sí la ciudad de

Valencia, que estaba en poder de los moros, tomando luego control de toda la región valenciana. En 1094 y otra vez en 1097 derrotó a los ejércitos almorávides que intentaron capturar la ciudad. Fue rápidamente elevado a la categoría de héroe nacional y sus hazañas fueron celebradas en el famoso poema épico del s. XII el *CANTAR DE MIO CID*.

cidro Arbolillo o arbusto SIEMPREVERDE (*Citrus medica*). Miembro de la familia de las RUTÁCEAS, se cultiva en los países del Mediterráneo e Indias Occidentales. Tiene ramas espinosas, extendidas e irregulares y hojas verde claro, grandes y en general oblongas. Las flores de las variedades ácidas (p. ej., la diamante) son púrpuras por fuera y blancas por dentro; las de las dulces (p. ej., la corsa) son blancas cremosas. Los frutos, ovalados u oblongos, tienen una pulpa firme, ácida o dulce, que se usa sólo para subproductos. La cáscara gruesa se encurte en salmuera, se almibara y se vende como confite. El fruto de la variedad Etrog se usa en ritos religiosos judíos.

cielo Morada de Dios o de los dioses y de las almas benditas. El término también se refiere a la esfera celeste, donde se encuentra el Sol, la Luna, los planetas y las estrellas y la fuente de la luz que simboliza el bien. Para el judaísmo tardío y para el cristianismo, el cielo es el destino de los creyentes después de la resurrección universal de los muertos, en contraste con el INFIERNO, lugar de castigo para los malvados. El Islam tiene una creencia similar. En la religión china, el cielo es equivalente a la voluntad divina, que guía la operación de todas las leyes físicas y morales. En ciertas sectas budistas mahayanas, el cielo es el paraíso para aquellos que han recibido la gracia salvadora de AMITABHA.

"El ángel mostrando el cielo de Jerusalén a Juan", del Apocalipsis de san Juan, c. 1020; Staatsbibliothek Bamberg, Alemania (MS. 140).
GENTILEZA DE LA STAATSBIBLIOTHEK BAMBERG, ALEMANIA

cielo raso Superficie superior de una habitación, y a su vez la cara inferior de un piso o techo. Para ocultar elementos de construcción, equipos mecánicos, cables y accesorios del alumbrado, se usan cielos falsos que cuelgan de vigas superiores. Durante el Renacimiento, los cielos eran a menudo artesonados (ver ARTESÓN), abovedados (ver BÓVEDA) o una gran pintura enmarcada.

Cielo, templo del Gran conjunto de edificios religiosos situado en la antigua ciudad exterior de Beijing, considerado el logro máximo de la arquitectura china tradicional. Su trazado simboliza la creencia de que el cielo es redondo y la Tierra cuadrada. Los tres edificios están construidos en línea recta. El salón de la oración por la buena cosecha (1420) tiene tres círculos concéntricos de gruesas columnas de madera que simbolizan las cuatro estaciones, los 12 meses del año y las 12 horas del día. En una hazaña notable de ingeniería, estas columnas sostienen los tres niveles del techo y, a continuación, una gran abrazadera cuadrada (la Tierra), un arquitrabe circular (el cielo), y una enorme cúpula interior. La bóveda imperial del cielo (1530; reconstruida en 1572) es un edificio circular más pequeño construido sin vigas cruzadas; su cúpula se sostiene sobre una complicada estructura. El altar circular (1530; reconstruido en 1749) es una terraza de piedra blanca de tres niveles, circundada por dos grupos de murallas cuadradas por el exterior y redondas por el interior.

El templo del Cielo, principal edificio religioso del conjunto arquitectónico, Beijing, China.
ARCHIVO EDIT. SANTIAGO

ciempiés Cualquiera de unas 2.800 especies (clase Chilopoda) de ARTRÓPODOS multisegmentados, aplanados y largos, con un par de patas en cada segmento, salvo el último. Los ciempiés permanecen bajo piedras, cortezas y desechos del suelo durante el día; en la noche, predan otros invertebrados pequeños. Se desplazan rápidamente sobre sus 14–177 pares de patas y tienen un par de antenas largas multiarticuladas y un par de pinzas mandibuliformes venenosas justo detrás de la cabeza. El ciempiés doméstico de Europa y América del Norte, de 2,5 cm (1 pulg.), es la única especie común en las moradas. Los ciempiés más largos, presentes en los trópicos, pueden llegar a crecer 28 cm (11 pulg.) e inferir mordeduras graves.

Cien Años, guerra de los (1337–1453). Conflicto armado intermitente entre Inglaterra y Francia por derechos territoriales y la sucesión al trono francés. Comenzó cuando EDUARDO III invadió Flandes en 1337 con el fin de reclamar su derecho a la Corona francesa. Eduardo obtuvo una importante victoria en la batalla de CRÉCY (1346); después de que su hijo, EDUARDO EL PRÍNCIPE NEGRO, consiguió capturar a JUAN II en la batalla de POITIERS (1356), los franceses fueron obligados a entregar extensos territorios bajo los tratados de BRÉTIGNY y Calais (1360). Cuando Juan II murió en cautiverio, su hijo CARLOS V rehusó respetar los tratados y reinició el conflicto, colocando a los ingleses a la defensiva. Después de la muerte de Carlos V en 1380, ambos países se vieron inmersos en luchas internas por el poder y la guerra entró en un período de precaria paz. En 1415, sin embargo, ENRIQUE V decidió tomar ventaja de la guerra civil en Francia para insistir en los derechos ingleses al trono francés (ver batalla de AGINCOURT). En 1422, los ingleses y sus aliados de Borgoña dominaban Aquitania y todo el territorio francés al norte del Loira, incluso París. En 1429 se llegó a un punto decisivo, cuando JUANA DE ARCO rompió el sitio inglés de Orleans. El rey francés CARLOS VII conquistó Normandía y luego recobró Aquitania en 1453, dejando así a los ingleses sólo en posesión de Calais. La guerra dejó devastada a gran parte de Francia y causó enorme sufrimiento; prácticamente destruyó a la nobleza feudal, y de ese modo dio origen a un nuevo orden social. Al dejar de ser una potencia en el continente, Inglaterra concentró sus esfuerzos en expandir su poder y riqueza en el mar.

Cien Días *francés* **Cent Jours** (1815). Período de la historia francesa que se inicia con la llegada de NAPOLEÓN I a París después de escapar del exilio en Elba y finaliza con el regreso de LUIS XVIII a París. Napoleón desembarcó en suelo francés el 1 de marzo y llegó a París el día 20. Austria, Gran Bretaña, Prusia y Rusia acordaron rápidamente formar una alianza en su contra, y lo forzaron a entablar una serie de combates militares que culminaron en la decisiva batalla de WATERLOO. El 22 de junio, Napoleón abdicó por segunda vez y fue deportado a Santa Elena; Luis regresó a París el 8 de julio.

ciénaga Ecosistema de tierra húmeda en agua dulce o salada caracterizado por suelos minerales pobremente drenados y por vegetación dominada por hierbas. En las ciénagas crecen menos especies de plantas que en tierras bien regadas, pero no anegadas; hierbas, juncias y cañas son las más comunes. Comercialmente, el arroz es la planta más importante de las ciénagas de agua dulce: provee una gran proporción de los granos que se consumen en el mundo. Las ciénagas de agua salada se forman en terrenos que quedan en las líneas intermareales, por aguas de mar que inundan y luego se drenan; las hierbas de estas ciénagas no crecerían en planicies inundadas en forma permanente. Ver también PANTANO.

ciencia cognitiva Estudio interdisciplinario que intenta explicar los procesos cognitivos de los humanos y algunos animales superiores en términos de la manipulación de símbolos mediante el uso de reglas computacionales. Para tal estudio se recurre en particular a disciplinas como INTELIGENCIA ARTIFICIAL (IA), psicología (ver PSICOLOGÍA COGNITIVA), lingüística, neurociencia y filosofía. Algunas áreas importantes de investigación en ciencia cognitiva han sido la visión, el pensamiento y el razonamiento, la memoria, la atención, el aprendizaje, y el procesamiento del lenguaje. Las primeras teorías de la función cognitiva intentaron explicar el carácter evidentemente compuesto del pensamiento humano (los pensamientos están constituidos de unidades mínimas organizadas de cierta manera), como también su productividad (el proceso de organización de un pensamiento a partir de unidades más pequeñas puede ser repetido indefinidamente para producir un número infinito de nuevos pensamientos), suponiendo la existencia de representaciones mentales discretas que se pueden organizar o separar según reglas que son sensibles a las propiedades sintácticas o estructurales de las representaciones. Esta hipótesis sobre el "lenguaje del pensamiento" fue desaprobada posteriormente por una concepción que ha recibido distintos nombres; CONEXIONISMO, procesamiento de distribución paralela o modelo de red neural, según la cual los procesos cognitivos (como el reconocimiento de patrones) consisten en ajustes en las fuerzas de activación de las unidades en los procesos de tipo neuronal combinadas en una red.

Ciencia Cristiana *ofic.* **Iglesia cientista de Cristo** Secta religiosa fundada en 1879 en EE.UU. por MARY BAKER EDDY. Como otras iglesias cristianas, la Ciencia Cristiana cree en un Dios omnipotente y en la autoridad (pero no en la infalibilidad) de la Biblia, y estima que la crucifixión y resurrección de JESÚS son esenciales para la redención humana. Se aparta de la tradición cristiana porque considera a Jesús de origen divino, pero no un Dios, y porque considera la creación como totalmente espiritual. El pecado niega la soberanía de Dios al sostener que la vida deriva de la materia. La cura espiritual de la enfermedad es un elemento necesario de redención de la carne y una de las prácticas más controvertidas de esta iglesia. La mayoría de los miembros rehúsan la asistencia médica en caso de enfermedad; los miembros que se dedican exclusivamente a sanar a los enfermos se llaman practicantes de la Ciencia Cristiana. Lectores elegidos dirigen los servicios dominicales basados en lecturas de la Biblia y el libro de Eddy, *Ciencia y salud.* A fines del s. XX, la iglesia tenía aprox. 2.500 congregaciones en 70 países; su sede está en la Iglesia Madre, en Boston. Ver también NEW THOUGHT.

ciencia de la creación ver CREACIONISMO

ciencia de los materiales ver ciencia de los MATERIALES

ciencia del suelo Disciplina científica que investiga los SUELOS como recurso natural primario de la superficie terrestre. Comprende las subdisciplinas de EDAFOLOGÍA (estudio de la formación del suelo y su clasificación), la biología de suelos (estudio de los microorganismos de la tierra), la química de suelos y la física de suelos.

ciencia ficción Ficción que trata principalmente sobre el impacto de la ciencia, real o imaginaria, en la sociedad o en los individuos. De manera más general, fantasía literaria que incluye un factor científico como componente esencial de orientación. Entre sus precursores figuran *Frankenstein* de MARY SHELLEY (1818), *El extraño caso del Dr. Jekyll y Mr. Hyde* de ROBERT LOUIS STEVENSON (1886) y *Los viajes de Gulliver* de JONATHAN SWIFT (1726). Se gestó como un género propio en obras de autores como JULIO VERNE y H.G. WELLS, cuyas creaciones se publicaron en la revista de literatura *Amazing Stories*, fundada en 1926. Asumió el carácter de literatura seria en la revista *Astounding Science Fiction*, a fines de la década de 1930 y gracias a los relatos de escritores como ISAAC ASIMOV, ARTHUR C. CLARKE y ROBERT HEINLEIN. Un auge de popularidad siguió tras la segunda guerra mundial; desde entonces, el enfoque de varios escritores incluía predicciones de sociedades futuristas en la Tierra, análisis de las consecuencias de los viajes interestelares y exploraciones fantásticas de vida inteligente en otros mundos. Recientemente se ha escrito ficción dentro del género del "cyberpunk", el cual aborda los efectos de las computadoras y de la inteligencia artificial en sociedades futuristas regidas por una nueva lógica. La radio, las películas y la televisión han contribuido a reforzar la popularidad de este género.

ciencia, filosofía de la Rama de la filosofía que intenta dilucidar la naturaleza de la investigación científica –procedimientos de observación, patrones de razonamiento, supuestos metafísicos, métodos de representación y cálculo– y evaluar los fundamentos de su validez desde el punto de vista de la EPISTEMOLOGÍA, la LÓGICA formal, el MÉTODO CIENTÍFICO y la METAFÍSICA. Históricamente, la filosofía de la ciencia ha tenido dos preocupaciones principales; ontológicas y epistemológicas. Las preocupaciones ontológicas (que frecuentemente se superponen con las ciencias mismas) preguntan qué tipo de entidades pueden figurar legítimamente en las teorías científicas y qué tipo de existencia poseen tales entidades. Epistemológicamente, los filósofos de la ciencia han analizado y evaluado los conceptos y métodos empleados para estudiar los fenómenos naturales, tanto los conceptos generales y los métodos comunes a todas las investigaciones científicas como los específicos que distinguen a cada ciencia.

ciencia política Disciplina académica que se ocupa del estudio empírico del gobierno y la política. Los cientistas políticos han investigado la naturaleza de los estados, las funciones que desempeñan los gobiernos, el comportamiento de los votantes, los partidos políticos, la cultura política, la ECONOMÍA POLÍTICA y la opinión pública, entre otros temas. Aunque tiene sus raíces en la filosofía política de PLATÓN y ARISTÓTELES, la ciencia política en el sentido moderno del término no comenzó sino hasta el s. XIX, cuando surgieron muchas de las ciencias SOCIALES. Su orientación empírica y generalmente científica se remonta a la obra de HENRI DE SAINT-SIMON y AUGUSTE COMTE. La primera institución dedicada a su estudio fue la Escuela libre de ciencia política, fundada en París en 1871.

Ciencia Religiosa *inglés* **Religious Science** Movimiento fundado en EE.UU. por Ernest Holmes (n. 1887–m. 1960). Tras publicar su obra principal, *La ciencia de la mente* (1926), Holmes fundó el Instituto de ciencia religiosa (1927). En 1949, la Ciencia Religiosa se estableció como una secta y poco después se dividió en dos grupos. Enseña que tanto la mente individual como la universal son una, y que el universo es la manifestación material de esa mente universal. Tal como el NEW THOUGHT, enseña que el mal deriva de la ignorancia acerca de la verdadera identidad superior de la humanidad y que la oración produce la curación no sólo de los males espirituales sino también de los físicos.

ciencia unificada *o* **concepción de la unidad de la ciencia** En la filosofía del POSITIVISMO LÓGICO, doctrina que sostiene que todas las ciencias comparten el mismo lenguaje, leyes y métodos. Se postula que la unidad del lenguaje significa o bien que todos los enunciados científicos pueden ser reformulados como un conjunto de oraciones protocolares que describen DATOS DE LOS SENTIDOS, o que todos los términos científicos pueden definirse mediante términos de la FÍSICA. La unidad de la ley significa que las leyes de las diversas ciencias deben ser deducidas de un conjunto de leyes fundamentales (p. ej., las de la física). La unidad de método significa que los procedimientos utilizados para sustentar los enunciados de las diversas ciencias son básicamente los mismos. El movimiento en pro de la unidad de la ciencia que se originó en el CÍRCULO DE VIENA se adhirió a estas tres unidades, y el "fisicalismo" de RUDOLF CARNAP apoyó la idea de que todos los términos y enunciados de la ciencia empírica pueden reducirse a términos y enunciados del lenguaje de la física.

ciencias sociales Cualquier disciplina o rama de la ciencia que trata los aspectos socioculturales del comportamiento humano. En general, las ciencias sociales abarcan la ANTROPOLOGÍA CULTURAL, la ECONOMÍA, la CIENCIA POLÍTICA, la SOCIOLOGÍA, la CRIMINOLOGÍA y la PSICOLOGÍA SOCIAL. El derecho comparado y la religión comparada (el estudio comparativo de los sistemas legales y de las religiones de diferentes naciones y culturas) también son considerados a veces parte de las ciencias sociales.

científico Miembro de un grupo de funcionarios del gobierno de PORFIRIO DÍAZ (1877–80, 1884–1911) en México. Influidos por el POSITIVISMO y rechazando la metafísica, la teología y el idealismo como inadecuados para resolver los problemas de México, abogaron por la aplicación de los que consideraban métodos científicos de las ciencias sociales a los problemas relativos al financiamiento, la educación y la industrialización. Tuvieron poca influencia sobre Díaz, pero el movimiento arraigó en otras partes de América Latina a fines del s. XIX y a comienzos del s. XX.

cientista de Cristo, Iglesia ver CIENCIA CRISTIANA

cientología, Iglesia de Movimiento internacional fundado en EE.UU. en 1954 por L. RON HUBBARD. Utiliza un sistema de psicoterapia conocido como dianética, que busca liberar a las personas de las huellas destructivas de experiencias pasadas, llamadas engramas. La cientología también incluye un sistema altamente estructurado de creencias relacionado con los orígenes de la vida y el universo, que involucra al alma humana o *thetan* (en realidad, la individualidad espiritual de cada persona). La organización ha sido a menudo objeto de polémica y ha tenido que enfrentar quejas por ejercer excesivo control sobre sus seguidores, así como también cargos por fraude, evasión de impuestos y malos manejos financieros.

cierre éclair ver cierre de CREMALLERA

cierre patronal Táctica usada por los empleadores en los conflictos laborales, mediante la cual se impide a los empleados ingresar a su lugar de trabajo o se les niega el empleo. En las décadas de 1880 y 1890, los dueños de las fábricas de EE.UU. recurrieron a menudo al cierre patronal contra los CABALLEROS DEL TRABAJO, quienes luchaban por organizar industrias como las de los frigoríficos y de la fabricación de puros. En la actualidad, esta táctica ha sido menos frecuente. Por lo general se recurre a ella en el marco de un pacto entre los miembros de una asociación de empleadores mediante el cierre de los lugares de trabajo en respuesta a HUELGAS convocadas por los SINDICATOS.

ciervo Cualquiera de los RUMIANTES de la familia Cervidae, que tienen dos pezuñas grandes y dos pequeñas en cada pie; los machos son astados en la mayoría de las especies y las hembras sólo en algunas. Viven principalmente en los bosques, pero pueden hallarse en desiertos, tundras, pantanos y en laderas elevadas. Son originarios de Europa, Asia, América del Norte y del Sur, y África septentrional, pero se han aclimatado bien en otros lugares. La alzada varía entre los 30 cm (12 pulg.) del pudú (género *Pudu*) y los 2 m (6,5 pies) del ALCE AMERICANO. En general, tienen un cuerpo compacto, cola corta y orejas largas y delgadas. Pierden y renuevan las astas anualmente. La forma general de las astas varía entre las especies. Se alimentan de hierbas, ramillas, cortezas y brotes. Se cazan por su carne, cuero y cornamentas. Ver también ALCE; CARIBÚ; CIERVO COMÚN; CIERVO DE VIRGINIA; CIERVO MULA; CORZO; MUNTIACO.

ciervo común *o* **ciervo rojo** Especie de CIERVO (*Cervus elaphus*), llamado a veces ALCE, originario de Europa, Asia y África del norte. Vive en los bosques y es cazado por deporte y como alimento. Los ciervos comunes viven en manadas de sexos separados, excepto en la temporada reproductora, cuando los machos combaten por los harenes de hembras. Tienen una alzada de unos 1,2 m (4 pies). El pelaje es marrón rojizo, con el vientre más claro y una grupa clara. El macho tiene astas largas ramificadas a distancia regular con diez o más puntas. Hay varias subespecies en peligro. Ver también UAPITÍ.

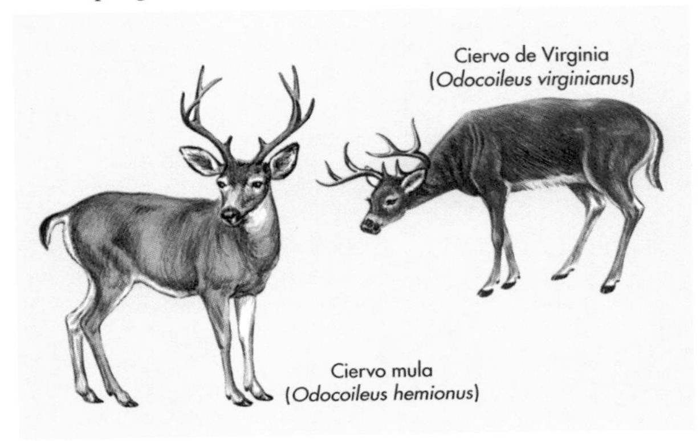

Diferentes especies de ciervo.

ciervo de Virginia CIERVO (*Odocoileus virginianus*) común de color pardo rojizo, un importante animal de caza que vive solitario o en pequeños grupos desde el sur de Canadá hasta América del Sur. La cola, blanca en la cara inferior, se mantiene erguida cuando el ciervo está alarmado o corriendo. El macho tiene astas curvadas hacia delante con varias puntas no ramificadas. El ciervo de Virginia norteño crece hasta 107 cm (3,5 pies) de alto y pesa hasta 180 kg (400 lb). El ciervo de Virginia vive en terrenos boscosos abiertos (bosques jóvenes y desmontados) y en la periferia de áreas urbanas y terrenos agrícolas, y se alimenta de hojas, ramillas, frutos, nueces, líquenes y hongos.

ciervo mula CIERVO orejudo (*Odocoileus hemionus*) del este de América del Norte que vive solo o en grupos pequeños a gran altura en verano y a menor altura en invierno. La alzada es de 90–105 cm (3–3,5 pies) y es marrón amarillento en verano y marrón grisáceo en invierno. La cola es blanca con punta negra, a excepción del ciervo mula colinegro (*O. h. columbianus*), una subespecie del Pacífico noroccidental. Las astas del macho se bifurcan dos veces por encima de una punta corta cerca de la base; un macho maduro tiene normalmente cinco puntas en cada asta. Está emparentado con el CIERVO DE VIRGINIA.

ciervo ratón Cualquiera de varias especies (familia Tragulidae) de RUMIANTES pequeños de contextura frágil que viven en Asia y África. Parecidos a ciervos pequeños, tienen una alzada de unos 30 cm (12 pulg.) y parecen caminar en la punta de las pezuñas. La piel es marrón rojiza manchada y con franjas claras. Los machos tienen colmillos pequeños y curvos que protruyen hacia abajo desde la mandíbula superior. Son tímidos y solitarios y activos en la noche. El ciervo ratón asiático vive en los bosques desde India hasta Filipinas. El ciervo ratón acuático del África ecuatorial occidental vive al abrigo de vegetación tupida en las riberas fluviales y escapa al agua si es molestado.

cigala *o* **langostino de la bahía de Dublín** *o* **langosta de Noruega** LANGOSTA comestible (*Nephrops norvegicus*), común en el Mediterráneo y en el Atlántico nororiental. Se vende como un manjar en la mayor parte de esos lugares. Las cigalas viven en escondrijos en fondos marinos sedimentarios a profundidades de 10–250 m (33–820 pies). Pueden llegar a medir 200 mm (8 pulg.) de largo y pesar unos 200 g (7 oz). Las pinzas, muy esbeltas, pueden medir casi tanto como el cuerpo. En general se las pesca por arrastre, aunque a veces se utilizan nasas cebadas.

cigarra *o* **chicharra** Cualquier insecto del orden Homoptera con dos pares de alas membranosas, ojos compuestos prominentes y tres ojos simples (ocelos). La mayoría de las 1.500 especies conocidas son de la familia Cicadidae y viven en desiertos tropicales, praderas y bosques. Los machos producen sonidos estridentes haciendo vibrar unas membranas cerca de la base del abdomen. La mayoría de las cigarras norteamericanas produce tictacs y zumbidos rítmicos o chirridos, aunque el "canto" de algunas especies es musical. Las especies se distinguen fácilmente por el canto, la conducta y el aspecto. Las cigarras periódicas (especies que existen en abundancia en camadas aisladas cronológica y geográficamente) aparecen en ciclos regulares, como la famosa cigarra de los 17 años (a menudo mal llamada LANGOSTA DE TIERRA de los 17 años) y la cigarra de los 13 años. Las larvas (ninfas) se entierran y permanecen así por 17 ó 13 años, alimentándose de jugos que succionan de raíces; luego emergen en abundancia para vivir en la superficie como adultos por una sola semana.

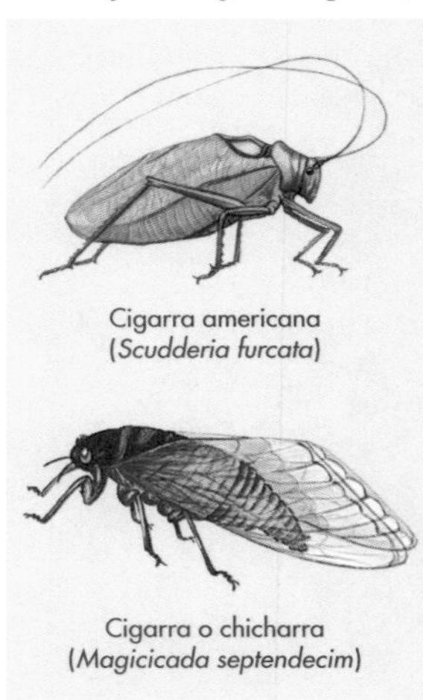

Cigarras.

cigarra americana Cualquiera de las numerosas especies en varias de las subfamilias de la familia del SALTAMONTES de antenas largas (Tettigoniidae). Estas cigarras son, en general, de color verde y alas largas y viven en árboles, arbustos o hierbas; muchas especies se parecen a las hojas. Son grandes saltadoras; muchas especies no vuelan y se limitan a batir las alas cuando saltan. Su alimento principal son vegetales, aunque algunas comen también otros insectos. Las cigarras genuinas del este de América del Norte son magníficas cantantes; cada especie posee un canto iterativo propio, que lo emite sólo en las noches.

cigarra espumadera Cualquiera de unas 2.000 especies de insectos saltadores (familia Cercopidae, orden Homoptera) con ninfas blancuzcas que tienen una válvula abdominal especial para airear una secreción de fluido anal. La baba espumosa resultante protege a las ninfas de los enemigos y de la desecación. Los adultos miden menos de 1,5 cm (0,6 pulg.) de largo. La cigarra espumadera blanca (*Philaenus leucophthalmus*) de Europa y América del Norte tiene aspecto de rana y es una gran brincadora. Se alimenta profusamente de trébol y alfalfa, y frena tanto el crecimiento que puede resultar en pérdidas de hasta el 50% del cultivo. Algunas especies africanas existen en cantidades tan grandes que su baba chorrea como lluvia desde las ramas de los árboles.

cigarrillo Rollo de TABACO finamente picado, envuelto en papel, para fumar. El tabaco de cigarrillos es por lo general más suave que el de CIGARRO PURO. Los aztecas y otros pueblos del Nuevo Mundo fumaban tabaco en juncos huecos, en cañas, o envueltos en hojas de plantas. Los europeos empezaron a fumar tabaco en pipas o bajo la forma de cigarros (tabaco picado envuelto en una hoja de tabaco). A comienzos del s. XVI, en Sevilla, España, los mendigos comenzaron a recoger las colillas de cigarros y envolverlas en trozos de papel para fumarlas, creando los primeros cigarrillos europeos. Hacia el final del s. XVIII, los cigarrillos adquirieron respetabilidad, y en el s. XIX su uso se expandió por toda Europa. Después de la primera guerra mundial, fumar cigarrillos se hizo en general respetable para las mujeres, y consecuentemente tuvo un marcado incremento. En las décadas de 1950–60, el conocimiento de los riesgos para la salud asociados al tabaquismo (como el CÁNCER DEL PULMÓN y las enfermedades cardíacas) alcanzó gran difusión, y algunos países lanzaron campañas en contra del hábito de fumar. La disminución de fumadores en esos países ha sido contrarrestada por un vasto aumento en el número de fumadores en las naciones en desarrollo.

cigarro puro Rollo de TABACO para fumar, que se compone de un relleno de tabaco cortado conformado por una hoja de sujeción y envuelto en una hoja enrollada en espiral. La hoja envolvente, que es la más valiosa, usada en los cigarros puros, debe ser resistente, elástica, de textura sedosa y de color parejo; además, tener sabor y aroma agradables y optimas propiedades de combustión. Los puros son de mayor tamaño que los CIGARRILLOS, y el olor y humo que producen son más intensos. Alrededor del s. X los indios mayas fumaban cigarros puros; CRISTÓBAL COLÓN y otros exploradores los llevaron a España y allí adquirieron popularidad mucho antes de que su uso se difundiera a otros países europeos.

cigüeña Cualquiera de las 17 especies (familia Ciconiidae) de aves áfonas y de cuello largo, en su mayoría del Viejo Mundo. Las cigüeñas alcanzan una talla de 60–150 cm (2–5 pies); la cabeza y el cuello superior son de colores brillantes y suelen ser total o parcialmente calvas. Al volar, alternan períodos de aleteo y planeo, con el cuello y las patas estiradas. La mayoría de las especies son diurnas y se alimentan de animales pequeños que encuentran en las aguas someras y en el campo; algunas son carroñeras. Habitualmente viven en bandadas; excepto cuando se aparean en la temporada reproductora y ambos progenitores incuban los huevos. Las cigüeñas típicas poseen picos rectos o casi rectos; las cuatro especies de cigüeñas americanas tienen picos curvos. La cigüeña americana o ibis de la madera (*Mycteria americana*) es blanca, con alas y cola negras y tiene el pico curvo. Ver también IBIS; MARABÚ.

cigüeñuela Ciertas especies de aves playeras (familia Recurvirostridae) con patas largas y delgadas, pico largo y esbelto y que habitan las regiones cálidas del mundo. Las cigüeñuelas, de un largo de 35–45 cm (14–18 pulg.), viven alrededor de las lagunas y exploran el barro y los bajíos herbosos en búsqueda de crustáceos y otros animales acuáticos pequeños. La cigüeñuela vulgar (*Himantopus himantopus*) tiene una coloración blanquinegra de proporciones variables, patas rosadas y ojos rojos.

CIJ ver CORTE INTERNACIONAL DE JUSTICIA

cilantro *o* **culantro** Hierba anual plumosa (*Coriandrum sativum*) de la familia de las Umbelíferas (ver PEREJIL) y su fruto deshidratado, originaria del Mediterráneo y Medio Oriente. Las semillas reciben el mismo nombre; poseen un olor suave y fragante y un sabor aromático empleado para sazonar muchos alimentos. Las hojas verdes y delicadas se usan ampliamente en la cocina latinoamericana, india y china.

Cilicia Antigua región del sur de ANATOLIA. Se ubicaba a lo largo de la costa del Mediterráneo, al sur de los montes TAURUS. En la antigüedad abarcaba la única ruta por tierra entre Anatolia y Siria, por lo que fue un territorio codiciado. Controlada sucesivamente por los hititas (s. XIV–XIII AC), asirios (s. VIII) y aqueménidas persas (s. VI–IV), más tarde cayó bajo dominio macedonio y seléucida. En el s. I AC se convirtió en provincia romana (ver República e Imperio de

ROMA). El apóstol PABLO visitó la región, que cuenta con monumentos de los comienzos del cristianismo. Fue ocupada por árabes musulmanes (s. VII--X DC) y al final de este período, reconquistada por el Imperio BIZANTINO. En 1515, Cilicia fue absorbida por el Imperio OTOMANO y después de 1921 pasó a formar parte de la República de Turquía.

cilindro ver PISTÓN Y CILINDRO

cilio Filamento corto parecido a una pestaña, que abunda en las células tisulares de la mayoría de los animales. Capaces de batir al unísono, los cilios cumplen varias funciones, como la locomoción de ciertos protozoos, la movilización de los óvulos (huevos) a través de oviductos en los mamíferos, la generación de corrientes de agua para transportar los alimentos y el oxígeno por las branquias de los moluscos, y el arrastre de restos del sistema respiratorio de los mamíferos. Al igual que el FLAGELO, el cilio tiene un centro que consiste en dos MICROTÚBULOS centrales rodeados de un anillo externo de nueve fibras dobles. El crecimiento de los cilios es controlado por el cuerpo basal, subyacente a la superficie celular, en la base del cilio. Bajo la superficie de algunas células existe una red de haces microtubulares que pueden coordinar el batido de los cilios.

Cimabue *orig.* **Benciviene di Pepo** (antes de 1251–1302). Pintor y mosaiquista florentino. Existen antecedentes de que fue maestro pintor de Roma en 1272. Se piensa que fue aprendiz de un pintor italobizantino, ya que estuvo fuertemente influenciado por el estilo grecobizantino. Aunque se le atribuyen varias obras, la única fechada es el mosaico de *San Juan Evangelista* (1301–02) de la catedral de Pisa. Fue un maestro sobresaliente de su generación e inició el movimiento hacia un mayor realismo que culminó en el Renacimiento. Su estilo influyó a GIOTTO y DUCCIO. La personalidad de Cimabue puede reflejarse en su nombre, que tiene la connotación de mansedumbre.

"La Virgen de Santa Trinità", pintura sobre panel de madera, de Cimabue, c. 1290; Galería de los Uffizi, Florencia.

ALINARI—ART RESOURCE/EB INC.

Cimarosa, Domenico (17 dic. 1749, Aversa, Reino de Nápoles–11 ene. 1801, Venecia). Compositor de ópera italiano. Hijo de un albañil, estudió en el conservatorio de Nápoles. Su primera ópera fue montada en 1772 y ya era conocido internacionalmente a mediados de la década de 1780. Su famosa ópera cómica *El matrimonio secreto* (1792) fue resultado de un breve tiempo en que trabajó como maestro de capilla de la corte vienesa. En 1796 se convirtió en organista de la Capilla Real de Nápoles. Escribió cerca de 75 óperas, destacadas por sus personajes bien caracterizados y su abundante comicidad. Escribió varias obras corales, como la cantata *El maestro de capilla*, una sátira popular sobre los métodos de ensayo operístico de su tiempo. Entre sus obras instrumentales, las que al igual que sus óperas han sido reestrenadas con éxito, se encuentran varias animadas sonatas para clavecín y un concierto para dos flautas.

Cimarron, río Río del sudoeste de EE.UU. Nace en el nordeste del estado de Nuevo México y recorre aprox. 800 km (500 mi) para desembocar en el río ARKANSAS cerca de TULSA, Okla. Atraviesa la estrecha franja de tierra del noroeste de Oklahoma (conocida como Oklahoma *Panhandle*, término que alude en inglés a su forma parecida al asa de sartén), el sudeste del estado de Colorado y el sudoeste del estado de Kansas; el lecho del río está a menudo seco en esta zona y se conoce como el Cimarron Seco. La ruta de SANTA FE cruzaba su valle en una extensión de 160 km (100 mi) y los viajeros conocían el Oklahoma Panhandle como el "atajo del Cimarron".

cimbra Armazón temporal usada durante la construcción para sostener arcos y estructuras similares, mientras el mortero u hormigón está fraguando, o mientras se montan sus elementos de acero. Tan pronto como el trabajo está terminado y la estructura es capaz de sostenerse a sí misma, la cimbra se retira cuidadosamente.

cimerio Miembro de un antiguo pueblo que vivía al norte del Cáucaso y del mar de Azov. Sus orígenes son oscuros; desde el punto de vista lingüístico, generalmente se los considera tracios o iranios. Expulsados del sur de Rusia a través del Cáucaso por los ESCITAS, penetraron en Anatolia hacia fines del s. VIII AC. En 696–695 AC conquistaron Frigia. Alcanzaron la cima de su poder en 652 después de capturar Sardes, la capital de Lidia. Pronto se inició su decadencia y su derrota final es posible datarla en el 637 ó 626, cuando fueron vencidos en forma aplastante por Aliates de Lidia.

Cimón (c. 510–c. 451 AC, Chipre). General y estadista ateniense. Fue hijo de MILCÍADES. De tendencia conservadora, apoyó a ESPARTA y se opuso a PERICLES. Después de contribuir a la derrota de los persas en la batalla de SALAMINA (480), fue elegido ESTRATEGA cada año hasta 461. Como comandante de la Liga de DELOS, expulsó a los persas del Mediterráneo oriental y ayudó a sentar las bases del imperio ateniense. En 461 fue acusado por Pericles de colaborar con Macedonia y Esparta, por lo que fue deportado durante diez años. Murió dirigiendo una expedición naval contra Persia.

cinabrio SULFURO de mercurio (HgS), la MENA principal del MERCURIO. Normalmente se encuentra junto con PIRITA, MARCASITA y ESTIBNITA, en vetas cerca de las rocas volcánicas recientes y en manantiales termales. Ha sido utilizado como un pigmento rojo naranja brillante en el maquillaje teatral (actualmente se sabe que es tóxico), en pinturas y en el lacado chino.

cinc ELEMENTO QUÍMICO metálico, de símbolo químico Zn y número atómico 30. El cinc es un METAL de color plateado azuloso, dúctil cuando se encuentra muy puro, pero por otra parte, quebradizo. Forma el LATÓN (con COBRE) y muchas otras ALEACIONES. Su uso principal está en el GALVANIZADO de hierro, acero y otros metales. El cinc es un elemento traza esencial, particularmente en los glóbulos rojos; en los caracoles, es el equivalente del hierro en la sangre de los vertebrados. El óxido de cinc es utilizado como PIGMENTO, como absorbedor de la luz ultravioleta (para impedir las quemaduras de sol), como suplemento dietético, para el tratamiento de semillas, y como fotoconductor. Muchos otros compuestos de cinc (en los cuales tiene VALENCIA 2, o rara vez 1) son utilizados en aplicaciones industriales y de consumo, como pesticidas, pigmentos, mordientes (ver COLORANTE), fundentes y preservantes de la madera.

cincel Herramienta cortante con una arista afilada en el extremo de una hoja de metal, que se usa (frecuentemente a golpe de maza o martillo) para preparar, conformar o trabajar un material sólido como madera, piedra o metal. Los precursores del actual cincel, hechos de pedernal, existieron en 8000 AC; los antiguos egipcios usaban cinceles de cobre y más tarde de bronce para labrar la madera y también la piedra blanda. Hoy, los cinceles están hechos de acero, en diversos tamaños y grados de dureza, según el uso.

Cincinnati Ciudad (pob., 2000: 331.285 hab.) del estado de Ohio, EE.UU. Situada junto al río Ohio, fue colonizada por primera vez en 1788. Fue rebautizada en 1790 en honor a la Sociedad de los CINCINNATI (organización de oficiales que combatieron en la guerra de independencia de EE.UU.). Convertida en puerto fluvial después de 1811, creció en importancia con la apertura del canal de Miami y Erie en 1832. Entre los artículos que manufac-

Panorámica de Cincinnati, ciudad situada en la ribera norte del río Ohio, EE.UU.
ARCHIVO EDIT. SANTIAGO

tura se incluyen equipamiento para transporte y materiales de construcción y es también un importante puerto interior de carga de carbón. Destaca también por su actividad cultural; tiene una orquesta sinfónica, compañías de ópera y ballet, y un museo. Es la sede de la Universidad de Cincinnati (1819), el lugar de nacimiento de WILLIAM HOWARD TAFT (en la actualidad un sitio histórico nacional), y lugar de residencia de HARRIET BEECHER STOWE en la cual vivió por algunos años (1832–50).

Cincinnati, Sociedad de los Organización militar y patriótica, de carácter hereditario, formada en 1783 por oficiales que participaron en la guerra de independencia de los ESTADOS UNIDOS DE AMÉRICA. Tenía como objetivos promover la unión, mantener las amistades forjadas durante la guerra y asistir a los miembros necesitados. El ingreso estaba reservado a todos los oficiales y al primogénito de cada uno. GEORGE WASHINGTON fue su primer presidente. El grupo tomó su nombre del soldado y ciudadano romano *Cincinnatus*. La ciudad de Cincinnati fue bautizada con este nombre, en 1790, en honor a esta sociedad.

Cinco celemines de arroz *formalmente* **Tianshidao** Movimiento popular de inspiración taoísta que surgió en China casi al final de la dinastía HAN (206 AC–220 DC) y que debilitó fuertemente al gobierno. Se convirtió en prototipo de las rebeliones populares de inspiración religiosa que surgirían en forma periódica en dicho país a través de su historia. Su fundador, ZHANG DAOLING, se considera el primer patriarca de la Iglesia taoísta en China. Fue originalmente un sanador de la fe y el nombre del movimiento provino de los cinco celemines de arroz anuales que los clientes le pagaban por su sanación o como ofrenda al culto. En una época de pobreza y miseria, el nieto de Zhang, Zhang Lu, estableció un estado teocrático independiente que creció hasta abarcar toda la actual provincia de Sichuan. En 215 DC, Zhang Lu se rindió ante CAO CAO. Ver también LOTO BLANCO; TAOÍSMO; TURBANTES AMARILLOS.

Cinco Clásicos *chino* **Wujing** Cinco libros chinos antiguos asociados a CONFUCIO. Por más de 2.000 años fueron invocados como fuente autorizada acerca de la sociedad, gobierno, literatura y religión de China. Los estudiantes generalmente comenzaban leyendo los CUATRO LIBROS, más breves, antes de intentar el estudio de los Cinco Clásicos: el *I Ching* ["Clásico de los cambios"], el *Shujing* ["Clásico de la historia"], el *Clásico de poesía*, la *Colección de rituales* y el *Chunqiu* ["Anales de primavera y otoño"]. La enseñanza de los Cinco Clásicos se inició en 136 AC (cuando el CONFUCIANISMO pasó a ser la ideología estatal de China) y continuó hasta comienzos del s. XX. Para postular a cualquier cargo en la vasta estructura burocrática china, el letrado debía demostrar destreza en el manejo de los textos clásicos. Después de 1950, sólo se enseñaron textos seleccionados en las escuelas públicas. Ver sistema de exámenes CHINO.

Cinco de Mayo Día festivo mexicano que conmemora la victoria mexicana sobre los franceses en PUEBLA en 1862. El ejército francés, mejor equipado y mucho más numeroso que el mexicano, había sido enviado por NAPOLEÓN III a conquistar México. Los mexicanos, bajo el mando del general Ignacio Zaragoza, derrotaron a los franceses en Puebla, infligiéndoles fuertes pérdidas. Los franceses se retiraron a la costa, pero regresaron al año siguiente para tomar Puebla y lograron controlar la mayor parte de México en los siguientes cuatro años. Las celebraciones del Cinco de Mayo a menudo incluyen música, bailes y desfiles.

Cinco dinastías Período de la historia china que se extiende entre la caída de la dinastía TANG (907) y la fundación de la dinastía SONG (960). En este período, cinco supuestas dinastías (Hou Liang, Hou Tang, Hou Jin, Hou Han y Hou Zhou) asumieron una tras otra en rápida sucesión en el norte de China. El período también es llamado los Diez reinos, a causa de la decena de regímenes que dominaron regiones separadas del sur de China en esos mismos años. Aunque políticamente inestable, fue un período de grandes logros en el ámbito cultural. Se desarrolló en plenitud la imprenta con bloques de madera; en 953 se finalizó la primera impresión completa de los clásicos confucianos. Floreció el tipo de poesía lírica llamado *ci* (*tz'u*) y la pintura floral, antes marcadamente budista, se convirtió en una rama de la pintura profana.

Cinco, grupo de los Grupo de compositores rusos que en la década de 1860 se congregaron con el objetivo de crear una verdadera escuela nacional de música rusa. Los Cinco fueron César Cui (n. 1835–m. 1918), ALEXANDR BORODÍN, MILI BALAKIREV, MODEST MÚSORGSKI y NIKOLÁI RIMSKI-KÓRSAKOV. Un grupo algo mayor constituido alrededor de este núcleo ha sido designado con el nombre de "el puñado maravilloso".

cincoenrama Cualquiera de unas 500 especies de arbustos y plantas herbáceas del género *Potentilla* de la familia de las Rosáceas (ver ROSA). El nombre común, cincoenrama, alude al número de folíolos de la hoja compuesta de la mayoría de las especies. El grueso de ellas es originaria de la zona templada boreal y ártica, y son fundamentalmente perennes. Los tallos son rastreros o erectos. Las flores solitarias pentapétalas por lo general son amarillas, a veces blancas o rojas en las variedades hortícolas. La especie *P. fruticosa* comprende muchos de los arbustos enanos usados en PAISAJISMO.

cine negro *francés* **film noir** Género cinematográfico que muestra interpretaciones oscuras o fatalistas de la realidad. El término se aplica a las películas estadounidenses de fines de la década de 1940 y principios de la siguiente, que eran filmadas frecuentemente de noche o en interiores sombríos, y que retrataban a personajes cínicos en un submundo criminal y sórdido. Este género incluye películas como *El halcón maltés* (1941) de JOHN HUSTON, *Retorno al pasado* (1947) de Jacques Tourneur, *Recuerda* (1945) de ALFRED HITCHCOCK, *Perdición* (1944) y *El crepúsculo de los dioses* (1950) de BILLY WILDER. La tendencia casi desapareció a mediados de la década de 1950. Sin embargo, continuó con algunas muestras sobresalientes, entre ellas *Chinatown* (1974) de ROMAN POLANSKI y *Blade Runner* (1982) de Ridley Scott.

cine, teoría del Teoría elaborada para explicar la naturaleza del cine y cómo este origina efectos mentales y emocionales en la audiencia. Reconoce al cine como una forma de arte autónoma. Ver también teoría del AUTOR; CINE NEGRO; DOCUMENTAL; SERGUÉI EISENSTEIN; NOUVELLE VAGUE.

cine verdad *francés* **cinéma vérité** Movimiento cinematográfico francés de la década de 1960, que procuró un realismo sincero, al mostrar a la gente en situaciones cotidianas sosteniendo diálogos auténticos. Esta corriente fue influenciada por el cine DOCUMENTAL y el NEORREALISMO italiano, y produjo películas sobresalientes como *Crónica de un verano* (1961) de Jean Rouch y *Joli Mai* (1962) de Chris Marker. Un movimiento estadounidense similar, llamado "direct cinema" (cine directo), capturaba la realidad de una persona o de un hecho, usando cámaras manuales para filmar la acción sin narración, como en los largometrajes *Titicut Follies* (1967) de Frederick Wiseman y *Vendedores de Biblias* (1969) de los hermanos MAYSLES.

cinemática Rama de la física que se ocupa del movimiento geométricamente posible de un cuerpo o sistema de cuerpos, sin considerar las fuerzas implicadas. Describe la posición espacial de cuerpos o sistemas, sus VELOCIDADES y sus ACELERACIONES. Ver también DINÁMICA.

cinética de los gases, teoría Teoría basada en la descripción simple de un gas, de la cual pueden deducirse muchas de las propiedades de los gases. Establecida principalmente por JAMES CLERK MAXWELL y LUDWIG BOLTZMANN, la teoría es uno de los conceptos más importantes de la ciencia moderna. El modelo cinético más simple se basa en suponer que: (1) un gas se compone de un gran número de MOLÉCULAS idénticas que se mueven en direcciones aleatorias, separadas por distancias grandes comparadas con su tamaño; (2) las moléculas experimentan colisiones perfectamente elásticas (sin pérdida de energía) entre sí y con las paredes del recipiente, y (3) la transferencia de ENERGÍA CINÉTICA entre moléculas es calor. Este modelo describe un GAS PERFECTO, pero es una aproximación razonable a un gas real. Usando la teoría cinética, los científicos deducen del movimiento independiente de las moléculas de los gases su presión, volumen, temperatura, viscosidad y conductividad térmica.

cinética, escultura ver ESCULTURA CINÉTICA

cingalés Miembro del más numeroso grupo étnico de Sri Lanka. Se cree que sus ancestros provenían del norte de India. La mayoría de los cingaleses son agricultores y adhieren al budismo THERAVADA. Al igual que otros pueblos de Sri Lanka, tienen una sociedad de castas, con una compleja estructura basada principalmente en la ocupación. En la actualidad, su población asciende a más de 12 millones de habitantes.

cínicos Escuela filosófica griega que floreció entre el s. IV AC y el s. VI DC. Se considera a Antístenes (c. 445–365 AC), discípulo de SÓCRATES, el fundador del movimiento, pero DIÓGENES DE SINOPE fue su paradigma. Llamados así principalmente por el lugar donde se reunían, el Cinosargos, los cínicos consideraron que la virtud –que suponía una vida de pobreza y autosuficiencia y la represión de los deseos– era el único bien, pero se distinguieron más por sus maneras y su modo de vida no convencionales que por un sistema de pensamiento. Los cínicos influyeron en el desarrollo del ESTOICISMO.

Cinque Ports *español* **Cinco puertos** Confederación medieval de puertos del sudeste de Inglaterra junto al canal de la Mancha. A los cinco puertos "originales" –Hastings, New Romney, Hythe, DOVER y Sandwich– luego se sumaron Winchelsea y Rye. Se aliaron probablemente en un principio durante el reinado de EDUARDO EL CONFESOR (r. 1042–66) con el fin de defender la costa y el cruce del canal; la corona entonces les concedió ciertos privilegios, a cambio de que estos puertos le aseguraran un núcleo permanente de naves y hombres para la flota real. Su importancia disminuyó después del s. XIV.

cinturón de Edgeworth-Kuiper ver cinturón de KUIPER

Cinturón de Fuego Nombre de una franja de actividad sísmica y volcánica que rodea casi todo el océano Pacífico. Comprende la cordillera de los ANDES, las regiones costeras del oeste de América Central y América del Norte, las islas ALEUTIANAS y KURILES, la península de KAMCHATKA, Japón, Taiwán, Indonesia oriental, Filipinas, Nueva Zelanda y los arcos insulares del Pacífico occidental. Cerca de 75% de todos los volcanes activos registrados históricamente se ubican en esta franja. Ver también TECTÓNICA DE PLACAS.

cinturón orogénico apalachiano Cadena montañosa que se extiende por más de 3.000 km (1.860 mi) a lo largo del margen oriental de EE.UU., desde Alabama hasta Terranova, Canadá. Se formó por la acumulación progresiva de material en dirección este, sobre el margen continental de Norteamérica. Los primeros sedimentos apalachianos fueron depositados cerca del comienzo del período CÁMBRICO.

cinturón orogénico caledonio Cadena de montañas en el noroeste de Europa, que se extiende en dirección sudoeste-nordeste desde Irlanda, Gales y el norte de Inglaterra y atraviesa Noruega. Estas montañas se desarrollaron en el período entre el comienzo del CÁMBRICO (543 millones de años atrás) y el final del SILÚRICO (c. 417 millones de años atrás). También existen remanentes en el este de Groenlandia.

ciompi, revuelta de los (1378). Sublevación de trabajadores textiles y otros artesanos de Florencia, que llevó al poder a un gobierno democrático. La lucha entre facciones gobernantes hizo estallar la rebelión, que fue liderada por los *ciompi* (cardadores de lana). Los rebeldes exigieron una política fiscal más equitativa y el derecho a establecer GREMIOS para aquellos grupos que todavía no estaban organizados. Tuvieron el control del gobierno, aunque por breve tiempo, pues el empeoramiento de las condiciones económicas y el esfuerzo conjunto de los gremios ya establecidos pronto condujeron a su expulsión del poder.

cipayos, rebelión de los (1857–58). Rebelión contra el dominio británico en India iniciada por tropas indias (cipayos) al servicio de la COMPAÑÍA INGLESA DE LAS INDIAS ORIENTALES. El motín comenzó cuando algunos cipayos rehusaron usar los nuevos cartuchos de rifle (que estaban diseñados para ser lubricados con una grasa que contenía una mezcla de manteca de cerdo y vacuno, y que en consecuencia eran impuros en términos religiosos). Fueron encadenados y encarcelados, pero sus indignados camaradas dispararon contra sus oficiales británicos y marcharon sobre Delhi. Se luchó encarnizadamente en ambos bandos y los combates terminaron con la derrota de los amotinados. El resultado inmediato fue que la Compañía de las Indias fue disuelta en favor del gobierno directo de India por parte de la Corona británica. Además, este comenzó una política de consulta con los indios. Las medidas sociales impuestas por los británicos y que habían sido resistidas en la sociedad hindú (p. ej., una proyectada ley que eliminaba los obstáculos legales para que la mujer hindú volviera a casarse) también fueron retiradas.

Ciperáceas Una de las 10 familias más grandes de angiospermas, constituida por unas 5.000 especies herbáceas parecidas a pasto que habitan en regiones húmedas de todo el mundo. Las plantas de esta familia son monocotiledóneas (ver COTILEDÓN) de una importancia ecológica extraordinaria; al formar la base de las tramas alimentarias, dan alimento y abrigo a los animales acuáticos y de humedales. Son también importantes como plantas ornamentales y malezas, y se usan en productos tejidos como esteras, cestas, pantallas y sandalias. Las características claves que las distinguen de las HIERBAS son los tallos sólidos, a menudo de sección triangular; las hojas, que cuando existen, envainan el tallo; y pequeñas espigas de flores diminutas no encerradas en brácteas. Su altura oscila entre 2 cm y 4 m (1 pulg.–13 pies). El género *Carex* representa las juncias verdaderas. El PAPIRO y la TOTORILLA también pertenecen a esta familia.

ciprea Ciertos CARACOLES marinos del género *Cypraea* que se encuentran principalmente en las aguas costeras de los océanos Índico y Pacífico. Su concha es gruesa y abultada, con hermosos colores (a menudo moteada) y brillante. La concha de la ciprea dorada, de 10 cm

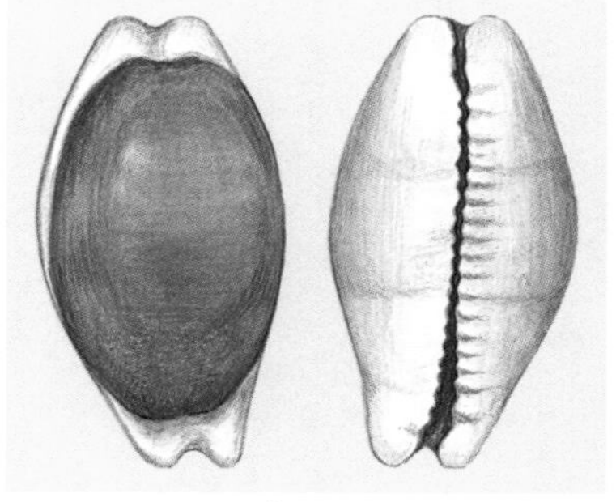

Ciprea (*Cypraea spadicea*).

(4 pulg.), la lucía tradicionalmente la realeza de las islas del Pacífico como distintivo. La ciprea calderilla, una especie amarilla de 2,5 cm (1 pulg.), ha servido como moneda en África y en otras partes.

ciprés Cualquiera de unas 20 especies de CONÍFERAS siempreverdes ornamentales y maderables que constituyen el género *Cupressus* de la familia Cupressaceae, que incluye más de 130 especies que habitan en todo el mundo. Las hojas normalmente vienen en pares o en tríos y son pequeñas y escamosas. Algunos de los muchos géneros de importancia económica en esta familia son *Cupressus, Thuja* (TUYA), *Calocedrus* (cedro de incienso) y *Juniperus* (ENEBRO). La tuya, el ciprés y el enebro son muy importantes como árboles madereros u ornamentales. También se aprovechan sus aceites, resinas y taninos.

ciprés calvo *o* **ciprés de los pantanos** Cualquiera de dos grandes árboles palustres (ver PANTANO) (*Taxodium distichum* y *T. ascendens*; familia Taxodiaceae) del sur de EE.UU., emparentados con las secuoyas. La madera roja y dura del ciprés se usa a menudo para techar. La así llamada familia del ciprés deciduo (ver ÁRBOL DECIDUO) comprende 10 géneros con 15 especies de árboles SIEMPREVERDES ornamentales y maderables, originarios de Asia oriental, Tasmania y Norteamérica. Las hojas de un espécimen pueden ser escamosas, aciculadas o una combinación de ambas. Un mismo árbol tiene CONOS masculinos y femeninos. El cedro de Tasmania (*Athrotaxis*), el japonés (*Cryptomeria japonica*), el abeto chino (*Cunninghamia lanceolata*), el pino parasol o paraguas (*Sciadopitys verticillata*), la SECUOYA GIGANTE, la SECUOYA, la METASECUOYA y el ciprés calvo son árboles maderables de importancia económica en esta familia.

Ciprés calvo o de los pantanos (*Taxodium distichum*).

Cipriano, san *latín* **Tascius Cecilius Cyprianus** (c. 200, Cartago–14 sep. 258, Cartago; festividad en Occidente y Oriente: 16 de septiembre; festividad de la Iglesia anglicana: 26 de septiembre). Teólogo cristiano primitivo y padre de la Iglesia. Se convirtió al cristianismo c. 246, y transcurridos dos años fue elegido obispo de Cartago. En 250 tuvo que ocultarse para escapar de la persecución del emperador Decio, durante la que muchos cristianos apostataron. Cipriano regresó al año siguiente; el concilio episcopal apoyó sus aseveraciones de que la Iglesia podía perdonar el pecado de apostasía, pero que los obispos tenían la última palabra como autoridad disciplinaria y que incluso podían aceptar a los laicos indignos. En las disputas con el obispo de Roma afirmó que la comunidad con su obispo constituían la Iglesia y que en Roma no había ningún "obispo de obispos", que todos ellos poseían el Espíritu Santo por igual y que su consenso expresaba la unidad de la Iglesia. Fue martirizado bajo Valeriano.

ciprinodóntido Cualquiera de algunos cientos de especies de pececillos ovíparos (ver GUPY) de la familia Cyprinodontidae, de distribución universal en agua salobre, salada y dulce,

Ciprinodóntido (*Fundulus diaphanus*).

incluso en aguas termales del desierto. Algunas especies alcanzan 15 cm (6 pulg.) de largo. Su alimentación comprende elementos animales y vegetales que se encuentran en la superficie del agua. Muchas especies (p. ej., el pez lira) poseen colores atractivos y se mantienen en acuarios domésticos. También son importantes como carnada y para el control de los mosquitos. El pez cachorro (*Cyprinodon*) vive en las costas de California y en algunos lagos salados del oeste de EE.UU. Algunos peces cachorro se consideran en peligro de extinción; el de Tecopa (*C. nevadensis*; 1,5 cm [0,6 pulg.] de largo) se declaró extinto en 1981.

Cipselo (c. siglo VII AC). Tirano de CORINTO (c. 657–627 AC). Aunque su madre pertenecía a la dinastía gobernante de los Báquidas, miembros del clan intentaron darle muerte al nacer debido a que su padre no pertenecía al grupo. Una vez adulto, los derrocó y estableció la primera dinastía de tiranos. En su lucha para llegar al poder fue alentado por el oráculo de DELFOS. Fundó colonias en el noroeste de Grecia, gobernándolas a través de sus hijos bastardos, como su sucesor PERIANDRO. Alcanzó el mando por medio de la demagogia y tenía la reputación de ser tan popular que no necesitaba guardaespaldas.

circadiano, ritmo Ciclo biológico que dura aproximadamente 24 horas, que parece controlar o dar inicio a varios procesos fisiológicos, como el sueño, la vigilia y la actividad digestiva y hormonal. La señal natural para el patrón circadiano la constituye el cambio desde la oscuridad hacia la luz. Se cree que el HIPOTÁLAMO es el órgano corporal que controla el mecanismo de este proceso cíclico. Cualquier modificación en el ciclo circadiano (por ejemplo, el JET LAG, efecto del desfase horario, y otras circunstancias asociadas con los viajes) requiere de un cierto período de ajuste.

Circe En la mitología griega, hechicera hija de HELIOS, dios del Sol, y de Perseis, una nereida. Con pociones y conjuros convertía a los hombres en leones, lobos o cerdos. ODISEO la visitó cuando retornaba de la guerra de Troya, y ella convirtió a sus compañeros en cerdos. Odiseo no fue afectado, ya que estaba protegido por una hierba entregada por Hermes, y pudo obligar a la hechicera que devolviera a sus compañeros su forma normal. Odiseo y Circe fueron amantes, pero este, tras una estadía de un año, reanudó su viaje de retorno al hogar.

Circeo, monte *antig.* **Circaeum Promontorium** Monte en la costa del sudoeste de Italia. El promontorio, ubicado en el mar TIRRENO, alcanza los 541 m (1.775 pies) y está conectado al continente por un paso de baja altura. Se conservan cerca de 86 km^2 (33 mi^2) como parque nacional. Su semejanza a una isla, visto desde el mar, lo ha vinculado a la leyenda de CIRCE, desde la antigüedad. En las grutas ubicadas en la costa existen rastros de asentamientos de la edad de piedra. También quedan ruinas de una acrópolis romana.

circo Espectáculo en el que se presentan actos con animales y números de arrojo humano. El circo moderno fue fundado en Inglaterra en 1768 por el jinete acróbata Philip Astley (n. 1742–m. 1814), quien construyó tarimas alrededor de su pista de actuación y la estrenó como el Anfiteatro de Astley.

Uno de sus jinetes creó posteriormente el Circo Real (1782), siendo este el primer uso moderno del término. El primer circo estadounidense se abrió en Filadelfia en 1793. A los actos ecuestres se le sumaron después números con animales salvajes. En 1859, Jules Léotard inventó el trapecio y comenzaron a presentarse actos aéreos. P.T. Barnum le añadió dos pistas al circo tradicional, con el fin de presentar espectáculos paralelos, y se estableció así el circo de tres pistas (1881). Hasta la década de 1950 los circos viajaron por todo EE.UU., Europa y Latinoamérica, presentándose en carpas llamadas *big top*. Hoy los circos suelen presentarse en instalaciones fijas, aunque en algunas regiones todavía hay pequeñas compañías que realizan giras con sus carpas. A fines del s. XX se formaron circos notables en África, India, España, Brasil y México. Tal vez la tendencia más innovadora de comienzos del s. XXI sea la creación de compañías como el Cirque du Soleil, que no usan animales sino que se destacan por mostrar arriesgados actos de destreza y acrobacia humana, e integran danza y música contemporánea a la presentación.

circón Mineral del grupo de los silicatos, silicato de circonio, $ZrSiO_4$, la principal fuente de circonio. Comúnmente el circón se encuentra como un mineral accesorio en rocas ígneas ácidas; también aparece en rocas metamórficas y, a menudo, en depósitos detríticos. Se halla en arenas de playa en muchas partes del mundo, en particular en Australia, India, Brasil y Florida (EE.UU.), y es un mineral pesado común en rocas sedimentarias. Algunas variedades usadas como gemas aparecen en gravas fluviales y depósitos detríticos, en particular en Indochina y Sri Lanka, pero también en Myanmar, Australia y Nueva Zelanda. El circón forma una parte importante de la sienita del sur de Noruega y se encuentra en forma de grandes cristales en Quebec (Canadá).

Circón con cuarzo del cañón Cheyenne, Colorado, EE.UU.

GENTILEZA DEL FIELD MUSEUM OF NATURAL HISTORY, CHICAGO, EE.UU.; FOTOGRAFÍA, JOHN H. GERARD—EB INC.

circonio ELEMENTO QUÍMICO metálico, uno de los elementos de TRANSICIÓN, de símbolo químico Zr y número atómico 40. Es un METAL que en estado impuro es duro y quebradizo, y en estado de alta pureza es blando y dúctil. Relativamente abundante, se encuentra como circón (comercializado también como una gema natural) y como baddeleyita. Por ser altamente transparente a los NEUTRONES, el circonio cobró importancia en la década de 1940 en aplicaciones de ENERGÍA NUCLEAR, como encamisado del combustible. Entre otros usos se cuentan ALEACIONES, fuegos artificiales y bombillas de flash, y como un depurador de oxígeno y otros gases. Sus compuestos, en la mayoría de los cuales tiene VALENCIA 4, son materiales industriales importantes. La circona (el ÓXIDO) es utilizada en cristales piezoeléctricos (ver PIEZOELECTRICIDAD), bobinas de inducción de alta frecuencia, vitrificados, vidrios coloreados y fibras termorresistentes; el carbonato de circonio se emplea en preparaciones que sirven para tratar la urticaria causada por hiedra venenosa.

circuitería computacional Ruta completa o combinación de rutas interconectadas para el flujo de ELECTRONES en una computadora. Los circuitos de una computadora son binarios en esencia, teniendo solamente dos estados posibles. Utilizan interruptores de encendido-apagado (TRANSISTOR) que se abren y cierran eléctricamente en nanosegundos y picosegundos (milmillonésima y billonésima parte de un segundo). La velocidad de operación de una computadora depende del diseño de su circuitería. Se incrementa la velocidad acortando el tiempo empleado en abrir y cerrar los interruptores y desarrollando rutas de circuitos que pueden manejar las mayores velocidades.

circuito *o* **circuito eléctrico** Ruta conductora que transmite CORRIENTE ELÉCTRICA. Un circuito comprende una batería o un generador que provee de energía a las partículas cargadas; aparatos que usan corriente, como lámparas, motores, o computadoras electrónicas, y alambres de conexión o líneas de transmisión. Los circuitos pueden ser clasificados según el tipo de corriente que circula por ellos (ver CORRIENTE ALTERNA, CORRIENTE CONTINUA) o según si la corriente mantiene un flujo único (en serie) o se divide para fluir por varias ramas simultáneas (en paralelo). Entre las leyes básicas que describen el comportamiento de los circuitos eléctricos están la ley de OHM y las leyes de los circuitos de KIRCHHOFF. Ver también CIRCUITO SINTONIZADO.

circuito impreso Dispositivo eléctrico en el que el cableado y ciertos componentes consisten en una delgada capa de material eléctricamente conductivo aplicada en un patrón sobre un sustrato aislante. Después de la segunda guerra mundial, los circuitos impresos reemplazaron el cableado convencional en muchos equipos electrónicos, lo que redujo en gran medida el tamaño y peso y mejoró a la vez la confiabilidad y la uniformidad respecto de los circuitos soldados a mano usados con anterioridad. Por lo general, se utilizan para montar CIRCUITOS INTEGRADOS en tarjetas usadas como unidades insertables en las computadoras, televisores y otros dispositivos electrónicos. La producción en gran escala de tarjetas de circuitos impresos permite automatizar el ensamblaje de componentes electrónicos, lo que reduce considerablemente sus costos.

circuito integrado (CI) *o* **microcircuito** *o* **chip** *o* **microchip** Conjunto de componentes electrónicos microscópicos (TRANSISTORES, DIODOS, condensadores y resistencias) y sus interconexiones, fabricados como una sola unidad en una oblea de material semiconductor, especialmente silicio. Los primeros CI de fines de la década de 1950 tenían alrededor de diez componentes en un chip cuadrado de 3 mm (0,12 pulg. por lado). La integración a muy gran escala incrementó enormemente la densidad de los circuitos, dando origen al MICROPROCESADOR. El primer chip CI con éxito comercial (Intel 1974) tenía 4.800 transistores; el Pentium de Intel (1993) tenía 3,2 millones y en la actualidad se logran con más de mil millones.

Placa de circuitos integrados o microchips.

FOTOBANCO

circuito sintonizado Vía electroconductiva que contiene elementos tanto de INDUCTANCIA como de CAPACITANCIA. Cuando estos elementos se conectan en serie, el CIRCUITO presenta baja IMPEDANCIA ELÉCTRICA a la CORRIENTE ALTERNA de la misma frecuencia que la de resonancia del circuito y alta impedancia a la corriente de otras frecuencias. Los valores de la inductancia y de la capacitancia determinan la frecuencia de resonancia del circuito. Cuando los elementos del circuito están conectados en paralelo, la impedancia es alta para la frecuencia de resonancia y baja para otras frecuencias. Con su capacidad para dejar pasar sólo ciertas frecuencias, los circuitos sintonizados son importantes, por ejemplo, en los receptores de radio y de televisión.

circulación Proceso por el cual los nutrientes, gases respiratorios y productos metabólicos se transportan por el cuerpo. En los seres humanos, la SANGRE se mantiene dentro de un sistema CARDIOVASCULAR cerrado, compuesto por el CORAZÓN y los vasos sanguíneos. Las arterias conducen la sangre propulsada por el corazón merced a una alta presión generada por la acción de bombeo de este órgano. Las arterias dan origen a arteriolas más pequeñas, que se ramifican en una red de finos capilares de paredes delgadas, por las cuales difunden los gases y los nutrientes. Los capilares se reúnen formando vénulas, que a su vez constituyen venas, las que retornan la sangre al corazón (ver ARTERIA; CAPILAR; VENA). Las cavidades derechas e izquierdas del corazón envían la sangre a las circulaciones pulmonar y sistémica, respectivamente. En la primera, la sangre es enviada del corazón a los pulmones, donde capta oxígeno y libera dióxido de carbono; en la segunda, la sangre es enviada del corazón al resto del cuerpo, llevando oxígeno, nutrientes, productos metabólicos y desechos.

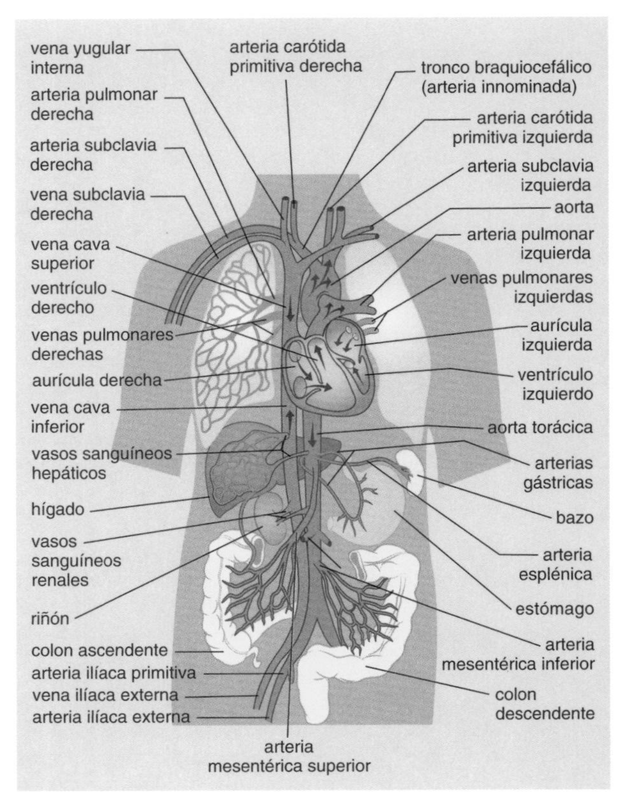

Sistema circulatorio humano. En rojo aparece la sangre rica en oxígeno y, en azul, la sangre pobre en oxígeno. La circulación pulmonar consta del ventrículo derecho, la arteria pulmonar de salida y sus ramificaciones, las arteriolas, los capilares y las vénulas de los pulmones, y la vena pulmonar. A diferencia de las demás arterias y venas, las arterias pulmonares transportan sangre desoxigenada y las venas pulmonares, sangre oxigenada. La aorta nace en el ventrículo izquierdo. El tronco braquiocefálico (arteria innominada) nace en la aorta y se divide en la arteria carótida primitiva derecha y la arteria subclavia derecha. Las arterias carótidas primitivas, izquierda y derecha, se extienden a cada lado del cuello e irrigan gran parte de la cabeza y el cuello. La arteria subclavia izquierda (que nace directamente de la aorta) y la subclavia derecha nutren los brazos. En el abdomen inferior, la aorta se divide en las arterias ilíacas primitivas, que originan ramificaciones externas e internas que irrigan las piernas.

círculo *o* **circunferencia** Curva geométrica, una de las SECCIONES CÓNICAS, consistente en el conjunto de todos los puntos a la misma distancia (el radio) desde un punto dado (el centro). Una recta que conecte cualquier par de puntos sobre un círculo se llama cuerda, y una cuerda que pase por el centro se llama diámetro. El perímetro de una circunferencia es igual a la longitud de un diámetro multiplicada por π (ver PI). El área de un círculo es el cuadrado del radio multiplicado por π. Un arco consiste en cualquier parte de una circunferencia que subtiende un ángulo con vértice en el centro (ángulo central). Su longitud está en la misma proporción al largo total de la circunferencia que el ángulo central a una revolución completa.

círculo cartesiano Razonamiento supuestamente circular aplicado por RENÉ DESCARTES para mostrar que cualquier cosa que se percibe "clara y distintamente" es verdadera. Descartes sostiene que la percepción clara y distinta es una garantía de la verdad, porque Dios, que no es engañador, no permitiría que Descartes estuviese equivocado sobre aquello que percibía clara y distintamente. El razonamiento descansa en la prueba de la existencia de Dios formulada por el propio Descartes. Sin embargo, Descartes no puede saber que tal prueba contiene errores, a menos que suponga que su percepción clara y distinta de los pasos en su razonamiento garantice que la prueba es correcta. Así, el criterio de la percepción clara y distinta depende del supuesto de que Dios existe, y a su vez del criterio de la percepción clara y distinta. Ver también COGITO, ERGO SUM.

Círculo de Viena *alemán* **Wiener Kreis** Grupo de filósofos, científicos y matemáticos formado en la década de 1920 que se reunían periódicamente en Viena para investigar acerca del lenguaje científico y el MÉTODO CIENTÍFICO. Se formó en torno a Moritz Schlick (n. 1882–m. 1936), que enseñaba en la Universidad de Viena; entre sus miembros estaban: Gustav Bergmann, Philipp Frank, RUDOLF CARNAP, KURT GÖDEL, Friedrich Waismann, Otto Neurath, Herbert Feigl y Victor Kraft. El movimiento asociado al Círculo ha sido llamado POSITIVISMO LÓGICO. La obra de sus miembros se distinguió por la atención que prestaban a la forma de las teorías científicas, la formulación de un principio de VERIFICABILIDAD del significado, y la adhesión a la doctrina de la CIENCIA UNIFICADA. En 1938, el grupo se disolvió después de la invasión nazi a Austria.

circuncisión Corte de parte o de la totalidad del prepucio del PENE. Esta práctica se realiza en varias culturas. Se lleva a cabo días después del nacimiento (p. ej., en judíos y musulmanes), unos pocos años después de este, o durante la PUBERTAD. Para los judíos representa el cumplimiento de la alianza entre Dios y Abraham (Génesis 17:10–14). El hecho de que los cristianos no estaban obligados a la circuncisión queda registrado por primera vez en la Biblia en Hechos 15. No hay pruebas concluyentes acerca de los supuestos beneficios médicos de la circuncisión (p. ej., un menor riesgo de cáncer) y la práctica persiste principalmente por razones culturales. Ver también CLITORIDECTOMÍA.

circuncisión femenina ver CLITORIDECTOMÍA

circunstancias atenuantes Circunstancias que disminuyen la responsabilidad penal de quien ha cometido un delito. En muchos sistemas legales angloamericanos, el hecho de que la víctima haya provocado al acusado puede reducir la acusación de homicidio agravado a simple homicidio o a cuasidelito de homicidio. En Gran Bretaña, la acusación de homicidio puede reducirse a cuasidelito de homicidio si se establece que el acusado tiene responsabilidad penal limitada debido a incapacidad mental (ver RESPONSABILIDAD ATENUADA). El código penal italiano permite considerar razones de honor como circunstancia atenuante. En muchas acciones civiles también operan circunstancias atenuantes.

Cirenaica Región nororiental de la actual LIBIA. Fue colonizada por los griegos (c. 631 AC), quienes fundaron allí cinco ciudades. Se convirtió en provincia romana en 67 AC. Ejércitos árabes la conquistaron en 642 DC, al igual que el Imperio OTOMANO en el s. XV. Fue colonizada por Italia a principios del s. XX, pero las fuerzas de ese país fueron expulsadas durante la segunda guerra mundial (1939–45). En 1963 fue incorporada a Libia.

cirenaicos Escuela griega de ÉTICA. CIRENE fue el centro de su actividad y lugar de nacimiento de varios de sus miembros. Aunque el mayor, Aristipo (c. 435–366 AC), discípulo de SÓCRATES, es generalmente reconocido como su fundador, la escuela floreció sólo a fines del s. IV y principios del s. III AC. Los cirenaicos sostenían que el único bien es el placer del momento; la buena vida consiste así en la búsqueda de tales placeres. Las doctrinas de los posteriores cirenaicos fueron incorporadas al EPICUREÍSMO.

Santuario de Apolo, Cirene, Libia.
JOSEPHINE POWELL, ROMA

Cirene Antigua ciudad del África septentrional. Ubicada en la actual Libia, fue fundada c. 630 AC por un grupo de emigrantes provenientes de la isla egea de THÍRA. Su líder, Bato, pasó a ser su primer rey y su dinastía reinó hasta c. 440 AC. Bajo la protección del Egipto tolemaico (desde 323 AC), Cirene se convirtió en uno de los grandes centros intelectuales del mundo clásico, con filósofos eruditos como ERATÓSTENES y Aristipo, fundador de los CIRENAICOS. Fue capturada por los romanos en 96 AC, para decaer más tarde y, con la conquista árabe de 642 DC, dejó de existir. Se han excavado partes de la antigua ciudad, lo que ha revelado ruinas notables.

cirílico, alfabeto ALFABETO empleado para el RUSO, el serbio (ver SERBOCROATA), el BÚLGARO y el macedonio, el BELARUSO, el UCRANIANO, y para muchas lenguas no eslavas de la antigua Unión Soviética, así como para el mongol kalka (ver lenguas MONGOLES). La historia del alfabeto cirílico es compleja y muy discutida. Es evidente que se deriva de las letras mayúsculas unciales griegas del s. IX; es más, tal vez las letras no griegas fueron tomadas del alfabeto glagolítico, alfabeto muy original en el que se escribió (juntamente con el alfabeto cirílico) el ESLAVO ECLESIÁSTICO ANTIGUO. Una hipótesis que suele postularse es que algunos seguidores de los santos CIRILO Y METODIO crearon el alfabeto cirílico en el sur de los Balcanes alrededor de fines del s. IX. Las 44 letras cirílicas originales se redujeron en número en la mayoría de los alfabetos posteriores empleados para las lenguas vernáculas, y se introdujeron algunas letras totalmente originales, en particular para las lenguas no eslavas.

Cirilo de Alejandría, san (c. 375–27 jun. 444; festividad en Occidente: 27 de junio; en Oriente: 9 de junio). Teólogo y obispo cristiano. En 412 fue nombrado obispo de Alejandría. Apasionado defensor de la fe ortodoxa, hizo cerrar las iglesias de la secta heterodoxa de los novacianos y expulsó a los judíos de Alejandría. Su mayor conflicto doctrinal fue con NESTORIO, acerca de la naturaleza de JESÚS. Cirilo defendió la unidad de la naturaleza divina y humana de Jesús, mientras Nestorio enfatizó las diferencias entre ambas. Cirilo condenó a Nestorio en el concilio de Éfeso (431), en tanto que los obispos que apoyaban a Nestorio lo condenaban a él. Finalmente, Nestorio fue declarado hereje y un acuerdo acerca de la naturaleza de Cristo restauró la paz en la Iglesia (433).

Cirilo de Jerusalén, san (c. 315, Jerusalén–¿386?, Jerusalén; festividad: 18 de marzo). Uno de los primeros líderes de la Iglesia cristiana. Nombrado obispo de Jerusalén c. 350, fue desterrado tres veces por los arrianos (ver ARRIANISMO); años más tarde, los ortodoxos estrictos desconfiaron de él en el concilio de CONSTANTINOPLA (381), por su vinculación con los arrianos moderados. En sus escritos preludió la doctrina de la TRANSUSTANCIACIÓN, y promovió a Jerusalén como un centro de peregrinación. Fue nombrado doctor de la Iglesia en 1883.

Cirilo y Metodio, santos (c. 827, Tesalónica, Macedonia–14 feb. 869, Roma) (c. 825, Tesalónica–6 abr. 884, Moravia; festividad de ambos, Iglesia occidental: 14 de febrero; Iglesia oriental: 11 de mayo). Hermanos que cristianizaron a los eslavos del Danubio. Comenzaron su obra misionera entre los eslavos de Moravia en 863. Eruditos y lingüistas de gran talento tradujeron las santas escrituras al idioma llamado más tarde ESLAVO ECLESIÁSTICO ANTIGUO (o eslavónico) y se les atribuye la invención del alfabeto glagolítico (ver alfabeto CIRÍLICO). En 868 viajaron a Roma a defender el uso de una liturgia eslava. Cuando Cirilo murió, Metodio regresó a Moravia como arzobispo. Llamados los "apóstoles de los eslavos", ambos hermanos influyeron en el desarrollo religioso y cultural de todos los pueblos eslavos

Ciro II *llamado* **Ciro el Grande** (c. 585, Media o Persis–c. 529, Asia central). Conquistador que fundó el Imperio aqueménida (ver dinastía AQUEMÉNIDA). Nieto de Ciro I (c. fines s. VII AC), llegó al poder derrocando a su abuelo materno, el rey de los medos. A partir de entonces, creó un imperio que tuvo su centro en Persia e incluyó a Media, Jonia, Lidia, Mesopotamia, Siria y Palestina. Conquistó por medio de la diplomacia y de la fuerza. Protagonista de una rica leyenda en Persia y Grecia (recogida por JENOFONTE y otros), fue considerado el padre de su pueblo. Aparece en la Biblia como el liberador de los judíos mantenidos en cautiverio en Babilonia. Murió combatiendo a los nómadas en Asia central. Su legado es la fundación no sólo de un imperio, sino de una cultura y una civilización que continuó expandiéndose después de su muerte durante dos siglos. Ejerció una fuerte influencia sobre los griegos y ALEJANDRO MAGNO. Revestido por la leyenda de cualidades heroicas, ha sido reverenciado por los persas casi como una figura religiosa por largo tiempo. En 1971, Irán celebró el 2500° aniversario de la fundación de la monarquía.

cirrosis Degeneración de las células funcionales del HÍGADO y su reemplazo por TEJIDO CONECTIVO fibroso, lo que produce cicatrices. Las causas más comunes son el abuso del alcohol con malnutrición. Otras causas son la obstrucción del conducto biliar, infecciones virales, toxinas, acumulación de hierro o cobre en las células hepáticas y la sífilis. En todos los casos son comunes la ICTERICIA, el EDEMA y gran hinchazón abdominal. La muerte se produce por sangramientos internos o por coma hepático debido a desequilibrios químicos de la sangre.

Cirta ver CONSTANTINA

ciruelo Cualquiera de varios árboles del género *Prunus*, de la familia de las Rosáceas (ver ROSA), cuyos frutos comestibles son las ciruelas. En Estados Unidos y Europa, las ciruelas son los frutos de carozo (drupas) de más amplia distribución, con la gama más variada de formas originarias y cultivadas, y mejor adaptadas a suelos y climas muy diversos. Las frutas tienen una gran variedad de tamaño, sabor, color

Ciruelo y su fruto comestible, especie del género *Prunus*.
FOTOBANCO

y textura. Se las consume frescas, cocinadas u horneadas en pasteles. En plena floración, los ciruelos se cubren con racimos de flores tupidos y llamativos. La ciruela es de piel lisa; tiene una parte externa carnosa y jugosa y un carozo duro en su interior. Las variedades de ciruelas que se pueden desecar o que se han deshidratado sin fermentar se llaman ciruelas pasas.

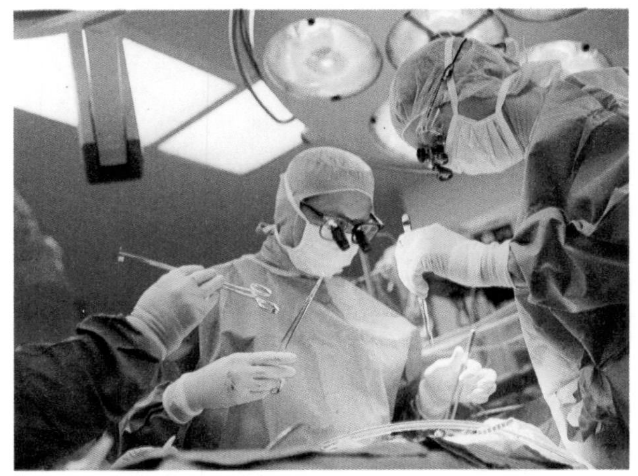

Médicos manipulando instrumental quirúrgico en una cirugía cardíaca.
FOTOBANCO

cirugía Rama de la medicina que emplea como terapia medios físicos en lugar de drogas. Además de operaciones que requieren acceso intracorpóreo (cirugía abierta), incluye manipulaciones extracorpóreas (p. ej., reducción de un hueso quebrado, injertos de piel). La cirugía moderna comenzó en la mitad del s. XIX con el uso de los ANESTÉSICOS y los ANTISÉPTICOS. Otros avances importantes fueron la IMAGINOLOGÍA DIAGNÓSTICA, la CLASIFICACIÓN DE LA SANGRE, intubación para asistir la respiración, administración intravenosa de líquidos y medicamentos, máquinas de circulación extracorpórea (ver CORAZÓN ARTIFICIAL), ENDOSCOPIA e instrumentos para monitorizar las funciones corporales. Los instrumentos propios de la cirugía son los escalpelos (bisturí) para incidir tejidos, pinzas para sujetar los vasos sanguíneos o para asir y manipular estructuras, clamps para inmovilizar o atricionar tejidos, compresas para absorber líquidos y mantener seca el área, retractores (valvas) para mantener abiertas las incisiones y agujas curvas para suturarlas. Los cuidados pre y postoperatorios son cruciales para el éxito de la cirugía. Ver también CIRUGÍA CARDÍACA; CIRUGÍA PLÁSTICA; MICROCIRUGÍA; ORTOPEDIA; TRASPLANTE.

cirugía cardíaca Cualquier procedimiento quirúrgico en que se abre el CORAZÓN y se expone una o más de sus cavidades, especialmente para reparar las válvulas dañadas o corregir MALFORMACIONES CONGÉNITAS DEL CORAZÓN. La invención de la máquina de circulación extracorpórea (ver CORAZÓN ARTIFICIAL), que permite detener el corazón durante la cirugía, la hizo posible. La primera cirugía cardíaca exitosa en EE.UU. fue realizada por John H. Gibbon, Jr., en 1953, para cerrar un defecto septal interauricular.

cirugía ortopédica ver ORTOPEDIA

cirugía plástica CIRUGÍA destinada a corregir desfiguraciones, restaurar funciones o mejorar la apariencia. Puede incluir la remodelación o la movilización de tejidos para rellenar una depresión, cubrir una herida o mejorar la apariencia. La cirugía cosmética, cuyo único objeto es mejorar la apariencia, no es el foco principal de la cirugía plástica. Se emplea en desfiguraciones por quemaduras, por extirpación de tumores o en tareas reconstructivas, y puede incluir el ocultamiento de incisiones en pliegues o el empleo de suturas intradérmicas para afrontar heridas. La cirugía plástica reconstructiva corrige alteraciones funcionales graves, repara las anomalías físicas y compensa pérdidas de tejido debidas a trauma o cirugía. La MICROCIRUGÍA y las técnicas computarizadas de IMAGINOLOGÍA DIAGNÓSTICA han revolucionado este campo.

Cisalpina, República Antigua república del norte de Italia. Creada por NAPOLEÓN I en 1797 a partir de los territorios conquistados, tuvo su centro en el valle del río PO e incluyó las regiones alrededor de MILÁN y BOLONIA. Fue incorporada al reino napoleónico de Italia en 1805.

Cisjordania Territorio (pob., est. 2002: 2.414.000 hab.) en Palestina, al oeste del río JORDÁN y al este de Jerusalén. Con una superficie cercana a 5.900 km^2 (2.270 mi^2), sin incluir a Jerusalén oriental, el territorio es conocido en Israel también por su denominación bíblica de Judea y Samaria. Es una región con una profunda historia que la vincula al corazón de la Palestina histórica. Entre las zonas pobladas se encuentra Nablus, HEBRÓN, BELÉN y JERICÓ. Por acuerdo de la ONU en 1947, la mayor parte de la actual Cisjordania debía integrarse a un estado palestino. Cuando se creó el estado de Israel, los árabes atacaron Israel (ver guerras ÁRABE-ISRAELÍES), y el plan de partición nunca se llevó a cabo. Tras una tregua, Jordania mantuvo el control de la zona y la anexó en 1950. Con posterioridad Israel ocupó la región durante la guerra de los SEIS DÍAS de 1967. En las décadas de 1970-80 Israel estableció allí asentamientos, provocando de ese modo indignación en la población árabe y protestas de los círculos internacionales. Los levantamientos árabes comenzaron en 1987 en la franja de GAZA y se extendieron a Cisjordania (ver *INTIFADA*). Jordania renunció a su demanda sobre la región en 1988, cediéndola a la OLP (Organización para la Liberación de Palestina). Encuentros secretos entre la OLP e Israel realizados en 1993 lograron acabar con la violencia y alcanzar un acuerdo que garantizaba el autogobierno palestino en parte de Cisjordania y la franja de Gaza. Con posterioridad, en esa misma década se produjeron en forma intermitente negociaciones orientadas a resolver asuntos pendientes, pero fracasaron cuando se reanudó la violencia a fines de 2000.

Ciskei Antiguo enclave para personas de raza negra en Sudáfrica. Habitado principalmente por pueblos que hablan el idioma xosa, limitaba con el océano Índico y Sudáfrica. A fines del s. XVIII los pueblos XOSA que vivían en el sector entraron en conflicto con los colonos europeos; las guerras resultantes produjeron la anexión de la región a la Colonia de El Cabo a finales del s. XIX. Ciskei se transformó en un territorio con administración autónoma dentro de Sudáfrica en 1961. En 1972 se le concedió el autogobierno, con su capital en Bisho. En 1981 llegó a ser nominalmente independiente. Bajo la nueva constitución sudafricana se reincorporó (1994) a Sudáfrica como parte de la nueva provincia de El Cabo Oriental.

cisma de 1054 *o* **cisma Oriente-Occidente** Acontecimiento que separó las Iglesias bizantina y romana. Las Iglesias oriental y occidental habían estado por largo tiempo distanciadas debido a temas doctrinarios como la relación del Espíritu Santo con el Padre y el Hijo. La Iglesia oriental rechazaba la obligación romana del celibato clerical y la limitación del derecho de confirmación al obispo. Existían también disputas jurisdiccionales entre Roma y Constantinopla, como la primacía papal proclamada por Roma. En 1054, el papa LEÓN IX, a través de su representante Humberto de Silva Candida, y el patriarca de Constantinopla, MIGUEL CERULARIO, se excomulgaron mutuamente, hecho que marcó la ruptura final entre las dos Iglesias. El quiebre se acentuó en los siglos siguientes y ambas han permanecido separadas, aunque las excomuniones fueron anuladas por el papado y el patriarcado en el s. XX. Ver también CATOLICISMO ROMANO; ORTODOXIA ORIENTAL.

cisma de Focio ver cisma de FOCIO

cisma de Occidente, gran (1378–1417). Período en la historia católica en que hubo dos y más tarde tres papas rivales, cada uno con su propio colegio de CARDENALES. El cisma comenzó poco después del traslado de la sede papal desde Aviñón a Roma (ver papado de AVIÑÓN). URBANO VI fue elegido en medio de demandas locales en favor de un papa italiano, pero un grupo de cardenales con propensiones francesas eligió a un antipapa, Clemente VII, quien estableció su sede en Aviñón. Cardenales de ambas facciones se reunieron en Pisa en 1409 y eligieron un tercer papa con el fin de dar término al cisma. El quiebre no fue superado sino hasta que el concilio de Constanza dejó vacantes los tres cargos y eligió papa a MARTÍN V en 1417.

cisne AVE ACUÁTICA (género *Cygnus*, familia Anatidae) palmípeda de cuello largo y corpulenta. Los cisnes son las aves acuáticas más grandes y veloces, tanto nadando como en vuelo; con cerca de 23 kg (50 lb), el cisne mudo (*C. olor*) es el ave voladora de mayor peso conocido. Los cisnes hurgan con el pico los bajíos en busca de plantas acuáticas. En el hemisferio norte viven cinco especies de cuerpo blanco y patas negras; en el hemisferio sur existe una negra y otra de cuello negro. Los machos y hembras lucen igual y se aparean de por vida. El macho monta guardia mientras la hembra incuba un promedio de seis huevos sobre un montículo de vegetación. Las crías (cisnecillos) reciben cuidados por varios meses. Su elegancia cuando nadan ha hecho de los cisnes un prototipo de belleza a través de los siglos.

cisne silbador Una especie de CISNE (*Cygnus columbianus*) de América del Norte con un reclamo suave y musical. Posee un pico negro y suele tener una manchita amarilla cerca del ojo. Se reproduce en la tundra ártica e inverna en aguas someras dulces o saladas, en especial a lo largo de la costa occidental y oriental de EE.UU.

cisne trompetero *o* **cisne chiflador** Especie (*Cygnus cygnus buccinator*) de CISNE de pico negro, llamado así por su reclamo de tono grave y de largo alcance. Mide 1,8 m (6 pies) aprox. de largo y con una envergadura de 3 m (10 pies); es el más grande de los cisnes, aunque pesa menos que el cisne mudo. En un tiempo estuvo amenazado de extinción (se contabilizaron menos de un centenar en EE.UU. en 1935), pero ha tenido un fuerte repunte; aunque aún es considerado vulnerable, su población en Canadá occidental y el noroeste de EE.UU. sobrepasa ahora los 5.000 individuos.

Cisne trompetero (*Cygnus cygnus buccinator*).

cisteína AMINOÁCIDO no esencial que contiene azufre. En PÉPTIDOS y PROTEÍNAS, los átomos de azufre de dos moléculas de cisteína están unidos entre sí para formar cistina, que es otro aminoácido. Los átomos de azufre unidos forman un puente de disulfuro, un factor principal en la forma y función de las proteínas del esqueleto y del TEJIDO CONECTIVO, y en la gran estabilidad de las proteínas estructurales como la QUERATINA.

cisterciense *o* **monje blanco** Miembro de la orden monástica católica fundada por San Roberto (1098) en Cîteaux (latín, Cistercium), Borgoña, y por BENEDICTINOS insatisfechos con el relajamiento de la austeridad en su abadía. Los cistercienses observaban un ascetismo severo, rechazaban las rentas feudales y se dedicaban a las labores manuales. Todas las abadías aplicaron una regla uniforme que exigía, entre otras cosas, que todos los abades se reunieran una vez al año en Cîteaux. San BERNARDO DE CLARAVAL fundó 68 abadías durante su vida. La disciplina fue declinando mientras la orden crecía y los cistercienses desaparecieron del norte de Europa tras la REFORMA. La orden fue reformada durante los s. XVI–XVII; los miembros de la orden reformada son conocidos popularmente como trapenses, por su abadía en la Trapa. Hasta la década de 1960 dormían, comían y trabajaban en silencio perpetuo. La orden original, que experimentó reformas más moderadas, también subsiste.

cistitis INFLAMACIÓN de la vejiga (ver sistema URINARIO). Por lo general se debe a infecciones por bacterias, virus, hongos o parásitos que se extienden desde sitios vecinos. Los síntomas son ardor al orinar y enseguida, micción urgente o frecuente y dolor lumbar. Las mujeres, con una uretra más corta que los varones, son más susceptibles, siendo la mayoría de los casos causados por *E. coli*, una bacteria del recto. La cistitis aguda, generalmente bacteriana, causa hinchazón, sangramiento, pequeñas úlceras y a veces abscesos vesicales. La infección reiterada o persistente puede llevar a cistitis crónica con engrosamiento de la pared vesical. El diagnóstico se hace por el hallazgo de bacterias u otros organismos en la orina (normalmente es estéril). Se trata con medicamentos o cirugía.

citación judicial *inglés* **subpoena** En derecho, ORDEN JUDICIAL que ordena a una persona comparecer ante un tribunal, un comité parlamentario, un GRAND JURY u otro órgano, bajo apercibimiento de sanción en caso de incumplimiento. A diferencia del EMPLAZAMIENTO JUDICIAL, la citación judicial puede ordenar a la persona citada a que presente las pruebas necesarias para resolver un asunto o controversia legales.

Citadel, The Colegio universitario militar público ubicado en Charleston, S.C., EE.UU., fundado en 1842. Si bien no está afiliado directamente con las fuerzas militares del país, siempre ha constituido una importante fuente de oficiales muy competentes. Cadetes de The Citadel comandaron el bombardeo al FORT SUMTER NATIONAL MONUMENT, que dio inicio a la guerra de SECESIÓN; el *college* fue ocupado por las fuerzas federales en 1865–79. En 1995, un mandato judicial admitió el ingreso de cadetes de sexo femenino.

cítara Instrumento de CUERDA punteado o rasgueado con una caja de resonancia plana. La cítara austríaca común es aproximadamente rectangular y tiene entre 30 y 40 cuerdas; se coloca en las rodillas del intérprete o en una mesa. Varias cuerdas de melodía pasan por encima de un diapasón trasteado; la mano izquierda del músico pisa estas cuerdas, mientras la mano derecha pulsa con los dedos y con un plectro de pulgar. La cítara es además un término genérico para designar aquellos instrumentos cuyas cuerdas se extienden sobre un cuerpo único que carece de mástil. De este modo, la gran familia de las cítaras incluye instrumentos como el ARPA EÓLICA, la autoarpa, el cimbalom, el DULCÉMELE, el KOTO e incluso el CLAVICORDIO, el CLAVECÍN y el PIANO.

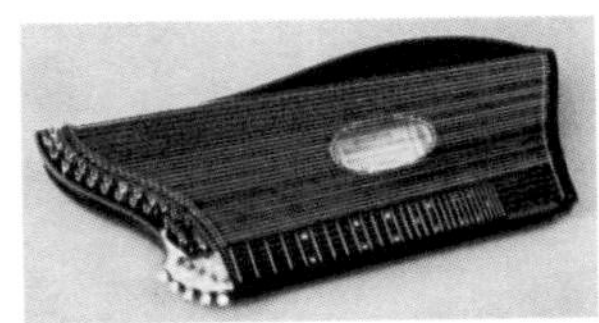
Cítara hecha en Viena, Austria.

Citation (parido en 1945). Caballo purasangre de carrera estadounidense. En cuatro temporadas ganó 32 de 45 carreras, llegó segundo en diez y tercero en dos. Ganó la TRIPLE CORONA en 1948 y fue el primer caballo en ganar US$ 1 millón. En 1950 impuso un récord mundial al correr la milla (1.600 m) en 1:33 3/5.

Citigroup SOCIEDAD DE CARTERA estadounidense constituida en 1998 por la fusión de Citicorp (otra sociedad de cartera constituida en 1967) y Travelers Group Inc. (ver TRAVELERS INC.). La fusión, por un valor de US$ 70.000 millones, incluyó a Salomon Smith Barney Inc., uno de los mayores bancos de inversiones de EE.UU., y tenía como propósito crear una empresa mundial de servicios financieros orientados a las personas. Citicorp, cuya historia se remonta al First Bank of the United States, se hizo conocido en particular porque fue el primero en instalar cajeros automáticos en todas sus sucursales en la década de 1970. Antes de su fusión con Travelers Group Inc., Citicorp era el mayor banco de EE.UU. y una de las más grandes empresas financieras del mundo, con aproximadamente 3.000 sucursales.

Citlaltépetl, volcán *o* **volcán Orizaba** Volcán del centro-sur de México. Con una altura de 5.610 m (18.406 pies), su cono simétrico y cubierto de nieve es el punto más alto de México y el tercero de América del Norte. Ha permanecido inactivo desde 1687.

citocromo Cualquiera de un grupo de PROTEÍNAS celulares (hemoproteínas), que cumplen una función vital en la transferencia de energía intracelular. Las hemoproteínas se unen a un componente no proteico que contiene hierro (grupo heme), que puede experimentar las reacciones de OXIDACIÓN-REDUCCIÓN reversibles que entregan energía a la célula. Los citocromos se subdividen en tres clases según las longitudes de onda de la luz que absorben. Se han identificado al menos 30 citocromos diferentes.

citoesqueleto Sistema de filamentos o fibras microscópicas, presentes en el CITOPLASMA de las células EUCARIONTES, que organiza a los demás componentes de la célula, mantiene su forma y es responsable de su locomoción y de los movimientos de los organelos en su interior. Tres tipos de filamentos principales conforman el citoesqueleto: filamentos de actina, MICROTÚBULOS y filamentos intermedios. Los filamentos de actina se presentan en haces de fibras paralelas que varían constantemente; contribuyen a determinar la forma de la célula, a adherirse a las superficies, a moverse; y participan en la división celular durante la MITOSIS. Los filamentos intermedios son estructuras muy estables que forman el verdadero esqueleto de la célula; anclan el NÚCLEO en su interior y otorgan a la célula sus propiedades elásticas.

citología Estudio de las CÉLULAS. Los primeros pasos se dieron con las investigaciones microscópicas del corcho de ROBERT HOOKE en 1665, durante las cuales introdujo el término *célula* para describir las células muertas de esa estructura. MATHIAS JACOB SCHLEIDEN (en 1838) y THEODOR SCHWANN (1839) estuvieron entre los primeros en afirmar con claridad que las células son las unidades fundamentales de plantas y animales. Este manifiesto (la teoría celular) fue confirmado y elaborado mediante una serie de descubrimientos e interpretaciones. En 1892, Oscar Hertwig (n. 1849–m. 1922) sugirió que los procesos a nivel del organismo son reflejos de los que ocurren en las células, y estableció así la citología como una rama aparte de la biología. Ver también FISIOLOGÍA.

citomegalovirus (CMV) Cualquiera de varios VIRUS de la familia de los herpes. La infección activa produce células grandes que encierran material extraño. De mayor prevalencia en comunidades hacinadas y pobres, se transmite por contacto sexual o por líquidos corporales infectados. Raras veces produce enfermedades serias en adultos sanos, pero puede tener graves consecuencias, como la ceguera, en quienes padecen inmunodepresión. En recién nacidos, aún sin hepato ni esplenomegalia (10% de los casos), el CMV es la infección más común y la causa principal de sordera congénita; también puede inducir retardo mental y ceguera. No tiene tratamiento efectivo.

citoplasma Parte de la célula eucarionte situada fuera del NÚCLEO. El citoplasma contiene todas las organelas u orgánulos (ver EUCARIONTE). Las organelas comprenden las mitocondrias, los CLOROPLASTOS, el RETÍCULO ENDOPLÁSMICO, el aparato de Golgi, los LISOSOMAS y los peroxisomas. El citoplasma contiene también el CITOESQUELETO y el citosol (la masa líquida que rodea a las diversas organelas).

citosina Compuesto orgánico de la familia de la PIRIMIDINA, a menudo llamada una base; consiste en un solo anillo, que contiene tanto átomos de nitrógeno como de carbono, y un grupo amino. Se encuentra en forma combinada en los ácidos NUCLEICOS y en varias COENZIMAS. En el ADN, su base complementaria es la GUANINA. Ella o su correspondiente NUCLEÓSIDO o NUCLEÓTIDO puede prepararse a partir del ADN por técnicas selectivas de HIDRÓLISIS.

cítrico Cualquiera de las plantas que constituyen el género *Citrus*, de la familia de las RUTÁCEAS, que producen frutas pulposas cubiertas por una cáscara bastante gruesa. El género incluye el LIMONERO, el LIMERO, el NARANJO dulce o agrio, el TANGERINO, el POMELO, el CIDRO y la pampelmusa (*C. maxima* o *C. grandis*).

Naranjo, árbol frutal del género *Citrus*.
INGA SPENCE/VISUALS UNLIMITED/GETTY IMAGES

cítrico, ácido Compuesto orgánico cristalino e incoloro ($C_6H_8O_7$), uno de los ácidos CARBOXÍLICOS. Se encuentra en casi todas las plantas (especialmente en los frutos CÍTRICOS) y en muchos tejidos y fluidos animales. Pertenece a una serie de compuestos que participan en la oxidación fisiológica (ver OXIDACIÓN-REDUCCIÓN) de GRASAS, PROTEÍNAS y CARBOHIDRATOS a dióxido de carbono y agua (ver ciclo de KREBS). Tiene un sabor característico marcadamente agrio y se utiliza en muchos alimentos, confites y gaseosas. Se agrega a ciertos alimentos para mejorar su estabilidad dentro de envases metálicos. Industrialmente se emplea como acondicionador de agua, agente de limpieza y pulimento, e intermediario químico.

citrina Variedad transparente y de grano grueso del mineral de sílice CUARZO. La citrina es una gema semipreciosa que es apreciada por su color amarillo a marrón y su parecido con el aún más raro TOPACIO. La citrina natural es más rara que la amatista o el cuarzo ahumado, los que a menudo son calentados para transformar su color natural al de la citrina. La citrina se comercializa bajo distintos nombres que la confunden con el topacio para elevar su precio; puede distinguirse del topacio por su menor dureza. Se encuentra principalmente en Brasil, Uruguay, los montes Urales, Escocia y Carolina del Norte (EE.UU.).

Citroën Uno de los principales fabricantes de automóviles franceses. La empresa fue creada por André-Gustave Citroën (n. 1878–m. 1935), ingeniero e industrial, quien prosperó inicialmente con la venta de municiones durante la primera guerra mundial. Posteriormente, transformó su fábrica de armas para producir automóviles pequeños y económicos e introdujo métodos de producción a gran escala en la industria automotriz francesa. El primer automóvil Citroën apareció en 1919. En la actualidad, la compañía forma parte de la empresa Peugeot SA, el mayor fabricante de automóviles de Francia.

ciudad Centro de población relativamente permanente y muy organizado, de mayor tamaño o importancia que un pueblo o aldea. Las primeras ciudades aparecieron en el período NEOLÍTICO, durante el cual el desarrollo de las técnicas agrícolas aseguró un excedente de producción de granos suficientemente importante para sustentar una población permanente. La antigua Grecia fue testigo de la creación de la CIUDAD-ESTADO, modalidad que también fue importante en el surgimiento del Imperio romano (ver República e Imperio de ROMA), y de los centros de intercambio comercial de VENECIA, GÉNOVA y FLORENCIA en la Italia medieval. Después de la Edad Media, las ciudades quedaron en forma creciente bajo el control político del gobierno centralizado y sirvieron a los intereses de la nación-estado. La REVOLUCIÓN INDUSTRIAL transformó aún más la vida citadina, a medida que florecían rápidamente ciudades fabriles en Inglaterra, el noroeste de Europa y el nordeste de EE.UU. A mediados del s. XX, el 30–60% de la población de la mayoría de los países vivía en alguno de sus principales centros urbanos. Con la aparición del automóvil sobrevinieron el crecimiento de los suburbios y la urbanización caótica, al tiempo que las fábricas, oficinas y residencias edificadas en épocas anteriores entraron en obsolescencia. En la actualidad, numerosas ciudades presentan deficiencias habitacionales, sanitarias, recreativas y de transporte, y enfrentan problemas de degradación de las áreas centrales o de proliferación de las barriadas en zonas periféricas. Los gobiernos locales han tratado de aliviar estos problemas mediante la PLANIFICACIÓN URBANA.

Ciudad Guayana *ant.* **Santo Tomé de Guayana** Ciudad (pob., est. 2000: 704.168 hab.) de Venezuela. Se ubica en la confluencia de los ríos Caroní y ORINOCO, en las tierras altas de Guayana; el emplazamiento de la ciudad ha estado poblado desde 1576. Surgida a partir de la unión de varias ciudades, es una comunidad planificada, fundada por una empresa estatal en 1961. Cuenta con empresas forestales, de minas de diamantes y de producción de papel y celulosa.

ciudad jardín Comunidad ideal planeada bajo la concepción del urbanista británico Ebenezer Howard (n. 1850–m. 1928). Según esa concepción, la ciudad jardín debía ser pequeña, de manera de conjugar los agrados de la vida urbana y rural; además de compacta y con un crecimiento controlado. Al centro tendría un jardín rodeado de un complejo cívico y cultural, un parque, viviendas e industrias, todo esto circundado por un cinturón verde agrícola. El tráfico correría por avenidas radiales y anillos de circunvalación. La primera ciudad jardín fue construida en Letchworth, Inglaterra, en 1903. Aun cuando las ideas de Howard han tenido amplia influencia, los imitadores a menudo han pasado por alto el requisito de que la ciudad jardín sea una comunidad autosuficiente, de verdadero uso mixto.

Palacio de la Ciudad Prohibida, uno de los numerosos edificios imperiales del conjunto arquitectónico situado en Beijing, China.

ARCHIVO EDIT. SANTIAGO

Ciudad Prohibida Conjunto de palacios en Beijing, sede del poder imperial de China. Contiene cientos de edificios y alrededor de 9.000 habitaciones. Sirvió a los emperadores de China desde 1421 hasta 1911. No estaba permitido a ningún plebeyo o extranjero entrar en ella sin permiso especial. Los palacios rodeados de fosos, con sus techos de tejas doradas esmaltadas y pilares rojos de madera de sándalo, están rodeados por altos muros con una torre en cada esquina. Los palacios consisten en un salón exterior para el trono y las recepciones y un patio interior. Cada palacio constituye un todo arquitectónico. Al norte de la puerta principal, se extiende un primer gran patio con un canal cruzado por cinco puentes de mármol. Más al norte, elevado sobre una terraza de mármol, está el enorme Salón de la Suprema Armonía, de dos niveles, alguna vez la sede del trono principal, una de las estructuras de madera más grandes en China. Al final del conjunto se encuentra el palacio residencial del emperador. Los palacios imperiales están flanqueados por muchos otros palacios para los ministros, las concubinas y los dignatarios. Los palacios y edificios son ahora museos públicos.

ciudad satélite Unidad urbana retirada de una gran ciudad donde se reinstala parte de su población con el fin de descongestionarla. La ciudad satélite es una agrupación de casas, hospitales, industrias y centros culturales, recreativos y comerciales, que forman comunidades completamente nuevas y de relativa autonomía. El movimiento de la ciudad satélite fue pronosticado por el utópico Ebenezer Howard a comienzos del s. XX (ver CIUDAD JARDÍN). Las primeras ciudades satélite oficiales fueron propuestas en una ley británica de 1946. La idea encontró acogida en otros países, especialmente en EE.UU., en Europa occidental y en la Siberia soviética. Las ciudades satélite fuera de Gran Bretaña no siempre lograron incorporar el suficiente ambiente mixto que le da vitalidad a una ciudad. El aumento espectacular de viajes diarios entre el trabajo y el hogar, sumado al uso del auto evitaron la necesidad de que las ciudades satélite fueran tan autosuficientes.

Ciudad Victoria Ciudad (pob., 2000: 249.029 hab.), capital del estado de TAMAULIPAS, en el nordeste de México. Fundada en 1750, cambió su nombre en 1825 en honor al primer presidente de México, Guadalupe Victoria. Además de constituir un centro de distribución para una región agrícola, es un destino turístico y deportivo para la caza, pesca y natación. La Universidad de Tamaulipas se estableció en 1956.

ciudadanía Relación entre una persona y un Estado, en la cual la persona le debe lealtad al Estado y a cambio tiene derecho a la protección de este. En general, el goce de derechos políticos plenos, como el derecho a sufragio y a desempeñar cargos públicos, se funda en la ciudadanía. Esta conlleva obligaciones, que normalmente incluyen la lealtad al Estado, el pago de tributos y el servicio militar. El concepto surgió en la antigua Grecia, donde la ciudadanía era concedida sólo a los propietarios. Para los romanos inicialmente fue un privilegio que se concedía o quitaba a los pueblos conquistados, pero luego se concedió a todos los habitantes libres del imperio en 212 DC. El concepto desapareció en Europa durante la época feudal, pero resurgió en el Renacimiento. La ciudadanía generalmente se adquiere por nacimiento en un territorio determinado, si uno de los padres es ciudadano, por matrimonio con un ciudadano o por NATURALIZACIÓN. Ver también NACIONALIDAD.

Ciudadano Genêt, caso del Incidente que precipitó el diplomático francés Edmond C. Genêt (n. 1763–m. 1834), a quien el gobierno de Francia envió a EE.UU. en 1793 a buscar apoyo en la guerra que sostenía con Gran Bretaña y España. En Carolina del Sur organizó a corsarios que hicieran presa del comercio inglés y expediciones que atacaran territorios españoles e ingleses. El pdte. GEORGE WASHINGTON estimó que sus actividades violaban la neutralidad de EE.UU. y exigió su retiro. Frente a la perspectiva de morir a manos del nuevo régimen francés, se le permitió quedarse en EE.UU.

ciudad-estado Sistema político que consiste en una ciudad independiente con SOBERANÍA sobre una zona circundante determinada, a la que sirve de centro de su vida religiosa, política, económica y cultural. El término fue acuñado en el s. XIX para describir a los antiguos asentamientos griegos y fenicios que diferían de los sistemas tribales o nacionales en tamaño, exclusividad, patriotismo y capacidad para resistir su incorporación a otras comunidades. Pueden haberse desarrollado cuando se derrumbaron los primeros sistemas tribales y los grupos disidentes se establecieron como núcleos independientes alrededor de los años 1000–800 AC; en el s. V AC había cientos de ciudades-estado, ATENAS, ESPARTA y TEBAS, entre las más importantes. Incapaces de formar una unión o federación duradera, finalmente cayeron víctimas de los macedonios, de los cartagineses y del Imperio romano. En el s. XI las ciudades-estado medievales revivieron con éxito en Italia, entre las que cabe mencionar a PISA, FLORENCIA, VENECIA y GÉNOVA, con una creciente prosperidad derivada del comercio con Oriente, y varias sobrevivieron hasta el s. XIX. Entre las ciudades-estado alemanas de la Edad Media se cuentan HAMBURGO, BREMEN y LÜBECK. La única ciudad-estado que existe en la actualidad es Ciudad del VATICANO.

civeta Cualquiera de las 15–20 especies de CARNÍVOROS (familia Viverridae) de cuerpo elongado y patas cortas, que se hallan en África, Europa meridional y Asia. De aspecto felino, las civetas tienen una cola de piel gruesa, orejas pequeñas y hocico aguzado. Son en general de color amarillo opaco o grisáceo, con manchas o bandas negras o una combinación de ambas. Excluida la cola de 13–66 cm (5–26 pulg.), su largo va de 40 a 85 cm (16–34 pulg.) y su peso de 1,5 a 11 kg (3,3–24 lb). Las civetas marcan su territorio con una secreción almizcleña grasosa (llamada algalia) que se almacena en una bolsa debajo de la cola; se usa a veces en la manufactura de perfumes. Generalmente solitarias, las civetas se alimentan de animales pequeños y materia vegetal. Hay cinco especies consideradas en peligro probable de extinción.

Civeta de la palma africana (*Nandinia binotata*).

ROBERT C. HERMES DE THE NATIONAL AUDUBON SOCIETY COLLECTION/PHOTO RESEARCHERS—EB INC.

Civilian Conservation Corps (CCC) (inglés: "Cuerpo civil de conservación") (1933–42). Programa estadounidense para combatir el desempleo. Uno de los primeros programas del NEW DEAL, se inició con el fin de aliviar la cesantía durante la GRAN DEPRESIÓN y ofreció trabajos de conservación nacional, principalmente a hombres jóvenes y solteros. Los participantes vivían en campamentos laborales con un régimen semimilitar y recibían 30 dólares mensuales además de alimentación y atención médica. Las labores consistían en plantación de árboles, construcción de defensas contra inundaciones, extinción de incendios forestales y mantención de caminos y senderos forestales. Mientras duró, el programa dio empleo a un total de 3 millones de hombres.

Cixous, Hélène (n. 1937, Orán, Argelia). Crítica feminista, novelista y dramaturga francesa de origen argelino. Fue criada en Argelia y ha impartido clases principalmente en la Universidad de París. Sus ensayos, incluidos en antologías como *La jeune née* [La mujer renacida] (1975; con Catherine Clément), abordan temas de diferencia sexual y la experiencia femenina en las letras. En *Le livre de Promethea* [El libro de Prometea] (1983), al igual que en otras obras, reinterpreta los mitos y el pasado mítico y analiza diversas maneras en que se ha representado a la mujer en la cultura de Occidente. Entre sus novelas se cuentan *Dedans* [Adentro] (1969), *L'Heure de Clarice Lispector* [La hora de Clarice Lispector] (1989) y *Osnabrück* (1999).

Cizin Dios maya de los terremotos y de la muerte. Pudo haber representado un aspecto de una deidad malévola infernal conocida por varios nombres y con varias apariencias. En los manuscritos mayas era representado junto al dios de la guerra en escenas de sacrificio humano; también era retratado como un esqueleto danzante. Su collar fúnebre estaba adornado con globos oculares que colgaban de los nervios. Después de la conquista española, se fusionó con el demonio cristiano, Satanás.

Claiborne, William (c. 1587, cond. de Westmorland, Inglaterra– c. 1677, Virginia, EE.UU.). Comerciante colonial y funcionario público norteamericano. Emigró a Virginia en 1621 y fue nombrado secretario de Estado de la colonia y miembro del consejo real del gobernador. Comerció con los indígenas de la bahía de Chesapeake y, en 1631, estableció un puesto de comercio en la isla Kent, que tuvo mucho éxito. Como su reclamación de derecho a la isla fue denegada, incitó a una revuelta (1644) que lo dejó a cargo de la colonia de Maryland hasta 1646 tras la expulsión del gobernador. Entre 1652 y 1657 perteneció a la comisión que gobernó Maryland.

Clair, René *orig.* **René-Lucien Chomette** (11 nov. 1898, París, Francia–15 mar. 1981, Neuilly-sur-Seine). Director de cine francés. Actuó en películas mudas desde 1920 hasta 1923, año en que escribió y dirigió *París dormido*. Este largometraje, junto con *Entreacto* (1924) y la comedia satírica *Un sombrero de paja de Italia* (1927), lo establecieron como un líder de la vanguardia. En las primeras películas sonoras, entre ellas *Bajo los techos de París* (1930) y *¡Viva la libertad!* (1931), innovó en el uso del sonido. *El fantasma va al oeste* (1935), realizada en Inglaterra, fue un éxito internacional. Durante la segunda guerra mundial dirigió varias películas en Hollywood, como *Diez negritos* (1945). Luego regresó a Francia para dirigir *El silencio es oro* (1947) y *Mujeres soñadas* (1952).

René Clair, fotografía de Yousuf Karsh.

clamidia Cualquiera de los parásitos bacterianos que constituyen el género *Chlamydia*, que producen varias enfermedades en los seres humanos, como la CONJUNTIVITIS y la NEUMONÍA por clamidias. Una forma causa una variedad de enfermedades de transmisión sexual. En los varones, los síntomas son parecidos a los de la GONORREA. En las mujeres, por lo general la infección por clamidia es casi asintomática, por lo que la mayoría de las mujeres no sabe que está infectada. Sin embargo, las infecciones no tratadas en las mujeres pueden ser causa de esterilidad, mayores riesgos de nacimientos prematuros y EMBARAZOS ECTÓPICOS. Con frecuencia, las clamidias causan conjuntivitis o neumonía en los recién nacidos. Para el tratamiento se suministran antibióticos.

Clamidomonas Género de ALGAS verdes unicelulares consideradas formas primitivas de vida de importancia evolutiva. La célula tiene una MEMBRANA esférica de celulosa, una mancha ocular y un CLOROPLASTO caliciforme que contiene pigmento. Aunque tienen capacidad de FOTOSÍNTESIS, las *Chlamydomonas* pueden también absorber nutrientes a través de la superficie celular. Se encuentran en el suelo, charcas y zanjas contaminadas con estiércol. Pueden teñir el agua de verde. Una especie pigmentada de rojo puede enrojecer la nieve que se derrite.

clan Grupo de parentesco basado en la FILIACIÓN real o supuesta a partir de un ancestro común, seguida por la línea paterna (patriclán) o línea materna (matriclán). Normalmente los clanes son exógamos; el matrimonio dentro del clan es considerado como INCESTO. Los clanes pueden segmentarse en subclanes o linajes, como también alterarse los registros genealógicos y los mitos para incorporar nuevos miembros que no tienen relaciones de PARENTESCO con el clan. La pertenencia a un clan puede ser útil para asegurar el apoyo y la defensa mutuos, así como la mediación en caso de disputas sobre derechos de propiedad y sobre la forma de residencia después del MATRIMONIO. Algunos clanes expresan su unidad por medio de un emblema común. Ver también EXOGAMIA Y ENDOGAMIA.

Clancy, Tom *orig.* **Thomas Clancy** (n. 12 mar. 1947, Baltimore, Md., EE.UU.). Novelista estadounidense. Clancy trabajó como agente de seguros antes de empezar su carrera como escritor. Su primera novela fue un inesperado éxito de ventas. Con *La caza del Octubre Rojo* (1984; película, 1990) virtualmente creó el género del "tecnothriller", novelas de suspenso que suponen un amplio conocimiento sobre tecnología militar y espionaje. Éxitos posteriores incluyen *Tormenta roja* (1986), *Juego de patriotas* (1987; película, 1992), *Peligro inminente* (1989; película, 1994), *La suma de todos los miedos* (1991; película, 2000) y *El oso y el dragón* (2000).

claque Conjunto de personas que son contratadas para aplaudir (francés, *claquer*) y expresar aprobación con el fin de influir en el público de un teatro. La claque data desde tiempos antiguos. En las competencias de comedias de Atenas, a menudo los concursantes que ganaban infiltraban en el público a partidarios pagados. Esta práctica era muy común en Roma, donde el emperador NERÓN abrió una escuela de aplausos. En el s. XIX, la mayoría de los teatros franceses tenían claques especializadas: los *rieurs* (jocundos) reían ruidosamente en las comedias, las *pleureuses* (plañideras) lloraban en los melodramas y los *bisseurs* (de bis, repetición) gritaban por repeticiones. Esta práctica aún persiste en el mundo operático.

claqué *o* **tap dance** Estilo de danza escénica estadounidense que utiliza figuras rítmicas precisas de movimiento de pies, utilizando la punta y el tacón de los zapatos como instrumento de percusión. Proviene del baile tradicional de los zuecos del norte de Inglaterra, de la jiga y el reel de Irlanda y Escocia, y del movimiento rítmico de pies de las danzas africanas. Se popularizó en los MINSTREL SHOWS del s. XIX y se desarrollaron dos técnicas: el *buck-and-wing* (que se bailaba vigorosamente con zapatos de suela de madera) y el *soft-shoe* (que se bailaba suavemente con zapatos de suela blanda). Ambas técnicas se fusionaron en 1925; los zapatos se reforzaron en la punta y tacón con láminas metálicas, para producir un ritmo más marcado. El claqué también se popularizó en los espectáculos de variedades y en los primeros musicales estadounidenses.

Clara de Asís, santa (16 jul. 1194, Asís, ducado de Spoleto–11 ago. 1253, Asís; canonizada en 1255; festividad: 11 de agosto). Fundadora de la orden de las clarisas pobres. Nacida en una familia noble, se hizo seguidora de su coterráneo san FRANCISCO DE ASÍS. Rehusó casarse y en 1212 huyó a la capilla Porziuncola, donde san Francisco recibió sus votos. Más tarde se convirtió en abadesa de una comunidad religiosa femenina que incluía a su hermana, santa Agnes, y a su madre. Su orden, la Segunda Orden de San Francisco o clarisas, adoptó el voto de pobreza absoluta de san Francisco, pero también un estricto enclaustramiento, a diferencia de su contraparte, los FRANCISCANOS. Todavía ligadas a los franciscanos, son conocidas como clarisas pobres y por su vida de oración penitencial en favor de la Iglesia y la sociedad.

Clare Condado (pob., 1996: 94.006 hab.) de Irlanda occidental. Limita con el río SHANNON y el océano Atlántico. Está situado en la provincia de Munster y su capital es Ennis. Sus colinas, mesetas y tierras bajas están cubiertas de turba y tremedal y tiene zonas de piedra caliza. Los principales cultivos son la avena y la patata; también son importantes la ganadería y la pesca. Existen restos de asentamientos prehistóricos que contienen numerosos megalitos y unos 2.000 recintos fortificados. Sus parajes revelan vestigios del cristianismo temprano. Esta región estuvo bajo el dominio de los O'Brien hasta el s. XVI a pesar de la colonización anglonormanda en el s. XII. Pasó a ser condado en tiempos de ISABEL I. En 1828 DANIEL O'CONNELL ganó en Clare la elección que llevó a la emancipación de los católicos en Irlanda.

Clarendon, código de (1661–65). Cuatro leyes aprobadas en Inglaterra durante el gobierno del conde de CLARENDON, destinadas a socavar la influencia de los DISIDENTES de la Iglesia anglicana. La primera de ellas, *Corporation Act* (ley de la corporación), prohibió ocupar cargos municipales a quienes no tomaran los sacramentos en una parroquia; *Act of Conformity* (ley de conformidad) los excluyó de los cargos eclesiásticos; *Conventicle Act* (ley del conciliábulo) declaró ilegales las reuniones del culto de los disidentes; y *Conventicle Act* (ley de las cinco millas) prohibió a los ministros disidentes vivir o transitar a menos de cinco millas de cualquier lugar donde hubieran ejercido su ministerio.

Clarendon, constituciones de (1164). Dieciséis artículos promulgados por el rey ENRIQUE II que definieron las relaciones entre la Iglesia y el Estado en Inglaterra. Concebidas para restringir los privilegios eclesiásticos y limitar el poder de los tribunales de la Iglesia, las constituciones provocaron la famosa disputa entre Enrique y santo TOMÁS BECKET. Entre las medidas controvertidas estaba la que disponía que todas las rentas de las sedes y monasterios vacantes regresaban al rey, quien podía llenar los cargos vacantes a discreción, y la referente a que los clérigos acusados de delitos graves debían ser procesados por tribunales seculares. El martirio de Becket en 1170 obligó a Enrique a moderar su ataque al clero, pero nunca repudió las constituciones.

Clarendon, Edward Hyde, 1er conde de (18 feb. 1609, Dinton, Wiltshire, Inglaterra–9 dic. 1674, Ruán, Francia). Estadista e historiador inglés. Abogado de éxito, también fue muy conocido en círculos literarios. Como miembro del parlamento, se convirtió en consejero de CARLOS I, a quien recomendó seguir políticas moderadas, las que no lograron impedir el estallido de las guerras civiles INGLESAS. Colaboró en la consecución de la RESTAURACIÓN en el trono de CARLOS II y fue ordenado conde de Clarendon en 1661. Como lord canciller (1660–67) controlaba la mayoría de los aspectos del gobierno. Debido a sus críticas a la conducta inmoral del rey, perdió la amistad del monarca y el parlamento lo convirtió en el chivo expiatorio de los desastres ocurridos en la guerra ANGLO-HOLANDESA, en 1665. Destituido como lord canciller en 1667, vivió el resto de su vida exiliado en Francia, donde terminó de escribir *History of the Rebellion and Civil Wars in England* [Historia de la rebelión y de las guerras civiles en Inglaterra].

Retrato de Edward Hyde, 1er conde de Clarendon, detalle, obra de Pierre Duflos.
FOTOBANCO

Clarendon, George William Frederick Villiers, 4° conde de (12 ene. 1800, Londres, Inglaterra–27 jun. 1870, Londres). Estadista británico. Después de ser embajador británico en España (1833–39), ocupó varios cargos ministeriales hasta que Lord ABERDEEN lo nombró secretario de Estado para asuntos exteriores en 1853. No consiguió impedir el estallido de la guerra de CRIMEA y aunque no se destacó durante el conflicto, obtuvo acuerdos favorables para Gran Bretaña en el Congreso de PARÍS (1856). Continuó en el cargo bajo Lord PALMERSTON hasta 1858 y también fue secretario de asuntos exteriores bajo el conde RUSSELL (1865–66) y WILLIAM E. GLADSTONE (1868–70).

clarín Instrumento METÁLICO soprano que históricamente ha sido usado para la caza y para emitir señales militares. Se desarrolló a partir de un cuerno de caza alemán semicircular del s. XVIII que tenía un tubo de diámetro creciente. En el s. XIX, el semicírculo fue transformado en un tubo oblongo de doble vuelta. Los clarines naturales usan solamente los armónicos 2-6 (que producen tonos de la tríada de do) en sus llamadas ("diana", "toque de silencio", etc.). El clarín de llaves, patentado en 1810, posee seis agujeros laterales y llaves que le confieren una escala cromática completa. En la década de 1820 se añadieron válvulas para producir el FISCORNO y, en gamas menores, el barítono, el EUFONIO y los saxofones.

Clarín Periódico argentino de circulación nacional. Fundado en 1945 por el periodista y diputado Roberto Noble, quien pretendía insertar un medio moderno en la prensa local. Con su renovado estilo y una amplia cobertura de los temas nacionales, no tardó en consolidarse como uno de los diarios más importantes del país. Tras su fallecimiento, en 1969 asumió la dirección su viuda, Ernestina Herrera, hasta la actualidad. Con la llegada de Roberto Guareschi como secretario general de la redacción, inició un proceso de transformación, mediante un rediseño integral, en la última década del s. XX. En torno al diario se conformó el Grupo Clarín, primer CONGLOMERADO multimedia del país, propietario además de Radio Mitre, Canal 13 de televisión y Multicanal (televisión por cable). Participa en asociación con S.A. La Nación (ver periódico La *NACIÓN* de Buenos Aires) en la agencia Diarios y Noticias (DYN) y también ambos integran la Compañía Inversora en Medios de Comunicación (CIMECO), junto con el grupo Vocento de España, propietario de los diarios *Los Andes* de Mendoza y *La Voz del Interior* de Córdoba, Argentina.

clarinete Instrumento de VIENTO-MADERA de lengüeta simple. Es un componente habitual tanto de orquestas como de bandas. Tiene un ánima cilíndrica y un pabellón ensanchado. Normalmente se fabrica con madera negra africana (*Dalbergia melanoxylon*, más conocida como granadilla). Posee un rango de tres octavas y media; su registro más bajo es rico y el más alto es brillante. Proviene del caramillo de dos llaves, instrumento ligeramente más antiguo. Se dice que el alemán Johann Christoff Denner (n. 1655–m. 1707), fabricante de flautas, lo inventó a principios del s. XVIII. El clarinete en si bemol es el instrumento más común en la actualidad, aunque a menudo el clarinete en "la" lo reemplaza en tonalidades con sostenidos. Los clarinetes con el sistema de digitación inventado por THEOBALD BOEHM son típicos en EE.UU., Gran Bretaña y Francia. En cambio, los clarinetes que utilizan el sistema antiguo se usan en Alemania y Rusia. Clarinetes de otros tamaños son el clarinete en do, muy usado durante el período clásico y preservado en las orquestas alemanas; los clarinetes en "la" a la octava, usados en las grandes bandas europeas; y los clarinetes sopraninos en fa y, más tardíamente, en mi bemol. El clarinete bajo en si bemol, con su rico timbre, es el segundo miembro más usado de la familia de los clarinetes. Los clarinetes contrabajos están hechos en mi bemol o en si bemol.

Champ Clark.
GENTILEZA DE LA BIBLIOTECA DEL CONGRESO, WASHINGTON, D.C.

Clark, Champ *orig.* **James Beauchamp Clark** (7 mar. 1850, cerca de Lawrenceburg, Ky., EE.UU.–2 mar. 1921, Washington, D.C.). Político estadounidense. Se trasladó a Missouri en 1876 y se estableció en Bowling Green. Fue director de diario, fiscal y legislador del estado, sucesivamente; luego fue elegido miembro de la Cámara de Representantes, cargo que ocupó durante trece períodos (1893–95, 1897–1921). Seguidor de WILLIAM JENNINGS BRYAN, apoyó leyes agrarias. En 1910, como miembro del comité de normas y procedimientos de la Cámara, encabezó la revuelta contra JOSEPH CANNON y lo sucedió como presidente del organismo (1911–19). En la convención de 1912 del Partido Demócrata, fue el principal contendor por la candidatura presidencial hasta que Bryan traspasó su apoyo a Woodrow Wilson.

Clark Fork, río Curso fluvial en los estados de Montana y de Idaho, EE.UU. Nace cerca de Butte, Mont., y sigue un curso irregular aprox. de 480 km (300 mi) hasta desembocar en el lago Pend Oreille en el norte de Idaho. En las montañas adyacentes se encuentran el parque nacional GLACIER BAY, reservas naturales y bosques nacionales, famosos por sus espectaculares paisajes.

Clark, George Rogers (19 nov. 1752, cond. de Albemarle, Va., EE.UU.–13 feb. 1818, cerca de Louisville, Ky.). Jefe militar en la frontera durante la guerra de independencia estadounidense. Hermano de WILLIAM CLARK, a mediados de la década de 1770 trabajó como agrimensor en Kentucky. Durante la guerra de independencia reunió soldados y defendió la región contra los británicos y los indios. Capturó asentamientos a lo largo del río Mississippi en el antiguo noroeste (Illinois) y, en 1780, hizo fracasar un intento británico de capturar St. Louis. Nombrado comisionado indígena, participó en la celebración de un tratado con los indios shawnee. En 1793 tomó parte en el caso del CIUDADANO GENÊT.

Clark, Helen (n. 26 feb. 1950, Hamilton, Nueva Zelanda). Primera ministra de Nueva Zelanda. En 1999 se convirtió en la primera mujer de su país en ocupar el cargo de primer ministro tras elecciones generales. Obtuvo los grados de licenciatura (1971) y maestría (1974) en ciencia política en la Universidad de Auckland, donde impartió clases entre 1973 y 1981. Elegida al parlamento en 1981, ocupó varias carteras ministeriales a partir de 1987. Fue viceprimera ministra en 1989–90 y luego designada al *Privy Council* (consejo asesor del primer ministro) en 1990, cargos que nunca habían sido ocupados por mujeres en Nueva Zelanda. También fue pionera en encabezar un partido importante al ser elegida líder del Partido Laborista del país en 1993. Tiempo después, en 1999, fue elegida primera ministra cuando su partido logró formar una coalición de gobierno.

Clark, James H. (n. 1944, Plainview, Tex., EE.UU.). Empresario estadounidense. Abandonó la enseñanza secundaria para enrolarse en la marina. Obtuvo su Ph.D. en ciencia de la computación en la Universidad de Utah y enseñó en las universidades de California, sede Santa Cruz (1974–78), y Stanford (1979–82). En 1981 fundó la compañía Silicon Graphics y ejerció su presidencia en el período 1982–94, convirtiéndola en una empresa avaluada en miles de millones de dólares, que creaba estaciones de trabajo para aplicaciones intensivas en gráficos. En 1994 cofundó Netscape Communications, cuyo navegador web de interfaz gráfica revolucionó la internet al facilitar el acceso a documentos en ella.

Clark, Kenneth (Mackenzie), barón (13 jul. 1903, Londres, Inglaterra–21 may. 1983, Hythe). Historiador y administrador de arte de nacionalidad británica. Nacido en el seno de una familia adinerada, estudió en la Universidad de Oxford. Luego de estudiar durante dos años con BERNARD BERENSON en Florencia, trabajó como conservador de arte en el museo Ashmolean de Oxford (1931–34) y, posteriormente, fue director de la National Gallery de Londres (1934–39). Gran parte de su vida la dedicó a la investigación académica y al servicio público. Autor de muchas publicaciones sobre arte, se hizo conocido internacionalmente en 1969 como escritor y presentador de la serie de la BBC *Civilisation*, programa que ofrecía una visión panorámica del arte europeo desde la Edad Media hasta el s. XX.

Clark, Mark (Wayne) (1 may. 1896, Madison Barracks, N.Y., EE.UU.–17 abr. 1984, Charleston, S.C.). Oficial de ejército estadounidense. Al egresar de West Point, prestó servicios en Europa durante la primera guerra mundial. En 1942 fue nombrado jefe del estado mayor de las fuerzas militares terrestres. Estuvo al mando del desembarco estadounidense en Salerno, Italia, en septiembre de 1943, y recibió la rendición del gobierno de PIETRO BADOGLIO. Luego dirigió la reñida campaña para arrebatar la península Itálica del control del Eje y la toma de Roma, en junio de 1944. En mayo de 1945 recibió la rendición de las últimas fuerzas alemanas en el norte de Italia. En la guerra de Corea estuvo al mando de todas las tropas de la ONU (1952–53). Cuando se retiró, se desempeñó como presidente de la academia militar The Citadel (1954–66).

Mark Clark, general estadounidense.

EB INC.

Clark, Tom *orig.* **Thomas Campbell** (23 sep. 1899, Dallas, Texas, EE.UU.–13 jun. 1977, Nueva York, N.Y.). Jurista estadounidense. Estudió derecho en la Universidad de Texas y se dedicó al ejercicio privado de la profesión en Dallas. Como fiscal de distrito civil, participó en la política del Partido Demócrata. Trabajó principalmente en el Departamento de Justicia de EE.UU. (1937–45) en casos de la ley ANTIMONOPOLIOS y de fraude de guerra. Como ministro de justicia (1945) ganó reputación por sus vigorosos programas antisubversivos y sus esfuerzos por ampliar las atribuciones del FBI. Designado para ocupar un puesto en la Corte Suprema de los ESTADOS UNIDOS DE AMÉRICA (1949), mantuvo sus fuertes puntos de vista acerca de las actividades subversivas, pero también fue un frecuente partidario de las LIBERTADES CIVILES. Renunció en 1967 cuando su hijo, Ramsey Clark (n. 1927), fue nombrado ministro de justicia.

Clark, William (1 ago. 1770, cond. Caroline, Va., EE.UU.–1 sep. 1838, St. Louis, Mo.). Explorador y militar estadounidense. Hermano de GEORGE ROGERS CLARK, entró al ejército y, al mando de Anthony Wayne, participó en campañas contra los indios. Después de renunciar a su grado, su antiguo compañero de armas MERIWETHER LEWIS lo llamó para que ayudara a dirigir la primera expedición por tierra hasta la costa del Pacífico y su regreso. Como jefe resultó osado y capaz, y se le atribuye haber salvado del desastre la afamada expedición de LEWIS Y CLARK (1804–06) más de una vez. También actuó de cartógrafo y dibujante, y retrató con lujo de detalles la vida animal que observó durante el trayecto. Más adelante, en su calidad de gobernador del territorio de Missouri (1813–21), se hizo célebre por su eficaz diplomacia frente a los indígenas.

Clarke, Arthur C(harles) (n. 16 dic. 1917, Minehead, Somerset, Inglaterra). Escritor de ciencia ficción británico. Comenzó a publicar sus primeros cuentos mientras servía en la Fuerza Áerea Real; luego de sacar un grado en física y matemática, escribió las novelas *Childhood's End* [El fin de la infancia] (1953), *Earthlight* [Luz de la tierra] (1955), *Cita con Rama* (1973) y *Fuentes del paraíso* (1979). Colaboró con STANLEY KUBRICK en la realización de *2001: una odisea espacial* (1968, novela y película). Algunas de las ideas de Clarke han resultado singularmente proféticas. Desde 1950 vive en Sri Lanka. En 1997 publicó *3001: odisea final*.

"Cristo sanando a los enfermos" (El grabado de los 100 florines), detalle de un grabado de Rembrandt que muestra la técnica del claroscuro, c. 1643–49.

GENTILEZA DEL MUSEO VICTORIA Y ALBERTO, LONDRES

claroscuro *italiano* **chiaroscuro** Efectos contrastantes de luz y sombra en una obra de arte. LEONARDO DA VINCI llevó la técnica a su máxima expresión, pero generalmente se asocia con artistas del s. XVII como CARAVAGGIO y REMBRANDT, quienes lo utilizaron con sobresalientes efectos. El claroscuro xilográfico, producido al imprimir diferentes tonos de un color en tacos separados sobre una misma hoja de papel, fue producido por primera vez en la Italia del s. XVI.

clase social Grupo de personas dentro de una sociedad que poseen el mismo estatus socioeconómico. El término comenzó a utilizarse ampliamente a principios del s. XIX, después de las revoluciones políticas e industriales de fines del s. XVIII. Entre las primeras teorías de clases, la más influyente fue la de KARL MARX, que se centró en el modo en que una clase social controla y dirige el proceso de producción, mientras las clases restantes actúan como productores directos y proveedores de servicios para la clase dominante. Según este enfoque, las relaciones entre las clases están marcadas por el antagonismo. MAX WEBER hizo hincapié en la importancia del poder político y el ESTATUS SOCIAL o prestigio social para el mantenimiento de las diferencias de clase. A pesar de las controversias en torno a la teoría de clases, hay consenso acerca de las características que estas presentan en las sociedades capitalistas modernas. En muchos casos, la clase alta se ha caracterizado por la posesión de riqueza, en su mayor parte heredada, mientras que la clase obrera, por estar compuesta básicamente de artesanos y de trabajadores semicualificados o no cualificados que suelen desempeñarse en el sector de servicios, que perciben salarios moderados o bajos y que tienen poco acceso a la riqueza heredada. La clase media abarca los niveles medios y altos de empleados administrativos, profesionales y técnicos, supervisores y gerentes, y trabajadores independientes, como pequeños comerciantes, empresarios y agricultores. Suele existir también un segmento inferior urbano de trabajadores permanentemente cesantes y subempleados denominado "estrato bajo". Ver también BURGUESÍA.

clásica, arquitectura Arquitectura de la antigüedad grecorromana, en especial aquella que floreció entre el s. V AC en Grecia y el s. III DC en Roma y que se caracterizó por el uso de la COLUMNA y del FRONTÓN. La arquitectura griega se basó principalmente en el sistema de PILAR Y VIGA, con columnas para soportar la carga del techo. La construcción en madera fue reemplazada más tarde por la construcción en mármol y en piedra. La columna, una unidad a escala humana, se usó como MÓDULO para todas las proporciones de un templo. El ORDEN dórico, tal vez el primero, perduró como favorito en la Grecia continental y en las colonias occidentales. El orden jónico se desarrolló en Grecia oriental; en el continente se empleó principalmente para templos pequeños e interiores. El mayor logro de la arquitectura griega fue la ACRÓPOLIS de Atenas. A fines del s. V AC, los órdenes se aplicaron a otras estructuras como STOAS y teatros. La época HELENÍSTICA produjo una arquitectura más elaborada y muy decorada, y a menudo edificios colosales. Muchos de los grandes edificios eran laicos, no religiosos, y en ellos se usó bastante el orden jónico y en especial el orden corintio más reciente. Los romanos utilizaron los órdenes griegos y agregaron dos órdenes nuevos (el toscano y el compuesto), pero el corintio siguió siendo el más popular. Los arquitectos romanos usaron las columnas no sólo como elementos soportantes, sino también como ornamento parcialmente empotrado. Aunque firmes partidarios de la simetría, los romanos emplearon una variedad de formas espaciales. Mientras los griegos construyeron sus templos aislados y casi siempre orientados este-oeste, los romanos orientaron los suyos en relación con otros edificios. Los romanos apoyaron sobre sus columnas no sólo CORNISAMENTOS sino ARCOS, logrando así una mayor libertad espacial. El descubrimiento del hormigón facilitó mucho la construcción con arcos, BÓVEDAS y CÚPULAS, como en el PANTEÓN. Otros ejemplos de edificios públicos romanos son las BASÍLICAS, los baños (ver TERMAS ROMANAS), los ANFITEATROS y los ARCOS DE TRIUNFO. También se utiliza el término arquitectura clásica para referirse a aquella arquitectura de períodos posteriores que emplean las formas griegas y romanas.

clasicismo En las artes, los principios, la tradición histórica, las actitudes estéticas y el estilo artístico de la antigua Grecia y Roma. Sin embargo, el término puede aplicarse tanto a obras producidas en la antigüedad como a creaciones posteriores inspiradas en aquellas. El término neoclasicismo se refiere en general al arte producido con posterioridad, pero inspirado en la antigüedad. De manera más amplia, el clasicismo se refiere a la adhesión a virtudes consideradas como características del clasicismo o como perdurables y universalmente válidas, como la elegancia y la corrección formal, la simplicidad, la dignidad, el decoro, el orden y la proporción. El clasicismo suele oponerse al barroquismo, entre cuyas manifestaciones modernas se destaca el ROMANTICISMO. Los períodos de clasicismo en literatura, música y artes visuales por lo general han coincidido.

clasicismo y neoclasicismo Tradiciones artísticas e históricas o actitudes estéticas basadas en el arte de la antigua Grecia y Roma. El "clasicismo" se refiere al arte realizado en la antigüedad o posteriormente, pero inspirado en la antigüedad. El "neoclasicismo" se refiere al arte inspirado en el de la antigüedad y, por ende, contenido dentro del significado más amplio de "clasicismo". El clasicismo se caracteriza tradicionalmente por la armonía, claridad, moderación, universalidad e idealismo. En las artes visuales, el clasicismo, por lo general, ha mostrado una preferencia por la línea sobre el color, las líneas rectas por sobre las curvas y lo general por sobre lo particular. El RENACIMIENTO italiano fue el primer período de clasicismo cabal después de la antigüedad. El neoclasicismo fue el movimiento estético predominante en Europa a fines del s. XVIII y principios del s. XIX, tal como lo practicara ANTONIO CANOVA y JACQUES-LOUIS DAVID. Engendró una reacción a favor del sentimiento subjetivo que aspiraba a lo sublime y un gusto por lo extraño que llegó a conocerse como ROMANTICISMO. Las estéticas occidentales han estado frecuentemente caracterizadas por recurrentes alternancias entre los ideales clásicos y no clásicos. Ver también arquitectura CLÁSICA.

clasificación de la sangre Clasificación de la sangre mediante ANTÍGENOS heredados asociados a los ERITROCITOS (glóbulos rojos). Los grupos sanguíneos ABO y el sistema de grupos sanguíneos RH son los que más se consideran habitualmente. Sin la identificación de estos factores, la TRANSFUSIÓN DE SANGRE de un dador incompatible puede provocar la destrucción de los glóbulos rojos o COAGULACIÓN. La clasificación de la sangre también sirve para identificar trastornos como la ERITROBLASTOSIS FETAL.

"Niña con gavilla", escultura en bronce de Camille Claudel, c. 1890.
NATIONAL MUSEUM OF WOMEN IN THE ARTS, DONACIÓN DE WALLACE Y WILHELMINA HOLLADAY

Claudel, Camille (-Rosalie) (8 dic. 1864, Villeneuve-sur-Fère, Francia–19 oct. 1943, asilo Montdevergues, Montfavet). Escultora francesa. Fue educada con su hermano PAUL CLAUDEL y desde su adolescencia fue una hábil escultora. En 1881 se mudó con su familia a París e ingresó a la Academia Colarossi. Al año siguiente conoció al afamado escultor AUGUSTE RODIN. Hoy se la conoce más como su alumna, colaboradora, modelo y amante. Contribuyó con figuras enteras y parciales a los proyectos de Rodin, especialmente en *Las puertas del infierno* (1880–1900). Claudel exhibió con éxito su propia obra en salones oficiales y galerías, pero también destruyó muchas piezas. En 1913, todavía perturbada por su rompimiento con Rodin en 1898, fue derivada a una institución mental, y desde 1914 hasta su muerte vivió en una casa de reposo.

Claudel, Paul (-Louis-Charles-Marie) (6 ago. 1868, Villeneuve-sur-Fère, Francia–23 feb. 1955, París). Poeta, dramaturgo y diplomático francés. Se convirtió al catolicismo a la edad de 18 años. Su brillante carrera diplomática comenzó en 1892 y finalizó como embajador en Japón (1921–27) y EE.UU. (1927–33). Simultáneamente siguió una carrera literaria, en que la poesía y el teatro le permitieron expresar sus ideas sobre el gran diseño de la creación. Su mayor popularidad la alcanzó con *Reparto de mediodía* (1906), *El rehén* (1911), *La anunciación a María* (1912) y *La zapatilla de raso* (1929), su obra maestra. Los temas recurrentes en estas obras son el amor humano y divino y la búsqueda de la salvación. Escribió los libretos para la ópera de DARIUS MILHAUD *Cristóbal Colón* (1930) y para el oratorio dramático de ARTHUR HONEGGER *Juana de Arco en la hoguera* (1938). Su obra poética más conocida es la pieza confesional *Cinco grandes odas* (1910).

Claudio *latín* **Tiberius Claudius Caesar Augustus Germanicus** *orig.* **Tiberius Claudius Nero Germanicus** (1 ago. 10 AC, Lugdunum [Lyon], Galia–13 oct. 54 DC). Emperador romano (41–54 DC). Sobrino de TIBERIO, se convirtió inesperadamente en emperador después del asesinato de CALÍGULA. Enfermizo, torpe, poco atractivo y erudito, escribió varias historias, ninguna de las cuales ha sobrevivido. Fue implacable con algunos senadores y ÉQUITES y tendió a desfavorecer a las clases superiores, pero trató de satisfacer las necesidades de los libertos. La invasión de Britania en 43 formó parte de su política de expansión de las fronteras; también anexó Mauritania en el norte de África, Licia en Asia Menor y Tracia, y convirtió a Judea en una provincia. Fomentó la urbanización, invirtió pródigamente en obras públicas y extendió la ciudadanía romana. Ordenó matar a su intrigante tercera esposa Valeria Mesalina en 48 y se casó con su sobrina AGRIPINA LA MENOR. Ella lo presionó para que

Claudio, detalle de un busto encontrado cerca de Priverno; Museos y Galerías del Vaticano.
ALINARI—ART RESOURCE/EB INC.

nombrara heredero a su hijo Lucio (luego NERÓN) en lugar de su propio hijo Británico. Es posible que haya sido envenenado por Agripina.

Claudio, Apio *llamado* **el Ciego (Caecus)** (floreció en s. III AC). Estadista y reformador jurídico romano. Elegido censor, aumentó los derechos de los hijos de los libertos y de los sin tierra. Terminó el *Aqua Appia*, el primer ACUEDUCTO de Roma y comenzó la construcción de la vía APIA. Fue CÓNSUL en 307, censor por segunda vez en 296 y PRETOR en 295. Al publicar el *legis actiones* ("métodos de práctica jurídica") y el calendario de tribunales, facilitó el acceso del público al sistema jurídico. Ya anciano, convenció al Senado de desalojar del sur de Italia al rey PIRRO el epirota.

Claudio de Lorena ver Claudio de LORENA

Claudius Lewis, Lennox ver Lennox LEWIS

Clausewitz, Carl (Philipp Gottlieb) von (1 jun. 1780, Burg, cerca de Magdeburgo, Prusia–16 nov. 1831, Breslau, Silesia). General y autor prusiano. Nacido en una familia profesional de clase media, se incorporó al ejército prusiano a la edad de 12 años y entró a la Academia de guerra de Berlín en 1801. Después de participar con distinción en las guerras NAPOLEÓNICAS, ascendió a general y fue nombrado director de la academia de guerra (1818). Su obra fundamental sobre ESTRATEGIA, *De la guerra* (1832–37), analiza las acciones del genio militar separándolas en los factores que deciden el éxito en la guerra. En vez de producir un sistema de estrategia rígido, enfatiza la necesidad de adoptar un enfoque crítico respecto a los problemas estratégicos. Afirma que la guerra es una herramienta para lograr objetivos políticos más que un fin en sí misma ("tan sólo la continuación de la política por otros medios") y argumenta que la guerra defensiva es la posición más fuerte tanto en el aspecto militar como en el político. También aboga por el concepto de GUERRA TOTAL. Publicado póstumamente, *De la guerra* tuvo una enorme influencia en la estrategia militar moderna.

Claustro del monasterio de Monreale, Palermo, Sicilia, Italia.
OLIVIERO OLIVIERI/ROBERT HARDING WORLD IMAGERY/GETTY IMAGES

claustro Recinto cuadrangular rodeado de galerías techadas y por lo general adosado a un monasterio o catedral; a veces se usa la palabra para referirse a las galerías mismas. Los primeros claustros eran ARCADAS abiertas con techos inclinados de madera. Los arcos abiertos fueron reemplazados en Inglaterra por ventanas que daban luz a un pasillo o deambulatorio abovedado. En climas más templados, sin embargo, el claustro de arcada abierta se mantuvo como modelo. Un ejemplo excelente es la arcada abierta de dos pisos de DONATO BRAMANTE de Santa Maria della Pace en Roma (1500–04).

cláusula de comercio En la Constitución de los ESTADOS UNIDOS DE AMÉRICA (artículo I, sección 8), disposición que autoriza al congreso para "reglamentar el comercio con naciones extranjeras, entre los diversos estados y con las tribus indias". Es el fundamento legal de gran parte de la autoridad reguladora del gobierno de EE.UU. Ver también COMERCIO ENTRE ESTADOS.

cláusula restrictiva En el derecho patrimonial, acuerdo consignado en una escritura de compraventa o en un contrato de arrendamiento por el cual se limita el libre uso u ocupación de un inmueble, prohibiendo su uso comercial o cierto tipo de estructuras. La cláusula restrictiva es tan antigua como el derecho de propiedad, y la contemplaba ya el derecho romano. El término también se usa en el derecho comercial para referirse a un acuerdo en virtud del cual una de las partes se compromete a no dedicarse a la misma actividad de otra, o a una similar, en una zona y por un plazo determinados.

clave *o* **llave** Símbolo de NOTACIÓN MUSICAL al comienzo del pentagrama que indica el TONO (o altura) de las notas en él. Originalmente, las claves eran letras que identificaban tonos con nombres de letras y se colocaban en una o varias líneas de la pauta (de este modo otorgaban una "clave" para identificarlas). Bastaba conocer la identidad de una sola línea para que el músico identificara el resto de las líneas y espacios por encima y debajo. Las claves se usaron en forma regular por primera vez en el s. XII. Las claves de sol y fa evolucionaron hacia los registros modernos de agudos y bajos, respectivamente; la clave de do evolucionó hacia los registros más raros de contralto, tenor, barítono y soprano.

clave criptográfica Valor secreto usado por una computadora en conjunto con un ALGORITMO complejo para encriptar y desencriptar mensajes. Como los mensajes confidenciales pueden ser interceptados durante la transmisión o al viajar por una red pública, requieren de encriptación de manera que carezcan de significado para terceros a fin de mantener la confidencialidad. Sólo el destinatario, y nadie más que él, debe ser capaz de desencriptarlos. Si alguien cifra un mensaje con una clave, solamente alguien con una clave igual puede ser capaz de descifrarlo. Ver también ENCRIPTACIÓN DE DATOS.

clavecín Instrumento de teclado cuyas cuerdas se hacen vibrar mediante un mecanismo pulsante. Este consiste en plectros fabricados con cañón de pluma (o a veces de cuero), montados en clavijas verticales activadas por las teclas. Un amortiguador de paño pisa la cuerda cuando el intérprete suelta la tecla. Normalmente tiene dos teclados paralelos y, por lo general, dos o más juegos de cuerdas, cada uno de los cuales produce diferentes cualidades tonales. Esto permite que la altura (o tono) de la nota tocada suene simultáneamente con su octava más alta o más baja. La fuerza con que se pulsan las teclas no afecta el volumen sonoro y no hay manera de sostener una nota después de soltada la tecla. Los clavecines primitivos datan de mediados del s. XV. En los s. XVII–XVIII, el clavecín llegó a ser muy importante como instrumento solista de acompañamiento y de conjunto. Alrededor de 1750 el pianoforte, con su mayor capacidad dinámica, comenzó a desplazarlo y c. 1820 el clavecín prácticamente ya había desaparecido. Sin embargo, volvió a tener vigencia a fines del s. XIX, gracias a investigadores, intérpretes y fabricantes de instrumentos.

clavel Planta herbácea (*Dianthus caryophyllus*) de la familia de las CARIOFILÁCEAS, originaria del Mediterráneo, cultivada ampliamente por sus flores de pétalos dentados y a menudo con olor a especias. Los claveles de bordura o de jardín abarcan una gama de variedades e híbridos. El de floración continua, más alto y fuerte, produce flores más grandes y florece casi continuamente en el invernadero; las variedades miniatura y *spray* también se cultivan para floristerías. Los claveles están entre las flores de corte más populares y se usan en arreglos florales, y como adorno en blusas y solapas.

clavicordio Antiguo instrumento de teclado, importante precursor del PIANO. Floreció c. 1400–1800, especialmente en Alemania. Es de forma rectangular, con el teclado inserto en él. Las cuerdas se percuten mediante tangentes metálicas, a diferencia del CLAVECÍN, cuyas cuerdas se pulsan. La tangente se convierte en el punto final de la cuerda vibrante, de modo que el punto donde golpea determina el tono (o altura). Los llamados "clavicordios trasteados" permiten que más de una tangente golpee un solo par de cuerdas, característica que limita de alguna manera las notas posibles de sonar simultáneamente. Los clavicordios sin trastes usan sólo una tangente por cada par de cuerdas. El toque del intérprete puede producir variaciones en la intensidad e incluso el vibrato a través de variaciones en la presión del dedo. El sonido del clavicordio es suave y argentino, apropiado para música de carácter íntimo.

clavo En construcción y en carpintería, una barra delgada de metal, puntiaguda en un extremo y achatada en el otro, que se usa como un medio de sujeción (ver CONECTORES). Aunque empleados por lo general para unir piezas de madera, también se usan clavos en plástico, muros de piedras sin mezcla, mampostería y hormigón. Los clavos suelen estar hechos de acero, pero también se pueden hacer de acero inoxidable, hierro, cobre, aluminio o bronce. El extremo puntiagudo se llama punta, y el extremo achatado se llama cabeza.

clavo de olor Capullo pequeño, pardo rojizo, del árbol tropical SIEMPREVERDE *Syzygium aromaticum* (a veces llamado *Eugenia caryophyllata*), de la familia de las Mirtáceas (ver MIRTO). Se cree que el árbol es originario de las islas Molucas de Indonesia. Los clavos de olor fueron importantes en los comienzos del comercio de las especias. Con un aroma fuerte y un sabor ardiente y picante, se usa como condimento para muchos alimentos. El aceite se usa a veces como anestésico local para los dolores dentales. El eugenol, su ingrediente principal, se usa en germicidas, perfumes, enjuagatorios, en la síntesis de vainillina y como edulcorante o saborizante.

Clay, Cassius (Marcellus) ver Muhammad ALÍ

Clay, Cassius Marcellus (19 oct. 1810, cond. Madison, Ky., EE.UU.–22 jul. 1903, Whitehall, Ky.). Abolicionista y político estadounidense. Hijo de un dueño de esclavos y pariente de HENRY CLAY, las ideas abolicionistas de William Lloyd Garrison influyeron fuertemente en él. En 1845 fundó la publicación antiesclavista *True American* en Lexington, Ky., pero sus opositores lo obligaron a trasladarla a Cincinnati, Ohio, y luego a Louisville, Ky., donde se le cambió el nombre por el de *The Examiner*. En 1854 colaboró en la fundación del PARTIDO REPUBLICANO. Fue ministro de EE.UU. en Rusia (1861–62, 1863–69), donde le tocó negociar la adquisición de ALASKA.

Clay, Henry (12 abr. 1777, cond. Hanover, Va., EE.UU.–29 jun.1852, Washington, D.C.). Político estadounidense. Ejerció como abogado a partir de 1797 en Virginia y luego en Kentucky, donde también perteneció al poder legislativo del estado (1803–09). Se integró a la Cámara de Representantes (1811–14, 1815–21, 1823–25); como presidente de ella (1811–14), estuvo entre quienes empujaron a EE.UU. a la guerra ANGLOESTADOUNIDENSE. Fue partidario de una política económica nacional de aranceles proteccionistas, que se conoció como el sistema norteamericano, un banco nacional y mejoras en el transporte interno. El apoyo que dio al compromiso de MISSOURI le ganó el apodo de "gran pacificador" y "gran transador". Cuando fracasó su postulación a la candidatura presidencial, en 1824, dio su apoyo a JOHN QUINCY ADAMS, quien lo nombró secretario de Estado (1825–29). Se desempeñó en el Senado (1806–07,1810–11 y 1831–42), donde apoyó el arancel convenido de 1833. Fue candidato a la presidencia por el Partido Republicano Nacional, en 1832, y por el Partido Whig en 1844. En su último período en el Senado (1849–52) defendió con energía la aprobación del COMPROMISO DE 1850.

Clay, Lucius D(uBignon) (23 abr. 1897, Marietta, Ga., EE.UU.–16 abr. 1978, Cape Cod, Mass.). Oficial de ejército estadounidense. Después de egresar de West Point, cumplió diversas misiones de ingeniería militar. En la segunda guerra mundial dirigió el programa de adquisiciones del ejército de EE.UU. (1942–44). En 1945 fue nombrado vicegobernador militar de la zona de ocupación estadounidense en la Alemania derrotada. Dos años más tarde ascendió a comandante en jefe de las fuerzas estadounidenses en Europa y gobernador militar de la zona de EE.UU. En 1948–49 organizó el eficaz puente aéreo de los aliados que llevó alimentos y materiales a Berlín durante el bloqueo soviético de dicha ciudad (ver bloqueo y puente aéreo de BERLÍN). Cuando se retiró, en 1949, ingresó al mundo empresarial y pasó a ser asesor oficioso del pdte. DWIGHT D. EISENHOWER.

Lucius D. Clay, comandante en jefe, 1947.
GENTILEZA DEL EJÉRCITO DE EE.UU.

Clayton, John Middleton (24 jul. 1796, Dagsboro, Del., EE.UU.–9 nov. 1856, Dover, Del.). Político estadounidense. Fue secretario de Estado de Delaware (1826–28) y presidente de la Corte Suprema (1837). También representó a Delaware en el Senado (1829–36, 1845–49). Como secretario de Estado (1849–50) en el gabinete del pdte. ZACHARY TAYLOR, negoció el tratado de CLAYTON-BULWER.

Clayton-Bulwer, tratado de (1850). Acuerdo de avenimiento destinado a armonizar los intereses rivales de EE.UU. y Gran Bretaña en América Central. El tratado dispuso que ambos países controlaran y protegieran conjuntamente lo que se convertiría en el canal de Panamá. Fue reemplazado por el tratado de Hay-Pauncefote, bajo el cual el gobierno británico accedió a permitir a EE.UU. la construcción y el control del canal.

Clazómenas Antigua ciudad jónica griega en Anatolia. Fundada en el continente, luego fue trasladada a una isla cercana. Formó parte de la dodecápolis jónica y se le conocía por sus sarcófagos de terracota pintada (s. VI AC). Estuvo bajo el control de ATENAS durante el s. V AC; cuna del filósofo ANAXÁGORAS. En 387 AC fue súbdita de la dinastía aqueménida de Persia. Cerca de medio siglo más tarde ALEJANDRO MAGNO construyó una calzada elevada que conectaba la ciudad con el continente. Bajo dominio romano (ver República e Imperio de ROMA) pasó a formar parte de la provincia de Asia.

CLC ver CANADIAN LABOR CONGRESS

Cleese, John (Marwood) (n. 27 oct. 1939, Weston-super-Mare, Somerset, Inglaterra). Actor y guionista británico. Escribió y actuó en comedias para la televisión británica en la década de 1960, antes de participar en la creación del popular programa cómico *Monty Python's Flying Circus* (1969–74). Programa que tuvo gran éxito en EE.UU. por su humor surrealista. Coescribió y actuó en la serie de televisión *Fawlty Towers* y colaboró con la compañía MONTY PYTHON en películas como *Los caballeros de la mesa cuadrada y sus locos seguidores* (1975), *La vida de Brian* (1979) y *El sentido de la vida* (1983). Sus otros filmes son *Silverado* (1985) y *Los enredos de Wanda* (1988).

Cleitias *o* **Kleitias** *o* **Clitias** (floreció c. 580–550 AC, Grecia). Pintor de jarrones y alfarero griego. Maestro sobresaliente del período arcaico, realizó las decoraciones del jarrón François (c. 570 AC), descubierto en 1844 en una tumba etrusca. El gran jarrón, pintado en el estilo de figuras negras (ver CERÁMICA DE FIGURAS NEGRAS), está firmado y decorado con más de 200 figuras, y se cuenta entre los principales tesoros del arte griego. Se le atribuyen otros jarrones y vasijas que se encuentran en el museo de la Acrópolis, Atenas.

"Máscara de Medusa", realizada por Ergotimo y pintada por Cleitias, c. 560 AC; Museo Metropolitano de Arte de Nueva York.

GENTILEZA DEL MUSEO METROPOLITANO DE ARTE DE NUEVA YORK, FLETCHER FUND, 1931

clemátide Cualquiera de más de 200 especies de arbustos perennes y en general trepadores del género *Clematis*, de la familia de las Ranunculáceas (ver RANÚNCULO), que habitan la mayor parte del mundo, en especial Asia y Norteamérica. Muchas especies se cultivan en América del Norte por sus flores atractivas, que pueden ser solitarias o darse en ramos grandes. Las hojas suelen ser compuestas. Las especies comunes incluyen la MADRESELVA, la valdeba o hierba de los pordioseros (*C. vitalba*), la vidalva o hierba muermera (*C. cirrhosa*) y la clemátide italiana (*C. viticella*). Los híbridos hortenses más populares provienen principalmente de tres especies: *C. florida*, *C. patens* y *C. jackmanii*.

Clemenceau, Georges (28 sep. 1841, Mouilleron-en-Pareds, Francia–24 nov. 1929, París). Estadista y periodista francés. De profesión médico, se dedicó luego a la política. Fue miembro de la Cámara de Diputados (1876–93) y llegó a ser el líder del bloque republicano radical. Fundó los periódicos *La Justice* (1880), *L'Aurore* (1897) y *L'Homme Libre* (1913) y se lo considera uno de los principales escritores políticos de su tiempo. Su apoyo a ALFRED DREYFUS fue bien acogido. Fue miembro del Senado (1902–20), ministro del interior (1906) y primer ministro (1906–09). Durante la primera guerra mundial, a la edad de 76 años, se convirtió nuevamente en primer ministro (1917–20) y su tenaz dedicación a la guerra le ganó el título de "Padre de la victoria". Contribuyó también a formular el tratado de VERSALLES en la posguerra, esforzándose en conciliar los intereses de Francia con los de Gran Bretaña y EE.UU. Derrotado en la elección presidencial de 1920, se retiró de la política.

Georges Clemenceau.

EB INC.

Clemente V *orig.* **Bertrand de Got** (c. 1260, región de Burdeos, Francia–20 abr. 1314, Roquemaure, Provenza). Papa (1305–14), el primero en residir en Aviñón, Francia. Se convirtió en arzobispo de Burdeos en 1299 y fue elegido papa seis años más tarde. Al conformar una mayoría de CARDENALES franceses, aseguró la elección de una línea de pontífices de esa nacionalidad. Trasladó la sede del papado a Aviñón bajo la presión del rey FELIPE IV de Francia, quien además lo obligó a anular las decisiones del papa BONIFACIO VIII que eran desfavorables a Francia. El rey también lo forzó a disolver a los TEMPLARIOS, quienes fueron brutalmente reprimidos por Felipe. Después de 1313, se opuso al emperador germánico ENRIQUE VII y nombró al rey de Nápoles vicario imperial a la muerte de Enrique. Sus decretos, las *Clementinae*, fueron una notable contribución al derecho canónico.

Clemente VI *orig.* **Pierre Roger** (c. 1291, Corèzze, Aquitania–6 dic. 1352, Aviñón, Provenza). Papa (1342–52). Arzobispo de Sens y Ruán, fue designado cardenal en 1338 y consagrado papa en Aviñón cuatro años más tarde (ver papado de AVIÑÓN). Emprendió una cruzada contra Esmirna en 1344, que acabó con la piratería de los turcos otomanos. Restableció además la autoridad papal en la región de la Romaña, que era disputada por familias de la nobleza italiana. A cambio de su protección, JUANA I de Nápoles le vendió Aviñón. Se opuso a los ascetas franciscanos conocidos como los Espirituales, amplió el palacio papal y favoreció las artes y la erudición.

Clemente VII *orig.* **Giulio de Medici** (26 may. 1478, Florencia–25 sep. 1534, Roma). Papa (1523–34). Hijo ilegítimo de Juliano de Médicis (ver familia MÉDICIS), fue criado por su tío LORENZO DE MÉDICIS. En 1513 fue nombrado arzobispo de Florencia y cardenal por su primo el papa LEÓN X. Comisionó obras de arte a RAFAEL y MIGUEL ÁNGEL. Figura política débil y vacilante, interesado principalmente en proteger los intereses de los Médicis, se alió con Francia en 1527, lo que provocó el saqueo de Roma por las tropas del emperador CARLOS V. Su indecisión para resolver la petición de ENRIQUE VIII de anular su matrimonio con CATALINA DE ARAGÓN contribuyó a que Enrique decidiera romper con la Iglesia de Roma. Su débil liderazgo permitió además que se expandiera la REFORMA.

Clemente de Alejandría, san *latín* **Titus Flavius Clemens** (150, Atenas–entre 211 y 215, Palestina; festividad en Occidente: 23 de noviembre; en Oriente: 24 de noviembre). Apologista del cristianismo, teólogo misionero para el mundo helenístico y director de la escuela catequista de Alejandría. Se convirtió al cristianismo por Panteno, antiguo filósofo estoico quien lo precedió como conductor de la escuela de Alejandría. Clemente creía que la filosofía era para los griegos lo que la Ley de MOISÉS para los judíos, una disciplina preparatoria que conducía a la verdad. Afirmaba que los hombres vivían primero como ciudadanos del cielo y después como ciudadanos terrenales; defendió el derecho a la rebelión de los pueblos esclavizados contra sus opresores. La persecución del emperador SEPTIMIO SEVERO en el año 201–202 lo obligó a abandonar Alejandría y buscar refugio donde Alejandro, obispo de Jerusalén. Fue venerado como un santo de la Iglesia católica hasta 1586, cuando dudas acerca de su ortodoxia llevaron a remover su nombre de la lista de los santos.

Clemente, Roberto (18 ago. 1934, Carolina, Puerto Rico–31 dic. 1972, frente a las costas de Puerto Rico). Beisbolista puertorriqueño. Jugó en las ligas menores de su país antes de saltar a los Pittsburgh Pirates en 1955. Lideró la Liga NACIONAL en bateo en 1961, 1964, 1965 y 1967, con una marca de 0,362 en dos Series Mundiales (1960 y 1970). También se destacó en habilidad defensiva, poder de lanzamiento y robo de bases. Su carrera se truncó abruptamente al morir en un accidente aéreo, a bordo de un avión cargado de provisiones que había reunido para las víctimas de un terremoto en Nicaragua.

Clementi, Muzio (24 ene. 1752, Roma, Estados Pontificios–10 mar. 1832, Evesham, Worcestershire, Inglaterra). Pianista, compositor, editor y fabricante de pianos inglés de origen italiano. A la edad de 13 años, un rico viajero inglés lo llevó a su país después de escucharlo tocar el órgano. Ahí, mientras vivió bajo el alero de su mecenas, se dedicó a estudiar intensamente música durante siete años. Sus interpretaciones en el teclado y sus primeras sonatas le granjearon fama en Londres. En 1781 compitió en Viena con WOLFGANG A. MOZART ante el emperador José II y después realizó muchas giras como pianista y director. En 1798 relanzó una importante empresa editora de música y de construcción de pianos. Sus piezas para piano fueron muy influyentes y enseñó a muchos pianistas destacados. Sus obras incluyen más de 100 sonatas para piano y el *Gradus ad Parnassum* de tres volúmenes (1817–26), una colección pedagógica popular de 100 piezas diversas para dicho instrumento.

Cleófrades, pintor de *o* **pintor de Kleofrades** (floreció fines s. VI–comienzos s. V AC, Grecia). Pintor de jarrones griego. De identidad desconocida, su nombre proviene del alfarero que firmó una de sus principales obras. Puede haber sido discípulo de EUTÍMIDES. Decoró grandes jarrones con escenas populares, como campeonatos atléticos y epopeyas mitológicas, principalmente en el estilo de figuras rojas (ver CERÁMICA DE FIGURAS ROJAS). Se le han atribuido más de 100 vasijas.

Cleomenes I (m. 491 AC). Rey espartano (519–491). Ágida (descendiente de los legendarios fundadores de Esparta), que gobernó junto con Demarato. En 510 expulsó al tirano HIPIAS de Atenas, apoyó luego al partido oligárquico en contra del líder democrático CLÍSTENES y rehusó ayudar a Atenas en su lucha contra Persia. Sus políticas contribuyeron en gran medida a consolidar la posición de Esparta como la principal potencia en el Peloponeso. Sobornó al oráculo de DELFOS para deponer a Demarato, pero fue descubierto y huyó. Aunque reinstalado en el trono, se trastornó y se suicidó.

Cleomenes III (m. 219 AC). Rey Ágida de Esparta (r. 235–222). Con el propósito de establecer reformas sociales, en 227 canceló deudas, redistribuyó tierras y restableció la instrucción de los jóvenes. Abolió a los ÉFOROS e introdujo el *patronomoi* (consejo de seis ancianos). Sus primeros intentos de debilitar a la Liga AQUEA (a partir de 229) dieron buen resultado, pero en 222 su ejército fue derrotado en Selasia por una fuerza macedónica que había sido convocada por la liga. Huyó a Egipto, donde fue hecho prisionero, pero logró escapar (219); después de fracasar en su intento de instigar una revuelta en Alejandría, se suicidó.

Cleón (m. 422 AC, Anfípolis, Macedonia). Político ateniense. Primer representante importante de la clase mercantil en la política ateniense, se convirtió en líder de Atenas en 429 AC después de la muerte de su enemigo PERICLES. Partidario de una estrategia ofensiva en la guerra del PELOPONESO, propuso dar muerte a todos los ciudadanos de la rebelde Mitilene y esclavizar a sus mujeres y niños; la medida fue aprobada, pero fue revertida al día siguiente. Alcanzó su máxima celebridad cuando capturó la isla espartana de Esfacteria, pero fue muerto por los espartanos cuando intentaba reconquistar Tracia.

Cleopatra *latín* **Cleopatra VII Thea Philopator** (69–30 ago. 30 AC, Alejandría). Reina egipcia (de ascendencia macedónica), última gobernante de la dinastía tolemaica en Egipto. Hija de Tolomeo XII (n. ¿112?–m. 51 AC), gobernó con sus dos hermanos-esposos, Tolomeo XIII (r. 51–47) y Tolomeo XIV (r. 47–44), a quienes hizo matar, y con su hijo Tolomeo XV o Cesarión (r. 44–30). Cleopatra proclamó que este había sido engendrado por JULIO CÉSAR, quien se había convertido en su amante después de llegar a Egipto en 48 AC en persecución de Pompeyo. Estaba con César en Roma cuando este fue asesinado (44), tras lo cual regresó a Egipto para instalar a su hijo en el trono. Sedujo a MARCO ANTONIO, el heredero forzoso de César, para que se casara con ella (36), provocando la ira de Octavio (luego AUGUSTO), con cuya hermana Marco Antonio se había casado tiempo antes. Intrigó contra HERODES el Grande, amigo de Marco Antonio, perdiendo así su apoyo. Marco Antonio le otorgó territorios romanos a su esposa extranjera y familiares, estando en una magnífica celebración en Alejandría después de su campaña en Partia (36–34). A raíz de esto, Octavio declaró a ambos la guerra, y derrotó a sus fuerzas conjuntas en la batalla de ACTIUM (31). Marco Antonio se suicidó y tras un intento infructuoso de seducir a Octavio, ella hizo lo mismo, posiblemente por medio de un áspid.

Cleopatra, detalle de un bajorrelieve, c. 69–30 ac; templo de la diosa Hator, Dandará, Egipto.

GENTILEZA DEL INSTITUTO ORIENTAL, UNIVERSIDAD DE CHICAGO, EE.UU.

clepsidra ver RELOJ DE AGUA

Clermont, concilio de (1095). Asamblea convocada por el papa URBANO II para reformar la Iglesia. Cuando el emperador bizantino ALEJO I COMNENO solicitó ayuda contra los turcos musulmanes, el concilio brindó la ocasión para emprender la primera de las CRUZADAS. Urbano dio principio así a un movimiento que capturó la imaginación popular con la idea de reconquistar Jerusalén.

clero, Constitución civil del ver CONSTITUCIÓN CIVIL DEL CLERO

cleruquía En la antigua Grecia, grupo de ciudadanos de Atenas establecidos en un país dependiente con concesiones de tierras otorgadas por esta ciudad, la que utilizaba el sistema para controlar a estados dependientes; los colonos tomaban las mejores tierras para plantaciones y establecían guarniciones militares. Es posible que fuera en SALAMINA, conquistada en el s. VI AC, donde se estableció la primera de ellas. Fue un instrumento habitual del imperialismo ateniense en tiempos de la Liga de DELOS y la Segunda liga ateniense (s. V–IV AC). La ventaja económica de integrar una cleruquía alentó a muchos ciudadanos a abandonar Atenas, aliviando así las presiones demográficas.

Vista panorámica de Cleveland, ciudad estadounidense ubicada en la ribera sur del lago Erie.

ARCHIVO EDIT. SANTIAGO

Cleveland Ciudad (pob., 2000: 478.403 hab.) en el nordeste del estado de Ohio, EE.UU. Ubicada en la ribera sur del lago ERIE, es la segunda ciudad más grande del estado. Inicialmente fue un emplazamiento de puestos de intercambio comercial de franceses e indios, y tomó su nombre de Moses Cleaveland, quien realizó levantamientos topográficos en la zona en 1796. Se expandió después de la apertura del canal ERIE y la llegada del ferrocarril en 1851. La guerra de SECESIÓN sirvió de estímulo para la instalación de industrias del hierro y acero y de refinación de petróleo (JOHN D. ROCKEFELLER fundó la compañía Standard Oil en esta ciudad); la industria pesada es todavía fundamental para su economía. En la zona hay más de 400 centros de investigación médica e industrial, al igual que numerosas instituciones educacionales. En 1995 se inauguró el Salón de la Fama y Museo del Rock and Roll, diseñado por I.M. PEI.

Cleveland Antiguo cond. administrativo del nordeste de Inglaterra. Se creó con la reorganización del gobierno de 1974; se situaba en el mar del Norte al norte de YORKSHIRE SEPTENTRIONAL con MIDDLESBROUGH como capital. En 1996 se volvió a organizar el condado. Cleveland es un importante centro industrial de Inglaterra, dedicado preferentemente a la producción de acero, sustancias químicas pesadas y refinación de petróleo.

Cleveland, (Stephen) Grover (18 mar. 1837, Caldwell, N.J., EE.UU.–24 jun. 1908, Princeton). Vigésimo segundo y vigésimo cuarto presidente de EE.UU. (1885–89, 1893–97). Desde 1859 fue abogado en Buffalo, N.Y., donde ingresó a la política en el Partido Demócrata. Fue alcalde de Buffalo (1881–82) y se dio a conocer por su combate a la corrupción. Elegido gobernador del estado de Nueva York (1883–85), su independencia mereció la hostilidad de TAMMANY HALL (nombre dado a la maquinaria política demócrata de Manhattan). Elegido presidente en 1884, el primer presidente demócrata después de la guerra de Secesión, defendió la reforma de la administración pública y se opuso a los aranceles elevados. En la elección de 1888 perdió por escaso margen ante BENJAMIN HARRISON y fue reelegido en 1892 con una inmensa mayoría relativa. En 1893 instó con fuerza al congreso a revocar la ley de Sherman relativa a la compra de plata, de 1890, a la cual atribuía la grave depresión económica del país. Pese a que se revocó la ley, la depresión continuó hasta culminar en la huelga de Pullman, de 1894. De espíritu aislacionista, se opuso a la expansión territorial. En 1895 recurrió a la doctrina MONROE en la disputa fronteriza entre Gran Bretaña y Venezuela. En 1896 los partidarios del FREE SILVER MOVEMENT (Movimiento en pro de la libre acuñación de la plata) ya controlaban el Partido Demócrata, el que nombró a WILLIAM JENNINGS BRYAN candidato a presidente en su reemplazo. Se retiró a Nueva Jersey, donde se dedicó a la docencia en la Universidad de Princeton.

Grover Cleveland, presidente de EE.UU. (1885–89 y 1893–97).
GENTILEZA DE LA BIBLIOTECA DEL CONGRESO, WASHINGTON, D.C.

Cliburn, Van *orig.* **Harvey Lavan Cliburn, Jr.** (n. 12 jul. 1934, Shreveport, La., EE.UU.). Pianista estadounidense. A temprana edad su madre le enseñó piano. Después de estudiar con Rosina Lhévinne (n. 1880–m. 1976) en la Juilliard School, debutó con la Filarmónica de Nueva York. En 1958 se convirtió en un orgullo nacional al ser el primer estadounidense en ganar el concurso Chaikovski en Moscú. En 1962 creó el concurso internacional de piano Van Cliburn, en Fort Worth, Texas. Dueño de una técnica impresionante, se limitó al repertorio romántico y pasó muchos años alejado de las salas de conciertos.

clic En fonética, sonido ingresivo producido como una succión en la boca. Los clics ocurren en varias lenguas africanas. A menudo se emplean en otras lenguas como interjecciones, por ejemplo, al expresar desaprobación. Los clics son componentes consonánticos regulares de las lenguas KHOISAN y las lenguas BANTÚES como el xosa y el zulú, que han recibido mucha influencia del khoisan.

clientelismo político En la política estadounidense, práctica de los partidos políticos de recompensar a sus partidarios y trabajadores después de ganar una elección. Los defensores del sistema afirman que ayuda a mantener una organización partidaria activa, ofreciendo a los seguidores del partido empleo y contratos. Sus detractores le critican que los cargos públicos se otorgan a personal no calificado y que es ineficiente porque incluso los empleos no vinculados a las políticas públicas cambian de manos después de las elecciones. En EE.UU., la ley de servicio civil de Pendleton (1883) constituyó el primer paso para la adopción del sistema del mérito para la provisión de los empleos públicos. El sistema de nombramiento por mérito ha reemplazado casi completamente al sistema de clientelismo político. Ver también ADMINISTRACIÓN PÚBLICA.

cliente-servidor, arquitectura Arquitectura de una RED DE COMPUTADORAS en la cual muchos clientes (procesadores remotos) solicitan y reciben servicios de un SERVIDOR centralizado (computadora anfitriona). Las computadoras clientes tienen una interfaz que permite al usuario solicitar servicios al servidor y mostrar los resultados que el servidor le entrega. Los servidores esperan que lleguen solicitudes de los clientes y responden a ellas. En teoría, un servidor provee a los clientes una interfaz transparente estandarizada de manera que ellos no necesiten conocer detalles del sistema (i.e., el HARDWARE y SOFTWARE) que provee el servicio. Los clientes de hoy a menudo están ubicados en ESTACIONES DE TRABAJO o COMPUTADORAS PERSONALES, mientras que los servidores están localizados en otra parte de la red, por lo general en máquinas más poderosas. Este modelo computacional es muy efectivo cuando los clientes y el servidor tienen tareas definidas, que ejecutan de manera rutinaria. En el procesamiento de datos de un hospital, por ejemplo, una computadora cliente puede estar ejecutando un programa de aplicación para ingresar información del paciente mientras que el servidor está ejecutando otro programa que administra la base de datos en la que se almacena la información en forma permanente. Muchos clientes pueden acceder simultáneamente a la información del servidor y, al mismo tiempo, una computadora cliente puede ejecutar otras tareas, como el envío de correo electrónico. Ya que tanto las computadoras clientes como los servidores son considerados dispositivos inteligentes, el modelo cliente-servidor es completamente diferente del antiguo modelo de estructura principal, que utilizaba una macrocomputadora centralizada para ejecutar todas las tareas para sus terminales "tontas" asociadas.

Clifford Montana, Jr., Joseph ver Joe MONTANA

Clift, (Edward) Montgomery (17 oct. 1920, Omaha, Neb., EE.UU.–23 jul. 1966, Nueva York, N.Y.). Actor estadounidense. Actuó en Broadway y fue miembro fundador del ACTOR'S STUDIO (1947). Debutó en el cine con *Los ángeles perdidos* (1948) y se convirtió en estrella con *Río Rojo* (1948). Se destacó por sus roles profundos y sensibles, y retrató a personajes atormentados en películas como *Un lugar en el sol* (1951), *De aquí a la eternidad* (1953), *El baile de los malditos* (1958), *Vencedores o vencidos* (1961) y *Freud, pasión secreta* (1962). En 1956 sufrió un accidente automovilístico que le dejó una cicatriz facial y se hizo adicto al alcohol y las drogas. Murió de un ataque al corazón a los 45 años de edad.

clima Condición de la atmósfera en un lugar determinado sobre un período prolongado de tiempo (desde un mes a millones de años, pero generalmente 30 años). El clima es la suma de elementos atmosféricos (y sus variaciones): radiación solar, temperatura, humedad, nubes y precipitación (tipo, frecuencia y cantidad), presión atmosférica y viento (velocidad y dirección). Para el común de las personas, clima significa el tiempo esperado o habitual en un lugar y época del año determinados. Para los especialistas, clima también denota el grado de variabilidad del tiempo, y no sólo abarca la atmósfera sino también la HIDROSFERA, LITOSFERA, BIOSFERA y factores extraterrestres como el Sol. Ver también CLIMA URBANO.

clima urbano Conjunto de condiciones climáticas que prevalece en un área metropolitana grande y que difiere del clima de sus alrededores rurales. Los climas urbanos se distinguen de aquellos en áreas menos edificadas, por diferencias en temperatura del aire, humedad, velocidad y dirección del viento, y cantidad de precipitación. Estas diferencias son atribuibles en gran medida a la alteración del terreno natural por la construcción de estructuras y superficies artificiales. Por ejemplo, edificios altos, calles pavimentadas y áreas de estacionamiento afectan la circulación del viento, el desagüe de las precipitaciones y el balance de energía local.

climatización Control de la temperatura, humedad, pureza y movimiento del aire en un espacio cerrado, independiente de las condiciones en el exterior. En una unidad autocontenida de climatización, el aire es calentado en una caldera o enfriado al ser propulsado a través de un serpentín relleno con refrigerante, y luego distribuido a un ambiente interior controlado. La climatización central de un gran edificio consta generalmente de una planta principal ubicada en el techo o en el piso de máquinas y de unidades de suministro de aire o ventiladores, repartidos espacialmente, que entregan aire a través de ductos a las distintas zonas del edificio. El aire regresa luego al mecanismo central de climatización a través de dispositivos de succión para ser reenfriado (o recalentado) y recirculado. Existen sistemas alternativos de enfriamiento que usan agua helada, en los que el agua enfriada por un refrigerante en una ubicación central es circulada mediante bombas a unidades equipadas con ventiladores que hacen circular el aire localmente.

climatología Rama de las ciencias atmosféricas que se ocupa de describir el clima y analizar las causas y consecuencias prácticas de las diferencias y cambios climáticos. La climatología trata los mismos procesos atmosféricos que la METEOROLOGÍA, pero también busca identificar influencias de acción más lenta y cambios a largo plazo, como la circulación de los océanos, las concentraciones de gases atmosféricos y las variaciones pequeñas pero medibles en la intensidad de la radiación solar.

Cline, Patsy *orig.* **Virginia Patterson Hensley** (8 sep. 1932, Winchester, Va., EE.UU.–5 mar. 1963, cerca de Camden, Tenn.). Cantante estadounidense. En su adolescencia cantó con grupos de música *country*. Empezó a grabar a mediados de la década de 1950 y ganó el primer lugar en el show de televisión de Arthur Godfrey con "Walking After Midnight" (1957), éxito que hizo de ella la primera cantante de *country* en pasar a la música pop. En 1960 se unió al programa GRAND OLE OPRY. Después de recuperarse de las heridas causadas por un accidente automovilístico, volvió en 1962 con éxitos como "I Fall to Pieces" y "Crazy". Murió en un accidente aéreo.

Clinton, Bill *p. ext.* **William Jefferson Clinton** *orig.* **William Jefferson Blythe IV** (n. 19 ago. 1946, Hope, Ark., EE.UU.). Cuadragésimo segundo presidente de EE.UU. (1993–2001). Nació tres meses después de que su padre muriera en un accidente automovilístico y más adelante tomó el apellido del segundo cónyuge de su madre, Roger Clinton. Asistió a las universidades de Georgetown, de Oxford (como becario del programa Rhodes Scholar) y a la escuela de derecho de Yale; posteriormente se desempeñó como profesor de derecho en la Universidad de Arkansas. Fue fiscal general del estado (1977–79) y ocupó el cargo de gobernador durante varios períodos (1979–81, 1983–92), en los cuales reformó el sistema educacional de Arkansas y estimuló el desarrollo de la industria mediante políticas tributarias favorables. En 1992 ganó la candidatura presidencial por el Partido Demócrata pese a acusaciones de conducta indecorosa; en la elección correspondiente derrotó al presidente en ejercicio, GEORGE W. BUSH, republicano, y al candidato independiente H. Ross Perot. Como presidente, obtuvo del Senado la ratificación del TLC, en 1993. Con su esposa, HILLARY RODHAM CLINTON, formuló un plan para renovar el sistema de salud estadounidense, pero el congreso lo rechazó. Comprometió tropas estadounidenses en una iniciativa de paz en Bosnia y Herzegovina. En 1994, los demócratas perdieron el control del congreso, hecho que acaecía por primera vez desde 1954, ante lo cual respondió con la proposición de un plan de reducción del déficit fiscal, al tiempo que se oponía a las iniciativas de reducir el gasto del gobierno en programas sociales. En 1996 derrotó a Bob Dole y ganó así la reelección. En 1997 ayudó a negociar un acuerdo de paz en Irlanda del Norte. Hizo frente a nuevas acusaciones de conducta indecorosa, esta vez por su relación con una funcionaria de la Casa Blanca, Monica Lewinsky. Negó los cargos ante un gran jurado, pero, en un discurso televisado, terminó por reconocer sus "relaciones indecorosas". En 1998 fue el segundo presidente en la historia del país en ser llamado a juicio político. Acusado de perjurio y obstrucción a la justicia, fue absuelto por el Senado en 1999. En sus dos períodos hubo un desarrollo económico sostenido y superávit presupuestarios sucesivos, los primeros en treinta años. En 2004 publicó su autobiografía titulada *My Life* [Mi vida].

Bill Clinton, presidente de EE.UU. (1993–2001).
FOTOBANCO

Clinton, George (26 jul. 1739, Little Britain, N.Y., EE.UU.–20 abr. 1812, Washington, D.C.). Político estadounidense, cuarto vicepresidente de EE.UU. (1805–12). Veterano de la guerra francesa e india, fue un miembro destacado de la asamblea de Nueva York (1768–75) y delegado en el Congreso CONTINENTAL (1775). Como gobernador de Nueva York (1777–95, 1801–04), ejerció el poder con firmeza y fue un eficiente administrador; encabezó la oposición a la adopción por su estado de la constitución de los EE.UU. Partidario de THOMAS JEFFERSON, dos veces fue elegido vicepresidente (con Jefferson y con JAMES MADISON); murió en el ejercicio del cargo.

Clinton, Hillary Rodham *orig.* **Hillary Diane Rodham** (n. 26 oct. 1947, Chicago, Ill., EE.UU.). Abogada, primera dama y política estadounidense. Estudió en Wellesley College y en la escuela de derecho de Yale, donde se graduó obteniendo el primer lugar de su clase. Su interés profesional se concentró inicialmente en el derecho de familia y los derechos del niño. En 1975 se casó con su compañero de curso en la universidad, BILL CLINTON, y en 1979 llegó a ser la primera dama de Arkansas cuando él fue elegido gobernador. La publicación especializada *National Law Journal* la distinguió dos veces entre los 100 abogados de más influencia en EE.UU. Cuando su marido fue elegido presidente (1993), ejerció poder e influencia casi sin precedentes en lo que respecta a una primera dama. Como cabeza del grupo de trabajo sobre reforma nacional de la salud, propuso el primer plan nacional de salud en EE.UU., pero la iniciativa fue rechazada. En 2000 fue elegida para integrar el Senado en representación del estado de Nueva York, con lo cual se convirtió en la primera esposa de un presidente en ocupar un cargo público por elección.

Clinton, Sir Henry (¿16 abr. 1730?–23 dic. 1795, Cornualles, Inglaterra). Comandante en jefe británico durante la guerra de independencia estadounidense. Recibió el grado de oficial en el ejército británico en 1751 y se trasladó a América del Norte en 1775 como subcomandante en jefe a las órdenes de WILLIAM HOWE. Estuvo al mando de tropas británicas victoriosas en Nueva York y ascendió a comandante en jefe cuando Howe se retiró en 1778. Dirigió una ofensiva en las Carolinas en 1780 y logró la caída de Charleston. Al regresar a Nueva York, dejó a CHARLES CORNWALLIS a cargo de las operaciones posteriores, las que culminaron en la rendición de las fuerzas británicas luego del sitio de YORKTOWN. Renunció en 1781 y volvió a Inglaterra, donde se le responsabilizó de la derrota de Yorktown.

cliometría Aplicación de la teoría económica y del análisis estadístico al estudio de la historia. Fue desarrollada por Robert W. Fogel (n. 1926) y Douglass C. North (n. 1920), quienes obtuvieron el Premio Nobel de Economía en 1993 por su trabajo. En *Tiempo en la cruz* (1974), Fogel utilizó el análisis estadístico para examinar la relación entre la política esclavista estadounidense y su rentabilidad. North estudió el nexo entre la economía de mercado y las instituciones legales y sociales, como el derecho de propiedad, en obras como *Estructura y cambio en la historia económica* (1981). Ver también ECONOMETRÍA.

clíper Barco de vela clásico del s. XIX, que alcanzó renombre gracias a su belleza, elegancia y velocidad. Originado aparentemente en un pequeño y veloz paquebote costero llamado el clíper de Baltimore, el verdadero clíper se desarrolló primero en EE.UU. (c. 1833) y más tarde en Gran Bretaña. Era una nave larga, esbelta y elegante, con una proa sobresaliente, un casco diseñado para minimizar la resistencia del agua, y un gran despliegue de velamen en tres altos mástiles. Los navíos tipo clíper transportaron té desde China, así como mineros en busca de oro a California. Entre los navíos tipo clíper más famosos se recuerdan el *Flying Cloud* estadounidense y el *Cutty Sark* británico. Si bien eran mucho más rápidos que los primeros vapores (ya en uso cuando aparecieron los navíos tipo clíper), fueron desplazados finalmente por modelos mejorados de barcos de vapor, y en gran medida ya habían desaparecido del uso comercial en la década de 1870.

El clíper *Flying Cloud*, litografía policroma de Donald MacKay.
FOTOBANCO.

Clístenes de Atenas (c. 570–c. 508 AC). Estadista ateniense y principal ARCONTE (525–524), considerado el fundador de la democracia ateniense. Miembro de la familia de los ALCMEÓNIDAS, se alió con la ECLESIA (asamblea de ciudadanos) en 508 e impuso reformas democráticas mediante las cuales la base de la organización pasó de la familia y el clan a la localidad. Las cuatro TRIBUS consanguíneas fueron reemplazadas por 10 tribus territoriales, cada una con representantes de la ciudad, la costa y la montaña. Los miembros de la BULÉ (consejo representativo) aumentaron a 500. Clístenes estableció todas sus reformas bajo el principio de *isonomia* ("iguales derechos para todos").

Clitias ver CLEITIAS

clitoridectomía *o* **circuncisión femenina** *o* **mutilación genital de la mujer** Procedimiento quirúrgico ritual que va desde extraer sangre o extirpar sólo el clítoris, hasta la infibulación o circuncisión faraónica (ablación de los genitales externos, juntando los lados para dejar sólo una pequeña abertura). Actualmente, se la considera ilegal; data de tiempos remotos y pretende preservar la virginidad y reducir el deseo sexual en sociedades tradicionales de muchas partes del mundo menos desarrolladas. La infibulación, especialmente común en Sudán, Somalia y Nigeria, es hecha frecuentemente por una partera, a menudo en malas condiciones de higiene. Puede causar sangramiento grave, infecciones, intenso dolor y muerte; orinar y tener relaciones sexuales puede ser doloroso, también puede haber retención de la sangre menstrual. Las mujeres vuelven a ser infibuladas después del parto.

Clitunno, río *antig.* **Clitumnus** Río del centro de Italia. Fluye 60 km (37 mi) hacia el noroeste hasta unirse con un tributario del TÍBER. VIRGILIO y PLINIO EL JOVEN lo describieron en sus obras como un manantial cercano y los emperadores CALÍGULA y Flavio Honorio solían visitarlo.

clivaje *o* **exfoliación** Tendencia de una sustancia cristalina a dividirse en fragmentos limitados por superficies planas. Las superficies de clivaje rara vez son tan planas como las caras de un cristal, pero los ángulos que forman entre ellas son muy característicos y útiles para identificar un material cristalino. El clivaje aparece en los planos donde las fuerzas de enlace atómico son más débiles; por ejemplo, la galena se divide paralela a todas las caras de un cubo. El clivaje se describe por su dirección (como cúbico, prismático o basal) y por la facilidad con que se produce. Un clivaje perfecto forma superficies suaves y lustrosas. Otros grados son: neto, imperfecto y pobre. Ver también FRACTURA.

Clive (de Plassey), Robert, 1er barón (29 sep. 1725, Styche, Shropshire, Inglaterra–22 nov. 1774, Londres). Militar y autoridad colonial británica. En 1743 fue enviado por la COMPAÑÍA INGLESA DE LAS INDIAS ORIENTALES a Madrás (Chennai), donde las hostilidades entre esta empresa y la COMPAÑÍA FRANCESA DE LAS INDIAS ORIENTALES le permitieron demostrar sus aptitudes militares. Amasó una fortuna y regresó a Inglaterra en 1753, pero fue enviado de regreso a la India en 1755. En 1757, su victoria sobre el nabab (gobernador de una provincia en la India musulmana) de Bengala en la batalla de Plassey lo convirtió en el virtual señor de la provincia. Su primer gobierno, aunque manchado por la corrupción y la duplicidad, fue un modelo del don de mando y del arte de gobernar. De regreso en Inglaterra, fue elegido al parlamento (1760), pero fracasó en su intento de convertirse en una figura política de nivel nacional. Regresó a India como gobernador y comandante en jefe de Bengala (1765–67). Como tal, contribuyó a establecer el dominio británico en India al reorganizar la colonia y luchar contra la corrupción. Sin embargo, fue acusado de corrupción por el parlamento. Aunque fue exonerado, más tarde se suicidó.

cloaca En los vertebrados, cámara común en la cual desembocan los tractos intestinal, urinario y genital. Se presenta en ANFIBIOS, REPTILES, AVES, algunos peces (p. ej., TIBURONES), y mamíferos MONOTREMAS, pero está ausente en MAMÍFEROS placentarios y en la mayoría de los peces óseos. Algunos animales (p. ej., muchos reptiles y algunas aves, como los PATOS) tienen en la cloaca un órgano accesorio (pene) que usan para dirigir el semen hacia la cloaca de la hembra. La mayoría de los pájaros copulan uniendo sus cloacas en un "beso cloacal"; contracciones musculares transfieren el esperma del macho a la hembra.

Clodio Pulcro, Publio (c. 92–ene. 52 AC, Bovillae, Lacio). Político romano. Mientras combatía contra MITRÍDATES, instigó un motín entre las tropas (68–67). En 62 fue acusado de disfrazarse como una arpista para infiltrarse en un festival de mujeres en la residencia de JULIO CÉSAR. Aunque Cicerón presentó pruebas contra él, fue absuelto; sin embargo, César se divorció de su esposa pues se afirmó que ella le había permitido ingresar a la ceremonia. Como TRIBUNO (58), aprobó leyes para castigar a Cicerón por haber ejecutado sin juicio a los implicados en la conspiración de CATILINA, por lo que Cicerón fue declarado fuera de la ley. Los seguidores políticos de Clodio protagonizaron disturbios callejeros que entorpecieron las elecciones romanas durante varios años. Fue muerto por otra facción durante una refriega en la vía Apia.

Clodion *orig.* **Claude Michel** (20 dic. 1738, Nancy, Francia–29 mar. 1814, París). Escultor francés. En 1755 ingresó al taller de su tío en París y luego fue alumno de JEAN-BAPTISTE PIGALLE. En 1759 ganó el gran premio en la Academia Real y se embarcó en una exitosa carrera, primero en Roma y después en París, donde exhibió regularmente en el SALÓN. Se destacó con pequeñas estatuillas y figuras en terracota de ninfas, sátiros y grupos. Después de la Revolución francesa cambió su estilo para acomodarse al gusto neoclásico por la monumentalidad. Trabajó en el Arco de Triunfo del Carrusel (1805–06) y en la Columna Vendôme (1806–09).

Clodoveo I *alemán* **Chlodweg** (c. 466–27 nov. 511, París, Francia). Fundador del reino franco, de la dinastía MEROVINGIA. Hijo de Childerico I, rey de los francos salios, aún era pagano cuando conquistó al último gobernante romano de Galia, en Soissons (486). En 494 extendió su dominio hacia el sur hasta París. Su esposa Clotilde era una princesa católica, más tarde reconocida como santa, que buscó convertirlo a su fe. Según san GREGORIO DE TOURS, durante una titubeante campaña contra los alamanes en 496, invocó al dios de su esposa y vio cómo la derrota se convertía en victoria. Fue bautizado en Reims dos años más tarde y atribuyó su victoria sobre los visigodos a san Martín de Tours. Aunque fue el primer rey germánico en aceptar el cristianismo católico, se interesó en el ARRIANISMO antes de convertirse a la religión de su esposa. Promulgó el código legal conocido como ley sálica. Se lo considera tradicionalmente el fundador de la monarquía francesa y el primer defensor francés de la fe cristiana.

"Sátiro cargando dos angelotes", estatuilla en terracota, por Clodion; Walters Art Gallery, Baltimore, EE.UU.
GENTILEZA DE LA WALTERS ART GALLERY, BALTIMORE

cloisonné *o* **esmalte alveolado** Técnica de esmaltado. Se sueldan delicadas tiras de oro, bronce, plata, cobre u otro metal sobre una placa metálica siguiendo un diseño, y las celdillas resultantes se rellenan con pasta vítrea de esmalte, que es cocida, molida finamente y pulimentada. Los ejemplos más antiguos que se han conservado son seis anillos micénicos del s. XIII AC. La técnica alcanzó su punto máximo en Occidente durante el Imperio bizantino. El *cloisonné* chino se produjo profusamente durante las dinastías Ming y Qing. En Japón fue popular en los períodos Edo y Meiji. Ver también ESMALTE.

clon Población de células u organismos genéticamente idénticos originados a partir de una única célula u organismo por métodos asexuales. La clonación es fundamental para la mayoría de los seres vivientes, pues las células corporales de plantas y animales son clones que provienen en último término de un solo huevo fertilizado. En estricto rigor, el término alude a un organismo individual desarrollado de una sola célula somática parental que es genéticamente idéntica al progenitor. Desde tiempos antiguos, la clonación ha sido común en la horticultura; muchas variedades de plantas se clonan por medio de ESQUEJES de sus hojas, tallos o raíces y replantándolos. Las células corporales de adultos humanos y de otros animales adultos se cultivan rutinariamente como clones en los laboratorios. Se han clonado con éxito ranas y ratas completas a partir de células embrionarias. Los investigadores británicos liderados por Ian Wilmut lograron clonar por primera vez un mamífero adulto en 1996. Como ya habían producido clones de embriones ovinos, pudieron producir una oveja (Dolly) usando el ADN de una oveja adulta. Las aplicaciones prácticas de la clonación son promisorias en lo económico, pero inquietantes en lo filosófico.

clorhídrico, ácido *o* **ácido muriático** Solución acuosa de cloruro de hidrógeno (HCl), un compuesto inorgánico gaseoso. Es un ÁCIDO fuerte, casi completamente disociado (ver DISOCIACIÓN) en CATIONES hidronio (H_3O^+) y ANIONES cloruro (Cl^-); es corrosivo e irritante. El ácido reacciona con la mayoría de los METALES para producir HIDRÓGENO y cloruro del metal, y con ÓXIDOS, HIDRÓXIDOS y muchas SALES. Se utiliza mucho en el procesamiento industrial de metales y en la concentración de algunos minerales, en la remoción de incrustaciones en calderas, en el procesamiento de alimentos, en la limpieza y decapado de metales, y como un intermediario químico, como reactivo de laboratorio y para desnaturalizar alcohol (ver ETANOL). El ácido clorhídrico está presente en el jugo gástrico estomacal y juega un rol en el desarrollo de ÚLCERAS PÉPTICAS.

clorita Grupo de minerales con silicatos en capas muy difundido, compuesto de silicatos de aluminio hidratado, por lo general de magnesio y hierro. Su nombre, del griego que significa "verde", se refiere al color típico de la clorita. Tienen estructura de silicato en capas, semejante a la de las micas. Se encuentran característicamente como productos de alteración de otros minerales de mayor temperatura; son más comunes en las rocas sedimentarias e ígneas, y en algunas rocas metamórficas.

cloro ELEMENTO QUÍMICO no metálico, símbolo químico Cl, número atómico 17. Es un GAS (como molécula diatómica Cl_2) tóxico, corrosivo, amarillo verdoso que irrita gravemente los ojos y el sistema respiratorio (y fue utilizado en la primera guerra mundial con ese propósito como un agente de GUERRA QUÍMICA). Como el ION cloruro y en el ion hipoclorito tiene VALENCIA 1; en los iones clorito, clorato y perclorato tiene valencias más altas. El cloro y sus compuestos son materiales industriales importantes, con innumerables usos en la fabricación de otros compuestos clorados (p. ej., PVC, ácido CLORHÍDRICO, dicloruro de etileno, tricloroetileno, PCB), en la purificación del agua (sistemas municipales, piscinas), en la industria textil, en pirorretardantes, en BATERÍAS especiales y en el procesamiento de alimentos. El CLORURO DE SODIO (sal de mesa) es el más conocido de sus compuestos. Ver también BLANQUEADOR.

cloroetileno ver CLORURO DE VINILO

clorofila Cualquier miembro de una de las clases más importantes de moléculas de PIGMENTO participantes en la FOTOSÍNTESIS. Presente en casi todos los organismos fotosintéticos, se compone de un átomo central de magnesio rodeado de una estructura nitrogenada, denominada anillo porfirínico (ver PORFIRINA), al cual se une una cadena lateral larga de carbono e hidrógeno, llamada cadena de fitol. La estructura es notablemente parecida a la HEMOGLOBINA. Usa la energía que absorbe de la luz para convertir el dióxido de carbono en carbohidratos. En las plantas superiores se la encuentra en los CLOROPLASTOS.

clorofluorocarbono (CFC) Cualquiera de varios compuestos orgánicos que contienen CARBONO, FLÚOR, CLORO e HIDRÓGENO. Varios CFC diferentes han sido fabricados y vendidos con el nombre comercial FREÓN. Desarrollados en la década de 1930, estos HIDROCARBUROS halogenados fueron muy utilizados como refrigerantes y propulsores de aerosoles y en otras aplicaciones, porque no son tóxicos ni inflamables y se evaporan y condensan fácilmente. Sin embargo, los CFC liberados en la atmósfera ascienden hasta la estratosfera, donde la radiación solar los degrada; el cloro liberado reacciona con el OZONO, reduciendo la CAPA DE OZONO. En 1992 casi la totalidad de los países desarrollados acordaron discontinuar la producción de CFC en 1996; la producción en 1997, ponderada de acuerdo con el potencial agotamiento de la capa de ozono de cada CFC, era el 10% de la producción máxima (1988).

cloroformo Compuesto orgánico líquido, claro, incoloro, pesado, no inflamable, con un agradable olor similar al éter, fórmula química $CHCl_3$. Fue la primera sustancia utilizada con éxito como ANESTÉSICO quirúrgico (1847); como es algo tóxico, ha sido desplazado en forma progresiva por otras sustancias para este propósito. Tiene algunos usos industriales, primordialmente como solvente.

cloroplasto Orgánulo microscópico y elipsoidal presente en la célula de las plantas verdes. Es el sitio donde ocurre la FOTOSÍNTESIS. Se distingue por su color verde, causado por la presencia de CLOROFILA. Contiene estructuras discoidales llamadas tilacoides que permiten la formación de ATP, un compuesto que almacena mucha energía.

cloruro carbonílico ver FOSGENO

cloruro de polivinilo ver PVC

cloruro de sodio *o* **sal de mesa** Compuesto inorgánico de SODIO y CLORO, una SAL en la cual los ENLACES IÓNICOS sujetan a los dos componentes en los conocidos cristales blancos. La sal es esencial para la salud como una fuente de sodio; la sangre y todos los otros fluidos fisiológicos son soluciones diluidas de sal. Es uno de los materiales más ampliamente utilizados en la industria química, y se emplea en la fabricación de cloro, SODA CÁUSTICA, CARBONATO de sodio, BICARBONATO DE SODIO, JABÓN y BLANQUEADOR de cloro, así como también en esmaltes cerámicos, metalurgia, preservantes de alimentos, curado de cueros, deshielo de caminos, ablandamiento de agua, fotografía y muchos productos de consumo, como aguas minerales, enjuagues bucales y sal de mesa. Es extraído de minas, de AGUA DE MAR y de lagos salados secos llamados salares. Ver también HALITA.

cloruro de vinilo *o* **cloroetileno** Gas tóxico, inflamable, incoloro ($H_2C{=}CHCl$), que pertenece a la familia de los compuestos orgánicos de HALÓGENOS. Se produce en grandes cantidades y se utiliza principalmente para fabricar PVC, así como también en otras síntesis y en adhesivos. La exposición prolongada al cloruro de vinilo está ligada a varios tipos de cáncer.

Close, Chuck (n. 5 jul. 1940, Monroe, Wash., EE.UU.). Artista estadounidense. Después de algunos tempranos experimentos ligados al EXPRESIONISMO ABSTRACTO, en su primera exposición individual exhibió una serie de enormes retratos en blanco y negro que había transformado cuidadosamente en colosales pinturas fotorrealistas (ver FOTORREALISMO) a partir de pequeñas fotografías. Durante su carrera se concentró en los retratos de rostros, basándose en fotografías que había tomado. Además de los autorretratos, las pinturas solían representar a amigos, muchos de los cuales eran figuras prominentes del mundo del arte. Experimentó con una variedad de medios y técnicas, como el uso de huellas digitales y coloridos azulejos que, vistos desde lejos, se combinaban en un todo ilusionista. En 1988, un coágulo de sangre en la médula lo dejó casi completamente paralizado y confinado a una silla de ruedas. Sin embargo, un aparato sujetador de pinceles, amarrado con correas a su muñeca y antebrazo, le permitió continuar trabajando.

Close, Glenn (n. 19 mar. 1947, Greenwich, Conn., EE.UU.). Actriz estadounidense. Debutó en Broadway en 1974 y después protagonizó *Barnum* (1980), *The Real Thing* (1984, premio Tony) y *La muerte y la doncella* (1992, premio Tony). Debutó en el cine con *El mundo según Garp* (1982) y continuó en películas como *El mejor* (1984), *Atracción fatal* (1987) y *Relaciones peligrosas* (1989). También protagonizó la aclamada película para la televisión *Al final del invierno* (1991). Más tarde volvió a Broadway en *Sunset Boulevard* (1995, premio Tony).

clostridium Cualquiera de las BACTERIAS baciliformes, generalmente gram positivas (ver tinción de GRAM) que constituyen el género *Clostridium*. Se encuentran en el suelo, el agua y el tracto intestinal humano y de otros animales. Algunas especies sólo crecen en ausencia total de oxígeno. En estado latente son altamente resistentes al calor, la desecación, los agentes químicos tóxicos y los detergentes. Las toxinas producidas por *C. botulinum*, que causan el BOTULISMO, se encuentran entre los venenos más poderosos conocidos. La toxina de *C. tetani* causa TÉTANO; otras especies pueden producir GANGRENA.

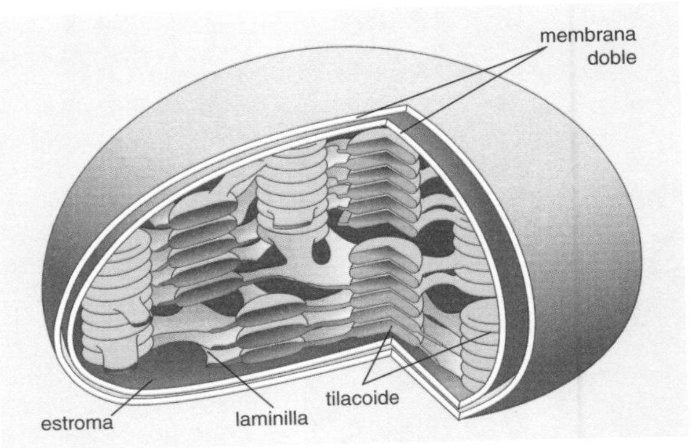

Estructuras internas del cloroplasto. Su interior contiene sacos aplanados de membranas fotosintéticas (tilacoides) formados por la invaginación y fusión de la membrana interna. Los tilacoides están dispuestos, por lo general, en pilas (grana) y contienen el pigmento fotosintético (clorofila). Las granas están conectadas a otras pilas por membranas simples (laminillas) presentes en el estroma, porción fluida proteinácea que contiene las enzimas esenciales para la reacción de la fase oscura de la fotosíntesis, o ciclo de Calvin.

Clotario I (c. ¿500?–fines 561, Compiègne, Francia). Rey merovingio de Soissons desde 511 y de todo el reino franco desde 558. (Ver dinastía MEROVINGIA.) El menor de los hijos de CLODOVEO I, participó en la división del reino de su padre en 511 y extendió sus territorios mediante el asesinato y la intriga. Emprendió campañas contra los borgoñones (523, 532–34), visigodos (532, 542) y turingios (c. 531). Gobernante despiadado y brutal, dio muerte a su hijo rebelde, Chram, junto a su familia (560).

Clouet, Jean (1485–1540, París, Francia). Pintor francés. Fue el principal pintor de FRANCISCO I y realizó muchos retratos en pastel a miembros de la corte francesa. Clouet es considerado uno de los mejores retratistas del s. XVI, a la vez que incisivo y delicado en la caracterización psicológica de sus modelos. Sus dibujos son simples, claros y sutiles; sus pinturas son frescas en colorido, discretas en la pose y minuciosas en su ejecución. Durante su vida fue celebrado como el equivalente de MIGUEL ÁNGEL. Su hijo François Clouet (n. 1515–m. 1572) tomó su lugar como pintor oficial de Francisco I en 1540.

Clovis, complejo de Cultura prehistórica ampliamente distribuida en América del Norte, caracterizada por puntas de proyectil de pedernal en forma de hoja con estrías a ambos lados. Presenta también herramientas de hueso, martillos de piedra, raspadores y puntas no estriadas. Deriva su nombre del primer sitio excavado, en 1932, cerca de Clovis, Nuevo México, EE.UU. Las puntas de proyectil del complejo de Clovis, que datan c. 10.000 AC, se han encontrado en asociación con huesos de MAMUT e indican la existencia de una importante tradición de caza mayor entre los primeros pobladores de América del Norte. Ver también complejo de FOLSOM.

Cluj-Napoca *alemán* **Klausenburg** *húngaro* **Kolozsvár** Ciudad (pob., 2002: 703.269 hab.) del noroeste de Rumania. Situada en el valle del río Someşul Mic en el emplazamiento de un antiguo poblado, Cluj fue habitada en el s. XII por germanos, se transformó en un próspero centro mercantil y cultural, y en 1405 fue declarada ciudad libre. En el s. XVI pasó a ser la capital de TRANSILVANIA, región que en 1920 fue incorporada a Rumania. A mediados de la década de 1970 la ciudad fue unificada con la vecina Napoca. Cuenta con una universidad y con el primer instituto de espeleología del mundo.

Cluny Monasterio fundado en 910 por Guillermo el Piadoso, duque de Aquitania. Establecido como una donación pía para la atención espiritual del duque, su esposa y familia, el monasterio de Cluny siguió una forma más austera de la regla

Vista del campanario de l'Eau Benite en la abadía de Cluny, Francia.

FOTOBANCO

BENEDICTINA. Fue dedicado a los apóstoles san PEDRO y san PABLO, y en la práctica quedó bajo la protección del papa. Guillermo dejó también establecida la independencia del monasterio de los gobernantes temporales, fuesen religiosos o seculares, y permitió a los monjes elegir a su abad. Tales libertades hicieron posible que la comunidad pusiera énfasis en la liturgia y las oraciones por los difuntos, lo que originó su reputación de santidad y atrajo a numerosos benefactores. Se enviaron monjes cluniacenses a reformar monasterios en toda Europa, con lo que se creó una gran red de comunidades relacionadas. La influencia de Cluny en la Iglesia en los s. XI–XII ha sido ampliamente reconocida y sus abades fueron muy estimados. Su preponderancia disminuyó al surgir la orden CISTERCIENSE y en la Edad Media tardía el monasterio decayó. Fue suprimido durante la REVOLUCIÓN FRANCESA y cerrado en 1790. Su basílica de san Pedro y san Pablo, de estilo románico (demolida en gran parte en el s. XIX), fue la iglesia más grande del mundo hasta la construcción de la basílica de SAN PEDRO.

Clurman, Harold (Edgar) (18 sep. 1901, Nueva York, N.Y., EE.UU.–9 sep. 1980, Nueva York). Crítico y director de teatro estadounidense. Comenzó en la actuación en 1924 y fue miembro fundador de la compañía experimental GROUP THEATRE. Dirigió obras de diversos estilos teatrales en Broadway, entre ellas *Awake and Sing!* (1935), *Member of the Wedding* (1950), *Touch of the Poet* (1957) e *Incident at Vichy* (1965). Además, escribió críticas de teatro en *The New Republic* (1949–53) y en *The Nation* (1953–80).

Clutha, río Río de Nueva Zelanda. El más extenso de la isla del SUR; nace en los ALPES MERIDIONALES y recorre 320 km (200 mi) hacia el sudeste hasta desembocar en el mar. En el sector alto del valle se explota el ganado ovino y vacuno, así como el cultivo de granos y frutales, y en el delta, granjas lecheras y cultivos hortícolas. La gran planta hidroeléctrica de Roxburgh se encuentra 72 km (45 mi) río arriba.

Clyde Barrow ver BONNIE Y CLYDE

Clyde, río Río del sur de Escocia. Principal curso fluvial del país, recorre unos 160 km (100 mi) desde las tierras altas del sur hasta el océano Atlántico. El Clyde superior es un arroyo transparente apto para la pesca que fluye hacia el norte, pero en Biggar cambia su curso y serpentea hacia el noroeste hasta las cataratas de Clyde. Después de las cascadas se abre el valle homónimo, de cultivo intensivo y famoso por la cría de caballos CLYDESDALE. Cerca de GLASGOW los astilleros de Clydeside bordean el río por 32 km (20 mi). En Dumbarton el río llega a su desembocadura, el estuario del Clyde, que se extiende por unos 105 km (65 mi).

Clydesdale Raza de caballo de tiro pesado, originario de Lanarkshire, Escocia, cerca del río Clyde. Aunque fue introducido en Norteamérica c. 1842, el Clydesdale nunca llegó a ser popular como caballo de tiro. Alcanzan en promedio 17 a 18 palmos (173–183 cm o 68–72 pulg.) de alzada y 900 kg (2.000 lb) de peso. Su color suele ser bayo, marrón oscuro o negro, con marcas blancas prominentes. Se distinguen por su andar brioso al ir al paso o al trote. La raza se caracteriza por tener flequillo (pelo largo) en las patas, una cabeza hermosa, y patas y pies bien formados.

cnidario *o* **celentéreo** Cualquiera de unas 9.000 especies de INVERTEBRADOS acuáticos, principalmente marinos, que constituyen el filo Cnidaria (o Coelenterata), los cuales se distinguen por poseer células urticantes (cnidocitos) situadas en los tentáculos. Los cnidocitos contienen cápsulas llenas de fluido (nematocistos) con un filamento enrollado en forma de arpón, usado para aguijonear, paralizar y capturar sus presas. Los cnidarios carecen de órganos respiratorio, circulatorio y excretor específicos y bien definidos; sus tejidos, compuestos de dos capas celulares, rodean una cavidad llamada celenteron (cavidad gastrovascular), que constituye su órgano interno básico. Los tentáculos que rodean la boca los usan para capturar e ingerir el alimento. Los cnidarios son carnívoros; se alimentan principalmente de ZOOPLANCTON, pero también de pequeños crustáceos, huevos de pescado, gusanos, cnidarios más pequeños e incluso pececillos. El tamaño de los cnidarios varía desde dimensiones casi microscópicas hasta alcanzar 30 m (100 pies) de largo y pueden pesar cerca de una tonelada (910 kg). Hay dos formas corporales básicas: el PÓLIPO (p. ej., CORAL) y la MEDUSA (p. ej., AGUA VIVA). Ver también ANÉMONA MARINA; FRAGATA PORTUGUESA; HIDRA.

Cnido Antigua ciudad costera griega del sudoeste de Anatolia, importante centro comercial y sede de una afamada escuela de medicina. Una de las seis ciudades de la hexápolis dórica. Después de 546 AC cayó bajo el control de la dinastía aqueménida de Persia. Fue una democracia durante el s. IV AC, pero quedó bajo dominio tolemaico en el s. III AC. Fue una ciudad libre dentro de la provincia romana de Asia hasta el s. VII DC, época en que fue abandonada. Las excavaciones han

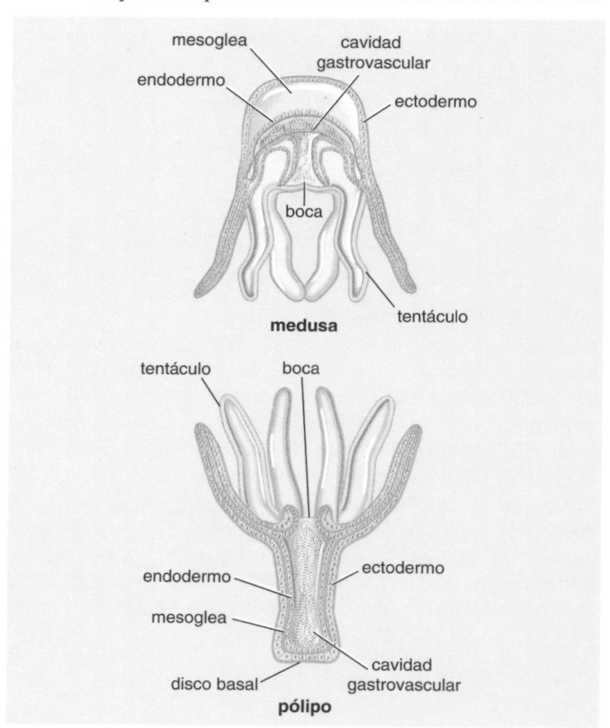

Formas corporales de un cnidario. Un cnidario puede tener forma de pólipo sésil o de medusa que nada libremente; algunos pasan por ambas formas durante su ciclo vital. Ambos poseen una cavidad hueca con una sola abertura rodeada de tentáculos. El pólipo tiene un disco basal con el cual se fija al sustrato y la boca queda hacia arriba. Cuando tiene la forma de medusa (agua viva o aguamala), la boca y los tentáculos quedan hacia abajo. La capa celular externa (ectodermo) y la capa celular interna (endodermo) están separadas por un tejido gelatinoso llamado mesoglea. Otra función de la boca es eliminar desechos. La digestión comienza en la cavidad gastrovascular y las células del endodermo culminan el proceso digestivo.

revelado numerosos edificios públicos, entre ellos el templo de Afrodita, donde se descubrieron fragmentos de la celebrada estatua de Afrodita esculpida por PRAXÍTELES.

CNN *o* **Cable News Network** Compañía subsidiaria de Turner Broadcasting Systems. Fue creada por TED TURNER en 1980 para transmitir programas de noticias en vivo las 24 horas. Utiliza satélites para transmitir despachos desde sus departamentos de prensa alrededor del mundo. CNN ganó notoriedad en 1991 con su cobertura de la guerra del golfo Pérsico. La compañía también opera los canales de noticias Headline News y CNN Internacional. Ver también TELEVISIÓN POR CABLE.

Cnosos *o* **Knósos** Antigua ciudad real de la isla de CRETA. Fue la capital del rey MINOS y centro de la civilización MINOICA. Fundada por inmigrantes de ANATOLIA, durante el séptimo milenio AC, dio lugar a una sofisticada cultura de la EDAD DEL BRONCE. Durante el período minoico medio se construyeron dos grandes palacios, uno de ellos c. 1720 AC, después de que un terremoto destruyera la ciudad. Cerca de 1580 AC, la cultura minoica empezó a extenderse hacia el interior de Grecia, donde tuvo una gran influencia sobre la cultura MICÉNICA. Después de que el palacio se incendió c. 1400 AC, Cnosos volvió a ser una simple ciudad y el centro político egeo se trasladó a MICENAS. En Cnosos se encontraba el laberinto legendario de DÉDALO.

Coachella, valle de Valle en el sur del estado de California, EE.UU. Parte del desierto de Colorado, este valle de 24 km (15 mi) de ancho se extiende 72 km (45 mi) entre las montañas Little San Bernardino y los montes San Jacinto y Santa Rosa. Es una región agrícola productiva, pero tiene también centros vacacionales en el desierto muy concurridos, como PALM SPRINGS.

coagulación Proceso de formación de un coágulo de SANGRE para evitar la pérdida sanguínea desde un vaso roto. El daño de un vaso sanguíneo estimula la activación de los factores de la coagulación, que llevan finalmente a la formación de largos filamentos adherentes de fibrina. Estos configuran una trama que atrapa plaquetas, células sanguíneas y plasma. Esta trama pronto se contrae en un coágulo elástico, que puede soportar la fricción del flujo sanguíneo. En circunstancias anormales pueden formarse coágulos dentro de un vaso intacto bloqueándolo. Ver también ANTICOAGULANTE.

Coahuila Estado (pob., 2000: 2.298.070 hab.) del nordeste de México. Cubre una superficie de 149.982 km² (57.908 mi²) y su capital es SALTILLO. Ocupa una meseta fragmentada en forma muy irregular y atravesada por varias cadenas montañosas. El primer poblado español de la región fue en Saltillo, en 1575. Coahuila y Texas formaron un solo estado (1824–36) hasta que Texas declaró su independencia. En 1857, Coahuila se unió con Nuevo León y en 1868 se convirtió en un estado independiente. Su economía se basa en la crianza de ganado, agricultura y minería; por mucho tiempo la región sur de Coahuila ha sido conocida por el vino y el brandy que produce.

Coalsack NEBULOSA oscura en la constelación de la Cruz del Sur. Reduce el brillo de las estrellas ubicadas detrás de ella en 1 a 1,5 MAGNITUD. Fácilmente visible por contraste contra el cielo estrellado, está probablemente a unos 550–600 años-luz de la Tierra y tiene un diámetro de 20–30 años-luz. Aparece en las leyendas de los pueblos del hemisferio sur y es conocida por los europeos desde 1500. El Coalsack del norte, en la constelación del Cisne, es similar en naturaleza y apariencia, pero es menos notoria.

coartación de la aorta ver coartación de la AORTA

Coase, Ronald (Harry) (n. 29 dic. 1910, Willesden, Middlesex, Inglaterra). Economista britanicoestadounidense. Se doctoró en la London School of Economics. Fue docente en esa institución y también en la Universidad de Chicago. En su ensayo más conocido, *El problema del costo social* (1960), puso en tela de juicio la lógica clásica, que consiste en prohibir comportamientos que dañan a otras personas. Argumentaba que los juristas debían concentrarse en la importancia de un mercado eficiente y en la negociación más que en los litigios. En 1991 recibió el Premio Nobel.

Coatí o coatimundi (*Nasua narica*).
© ENCYCLOPÆDIA BRITANNICA, INC.

coatí *o* **coatimundi** Tres especies (género *Nasua*, familia Procyonidae) de omnívoros parecidos al mapache, que habitan en regiones boscosas, desde el sudoeste de EE.UU. hasta América del Sur. El coatí tiene un hocico largo y flexible y una cola delgada con listas oscuras, que suele llevar levantada. El macho mide 73–136 cm (29–54 pulg.) de largo (la mitad de lo cual es cola) y pesa 4,5–11 kg (10–24 lb). Las hembras y sus crías suelen vivir en manadas de cinco a 40 ejemplares; los machos son solitarios, y se unen a las manadas sólo durante el período de celo. Los coatíes se alimentan de semillas, frutas, huevos y pequeños animales.

Cobain, Kurt (20 feb. 1967, Aberdeen, Wash., EE.UU.–5 abr. 1994, Seattle, Wash.). Músico de rock estadounidense. En 1986 formó el trío de rock Nirvana en Aberdeen. La banda cuyo estilo derivó del PUNK, combinó la furia de ese género con letras angustiosas. Este estilo, de jeans rotos y camisas de franela, llegó a ser conocido como *grunge rock*. Su primer álbum *Bleach* (1989) fue seguido por *Nevermind* (1991), con el éxito "Smells Like Teen Spirit". Este fue el primer álbum de orientación *punk* en conseguir la popularidad con una audiencia masiva. Cobain consiguió gran notoriedad, pero con su álbum *In Utero* (1993) se mofó de su fama. Conocido por su comportamiento autodestructivo y por el uso de heroína, se suicidó disparándose un tiro en su propia casa.

cobalto ELEMENTO QUÍMICO metálico, uno de los elementos de TRANSICIÓN, símbolo químico Co, número atómico 27. Disperso en pequeñas cantidades en muchos minerales y menas, este METAL magnético, blanco plateado con un tenue tinte azulado, se utiliza principalmente en ALEACIONES especiales (p. ej., álnico, ACERO PARA HERRAMIENTAS) con aplicaciones que requieren gran precisión. Con VALENCIA 2 ó 3 forma numerosos complejos de coordinación. Uno es la vitamina B_{12} (cianocobalamina; ver complejo de VITAMINA B). El cobalto y sus compuestos se utilizan en GALVANOPLASTIA y para colorear cerámica y vidrio, como filamentos de lámparas, catalizadores, como un elemento de traza en fertilizantes, y como secantes de pintura y barniz. El pigmento azul de cobalto tiene una composición variable, aproximadamente la del óxido de cobalto más alúmina. Un isótopo radiactivo de cobalto emite rayos gamma penetrantes, los que se emplean en radioterapia.

cobayo Cualquiera de varias especies de ROEDORES sudamericanos que forman la familia Caviidae. Las especies de los géneros *Cavia*, *Kerodon*, *Galea* y *Microcavia* son parecidas al CONEJILLO DE INDIAS. Son macizos, grises o marrones, y miden 25–30 cm (10–12 pulg.) de largo, con orejas y patas cortas y sin

Cobayo de la Patagonia (*Dolichotis patagona*).
GEORGE HOLTON—PHOTO RESEARCHERS

cola visible. Los cobayos de la Patagonia y de los desiertos salados (*Dolichotis*) tienen patas más largas y son más parecidos a los conejos. Los cobayos son animales sociables que viven en diversos hábitats, como llanuras, pantanos y zonas rocosas. Viven en madrigueras (las cuales a veces debilitan tanto el terreno que las cubre, que este se hunde al caminar sobre él), y se alimentan de pasto, hojas y otros tipos de vegetación.

Cobb, Howell (7 sep. 1815, cond. de Jefferson, Ga., EE.UU.–9 oct. 1868, Nueva York, N.Y.). Político estadounidense. Se desempeñó en la Cámara de Representantes (1843–51, 1855–57), donde promovió los intereses del Sur con su apoyo a la anexión de Texas y a la guerra mexicano-estadounidense. No obstante, también fue partidario del COMPROMISO DE 1850, el que era patrocinado por el Norte. Fue gobernador de Georgia (1851–53) y apoyó la candidatura presidencial de JAMES BUCHANAN, quien lo nombró secretario del tesoro (1857–60). Opositor a ABRAHAM LINCOLN, se convirtió en vocero de la secesión. Presidió la convención que se reunió para organizar la Confederación y luego formó su propio regimiento al cual condujo al frente en la guerra de SECESIÓN.

Cobb, Ty *p. ext.* **Tyrus Raymond Cobb** (18 dic. 1886, Narrows, Ga., EE.UU.–17 jul. 1961, Atlanta, Ga.). Beisbolista estadounidense, uno de los mejores atacantes y tal vez el más fiero competidor de la historia del béisbol. Se unió a los Detroit Pistons en 1905; bateaba como zurdo, pero lanzaba como diestro. Pasó 22 temporadas como jardinero en los Detroit Tigers, y luego los dirigió entre 1921 y 1926. Su récord de promedio de bateo a lo largo de su trayectoria (0,366) aún no ha sido superado; los de carreras impulsadas (1.937), carreras anotadas (2.245) y batazos conectados (4.189) se mantuvieron durante largos años. Bateó al menos 0,300 en 23 temporadas consecutivas, récord de todos los tiempos, y los tres años en que bateó más de 0,400 también representan una marca. Su registro de bases robadas a lo largo de toda su trayectoria (892), obtenido en parte gracias a la fiereza con que usaba sus botines, sólo fue batido en 1979. En 1936, en la primera elección para el Salón de la Fama del béisbol, Cobb recibió el mayor número de votos.

Ty Cobb.
PICTORIAL PARADE—EB INC.

Cobbett, William (9 mar. 1763, Farnham, Surrey, Inglaterra–18 jun. 1835, Londres). Periodista inglés. Ingresó al ejército y sirvió en Canadá (1785–91). Vivió en EE.UU. (1794–1800), donde inició su carrera como periodista. Por sus fervientes ataques al espíritu y a la práctica de la democracia estadounidense, fue apodado "Peter Porcupine". Regresó a Inglaterra y fundó el semanario *Political Register* (1802), que publicó hasta su muerte. Defendió los valores tradicionales de la vida rural en una época en que Inglaterra entraba en la Revolución industrial, y sus puntos de vista reaccionarios sobre el ideal de sociedad encontraron eco en una poderosa corriente nostálgica. Criticó, además, la corrupción, las leyes crueles y los bajos salarios.

Cobden, Richard (3 jun. 1804, Dunford Farm, cerca de Midhurst, Sussex, Inglaterra–2 abr. 1865, Londres). Político británico. Ganó una fortuna en el negocio de venta al por mayor de telas de percal. Después de viajar por Europa y EE.UU. para estudiar sus políticas comerciales, escribió folletos sobre el libre comercio internacional. Fue elegido al parlamento (1841–57, 1859–65). Él y su estrecho colaborador JOHN BRIGHT lograron que se revocaran las leyes del GRANO. En la década de 1850 abogó por establecer relaciones amistosas con Rusia, incluso después del estallido de la guerra de Crimea. Colaboró en la negociación de un acuerdo comercial con Francia (1860), el cual incluyó una cláusula, conocida como de la nación más favorecida, que más tarde fue adoptada en otros tratados.

cobertura Método para reducir el RIESGO de pérdida derivado de la fluctuación de precios. Consiste en comprar o vender una misma cantidad de productos, iguales o muy similares, en dos mercados diferentes, aproximadamente en la misma fecha, con la expectativa de que un cambio futuro de precio en uno de los mercados se compense con un cambio opuesto en el otro. Por ejemplo, un operador de granos puede convenir en comprar una tonelada de trigo y al mismo tiempo vender un contrato de FUTUROS por la misma cantidad de trigo. Cuando se vende el trigo, recompra el contrato de futuros. Si el precio del grano ha bajado, puede recomprar el contrato de futuros a un valor menor a aquel en que lo había vendido y la ganancia que obtenga en esta operación compensará su pérdida por el grano. La cobertura también es común en los mercados de valores y divisas. Ver también OPCIÓN A LA COMPRAVENTA DE ACCIONES.

cobia Pez de pesca deportiva, delgado y rápido (*Rachycentron canadum*), único miembro de la familia Rachycentridae. Presente en la mayoría de los mares cálidos, este voraz predador puede llegar a medir 1,8 m (6 pies) de largo y pesar 70 kg (150 lb) o más. Tiene una mandíbula inferior protuberante, una cabeza más bien aplanada, y costados marrón claro, cada uno con dos franjas longitudinales de color marrón. Su característica aleta dorsal consta de una hilera de espinas cortas seguida de una aleta larga y de radios blandos.

Coblenza *alemán* **Koblenz** *antig.* **Confluentes** Ciudad (pob., est. 2002: 107.730 hab.) del oeste de Alemania. Está situada en la confluencia de los ríos RIN y MOSELA, fundada por los romanos en 9 AC. Fue residencia real de los francos en el s. VI DC y recibió la carta que le otorgaba el título de ciudad en 1214. Los franceses ocuparon la ciudad en 1794 y pasó a Prusia en 1815. Luego de la primera guerra mundial, fue sede de la Alta comisión aliada para Renania (1919–29). Fue devastada en la segunda guerra mundial y desde entonces ha sido restaurada. Centro comercial del vino alemán. Además destacan el turismo y la fabricación de muebles, ropa y productos químicos.

COBOL LENGUAJE DE PROGRAMACIÓN de alto nivel de computadoras, uno de los primeros lenguajes ampliamente usados y por muchos años el más popular en el mundo empresarial. Fue desarrollado a partir de la Conferencia de lenguajes de sistemas de datos en 1959, una iniciativa conjunta entre el gobierno de EE.UU. y el sector privado. COBOL fue ideado para cumplir dos grandes objetivos: portabilidad (capacidad de los programas para ejecutarse con modificaciones mínimas en computadoras de diferentes fabricantes) y legibilidad (facilidad con que un programa puede leerse como inglés corriente). Su uso generalizado cesó en la década de 1990.

cobra Cualquiera de varias serpientes de la familia de los ELÁPIDOS, muy venenosas que expanden sus costillas cervicales para formar una capucha. Se encuentran en las regiones cálidas de África, Australia y Asia. La mordedura de la cobra es fatal en un 10% de los casos humanos. Las cobras se alimentan principalmente de vertebrados pequeños. La cobra india (*Naja naja*) mata a varios miles de

Cobra india (*Naja naja*).

personas al año, sobre todo porque entra a las casas para cazar ratones. La cobra rey (*Ophiophagus hannah*) es la serpiente venenosa más grande del mundo, y suele medir frecuentemente más de 3,5 m (12 pies) de largo. Algunas cobras africanas pueden escupir su veneno a más de 1,8 m (6 pies) de distancia. Las cobras son las favoritas de los encantadores de serpientes, quienes, con sus movimientos más que con su música, provocan a estas serpientes sordas para que asuman la postura defensiva, erecta.

Cobra Grupo de pintores expresionistas (ver EXPRESIONISMO) formado en París en 1948. El nombre deriva de las primeras letras de las capitales de sus países natales: Copenhague, Bruselas y Amsterdam. El grupo, que se dispersó en 1951, incluía a KAREL APPEL, Pierre Alechinsky (n. 1927), Jean-Michel Atlan (n. 1913–m. 1960), Guillaume Corneille (n. 1922) y Asger Jorn (n. 1914–m. 1973). Sus obras, influenciadas por la poesía, el cine, el arte tradicional y el arte "primitivo", presentaban colores brillantes y pinceladas espontáneas parecidas al ACTION PAINTING; la figura humana era un tema recurrente.

Cobrador dorado.
SALLY ANNE THOMPSON

cobrador Varias razas de perros, criadas para recuperar caza, que tienen un pelaje grueso e impermeable, agudo sentido del olfato, y un hocico "blando" que no daña la pieza. Los cobradores miden 55–62 cm (22–24 pulg.) de alto y pesan 25–34 kg (55–75 lb). El cobrador dorado tiene un pelaje color miel que es largo en el cuello, patas y cola. El labrador tiene un pelaje corto, negro o marrón. Ambos se usan a menudo como lazarillos, y son muy solicitados como mascotas. Otras razas son el cobrador de la bahía de Chesapeake, el rizado y el liso.

cobre ELEMENTO QUÍMICO metálico, uno de los elementos de TRANSICIÓN, símbolo químico Cu, número atómico 29. Es un METAL rojizo, muy dúctil y un conductor de electricidad y calor extraordinariamente bueno, que algunas veces se encuentra puro en estado natural. La mayor parte de la producción mundial de cobre es utilizada por las industrias eléctricas; el resto se combina con otros metales (p. ej., cinc, estaño, níquel) para formar ALEACIONES como LATÓN, BRONCE, alpaca (níquel plata) y monel. El cobre es parte de casi todos los metales usados para acuñar monedas. Los compuestos de cobre generalmente tienen VALENCIA 1 (cuproso) o 2 (cúprico). Entre los compuestos cuprosos están el óxido cuproso, un pigmento rojo y un fungicida; el cloruro cuproso, un CATALIZADOR de ciertas reacciones orgánicas, y el sulfuro cuproso, con una variedad de usos. Entre los compuestos cúpricos están el óxido cúprico, un pigmento, agente decolorante y catalizador; el cloruro cúprico, un catalizador, preservante de madera, mordiente, desinfectante, aditivo forrajero y pigmento, y el sulfato cúprico, un pesticida, germicida, aditivo forrajero y aditivo del suelo. El cobre es un oligoelemento necesario en la dieta humana y esencial para el crecimiento de las plantas; en los moluscos y crustáceos de sangre azul desempeña el mismo papel en la hemocianina que el hierro en la HEMOGLOBINA.

cobre porfídico, yacimiento de Gran cuerpo de roca ígnea que posee cristales visibles en una base de grano relativamente fino, que contiene CALCOPIRITA y otros sulfuros. Estos yacimientos contienen vastas cantidades de mineral, que en promedio poseen una fracción ponderal de 1% de cobre; aunque de baja ley, los yacimientos son importantes porque pueden ser explotados a gran escala a bajo costo. En el sudoeste de EE.UU. (donde se puede producir molibdeno como subproducto), las islas Salomón, Canadá, Perú, Chile, México y otros lugares, se explotan grandes yacimientos de cobre porfídico.

Chuquicamata, mina de cobre a tajo abierto más grande del mundo, Antofagasta, Chile.
FOTOBANCO

Coburn, Alvin Langdon (11 jun. 1882, Boston, Mass., EE.UU.–23 nov. 1966, Rhos-on-Sea, Denbighshire, Gales). Fotógrafo británico de origen estadounidense. No se interesó seriamente por la fotografía hasta que conoció a EDWARD STEICHEN en 1899. En 1902 abrió un estudio en la ciudad de Nueva York y se unió a la PHOTO-SECESSION. En 1904 se fue a Londres con un trabajo por encargo que consistía en fotografiar celebridades; sus memorables retratos incluyen los de AUGUSTE RODIN, HENRY JAMES y GEORGE BERNARD SHAW posando como *El pensador* de Rodin. En 1917, influenciado por el CUBISMO y el FUTURISMO, realizó sus primeras fotografías de composiciones abstractas.

coca Arbusto tropical (*Erythroxylum coca*) de la familia de las Eritroxiláceas. Aunque es originario de los Andes orientales, se cultiva también en África, el norte de Sudamérica, Asia sudoriental y Taiwán. Las hojas son la fuente de la COCAÍNA y varios otros ALCALOIDES. Se da mejor en ambientes húmedos y calurosos, como en los claros de bosques, pero las hojas predilectas se obtienen en localidades más secas, en las laderas de colinas. La composición de las hojas es muy variable de un ejemplar a otro. Las muestras buenas tienen un fuerte olor a té y un sabor picante y grato. Masticadas producen una sensación de tibieza en la boca; por ser un estimulante fuerte y un inhibidor poderoso del apetito, los campesinos sudamericanos la han usado por siglos para mitigar los efectos del trabajo físico agotador.

Coca (*Erythroxylum coca*).
W.H. HODGE

Coca-Cola Co. Empresa estadounidense conocida por fabricar el jarabe y el concentrado para la GASEOSA Coca-Cola, la bebida de marca más popular del mundo. Coca-Cola fue inventada como tónico por John S. Pemberton (n. 1831–m. 1888), farmacéutico de Atlanta, Ga. Este tónico contenía cocaína (que fue retirada en 1905) y extractos de NUEZ COLA ricos en cafeína. Otro farmacéutico de Atlanta, Asa Griggs Candler (n. 1851–m. 1929), adquirió la fórmula y en 1892 creó la empresa Coca-Cola Co., que posteriormente se transformó en un imperio comercial. Candler conceptualizaba el producto como un jarabe que se podía mezclar con agua mineral en fuentes de soda. No esperaba que el producto embotellado tuviera tanto éxito, por lo que entregó las operaciones de embotellado a concesionarios. Después de la segunda guerra mundial, la compañía se lanzó en la fabricación de otras bebidas y, a principios del s. XXI, su línea de productos comprendía la zarzaparrilla, el agua embotellada, así como jugos y bebidas para deportistas. Tiene su sede en Atlanta.

cocaína COMPUESTO HETEROCÍCLICO ($C_{17}H_{21}NO_4$), un ALCALOIDE que se obtiene de las hojas de COCA. Es de uso legal en medicina y odontología como ANESTÉSICO local, pero se utiliza mucho más de manera ilegal, generalmente como clorhidrato. Cuando la cocaína se inhala en pequeñas cantidades produce sensaciones de bienestar y euforia, disminución del apetito, alivio de la fatiga y mayor agudeza mental. Cantidades mayores o el uso prolongado pueden dañar el corazón y las estructuras nasales y causar convulsiones. Modificada en formas más potentes y más baratas (pasta base, *crack*), la cocaína se inyecta o se fuma y es sumamente adictiva (ver DROGADICCIÓN) y perjudicial para la salud. El uso prolongado o compulsivo de cualquier forma de cocaína purificada puede provocar trastornos severos de personalidad, insomnio, inapetencia y PSICOSIS paranoide.

Cochabamba Ciudad (pob., 2001: 516.683 hab.) del centro de Bolivia. Fundada con el nombre de Villa de Oropeza en 1574, fue rebautizada en 1786 con su actual denominación Cochabamba (Khocha Pampa), que en idioma quechua significa "llanura llena de lagunas". Un clima favorable y un entorno atractivo han ayudado a hacer de ella la tercera ciudad más populosa de Bolivia. Es el principal punto de distribución en la zona oriental del país. Cuenta con la Universidad Mayor de San Simón (1826), la catedral de Santo Domingo y otras iglesias del s. XVI–XVII.

coche Vehículo de cuatro ruedas tirado por caballos, con una carrocería cerrada y un asiento delantero elevado para el cochero. El coche se originó en el s. XV en Hungría (donde *kocsi* significaba en principio "carromato del pueblo de Kocs"). Fue introducido en Inglaterra a mediados del s. XVI. Los coches se usaron como medio de transporte, con asientos interiores (como en la DILIGENCIA) para los pasajeros, y para despacho de correspondencia. Eran utilizados principalmente en ciudades europeas, hasta entrado el s. XVIII, cuando los CARRUAJES privados se hicieron más comunes.

Cochinchina *francés* **Cochinchine** Región del sur de VIETNAM. Ocupa 77.700 km^2 (30.000 mi^2). La zona era vasalla del Imperio chino y más tarde fue parte del reino Jmer de Camboya. Su capital, Saigón (ver Ciudad HO CHI MINH), fue ocupada por los franceses en 1859. Convertida en colonia de Francia en 1867, formó junto a otros protectorados la INDOCHINA FRANCESA en 1887. Incorporada a Vietnam en 1949, la Cochinchina formó parte de Vietnam del Sur (1954–76) hasta que el país fue reunificado. Comprende el delta del río MEKONG, una de las mayores regiones productoras de arroz de Asia.

cochinilla *o* **cochinito de tierra** Cualquier especie de CRUSTÁCEO terrestre de los géneros *Armadillidium* y *Armadillo* (ambos del orden Isopoda), originarios de Europa y aclimatados en todo el mundo. Las cochinillas (a veces llamados bichos bolita) se parecen a armadillos minúsculos en cuanto a aspecto y conducta; tienen un cuerpo gris, ovalado, cubierto con una armadura chapeada y se enrollan como bola cuando se los molesta. Tienen unos 19 mm (0,75 pulg.) de largo. Viven en lugares secos y asoleados, en hojarasca seca y confines boscosos. Ver también COCHINILLA DE LA HUMEDAD.

cochinilla (colorante) ver ESCAMA

cochinilla de la humedad Ciertos CRUSTÁCEOS terrestres del orden Isopoda, especialmente los miembros del género *Oniscus*. Nativos de Europa, fueron introducidos en Norteamérica. Las cochinillas llegan a tener 18 mm (0,7 pulg.) de largo. Su cuerpo, gris y ovalado, es más bien arqueado y está cubierto de placas anchas, a modo de coraza. Tienen dos antenas acodadas cuya longitud es casi la mitad del cuerpo, y siete pares de extremidades. La cochinilla vive en lugares húmedos, especialmente debajo de las piedras, en hojas húmedas del humus y en sótanos. Ver también COCHINILLA.

cochinilla de los frutales Insecto de la familia Pseudococcidae (orden Homoptera). La cochinilla de los frutales está cubierta de un polvo blanco y pegajoso semejante a la harina de maíz. Las hembras, de alrededor de 1 cm (0,4 pulg.) de largo, y las "larvas" (crías jóvenes activas) se agrupan en torno a las nervaduras y al envés de las hojas, sobre todo en los cítricos y plantas de maceta; los machos dípteros vuelan activamente. Las especies comunes son la cochinilla del limonero (*Pseudococcus citri*) y la cochinilla citrófila (*P. gahani*).

Cochinos, bahía de (invasión de) (17 abr. 1961). Invasión fallida de Cuba dirigida por la CIA y llevada a cabo por exiliados cubanos. La intención de la invasión era desencadenar una rebelión que derribara a FIDEL CASTRO, cuyo régimen comunista era considerado una amenaza para los intereses de EE.UU. en la región. La arremetida comenzó con el bombardeo de bases militares cubanas; dos días después una fuerza de unos 1.500 hombres desembarcó en diferentes sitios de la costa, incluida la bahía de Cochinos. La rebelión nunca se concretó, la fuerza invasora fue rápidamente derrotada, y más de 1.100 hombres cayeron prisioneros. Como resultado, Castro obtuvo una inmensa victoria propagandística, mientras la administración del presidente estadounidense JOHN F. KENNEDY enfrentaba una situación delicada y bochornosa.

Cochise (m. 8 jun., 1874, reserva apache Chiricahua, Ariz., EE.UU.). Jefe APACHE chiricahua que lideró la resistencia contra las incursiones blancas en el sudoeste de América del Norte. Nada se sabe de su nacimiento ni de sus primeros años de vida. Su pueblo permaneció en paz con los colonos blancos durante la década de 1850, pero en 1861 se produjeron escaramuzas y, ulteriormente, una guerra abierta entre los apaches y el Ejército estadounidense. Cochise y sus seguidores eludieron su captura durante 10 años. En 1872, sin embargo, la mayoría de los apaches, incluido él, habían acordado desplazarse a las reservas.

Cochran, Jacqueline (¿1910?, Pensacola, Fla., EE.UU.–9 ago. 1980, Indio, Cal.). Aviadora estadounidense. Huérfana a temprana edad y criada en la pobreza, aprendió a pilotear en 1932, en parte para promocionar los productos de la compañía de cosméticos que había fundado. En 1938 estableció el récord de velocidad para mujeres en el cruce de Norteamérica. Durante la segunda guerra mundial entrenó a mujeres pilotos de transporte en las fuerzas aéreas auxiliares de Gran Bretaña, y más tarde en la de EE.UU. En 1953 quebró el récord mundial de velocidad (tanto en varones como damas) en un avión de reacción, y en 1961 fue la primera mujer en volar al doble de la velocidad del sonido.

cociente intelectual ver CI

cociente, regla de la derivada del Regla para encontrar la DERIVADA del cociente de dos funciones. Si tanto f como g son diferenciables, entonces también lo es el cociente $f(x)/g(x)$. En notación abreviada, dice que $(f/g)' = (gf' - fg')/g^2$.

Cockburn, Sir Alexander (James Edmund), 10° baronet (24 dic. 1802–21 nov. 1880, Londres, Inglaterra). Jurista británico. En los inicios de su carrera ganó una gran reputación como abogado litigante y como relator. Se desempeñó en la Cámara de los Comunes (1847–56), como procurador general (1851–56), y como presidente del Tribunal de ACCIONES CIVILES (1856–59) antes de ser designado para el Tribunal de la Reina (1859–74). Participó en el panel que decidió la cuestión del *ALABAMA* y finalmente sirvió el cargo de presidente del Tribunal Supremo (1874–80). Es especialmente conocido por sus pruebas en materia de OBSCENIDAD (para considerar obsceno un determinado material, había que probar que dicho material podía depravar y corromper a quienes se vieran expuestos a él) y en materia de DEMENCIA (para ser considerado demente, había que probar que el inculpado no tenía conciencia de la "naturaleza e índole" de su acto criminal o que era incapaz de reconocerlo como erróneo).

Cockpit Country Región del centro-oeste de Jamaica. Cubre unos 1.300 km² (500 mi²) y tiene un paisaje cárstico, con cerros cónicos que se elevan por sobre los sumideros y con laderas escarpadas, corrientes subterráneas y cavernas (denominados "cockpits"). Esta inhóspita región proporcionó refugio a los esclavos fugitivos que se convirtieron en combatientes de la guerrilla cuando los ingleses conquistaron Jamaica en 1665. Actualmente sus descendientes llegan a unas 5.000 personas y aún mantienen algún grado de independencia: toda la tierra pertenece a la comunidad, no pagan impuestos y el gobierno central puede intervenir sólo en casos de delitos sancionados con la pena capital.

coco BACTERIA esférica. Muchas especies tienen disposiciones características que sirven para identificarlas. Los cocos en pares se llaman diplococos; en hileras o cadenas, ESTREPTOCOCOS; en núcleos arracimados, ESTAFILOCOCOS; en paquetes de ocho o más células, sarcinas; y en grupos de cuatro células dispuestas en cuadrado, tétradas. Estas agrupaciones características son el resultado de variaciones en el proceso de reproducción.

coco *o* **cocotero** Árbol (*Cocos nucifera*) de la familia de las Palmáceas (ver PALMERA), uno de los cultivos más importantes de los trópicos. Su tronco anillado, esbelto e inclinado, emerge de una base abombada y termina en una corona elegante de hojas muy grandes y pinnadas. Los frutos maduros son grandes, ovoides o elipsoides, y tienen una cáscara gruesa y fibrosa que rodea a la conocida nuez monosperma. La nuez contiene una carne blanca y algo dulce que se come cruda; de ella se extrae el aceite de coco. El líquido nutritivo "leche" que está en el centro puede beberse directamente de la nuez. De la cáscara se obtiene una fibra muy resistente al agua salada que se usa en la fabricación de cuerdas, esteras, cestas, cepillos y escobas. Las cáscaras se usan como recipientes y a menudo se tallan en forma decorativa.

Coco Chanel ver Gabrielle CHANEL

Coco, río *ant.* **río Segovia** Río de América Central. Nace en el sur de Honduras y recorre 780 km (485 mi) hasta desembocar en el mar Caribe, en el cabo Gracias a Dios. Su curso medio e inferior fue declarado frontera internacional entre Honduras y Nicaragua en 1961. Sólo los últimos 225 km (140 mi) son navegables.

cocodrilo Cualquiera de unas doce especies de reptiles tropicales (familia Crocodilidae) que habitan en Asia, Oceanía, África, Madagascar y América. Son CARNÍVOROS lacertiformes de hocico alargado. La mayoría se alimenta de peces, tortugas, aves y mamíferos pequeños; los individuos grandes pueden atacar al ganado doméstico y a los seres humanos. Nadan y se alimentan en el agua, flotando en la superficie cuando esperan a la presa, pero se asolean y reproducen en tierra firme. Tienen fama de ser más listos que los ALIGÁTORES y más propensos a atacar a los seres humanos. Tienen un morro más estrecho que los aligátores y un diente en cada lado de la mandíbula que es visible cuando está cerrada.

Cocos, islas *o* **islas Keeling** Territorio (pob., 1996: 558 hab.) de Australia. Las islas se localizan en el océano Índico oriental a unos 930 km (580 mi) al sudoeste de JAVA; están conformadas por dos atolones aislados y 27 pequeños islotes de coral y cubren una superficie total de tierra de 14,4 km² (5,6 mi²). Fueron descubiertas en 1609 por William Keeling y pobladas por primera vez en 1826. Se las declaró posesión británica en 1857; en algunos períodos, las islas Cocos fueron gobernadas por Ceilán, pero finalmente pasaron a Australia en 1955. En 1984 los residentes votaron para fusionarse con Australia.

Jean Cocteau, 1939.
GISELE FREUND

Cocteau, Jean (5 jul. 1889, Maisons-Laffitte, cerca de París, Francia–11 oct. 1963, Milly-la-Forêt, cerca de París). Poeta, dramaturgo y director cinematográfico francés. Publicó su primera antología de poemas *La Lámpara de Aladino* a los 19 años. Se convirtió tempranamente al catolicismo, aunque poco después renunció a la religión. Durante la primera guerra mundial fue chofer de ambulancia en el frente belga, donde ambientaría su novela *Thomas l'imposteur* [Tomás, el impostor] (1923). En los años de su adicción al opio produjo algunas de sus creaciones más importantes, entre ellas la obra de teatro *Orfeo* (1926) y la novela *Los niños terribles* (1929). *La máquina infernal* (1934) es considerada su obra de teatro más destacada. Su primera película fue *La sangre de un poeta* (1930); retomó la producción cinematográfica en la década de 1940, primero como guionista, luego como director, y filmó películas tan admirables como *La bella y la bestia* (1945), *Orfeo* (1949) y *Le Testament d' Orphée* (1960). En el campo musical, Cocteau estuvo asociado con el grupo de compositores conocido como Les SIX (Los seis); entre sus aportes se cuentan los guiones de ballet para ERIK SATIE (*Parade*, 1917) y DARIUS MILHAUD (*Le Boeuf sur le toit* [El buey en el tejado], 1920), así como sus libretos para IGOR STRAVINSKI (*Edipo rey*, 1927) y Milhaud (*La voz humana*, 1930). También fue artista visual e ilustró varios libros con sus coloridos dibujos y trabajó además como diseñador.

Cod, cabo *inglés* **Cape Cod** Península en el este del estado de Massachusetts, EE.UU. Mide aprox. 105 km (65 mi) de largo y 2–32 km (1–20 mi) de ancho, se comunica con la bahía BUZZARDS y se adentra en el océano Atlántico bajo la forma de una curva amplia, con lo que rodea la bahía del cabo Cod. El canal del cabo Cod, que cruza la base de la península, forma parte del CANAL INTRACOSTAL DEL ATLÁNTICO. Recibió su nombre de un explorador inglés que visitó sus costas en 1602 y embarcó "una gran cantidad de bacalao (en inglés *cod*)". Cabo Cod, cerca de PROVINCETOWN, fue el sitio de desembarco de los PEREGRINOS en 1620. Se extiende hacia la corriente cálida del GOLFO y tiene poblados y aldeas en sus costas que se convierten

Especies de cocodrilo.

en centros vacacionales muy concurridos en el verano. En el s. XIX, Provincetown fue un puerto muy activo destinado a la pesca de ballenas.

Coddington, William (1601, Boston, Lincolnshire, Inglaterra–1 nov. 1678, Rhode Island, EE.UU.). Gobernador colonial en América del Norte y disidente religioso. Funcionario de la Massachusetts Bay Company, llegó a Massachusetts en 1630 y se desempeñó en el poder legislativo de la colonia. Como seguidor de ANNE HUTCHINSON, debió abandonar el lugar y partir a Aquidneck Island (Rhode Island), donde estableció asentamientos en Portsmouth y Newport. Aunque procuró mantener Aquidneck como colonia separada, en 1644 la unió con la plantación de ROGER WILLIAMS en Providence. Más adelante, al reconocer la unidad de Rhode Island, ocupó el cargo de gobernador de la colonia en 1674, 1675 y 1678.

Code Civil ver código de NAPOLEÓN

codeína COMPUESTO HETEROCÍCLICO, ALCALOIDE de origen natural que se encuentra en el OPIO, utilizado en medicina como antitusígeno y como droga analgésica (ver ANALGÉSICO). Ejerce sus efectos actuando sobre el sistema nervioso central (encéfalo y médula espinal). Químicamente es metilmorfina, el ÉTER metílico de la MORFINA, alcaloide del tipo fenantreno; su acción es más débil que la de la morfina, y la probabilidad de que ocasione DROGADICCIÓN es menor.

Codelco *sigla de* **Corporación Nacional del Cobre de Chile** Compañía minera de propiedad del Estado de Chile, una de las mayores productoras de cobre del mundo. Además, controla alrededor del 20% de las reservas mundiales de este mineral. Su negocio principal es la exploración, desarrollo y explotación de recursos mineros cupríferos y subproductos, su procesamiento hasta convertirlo en cobre refinado y su posterior comercialización. Fue creada en julio de 1971, cuando, bajo el gobierno socialista de la época, se aprobó por unanimidad del congreso chileno la nacionalización de la gran minería del cobre, hasta entonces en manos de las corporaciones estadounidenses Kenecott Corporation y Anaconda Copper Company. Codelco se constituyó como una empresa estatal que agrupaba los yacimientos en una sola corporación minera, industrial y comercial. En la actualidad, las operaciones de Codelco se realizan principalmente a través de sus cuatro divisiones: Codelco Norte, Andina, El Teniente y El Salvador. Sus oficinas centrales se encuentran en Santiago.

codependencia Dependencia extrema de una persona hacia otra que sufre de una adicción. Las características habituales son una baja AUTOESTIMA, junto a una elevada necesidad de aprobación. Formalmente, no constituye un diagnóstico psiquiátrico. La codependencia es un síndrome psicológico que se observa en familiares o en las parejas de alcohólicos o consumidores adictivos de sustancias.

códice Manuscrito en forma de LIBRO, especialmente de las Escrituras, de obras de la literatura temprana o de antiguos anales históricos y mitológicos. Es el primer tipo de manuscrito que adopta la forma de un libro moderno (i.e., una serie de hojas empastadas o cosidas por un lado, con lomo y canto) y reemplaza los rollos de papiro y las tablillas de cera que le precedieron. En comparación con estos soportes más antiguos, el códice ofrece varias ventajas: puede consultarse en cualquier punto del texto, permite la escritura en ambos lados de la hoja y puede contener textos extensos. El ejemplar griego más antiguo que se conserva es el Códice Sinaiticus (s. IV DC), un manuscrito bíblico. Diversos pueblos precolombinos mesoamericanos desarrollaron códices en forma independiente después de c. 1000 DC.

códice de Dresde ver códice de DRESDE

códices mayas ver códices MAYAS

código Sistema de símbolos y reglas que se utiliza para expresar información de acuerdo con una regla invariable, a fin de reemplazar una parte de la información de un sistema, como una letra, palabra o frase, con un equivalente de otro sistema seleccionado en forma arbitraria. Las claves de sustitución son similares a los códigos, excepto que la regla para reemplazar la información es conocida solamente por el transmisor y el destinatario presunto de la información. El CÓDIGO BINARIO y otros lenguajes de máquina usados en COMPUTADORAS DIGITALES son ejemplos de códigos. A principios del s. XX se desarrollaron códigos comerciales sofisticados (ver ÉMILE BAUDOT, SAMUEL MORSE). En años recientes se han llevado a cabo códigos más avanzados para dar cabida a datos de computadora y comunicación satelital. Ver también ASCII; CRIPTOGRAFÍA.

código Compilación sistemática de leyes o principios jurídicos. El código más antiguo del que subsisten fragmentos, corresponde a unas tablillas provenientes de la ciudad de Ebla, que datan de c. 2400 AC. El código antiguo más conocido es el de HAMMURABI. En Roma se comenzó a dejar constancia por escrito de las leyes en el s. V AC, aunque la primera codificación sistemática, ordenada por JUSTINIANO I, no se emprendió hasta el s. VI DC. En la Edad Media y hasta la época moderna sólo se intentaron compilaciones locales o provinciales. El primer código nacional importante fue el napoleónico (ver código de NAPOLEÓN), seguido de los códigos alemán, suizo y japonés. En los países del COMMON LAW como Inglaterra y EE.UU., los códigos generalmente han tenido menos trascendencia que los archivos de sentencias judiciales, aunque en este último país se realizaron codificaciones importantes en el s. XX (p. ej., el Código de EE.UU., el Código Comercial Uniforme). Ver también CÓDIGO CIVIL ALEMÁN; DERECHO CIVIL.

código binario Código que se utiliza en COMPUTADORAS DIGITALES, basado en un sistema numérico binario en el que solamente existen dos estados posibles, apagado y encendido, representados a menudo por 0 y 1. Mientras en un sistema decimal, que emplea diez dígitos, cada posición del dígito representa una potencia de diez (100, 1.000, etc.); en un sistema binario cada posición del dígito representa una potencia de dos (4, 8, 16, etc.). Una señal de código binario es una serie de pulsos eléctricos que manifiestan números, caracteres y operaciones para ser ejecutadas. Un dispositivo llamado reloj envía pulsos regulares, y los componentes, como el TRANSISTOR, conmutan a encendido (1) o apagado (0) para dejar pasar o bloquear los pulsos. En el código binario cada número decimal (0–9) es representado por un conjunto de cuatro dígitos binarios o BITS. Las cuatro operaciones aritméticas fundamentales (suma, resta, multiplicación y división) pueden reducirse a combinaciones de las operaciones del álgebra BOOLEANA fundamental en números binarios.

código civil alemán *alemán* **Bürgerliches Gesetzbuch** Codificación del derecho privado que empezó a regir en el Imperio alemán en 1900. El código, posteriormente modificado, surgió de la idea de contar con un auténtico derecho nacional que reemplazara la costumbre y los códigos de los diversos estados alemanes, que a menudo entraban en conflicto. Dividido en cinco partes, abarca el derecho aplicable a las personas naturales y jurídicas, el derecho de los contratos y la compraventa, los bienes, las relaciones de familia y la sucesión por causa de muerte. Contiene elementos de derecho tribal germánico, feudal y de common law, así como de derecho ROMANO. Ha influido de manera importante en el derecho privado de otros países, especialmente de Japón, Suiza y Grecia. Ver también derecho GERMÁNICO.

código de barras Serie impresa de barras paralelas de ancho variable que se utiliza para introducir datos a un sistema computacional, comúnmente para identificar el objeto en el cual aparece el código. El ancho y espaciado de las barras representa información binaria que puede leerse con un ESCÁNER ÓPTICO (láser) que es parte del sistema computacional. La codificación se usa en diferentes áreas de fabricación y mercadeo, como el control de inventario y sistemas de rastreo. Los códigos de barras, impresos en las mercaderías de supermercados y otros locales de venta minorista, pertenecen a los del estándar UPC.

código de máquina ver LENGUAJE DE MÁQUINA

código genético Secuencia de NUCLEÓTIDOS en el ADN y el ARN que determina la secuencia de AMINOÁCIDOS de las PROTEÍNAS. La síntesis proteica es dirigida por una molécula de ARN mensajero sintetizada a partir del ADN. Tres nucleótidos adyacentes constituyen la unidad conocida como codón; cada codón codifica para un solo aminoácido. Existen 64 codones posibles; 61 de ellos especifican los 20 aminoácidos que forman las proteínas. Como la mayoría de los 20 aminoácidos son codificados por más de un codón, el código se llama degenerado. Antes se creía que el código genético era idéntico en todas las formas de vida, pero se ha descubierto que varía ligeramente en ciertos organismos y en las mitocondrias de algunos eucariontes.

código postal *inglés* **zip code** Sistema de códigos de zonas postales (zip es una abreviatura de "zone improvement plan", esto es, plan de mejoramiento zonal) introducido en EE.UU. en 1963 para mejorar el reparto del correo y explotar las posibilidades de lectura y clasificación electrónicas. El código original, que corresponde a los códigos postales utilizados en la mayoría de los países del mundo, consiste en cinco números. Los tres primeros identifican al estado y a una parte del estado; los dos últimos a una oficina postal o zona específicas. En 1983 se introdujo un código de nueve dígitos (creado agregando un guión y cuatro dígitos) para favorecer la rapidez del reparto; los dos primeros dígitos agregados especifican un "sector" en particular, los dos últimos un "segmento" aún más pequeño (p. ej., el lado de una cuadra o un piso determinado en un edificio grande).

códigos en escritura cuneiforme Conjunto de leyes que aparecen en documentos escritos con caracteres cuneiformes (ver escritura CUNEIFORME). Comprende las leyes de sumerios, babilonios, asirios, elamitas, hurrianos, casitas e hititas. A diferencia de los códigos modernos, estos códigos antiguos no tratan en forma sistemática todas las normas aplicables a un aspecto determinado del derecho; más bien, se refieren a una variedad de materias, y a menudo omiten normas de gran importancia, simplemente debido a que se encontraban tan arraigadas en la COSTUMBRE que resultaban irrefutables. Entre los códigos antiguos, el más importante es el código babilónico de HAMMURABI.

Codium Género de ALGAS marinas verdes que se encuentran habitualmente en lagunas profundas a lo largo de costas rocosas. Las ramas filiformes suelen entretejerse para formar un cuerpo aterciopelado, a veces, de más de 30 cm (12 pulg.) de largo. En algunas especies el cuerpo tiene ramas visibles; en otras se pliega sobre sí mismo como los intestinos. Las algas de este género son el alimento favorito de algunas babosas marinas.

codorniz Cualquiera de varias especies de aves de caza colicortas (familia Phasianidae), algunas con una pluma cefálica recta o curvada hacia adelante. Las especies varían de 13 a 33 cm (5–13 pulg.) de largo. Algunas de las 95 especies del Viejo Mundo tienen espolones, pero ninguna de las 36 del Nuevo Mundo lo poseen. Habitan de preferencia el campo abierto y la periferia de los matorrales. El macho puede ayudar a incubar los 12 huevos. Comen principalmente semillas y bayas, pero también hojas, raíces e insectos. La codorniz común (*Coturnix coturnix*) de Eurasia y África es la única ave migratoria del orden Galliformes. Las codornices son normalmente más pequeñas que las PERDICES. Ver también CODORNIZ MASCARITA.

Especies de codorniz.

codorniz mascarita Especie de CODORNIZ (*Colinus virginianus*) de Norteamérica, de la cual hay unas 20 subespecies que habitan del sur de Canadá a Guatemala. Es marrón rojiza con cola gris. Tiene un reclamo bitonal. Es ave de caza popular en el sur y centro de EE.UU. y vive en matorrales, pinares abiertos y campos abandonados.

Cody, William F(rederick) *llamado* **Buffalo Bill** (26 feb. 1846, cond. de Scott, Iowa, EE.UU.–10 ene. 1917, Denver, Col.) Cazador de búfalos, militar y explorador del ejército estadounidense. Fue jinete del Pony Express y más adelante prestó servicios en la guerra de Secesión. En 1867–68 cazó búfalos para alimentar a las cuadrillas de trabajadores del ferrocarril Union Pacific; se le dio el apodo de Buffalo Bill cuando mató 4.280 cabezas de este ganado en ocho meses. Sirvió de explorador del 5° Regimiento de Caballería de EE.UU. (1868–72, 1876) cuando redujo la resistencia india. Sus hazañas, incluso la de arrancar la cabellera al guerrero cheyenne Yellow Hair (Cabello Amarillo) en 1876, fueron relatadas por periodistas y novelistas, quienes lo convirtieron en héroe popular. Comenzó a actuar en dramas sobre el Oeste y, en 1883, organizó su primer WILD WEST SHOW, espectáculo que incluía exhibiciones de puntería, monta y conducción de diligencias, y que contaba con estrellas como Annie Oakley y TORO SENTADO. El espectáculo se presentó en EE.UU. y en el extranjero con gran éxito.

William F. Cody, 1916.

Coe, Sebastian (Newbold) (n. 29 sep. 1956, Londres, Inglaterra). Atleta británico. En 1977 ganó su primera carrera importante. Al año siguiente compitió por primera vez contra su gran rival, STEVE OVETT, y ambos dominaron las carreras de medio fondo en la década de 1980. Ganó un total de cuatro medallas de oro olímpicas (en 1980 y 1984) e impuso ocho récords mundiales. En 1992 fue elegido parlamentario por el Partido Conservador, cargo que desempeñó hasta 1997. En 2000 fue promovido a la Cámara de los Lores. Además ha intervenido en varias organizaciones atléticas.

coeducación *o* **educación mixta** Educación impartida a estudiantes de ambos sexos en una misma institución. Se trata de un fenómeno moderno que fue adoptado, en primer lugar y más ampliamente, en EE.UU. que en Europa, donde la tradición fue un gran obstáculo para su puesta en ejecución. En el s. XVII, Quaker y otros reformadores provenientes de Escocia, del norte de Inglaterra y de Nueva Inglaterra, comenzaron a insistir en que se debía enseñar a leer la Biblia tanto a las niñas como a los niños. Hacia fines del s. XVIII, las mujeres fueron aceptadas en las escuelas de las ciudades más pequeñas. Ya en 1900 eran coeducacionales la mayoría de los establecimientos públicos, como asimismo cerca del 70% de los *colleges* (colegios universitarios) y las universidades. Algunas instituciones pioneras de EE.UU. son el Oberlin College, la Universidad de CORNELL y la Universidad de IOWA. En Europa, las universidades de

BOLONIA y LONDRES, además de varias instituciones escandinavas, fueron las primeras en abrir sus puertas. Después de 1900, otros países europeos adoptaron políticas coeducacionales, al tiempo que en muchos países comunistas se instituyeron sólidos programas de educación mixta.

coeficiente de actividad Número que expresa la razón entre la actividad química de una sustancia y su concentración molar (ver MOL). La medida de la concentración de una sustancia puede no ser un indicador preciso de su efectividad química en la forma en que es representada por la ecuación de una reacción particular; en tales casos, la actividad se calcula multiplicando la concentración por el coeficiente de actividad. En las SOLUCIONES, el coeficiente de actividad es una medida de cuánto difiere la solución de una solución ideal.

coeficiente intelectual ver CI

Coen, Joel y Ethan (n. 29 nov. 1955, St. Louis Park, Minn., EE.UU.) (n. 21 sep. 1958, St. Louis Park). Directores de cine estadounidenses. Los hermanos se criaron en Minnesota, pero se mudaron a Nueva York para escribir guiones para películas independientes. A su primera película, *Sangre fácil* (1984), un estilizado *thriller*, le siguieron largometrajes notables como *Educando a Arizona* (1987), *Muerte entre las flores* (1990), *Barton Fink* (1991), *Fargo* (1996, premio de la Academia a la mejor dirección y mejor guión), *El gran Lebowski* (1998) y *O Brother* (2000). Con Joel en el rol de director y Ethan como productor, ambos coescribieron todos los guiones, que muestran una extraña mezcla de drama bien construido y humor macabro.

coenzima Cualquiera de varios compuestos orgánicos de difusión libre que funcionan como COFACTORES con las ENZIMAS, promoviendo diversas reacciones metabólicas. Las coenzimas participan en cantidades estequiométricas (MOL por mol) en la CATÁLISIS mediada por la enzima y son modificadas durante la reacción, de modo que pueden requerir otra reacción catalizada por enzimas para recuperar su estado original. Algunos ejemplos son la nicotinamida adenina dinucleótido (NAD), la cual acepta hidrógeno (y lo entrega en otra reacción), y el ATP, el cual entrega grupos fosfato mientras transfiere energía química (y readquiere fosfato en otra reacción). La mayor parte de las vitaminas B (ver complejo de VITAMINA B) son coenzimas y resultan esenciales para facilitar la transferencia de átomos o de grupos de átomos entre moléculas en la formación de carbohidratos, grasas y proteínas. Ver también ESTEQUIOMETRÍA; METABOLISMO.

coerción, leyes de ver LEYES INTOLERABLES

Coeroeni, río ver río COURANTYNE

Coetzee, J(ohn) M(ichael) (n. 9 feb. 1940, Ciudad de El Cabo, Sudáfrica). Novelista y ensayista sudafricano. Fue profesor de lengua inglesa en la Universidad de Ciudad de El Cabo, traductor del holandés y crítico literario antes de publicar su primer libro, *Dusklands* [Tierras en penumbra] (1974). Adquirió fama internacional con *In the Heart of the Country* [En el corazón del país] (1977) y *Esperando a los bárbaros* (1980), donde ataca el legado del colonialismo; luego vendrían *Vida y época de Michael K* (1983, Premio Booker), sobre un hombre de pocas luces atrapado en una guerra civil; *Foe* (1986), una versión muy particular del Robinson Crusoe de Daniel Defoe, y las memorias *Infancia* (1997) y *Juventud* (2002). Además de novelas, ha escrito ensayos, entre ellos *Giving Offense: Essays on Censorship* [Ofender: ensayos sobre la censura] (1996) y un libro titulado *La vida de los animales* (1999). En 1999 se convirtió en el primer escritor en adjudicarse dos veces el Premio Broker, al recibir ese galardón por la novela *Desgracia* (1999). En 2003 obtuvo el Premio Nobel de Literatura y publicó *Elizabeth Costello*.

J.M. Coetzee, escritor sudafricano.
FOTOBANCO

Coeur, Jacques (c. 1395, Bourges, Francia –25 nov. 1456, probablemente en Quíos, en el mar Egeo). Comerciante y funcionario real francés. Miembro del consejo del rey Carlos VII, fue encargado de la recaudación de impuestos y elevado a la nobleza en 1441. Estableció un gran imperio comercial que transaba sal y sedas, entre otras muchas mercancías, y con su inmensa fortuna posibilitó que el rey reconquistara Normandía (1450) e hizo préstamos a muchos aristócratas. Acusado falsamente de envenenar a la amante del rey y de especulación deshonesta, fue arrestado en 1451, pero escapó a Italia. Murió mientras dirigía una expedición naval contra los turcos.

cofactor Átomo, molécula orgánica o grupo molecular necesario para la actividad catalítica (ver CATÁLISIS) de muchas ENZIMAS. Un cofactor puede estar estrechamente ligado a la porción proteínica de una enzima y así ser parte integral de su estructura funcional, o puede estar sólo asociado débilmente y libre para disociarse de la enzima. Los cofactores de tipo integral son átomos de metal, como HIERRO, COBRE o MAGNESIO, o moléculas orgánicas de tamaño moderado llamadas grupos prostéticos; muchos de estos últimos contienen un átomo de metal, a menudo en un complejo coordinado (ver elemento de TRANSICIÓN). La remoción del cofactor de la estructura enzimática causa pérdida de su actividad catalítica. Los cofactores fácilmente disociables son llamados COENZIMAS; los ejemplos abarcan la mayoría de los miembros del complejo de VITAMINA B. Más que contribuir directamente a la capacidad catalítica de una enzima, las coenzimas participan con ella en la reacción catalítica. A veces ya no se hace esta distinción en la definición, y el término coenzima se utiliza en el sentido más amplio de cofactor.

cogeneración En sistemas de POTENCIA, el uso de VAPOR tanto para la generación de energía como para calefacción. El vapor a alta temperatura y alta presión, proveniente de una CALDERA y de un recalentador, pasa primero por una TURBINA para producir energía. Este vapor es expelido a una temperatura y presión apropiadas para calefacción, en lugar de expandirse en la turbina hasta la mínima presión posible y luego descargarse al condensador, lo que desperdiciaría la energía remanente en el vapor. A presiones más elevadas, el vapor puede proporcionar grandes cantidades de energía a temperatura más baja para calefaccionar edificios o para evaporar salmueras en una planta química. Por medio de la cogeneración es posible ahorrar mucha energía. Ver también máquina de VAPOR.

cogito, ergo sum (latín: "Pienso, luego existo"). *Dictum* acuñado en 1637 por RENÉ DESCARTES como primer paso para demostrar la asequibilidad del conocimiento cierto. Es el único enunciado que sobrevive a la prueba de la duda metódica. Según Descartes, el enunciado es indubitable, porque incluso si un genio maligno todopoderoso tratara de engañar a Descartes para que pensara que existía cuando en realidad no existía, Descartes tendría de todos modos que existir para ser engañado. Por lo tanto, cada vez que piensa, existe. Además, Descartes sostenía que el enunciado "soy" (*sum*) expresa una intuición inmediata, no la conclusión de un proceso de razonamiento, y por eso es indubitable.

cognición Acto o proceso de conocer. La cognición comprende todo proceso mental que puede ser descrito como una experiencia de conocimiento (como el percibir, reconocer, imaginar y razonar), distinto de una experiencia de los sentimientos o de la voluntad. Durante largos años, los filósofos se han interesado en la relación existente entre la mente que conoce y la realidad externa. Los psicólogos retomaron el estudio de la cognición en el s. XX. Ver también CIENCIA COGNITIVA; filosofía de la MENTE; PSICOLOGÍA COGNITIVA.

cognitiva, disonancia ver DISONANCIA COGNITIVA

cognitivismo En metaética, tesis según la cual la función de los enunciados morales (p. ej., enunciados en que se utilizan términos morales como "correcto", "incorrecto" y "debe") es describir un dominio de hechos morales que existen independientemente de nuestros pensamientos y sentimientos subjetivos, y que los enunciados morales se pueden concebir por lo tanto, objetivamente verdaderos o falsos. Los cognitivistas suelen tratar de justificar su posición buscando analogías entre el discurso moral, por una parte, y el discurso científico y el discurso factual cotidiano, por otra. El cognitivismo es rechazado por diversas modalidades de NO COGNITIVISMO, todas las cuales tienen en común el negar la pretensión cognitivista de que la función de los enunciados morales es afirmar o describir hechos.

Cohan, George M(ichael) (3 jul. 1878, Providence, R.I., EE.UU.–5 nov. 1942, Nueva York, N.Y.). Actor, compositor de canciones, comediógrafo y productor estadounidense. Cohan junto con sus padres y su hermana fueron artistas de vodevil bajo el nombre de The Four Cohans. Empezó a escribir para los escenarios de Nueva York a principios de la década de 1900. Su musical *Little Johnny Jones* (1904; película, 1930) incluyó los clásicos "Give My Regards to Broadway" y "Yankee Doodle Dandy". Entre sus posteriores producciones figuran *The Governor's Son* (1901), *The Talk of New York* (1907), *Broadway Jones* (1912), *Seven Keys to Baldpate* (1913) y *American Born* (1925). Posteriormente, apareció en espectáculos como *Ah, Wilderness!* (1933) y *I'd Rather Be Right* (1937). Sus canciones más conocidas son "You're a Grand Old Flag", "Mary's a Grand Old Name" y la famosa canción de reclutamiento de la primera guerra mundial "Over There", por la que fue galardonado con una medalla especial del congreso en 1940. La película *Yankee Doodle Dandy* (1942) y el musical *George M!* (1968) se inspiraron en Cohan.

George M. Cohan.
PICTORIAL PARADE

coherentismo Teoría de la verdad según la cual una creencia es verdadera sólo en el caso de que sea coherente (o en la medida en que sea coherente) con un sistema de otras creencias. Los filósofos han diferido en cuanto al sentido pertinente de "coherencia", aunque la mayoría concuerda en que debe ser más firme que la mera consistencia. Entre las teorías contrapuestas acerca de la verdad, tal vez la más antigua es la de la correspondencia, que sostiene que la verdad de una creencia consiste en su correspondencia con hechos que existen de modo independiente. En epistemología, el coherentismo se opone al FUNDACIONISMO, que afirma que las creencias ordinarias se justifican si son inferibles a partir de un conjunto de creencias básicas que están inmediata o directamente justificadas. El coherentismo se ha combinado a menudo con la doctrina idealista según la cual la realidad está constituida por ideas o juicios, o sólo es cognoscible por medio de estos. (Ver IDEALISMO).

cohete Aparato de propulsión a chorro que utiliza propulsantes sólidos o líquidos para suministrar el combustible y el comburente oxidante necesarios para la combustión. Los gases calientes, producto de la combustión, son eyectados como un chorro a través de una tobera en la parte posterior del cohete. El término cohete también se aplica comúnmente a varios otros dispositivos, como fuegos artificiales, cohetes espaciales, MISILES TELEDIRIGIDOS y LANZADERAS ESPACIALES para NAVES ESPACIALES, que son propulsados de manera similar. Por lo general, el empuje (fuerza que causa el movimiento de avance) se produce por la reacción a una expulsión de gases calientes a una altísima velocidad (ver leyes del movimiento de NEWTON).

Cohete espacial de la misión Apolo IV en Cabo Cañaveral, EE.UU.
ARCHIVO EDIT. SANTIAGO

cohete de varias etapas LANZADERA ESPACIAL impulsada por varios sistemas de COHETES montados en secuencia vertical. La etapa más baja, o primera etapa, se enciende y eleva el vehículo (a veces asistido por cohetes de arranque o de refuerzo) a una velocidad creciente hasta que sus propulsantes se hayan consumido. Luego, la primera etapa se desprende, lo que aliviana el vehículo, y se enciende la segunda etapa acelerando el vehículo aun más. El uso de etapas adicionales generalmente sigue el mismo patrón hasta que la carga útil (la NAVE ESPACIAL) ha alcanzado la velocidad necesaria para entrar en órbita o abandonar la cercanía de la Tierra. El número de etapas que se requieren depende de los detalles de la misión, de las características del vehículo de lanzamiento y de otros factores. Algunas de las primeras lanzaderas requerían de cinco etapas para alcanzar una órbita estable; la mayoría de las lanzaderas espaciales actuales necesitan solamente dos.

Cohn, Edwin Joseph (17 dic. 1892, Nueva York, N.Y., EE.UU.–1 oct. 1953, Boston, Mass.). Bioquímico estadounidense. Obtuvo un Ph.D. en la Universidad de Chicago y enseñó en Harvard entre 1922 y 1953. Estudió los componentes de las moléculas proteicas, correlacionando sus estructuras con sus propiedades físicas y determinando los principios básicos que constituyeron los cimientos para proseguir el estudio de las proteínas. En la segunda guerra mundial dirigió un equipo que diseñó métodos para la producción a gran escala de fracciones del plasma humano para el tratamiento de los heridos.

Cohn, Ferdinand (Julius) (24 ene. 1828, Breslau, Silesia, Prusia–25 jun. 1898, Breslau). Naturalista y botánico alemán, uno de los fundadores de la bacteriología. Obtuvo un Ph.D. en la Universidad de Berlín a la edad de 19 años. Sus primeras investigaciones se centraron en las algas unicelulares, y sus informes sobre los antecedentes biológicos de varias especies de algas tienen plena vigencia. Fue uno de los primeros en tratar de clasificar las bacterias en géneros y especies sobre una base sistemática. Entre sus contribuciones más notables está el descubrimiento de la formación y germinación de esporas en ciertas bacterias. En vida, Cohn fue reconocido como el bacteriólogo más destacado de su época.

Cohn, Harry (23 jul. 1891, Nueva York, N.Y., EE.UU.–27 feb. 1958, Phoenix, Ariz.). Productor de cine estadounidense y cofundador de COLUMBIA PICTURES. Trabajó para una distribuidora de películas antes de cofundar la compañía C.B.C. Film Sales Co. (1920), que después se llamó Columbia Pictures Corp. En 1932 alcanzó la presidencia de la compañía y la convirtió en uno de los grandes estudios cinematográficos. A pesar de que encarnó el modelo del despiadado e inculto magnate de cine, se le atribuye el descubrimiento de muchas estrellas, como RITA HAYWORTH, y de promover a directores como FRANK CAPRA.

Cohnheim, Julius Friedrich (20 jul. 1839, Demmin, Prusia–15 ago. 1884, Leipzig). Precursor alemán de la patología experimental. Como ayudante de RUDOLF VIRCHOW confirmó que la inflamación resulta del paso de leucocitos por las paredes de los capilares a los tejidos, y que el pus está formado, principalmente, por restos de su desintegración. Su inducción de tuberculosis en los ojos de un conejo condujo al descubrimiento del bacilo tuberculoso por ROBERT KOCH. Su obra de lectura obligada *Vorlesungen über allgemeine Pathologie* [Lecciones de patología general] (2 vol., 1877–80) sobrevivió largamente a los textos de su época. Su método de congelar los tejidos para obtener cortes finos para el examen microscópico es en la actualidad un procedimiento clínico estándar.

Julius Friedrich Cohnheim.
THE BETTMANN ARCHIVE

cohombro de mar ver PEPINO DE MAR

coiné ver KOINÉ

coipo ROEDOR semiacuático de Sudamérica (*Myocastor coypus*) de la familia Capromyidae. Tiene orejas pequeñas, cola escamosa larga y redondeada, patas posteriores palmeadas parcialmente e incisivos anchos y anaranjados. Mide 1 m (40 pulg.) aprox. de largo, incluida la cola, y puede pesar 8 kg (18 lb). Su pelaje marrón rojizo consiste en una capa de pelos protectores ásperos que recubre un pelaje suave. Vive en madrigueras poco profundas en lagunas o ríos y come principalmente plantas acuáticas. Por su valiosa piel, se los aclimató en Norteamérica y Europa, y en algunos lugares constituyen una plaga que daña las cosechas y compite con la demás vida silvestre.

coito ver RELACIÓN SEXUAL Y COITO

cojinete En la construcción de máquinas, conector (generalmente un soporte) que permite que piezas acopladas giren o se muevan en línea recta, una respecto de la otra. A menudo, una de las piezas está fija y el cojinete sirve de apoyo para la pieza en movimiento. La mayoría de los cojinetes sostienen ejes en rotación, ya sea contra cargas transversales (radiales) o de empuje (axiales). Para minimizar el ROZAMIENTO, las superficies en contacto en un cojinete pueden estar separadas por una película de aceite o gas: cojinetes deslizantes (ver SELLO DE ACEITE). En los COJINETES DE BOLAS y en los COJINETES DE RODILLOS, las superficies están separadas por bolas o rodillos.

cojinete de bolas Uno de los dos tipos de COJINETES rodantes o de antifricción (el otro tipo es el COJINETE DE RODILLOS). Su función es la de conectar dos elementos de una máquina que se mueven uno respecto del otro, de manera tal que la resistencia al movimiento, causada por la fricción, sea mínima. En muchas aplicaciones, uno de los elementos es un eje que gira y el otro una caja fija. El rodamiento de bolas tiene tres partes principales: dos pistas de rodadura acanaladas, anulares, y un cierto número de bolas. Las bolas llenan el espacio entre las dos pistas de rodadura y ruedan con un ROZAMIENTO insignificante en las ranuras. Las bolas pueden estar separadas mediante una retención o jaula.

cojinete de rodillos Uno de los dos tipos de COJINETES rodantes o de antifricción (el otro tipo es el COJINETE DE BOLAS). Tal como el cojinete de bolas, el de rodillos tiene dos pistas de rodadura acanaladas, pero las bolas se reemplazan por rodillos. Estos pueden ser cilindros o conos truncados. Si los rodillos son cilíndricos, solamente se pueden sustentar cargas radiales (perpendiculares al eje de rotación), pero con rodillos cónicos se pueden sustentar cargas radiales y también cargas de empuje o axiales (paralelas al eje de rotación). Un cojinete de rodillos puede sustentar una mayor carga radial que un cojinete de bolas de tamaño equivalente.

Coke, Sir Edward (1 feb. 1552, Mileham, Norfolk, Inglaterra–3 sep. 1634, Stoke Poges, Buckinghamshire). Jurista y político británico. Se recibió de abogado en 1578 y fue nombrado adjunto del procurador general en 1592. Su ascenso al cargo de procurador general (1594) frustró las aspiraciones de su gran rival, FRANCIS BACON. Como tal, le tocó dirigir varios juicios famosos por traición, y procesó a Robert Devereux, 2° conde de ESSEX, y Henry Wriothesley, 3er conde de SOUTHAMPTON (1600–01); Sir WALTER RALEIGH (1603) y a quienes participaron en la conspiración de la PÓLVORA (1605). Nombrado presidente del Tribunal de ACCIONES CIVILES en 1606, Coke se ganó la ira de JACOBO I al declarar que los decretos reales no podían cambiar la ley (1610). Causó la molestia de los dirigentes de la Iglesia al limitar la jurisdicción de los tribunales eclesiásticos. Designado presidente del Tribunal del Rey por Jacobo I (1613), se mantuvo irreductible; aludió a la existencia de escándalos en los altos círculos y contravino un requerimiento real en un caso que afectaba a privilegios eclesiásticos. Fue despedido en 1616, en parte merced al empeño de Bacon. En 1620 volvió al parlamento (lo había integrado en 1589), donde denunció intromisiones en las libertades del cuerpo legislativo (1621) hasta que fue encarcelado. En 1628 ayudó a elaborar la Petición de derechos, carta que reconocía libertades; su defensa de la supremacía del COMMON LAW sobre las prerrogativas reales tuvo una profunda influencia en el derecho y la constitución de Inglaterra. Al morir, sus papeles fueron incautados por CARLOS I. Sus *Reports* [Informes] (1600–15), considerados en conjunto, constituyen un compendio monumental del *common law* inglés, y sus *Institutes of the Lawes of England* [Compendio de las leyes de Inglaterra] (4 vol., 1628–44) es un importante tratado.

col *o* **repollo** Planta hortense hojuda (*Brassica oleracea*, grupo Capitata) de origen europeo, tallo corto y una cabeza globosa de hojas, en general verdes. Pertenece a la familia de las CRUCÍFERAS y es una HORTALIZA de consumo habitual en la mayoría de los países templados. El vocablo col también denota, más en general, a diversas formas hortícolas y forrajeras desarrolladas a través de un largo proceso de cultivo a partir de la col silvestre o marina (*B. oleracea*), que se encuentra cercana a la costa de Inglaterra y Europa continental. Las formas comunes pueden clasificarse según las partes de la planta que se usan como alimento: hojas (p. ej., BERZA, COL BERZA, col común, COL DE BRUSELAS); flores y pedúnculos florales (p. ej., BRÉCOL, COLIFLOR); y tallos (p. ej., COLINABO). Las coles se dan mejor en climas templados a frescos y resisten las heladas. Las partes comestibles son pobres en calorías, pero una excelente fuente de vitamina C, minerales y fibra dietética. Ver también COL CHINA.

Col o repollo (*Brassica oleracea*), grupo Capitata.

col apestosa Cualquiera de tres especies de plantas que se desarrollan en ciénagas y vegas templadas, y malolientes mientras crecen. La col apestosa del este de Norteamérica (*Symplocarpus foetidus*, de la familia de las ARÁCEAS) tiene hojas grandes y carnosas, espatas marrón púrpura y olor a mofeta. La occidental, o amarilla (*Lysichiton americanum*), también una arácea, posee una espata amarilla grande y habita de California a Alaska, y por el este hasta Montana. La tercera especie, *Veratrum californicum*, es el ELÉBORO falso o eléboro blanco o vedegambre, de la familia de las LILIÁCEAS, que crece desde Nuevo México y Baja California hasta el estado de Washington por el norte.

col berza Forma acéfala de la COL (*Brassica oleracea*, grupo Acephala), de la familia de las CRUCÍFERAS. Lleva el mismo nombre botánico que la BERZA, de la cual difiere únicamente en que las hojas son bastante más anchas, sin muescas y se parecen a las hojas en roseta de la col común. El tallo principal tiene una roseta de hojas en la punta. Normalmente las hojas inferiores se van cosechando en sucesión; a veces se cosecha de una vez toda la roseta tierna. Las hojas son muy nutritivas, ricas en minerales y en vitaminas A y C.

col china Cualquiera de dos miembros de la familia de las CRUCÍFERAS de cultivo amplio: PAK-CHOI y *Brassica pekinensis*. Esta última forma una cabeza compacta de hojas rugosas verde claro. Se ha cultivado por largo tiempo en EE.UU. para preparar ensaladas. Todas las coles chinas son crujientes y poseen un sabor delicado, lo que hace que se combinen bien con una amplia variedad de comidas. El kimchi, encurtido para todo uso de la cocina coreana, a menudo se prepara con la col china.

col de Bruselas Planta pequeña emparentada con la COL (*Brassica oleracea*, grupo Gemmifera). Pertenecientes a la familia de las CRUCÍFERAS, las coles de Bruselas se cultivan extensamente en Europa y EE.UU. En las etapas iniciales del crecimiento, la planta se parece mucho a la col común, pero el tallo principal llega a crecer hasta 60–90 cm (2–3 pies) y sus yemas axilares se transforman en cabezuelas (brotes) similares a la cabeza de la col común, pero de un diámetro de sólo 25–40 mm (1–1,6 pulg.). La planta requiere de un clima fresco y templado, y el caluroso la daña. Las coles de Bruselas son muy nutritivas y constituyen una excelente fuente de las vitaminas A y C.

cola Sustancia adhesiva que se parece a la GELATINA, extraída de tejido animal, particularmente de cueros y huesos, o de peces, de la caseína (PROTEÍNA de la leche) o de las verduras. La cola ya se usaba en 3000 AC en la construcción de muebles de madera en Egipto. Los adhesivos de RESINA sintética, como las resinas EPÓXICAS, están reemplazando a la cola en muchos usos, pero aún es muy utilizada como adhesivo en carpintería, en ciertas etapas de fabricación y otros procesos industriales.

cola Extensión de la COLUMNA VERTEBRAL que rebasa el tronco, o cualquier proyección delgada que se le parezca. En peces y otros animales total o parcialmente acuáticos es muy importante para desplazarse. Muchos animales arborícolas (p. ej., las ardillas) usan la cola para equilibrarse y como timón cuando saltan; en algunos (p. ej., ciertos monos) está adaptada para asirse. Las timoneras de los pájaros les ayudan a maniobrar durante el vuelo. Otros animales usan sus colas para defenderse (p. ej., los puerco espines), como señales sociales (p. ej., perros y gatos), como señales de advertencia (p. ej., ciervos y serpientes de cascabel) y para cazar (p. ej., aligátores).

cola de caballo *también llamada* **hierba del platero** Cualquiera de 30 especies de plantas herbáceas perennes, de segmentación neta y con forma de JUNCO, que constituyen el género *Equisetum*. Habitan todo el mundo, excepto Australasia, y crecen en suelos ricos y húmedos. Algunas son siempreverdes; otras retoñan todos los años. Los tallos contienen minerales de SILICATO y otros minerales en abundancia. Las hojas son sólo vainas que rodean los brotes. Es una planta antigua cuyos parientes datan del CARBONÍFERO. La cola de caballo común (*E. arvense*) suele crecer en los márgenes de los ríos y vegas de Norteamérica y Eurasia. Aunque venenosa para el ganado, se usa en medicina popular. Los tallos abrasivos de algunas especies se han utilizado para pulir herramientas.

Cola de caballo común (*Equisetum arvense*).

Cola di Rienzo *orig.* **Nicola di Lorenzo** (1313, Roma–8 oct. 1354, Roma). Líder revolucionario italiano. Hijo del dueño de una taberna, se convirtió en un funcionario romano de menor categoría. Dirigió una revolución para restaurar la gloria de la antigua Roma, se declaró tribuno en 1347 y comenzó a gobernar como un dictador. Emprendió reformas políticas y judiciales, y organizó la elección de un emperador romano de Italia. Los nobles, sin embargo, se alzaron en su contra y el papa lo declaró hereje. Huyó a las montañas y luego viajó a Praga para pedir ayuda a CARLOS IV. Aunque arrestado (1352), fue absuelto del cargo de herejía por la INQUISICIÓN. Recibió el título de senador y fue enviado de regreso a Roma en 1354 para ayudar a restaurar la autoridad papal. Gobernó en forma arbitraria y poco después fue asesinado por una turba. EDWARD BULWER-LYTTON escribió una novela sobre su vida que fue convertida en ópera por RICHARD WAGNER.

colada *o* **vaciado** Acción de verter METAL fundido en un MOLDE, donde se solidifica y adopta su forma. Este proceso ya era habitual en la EDAD DEL BRONCE, cuando se utilizó para formar las piezas de BRONCE que se encuentran hoy en los museos. La colada es particularmente valiosa para la producción económica de formas complejas, que varían desde piezas para automóviles producidas en serie hasta la producción de estatuas, piezas de joyería o maquinaria pesada únicas en su género. La mayoría de las piezas de acero y HIERRO FUNDIDO se vacían en arena silícea. Para metales con punto de fusión más bajo, como aluminio o cinc, los moldes se pueden hacer de otro metal o de arena. Ver también fundición a la CERA PERDIDA; fabricación de MODELOS; MOLDEO; MOLDEO A PRESIÓN; MOLDEO DE PRECISIÓN.

colágeno Cualquiera de una clase de compuestos orgánicos, las PROTEÍNAS más abundantes del reino animal, que se encuentran muy difundidas en TENDONES, LIGAMENTOS, dentina (ver DIENTE), CARTÍLAGO y otros TEJIDOS CONECTIVOS. Sus moléculas comparten una configuración de triple hélice. Los colágenos se presentan como fibras blanquecinas, inelásticas, de elevada fuerza tensil (ver TENSIÓN DE RUPTURA) y poco solubles en agua. El colágeno es soluble cuando recién se sintetiza (la forma utilizada en las preparaciones de cuidado personal) y luego cambia a una forma insoluble, más estable. La cola elaborada del colágeno de piel y cuero de animal es un adhesivo muy empleado. Diversas formas de colágeno tratadas especialmente se utilizan en medicina y cirugía (entre las que figuran implantes de labio y otros tipos de cirugía plástica), en prótesis y como envolturas de embutido. El colágeno se convierte en GELATINA hirviéndolo en agua.

colapso circulatorio ver CHOQUE

colapso pulmonar ver ATELECTASIA

colas, teoría de Estudio del comportamiento de las colas (líneas de espera) y sus elementos. La teoría de colas es una herramienta para estudiar diversos parámetros de rendimiento de los sistemas computacionales, y es particularmente útil para identificar las razones de los "cuellos de botella", rendimiento computacional alterado debido a que demasiados datos esperan para ser usados en una fase determinada. Se puede analizar el tamaño de la cola y el tiempo de espera, o se pueden estudiar y manipular elementos dentro de una cola, de acuerdo con factores como prioridad, tamaño u hora de llegada.

Colbert, Claudette *orig.* **Lily Claudette Chauchoin** (13 sep. 1903, París, Francia–30 jul. 1996, Cobblers Cove, Barbados). Actriz estadounidense de origen francés. Debutó en Broadway en 1923, y su primera actuación en cine fue en *Los tres papás* (1927) de FRANK CAPRA. Alcanzó el estrellato con *Sucedió una noche* (1934, premio de la Academia). Después hizo papeles de heroína sofisticada en varias otras comedias, entre ellas *Medianoche* (1939) y *Un marido rico* (1942). También interpretó papeles dramáticos en *Imitación a la vida* (1934) y *Desde que te fuiste* (1944). Actuó en más de 60 películas y más tarde trabajó ocasionalmente en Broadway en series dramáticas.

Colbert, Jean-Baptiste (29 ago. 1619, Reims, Francia–6 sep. 1683, París). Estadista francés. Fue recomendado a LUIS XIV por el cardenal JULIO MAZARINO, de quien había sido asistente personal. Tramó la caída de NICOLAS FOUQUET y de ahí en adelante sirvió al rey tanto en sus asuntos privados como en la administración del reino. Como director general de finanzas desde 1665, puso en orden las operaciones financieras, reformó el caótico sistema de impuestos y reorganizó la industria y el comercio. Como secretario de Estado para la marina desde 1668, se propuso convertir a Francia en una gran potencia marítima. Fomentó la emigración a Canadá y luchó por acrecentar el poderío francés y la fama del país en el terreno artístico. Aunque una serie de guerras impidió llevar a cabo todas sus reformas, el fortalecimiento de la monarquía y el mejoramiento de la administración pública y la economía del país ayudaron a hacer de Francia la potencia dominante en Europa.

Jean-Baptiste Colbert, detalle de un busto por A. Coysevox, 1677; Museo del Louvre, París.

GIRAUDON—ART RESOURCE/EB INC.

Colchester *antig.* **Camulodunum** Ciudad y municipio (pob., 2001: 155.794 hab.) del sudeste de Inglaterra. En la antigüedad, fue la sede de Cunobelinus, poderoso gobernante anterior a los romanos. Al morir este, la enemistad de sus hijos contra Roma provocó la invasión de los romanos a Britania y la ciudad se convirtió en la primera colonia romana de la isla, fundada por CLAUDIO c. 43 DC. Fue incendiada por los guerreros de BOADICEA c. 60 DC y se reconstruyó, obtuvo la carta de privilegio de ciudad en 1189. Durante el s. XIII fue un importante puerto. Tiene una larga tradición en la fabricación textil y comercialización de ostras. Colchester alberga el torreón de castillo más grande de Inglaterra (construido c. 1080), donde actualmente hay un museo de antigüedades romanobritánicas.

Colchis ver CÓLQUIDA

Cole, Nat King *orig.* **Nathaniel Adams Coles** (17 mar. 1917, Montgomery, Ala., EE.UU.–15 feb. 1965, Santa Mónica, Cal.). Pianista y cantante de jazz estadounidense. Creció en Chicago y formó un trío en Los Ángeles (1939), consagrándose como uno de los grandes pianistas estilistas del jazz. Sin embargo, el éxito comercial lo alcanzó como cantante. Su voz cálida y sosegada otorgó un toque personal a las baladas y el *swing* liviano en que se especializó. "Mona Lisa" y "Unforgettable" fueron algunos de sus principales éxitos en la década de 1950. Destacó por su personalidad en escena y también fue un actor de cine muy competente.

Cole, Thomas (1 feb. 1801, Bolton-le-Moors, Lancashire, Inglaterra–11 feb. 1848, Catskill, N.Y., EE.UU.). Paisajista estadounidense de origen inglés, fundador de la escuela del RÍO HUDSON. Después de emigrar a EE.UU. con su familia en 1819, estudió en la Academia de Bellas Artes de Pensilvania. En 1825, ASHER B. DURAND comenzó a comprar su trabajo y procuró encontrarle un mecenas. Después de radicarse en Catskill, N.Y., Cole viajó por todo el nordeste de EE.UU. realizando bosquejos a lápiz del paisaje. Posteriormente y a partir de ellos, realizó acabadas pinturas en su taller. Es famoso por sus vistas del valle Hudson, así como por sus grandiosos cuadros alegóricos.

Colebrook, Leonard (2 mar. 1883, Guildford, Surrey, Inglaterra–29 sep. 1967, Farnham Common, Buckinghamshire). Investigador médico inglés. Introdujo (1935) el uso del Prontosil, la primera sulfonamida antibacteriana, como cura para la fiebre puerperal. También investigó sobre el tratamiento de las quemaduras, demostrando que las sulfonamidas y la penicilina podían controlar la infección; demandó un empleo más amplio de los injertos de piel y concitó la atención de PETER MEDAWAR sobre los problemas del rechazo tisular.

colectivismo Tipo de organización social que atribuye importancia fundamental a los grupos a que pertenecen las personas (p. ej., el Estado, la nación, el grupo étnico o la clase social). Puede contrastarse con el INDIVIDUALISMO. JEAN-JACQUES ROUSSEAU fue el primer filósofo moderno que habló de este concepto (1762). KARL MARX fue su impulsor más vigoroso en el s. XIX. El COMUNISMO, el FASCISMO y el SOCIALISMO pueden ser catalogados como sistemas colectivistas. Ver también COMUNITARISMO; KIBUTZ; MOSHAV.

Colegio de Abogados Grupo de abogados que se asocian principalmente para ocuparse de temas relacionados con la profesión. En general, se preocupan de impulsar los intereses de los abogados, promoviendo reformas del sistema legal, auspiciando proyectos de investigación y regulando la conducta profesional. Los colegios de abogados suelen administrar los exámenes requeridos para ser admitido al ejercicio profesional. El colegio de abogados más grande de EE.UU. es la AMERICAN BAR ASSOCIATION (ABA).

Colegio de México A.C., El Institución privada de enseñanza superior e investigación de México fundada en 1940. Desde 1998 goza de total autonomía para impartir programas de educación y para el otorgamiento de grados de magíster y Ph.D. en las disciplinas de los siete centros en que está organizada la universidad: Centro de estudios históricos, estudios lingüísticos y literarios, estudios internacionales, estudios de Asia y África, estudios económicos, estudios demográficos, urbanos y ambientales, y estudios sociológicos. Sólo las carreras de relaciones internacionales y política y administración pública ofrecen grados de licenciatura. Sus instalaciones se encuentran en el Distrito Federal.

colegio electoral Proceso dispuesto constitucionalmente para la elección del PRESIDENTE y vicepresidente de EE.UU. Cada estado nombra tantos electores como senadores y representantes tenga en el Congreso de los ESTADOS UNIDOS DE AMÉRICA

"El sueño del arquitecto", pintura al óleo de Thomas Cole, 1840; Toledo Museum of Art, Ohio.

GENTILEZA DEL TOLEDO MUSEUM OF ART, OHIO, EE.UU., DONACIÓN DE FLORENE SCOTT LIBBEY (los senadores, representantes y funcionarios de gobierno no pueden ser electores). El distrito de Columbia tiene tres votos. Salvo en Maine y Nebraska el sistema funciona según la regla de que el candidato ganador se lleva todos los electores. Tres presidentes han sido elegidos en virtud de una victoria en el colegio electoral, tras haber perdido en la votación popular (RUTHERFORD B. HAYES en 1877, BENJAMIN HARRISON en 1888 y GEORGE W. BUSH en 2000). Aunque existe el compromiso de los electores de votar por el ganador de su estado, no se encuentran constitucionalmente obligados a hacerlo. Un candidato debe obtener 270 de los 538 votos para ganar la elección.

Coleman, (Randolph Denard) Ornette (n. 9 mar. 1930, Fort Worth, Texas, EE.UU.). Saxofonista y compositor estadounidense, primer y principal exponente del *free jazz*. Empezó a tocar el saxofón en su adolescencia y pronto se convirtió en un músico profesional en orquestas de música bailable y en grupos de *rhythm-and-blues*. Abandonó los patrones armónicos para poder improvisar más directamente sobre elementos melódicos y expresivos. Este estilo recibió el nombre de *free jazz*, ya que los centros tonales de este estilo cambian a voluntad del improvisador. Su concepto de IMPROVISACIÓN colectiva organizada, que aparece en grabaciones como *Free Jazz* (1960), consolidaron su figura en el jazz de vanguardia. En la década de 1970 comenzó a componer música orquestal y formó además una banda eléctrica llamada Prime Time, a través de la cual se mantuvo activo hasta la década de 1990.

cóleo Cualquier miembro del género *Coleus*, de la familia de las Labiadas (ver MENTA), que contiene unas 150 especies de plantas del Viejo Mundo tropical, afamadas por su follaje colorido. Las variedades de *C. blumei*, de Java, son bien conocidas como plantas de interior y jardín. Tienen tallos cuadrados y espigas de florecillas azules bilabiadas. El cóleo azul (*C. thyrsoideus*), de África central, produce ramos de flores azul brillante. Otros cóleos se conocen como coronita, cretona y orégano francés.

coleóptero Cualquiera de las más de 250.000 especies de insectos que constituyen el orden Coleoptera (el más grande del reino animal), caracterizados por alas anteriores especiales, llamadas élitros, que se han modificado para formar cubiertas duras que resguardan otro par de alas funcionales. Viven en casi todos los ambientes, a excepción de la Antártida y las cumbres de las montañas más altas. Las zonas templadas tienen menos especies que los trópicos, pero son más numerosas. Las especies más pequeñas miden menos de 1 mm (0,04 pulg.) de largo; las más grandes pueden sobrepasar los 20 cm (8 pulg.). La mayoría se alimenta de otros animales o plantas; algunos se nutren de materia en descomposición. Algunas especies destruyen cosechas, maderos y materiales textiles y transmiten gusanos parásitos y enfermedades. Otras son valiosas como predadoras de insectos dañinos. Algunas se conocen por otros nombres comunes (p. ej., perforador o barrenador, ESCARABAJO CETONIA, curculio, LUCIÉRNAGA, GORGOJO). Son sus predadores otros insectos y murciélagos, vencejos y ranas.

cólera Infección bacteriana aguda por *Vibrio cholerae* que causa DIARREA masiva con severa disminución de los líquidos y sales corporales. (Ver enfermedades BACTERIANAS). El cólera sobreviene a menudo en epidemias, diseminándose por aguas o alimentos contaminados. La bacteria secreta una toxina que causa la diarrea, que junto a los vómitos llevan a la DESHIDRATACIÓN, con fuertes calambres musculares e intensa sed. El estupor y el coma suelen preceder a la muerte por CHOQUE. Con el reemplazo de líquidos y sales, la enfermedad pasa en dos a siete días, y más pronto si se toman antibióticos desde el primer día. La prevención requiere buen saneamiento, especialmente agua limpia para beber.

cólera porcina *o* **fiebre porcina** Enfermedad viral, a menudo fatal, de los cerdos en Europa, Norteamérica y África, transmitida por los vehículos usados para su transporte, por la gente que está a su cuidado y por el empleo de desechos crudos en su alimentación. La fiebre va seguida de inapetencia, síntomas oculares y del tracto digestivo, dificultad respiratoria, erupción, e inflamación de la boca y la garganta. El cerdo se mueve con dificultad y vacila; más tarde no es capaz de levantarse; luego viene el coma. El antisuero es rara vez efectivo. Los sobrevivientes quedan crónicamente enfermos y pueden diseminar el virus. La enfermedad debe ser denunciada; los animales infectados se sacrifican y se establece cuarentena. Existe una vacuna que puede controlarla. La cepa africana provoca la muerte más pronto y carece de prevención o tratamiento.

Coleraine Distrito (pob., 2001: 56.315 hab.) de Irlanda del Norte. Establecido en 1973, es una región primordialmente agrícola. Se han hallado allí utensilios de pedernal que datan de cerca de 7000 AC y que constituyen el indicio más antiguo de vida humana en Irlanda. La ciudad de Coleraine, centro administrativo del distrito, a orillas del río BANN, fue colonizada en el s. XVII por compañías de la ciudad de Londres; actualmente es sede de la Nueva Universidad de Ulster (fundada en 1965).

Coleridge, Samuel Taylor (21 oct. 1772, Ottery St. Mary, Devonshire, Inglaterra–25 jul. 1834, Highgate, cerca de Londres). Poeta, crítico y filósofo inglés. Estudió en la Universidad de Cambridge, donde trabó amistad con el poeta ROBERT SOUTHEY. Perfeccionó un lirismo sensual que muchos poetas posteriores imitarían. Sus *Baladas líricas* (1798; con WILLIAM WORDSWORTH), libro que contiene la célebre "Balada del marinero" y también "Escarcha a medianoche", inauguran el ROMANTICISMO inglés. Otros poemas en el mismo estilo "fantástico" son la inconclusa "Cristabel" y el celebrado "Kubla Khan". Opiómano y afectado por el fracaso de su matrimonio, Coleridge compuso en 1802 *Dejection: An Ode* [Desaliento: una oda], en la que lamenta la pérdida de su capacidad de producir poesía. Más tarde, animado en parte por su renovada fe anglicana, escribió *Biographia Literaria* (1817, 2 vol.), el libro más importante de crítica literaria producido en Inglaterra durante el período romántico. Imaginativo y complejo, dotado de un intelecto único, Coleridge vivió en perpetua desazón, agitado por lo que él consideraba una vida llena de posibilidades que no lograba concretar.

Samuel Taylor Coleridge, detalle de una pintura al óleo de Washington Allston, 1814.
GENTILEZA DE LA NATIONAL PORTRAIT GALLERY, LONDRES

colesterol Compuesto orgánico ceroso presente en la SANGRE y en todos los tejidos animales. ESTEROIDE, con fórmula molecular $C_{27}H_{46}O$, contiene cuatro anillos en su estructura. El colesterol es esencial para la vida; componente primario de las MEMBRANAS celulares (ver CÉLULA) y materia prima o intermedia de la cual el cuerpo elabora ácidos biliares (ver BILIS), otras HORMONAS esteroidales y VITAMINA D. Es producido en el HÍGADO y algunos otros órganos en mayor o menor cuantía según la cantidad consumida recientemente en la dieta. Circula en la sangre en los compuestos llamados LIPOPROTEÍNAS, ya que puro es insoluble en agua. El exceso de colesterol en la sangre forma depósitos en las arterias (ver ATEROESCLEROSIS), lo cual puede ocasionar una CARDIOPATÍA CORONARIA. Michael Brown (n. 1941) y Josef Goldstein (n. 1940) obtuvieron el Premio Nobel en 1985 por su labor en el descubrimiento de este proceso. Como el cuerpo elabora colesterol a partir de las GRASAS, el colesterol sanguíneo no puede ser reducido limitando sólo la cantidad de colesterol en la dieta; la cantidad de grasa, especialmente de grasa saturada (ver SATURACIÓN, ácido GRASO) también debe ser reducida. Ver también TRIGLICÉRIDO.

Colet, John (1466/67, Londres, Inglaterra–16 sep. 1519, Sheen, Surrey). Teólogo británico. Estudió matemática y filosofía en Oxford, y prosiguió sus estudios en el extranjero. Al regresar a Inglaterra, se ordenó sacerdote en fecha incierta antes de 1499. Fue nombrado deán de la catedral de San Pablo en 1504 y fundó la Escuela de San Pablo alrededor de 1509. Fue uno de los principales humanistas de la época Tudor; promovió la cultura renacentista en Inglaterra e influyó en humanistas como ERASMO DE ROTTERDAM, santo TOMÁS MORO y THOMAS LINACRE.

Colette *p. ext.* **Sidonie-Gabrielle Colette** (28 ene. 1873, Saint-Sauveur-en-Puisaye, Francia–3 ago. 1954, París). Novelista francesa. Sus primeras cuatro novelas, que conforman la serie protagonizada por *Claudine* (1900–03), una ingenua libertina, fueron publicadas por su primer marido, un importante crítico, que empleaba el seudónimo de Willy. Después de divorciarse, Colette trabajó como artista de *music hall,* experiencia que volcó en *La vagabunda* (1910). Entre sus obras de madurez se cuentan *Chéri* (1920), *La casa de Claudine* (1922), *El trigo verde* (1923), *El fin de Chéri* (1926), *Sido* (1930) y *Gigi* (1944; película, 1958); esta última –adaptada como musical para el cine– es una comedia sobre una chica que ha sido criada desde niña para ser una cortesana. Las novelas de Colette sobre los placeres y padecimientos del amor son particularmente notables por su certera evocación de sonidos, sabores, olores, texturas y colores. A lo largo de su agitada vida subvirtió las convenciones sociales y escandalizó una y otra vez al público galo. Este, sin embargo, elevó a Colette a la categoría de icono nacional en los últimos años de su vida.

Colgate-Palmolive Co. Empresa diversificada estadounidense dedicada a la fabricación de productos para el hogar, el cuidado de la salud y el cuidado personal. Inició sus operaciones a principios del s. XIX cuando William Colgate, un fabricante de jabones y velas, empezó a vender su mercancía en la ciudad de Nueva York. Su empresa, que comercializó la primera pasta dental en tubo en 1908, fue comprada por los fabricantes de jabones Palmolive en 1928. Su razón social actual fue adoptada en 1953. Sus oficinas centrales se encuentran en la ciudad de Nueva York.

colibrí *o* **picaflor** Cualquiera de unas 320 especies de pájaros del Nuevo Mundo (familia Trochilidae), muchos de los cuales tienen colores relucientes y plumas superespecializadas. Son muy abundantes en Sudamérica, aun cuando hay unas 12 especies en EE.UU. y Canadá. Los colibríes tienen una longitud que varía de un poco más de 5 cm (2 pulg.) a 20 cm (8 pulg.); su peso es de 2 a 20 g (0,07–0,7 oz) y tienen un pico largo y delgado. El colibrí abeja de Cuba es el ave viviente más pequeña. Los colibríes pueden volar hacia delante, atrás y los lados, como también elevarse y descender verticalmente. Pueden permanecer suspendidos ante las flores para obtener néctar e insectos. Las especies más pequeñas pueden batir las alas hasta 80 veces por segundo.

Colibrí de garganta rubí (*Archilochus colubris*).

cólico Dolor súbito, violento, especialmente el producido por contracción de las paredes musculares de una víscera hueca cuyo interior esté parcial o completamente bloqueado. En la infancia, el cólico intestinal se caracteriza por encogimiento de las piernas, inquietud y llanto constante. Los cólicos pueden acompañar a una enteritis (INFLAMACIÓN intestinal) o a un tumor intestinal, y también a ciertas formas de influenza. Los cólicos causados por contracciones espásticas del intestino son frecuentes en la INTOXICACIÓN POR PLOMO. El tratamiento para aliviar los síntomas incluye a menudo el uso de relajantes del músculo liso.

coliflor Variedad de COL (*Brassica oleracea*, grupo Botrytis) de la familia de las CRUCÍFERAS, formada por una masa terminal compacta de estructuras florales con desarrollo parcial, muy engrosadas y modificadas, y los tallos carnosos y envolventes que las acompañan. Este conjunto terminal forma un cogollo (cabeza) firme, blanco y suculento, que se consume cocido y es muy nutritivo. Las estructuras florales también se comen crudas por separado.

coliforme, bacteria ver BACTERIA COLIFORME

Coligny, Gaspard II de, señor de Châtillon (16 feb. 1519, Châtillon-sur-Loing, Francia–24 ago. 1572, París). Militar francés y líder de los hugonotes en las guerras de religión en Francia. Participó en la campaña italiana (1544), ganó fama por su capacidad y valentía, y fue nombrado almirante (1552). Proclamó su apoyo a la Reforma en 1560, se unió a la lucha cuando estalló la guerra civil en 1562, y se convirtió en el líder de los hugonotes en 1569. Más tarde comenzó a ejercer influencia sobre CARLOS IX, por lo que llegó a ser considerado una amenaza por CATALINA DE MÉDICIS, quien intentó en forma infructuosa de instigar su asesinato. Posteriormente, la misma Catalina logró convencer al rey de que los hugonotes estaban conspirando para tomar represalias contra él. El rey ordenó entonces la muerte de Coligny y de los líderes hugonotes en la matanza de la noche de SAN BARTOLOMÉ.

Coligny, detalle de un retrato de artista desconocido, s. XVI.

Colima Estado (pob., 2000: 542.627 hab.) del oeste de México. Cubre 5.191 km^2 (2.004 mi^2) de territorio, incluidas las islas REVILLAGIGEDO; su capital es la ciudad de COLIMA. Está situado en la costa del océano Pacífico y la mayor parte de este pequeño estado se ubica en la angosta llanura costera, allende los faldeos de la SIERRA MADRE. En general, la tierra es fértil y productiva, pero la falta de medios de transporte ha impedido su desarrollo. La agricultura es la principal ocupación y la crianza de ganado resulta importante en las tierras altas.

Colima Ciudad (pob., 2000: 119.639 hab.), capital del estado de COLIMA, México. Se ubica en el centro-oeste de México, en las riberas del río Colima, en los faldeos de la SIERRA MADRE. Fundada en 1522, debido a su inaccesibilidad ha desempeñado sólo un papel menor en la historia mexicana. Su industria se centra en la elaboración de los productos agrícolas de la zona. Es la sede de la Universidad de Colima (1867).

colimbo Cualquiera de cuatro especies (género *Gavia*) de aves buceadoras de América del Norte y Eurasia. Los colimbos tienen una longitud que varía de 60–90 cm (2–3 pies). Tienen pequeñas alas puntiagudas, membranas entre los tres dedos delanteros, patas situadas muy atrás en el cuerpo que entorpecen su modo de andar, y un plumaje denso que es mayormente negro o gris por el dorso y blanco por el vientre. Se alimentan principalmente de peces, crustáceos e insectos. Casi totalmente acuáticas, pueden nadar grandes distancias bajo el agua y bucear hasta una profundidad de 60 m

(200 pies). Se suelen encontrar solos o en parejas, pero algunas especies invernan o migran en bandadas. Son famosos por sus escalofriantes "risotadas".

colina Compuesto orgánico cuya actividad se asemeja a la de las VITAMINAS. Es importante en el METABOLISMO como un componente de los LÍPIDOS que constituyen las MEMBRANAS celulares y de la ACETILCOLINA, así como también es una fuente de materias primas químicas para las CÉLULAS y para el transporte de GRASAS desde el HÍGADO. Se la clasifica generalmente con las vitaminas B (ver complejo de VITAMINA B), porque tanto su función como distribución en los alimentos es similar. En el ser humano es interconvertible con ciertos otros compuestos, como la METIONINA, de modo que la deficiencia no es patógena, pero otros animales la necesitan en su dieta. La colina tiene varios usos en medicina, nutrición y en el procesamiento de comidas y alimentos.

colinabo *o* **colirrábano** Forma de COL (*Brassica oleracea*, grupo Gongylodes) de la familia de las CRUCÍFERAS, originaria de Europa. El rasgo más característico es el tallo hipertrofiado, de forma globular a levemente aplanada, que crece desde la superficie del suelo. Su carne recuerda a la del nabo, pero es más dulce y suave. Bajo en calorías, constituye una fuente excelente de vitamina C, minerales y fibra dietética. Las hojas nuevas y tiernas pueden comerse como verdura; el tallo engrosado se sirve crudo o cocido. Aunque no se cultiva mucho con fines comerciales, es popular en algunas regiones.

colirrojo Cualquiera de unas 11 especies de túrdidos del Viejo Mundo (ver CHARLA) del género *Phoenicurus* (familia Turdidae), o unas 12 especies del Nuevo Mundo de MOSQUITEROS (familia Parulidae) de aspecto y comportamiento similar. Los colirrojos del Viejo Mundo tienen una cola carmesí que yerguen y abaten continuamente. Miden unos 14 cm (6 pulg.) de largo. El macho del colirrojo real (*P. phoenicurus*) es gris, con una cara y garganta negras y el pecho rojizo. Los colirrojos del Nuevo Mundo (géneros *Setophaga* y *Myioborus*) suelen tener marcas llamativas de color negro, blanco y rojo.

El Coliseo de Roma, también llamado anfiteatro Flavio.
ARCHIVO EDIT. SANTIAGO

Coliseo Nombre con que comúnmente se conoce el anfiteatro Flavio de Roma, erigido c. 70–82, bajo los emperadores VESPASIANO y TITO. Se le dio el nombre de Coliseo después del s. VIII por su inmenso tamaño y su capacidad de 50.000 espectadores aprox. A diferencia de anfiteatros anteriores, que casi invariablemente se cavaban en alguna ladera, el Coliseo es una estructura oval que se sostiene a sí misma sobre sus arcos y columnas de piedra y hormigón. Era el escenario de combates entre gladiadores, lucha entre hombres y animales e incluso de batallas navales fingidas. El Coliseo fue dañado por rayos y terremotos en tiempos medievales y, perjudicado aun más, por constantes saqueos. Se emprendió un proyecto de restauración en la década de 1990, y en 2000 se presentaron una serie de obras de teatro en el Coliseo, siendo estas las primeras representaciones en vivo en este anfiteatro después de 1.500 años.

colisionador ver ACELERADOR DE PARTÍCULAS

colitis ulcerosa Inflamación del COLON, especialmente de sus membranas mucosas. En la mucosa inflamada se desarrollan placas de pequeñas úlceras y la diarrea resultante contiene sangre y mucus. A menudo la enfermedad se vuelve crónica, con fiebre persistente y baja de peso; pueden ocurrir complicaciones, incluso la muerte. Las causas específicas, como la disentería amebiana y la bacilar, son menos frecuentes que las causas desconocidas o múltiples. Si no se controla con el tratamiento con sulfasalazina, corticosteroides, drogas inmunosupresoras o antibióticos, puede ser necesario extirpar todo el colon o parte de él.

collage (del francés *coller*, "pegar"). Técnica pictórica que consiste en la adición de materiales impresos y diversos (p. ej., periódico, tela, papel mural) sobre una superficie plana, generalmente en combinación con pintura. Ha sido popular por mucho tiempo como entretenimiento para niños y aficionados. Se le concedió interés como técnica artística por primera vez con PABLO PICASSO y GEORGES BRAQUE en 1912–13. Muchos otros artistas del s. XX produjeron *collages*, entre ellos JUAN GRIS, HENRI MATISSE, JOSEPH CORNELL y MAX ERNST. En la década de 1960, el *collage* fue la principal técnica del POP ART, ejemplificada en la obra de ROBERT RAUSCHENBERG.

collar de diamantes, asunto del (1785). Escándalo en la corte de LUIS XVI que desacreditó a la monarquía gala en vísperas de la REVOLUCIÓN FRANCESA. Una aventurera, la condesa de la Motte, urdió un plan para obtener un valioso collar de diamantes, haciendo creer al cardenal de ROHAN que la reina MARÍA ANTONIETA deseaba conseguirlo subrepticiamente y que él podía ganar su favor facilitando su compra. Cuando se descubrió el complot, Luis XVI hizo arrestar al cardenal. Aunque absuelto, el trato arbitrario sufrido por el clérigo aumentó la percepción que se tenía sobre la naturaleza autocrática del gobierno monárquico.

college Institución de educación postsecundaria. El vocablo tiene varios significados. Según la ley romana, un *collegium* era una agrupación de personas vinculadas en torno a una función común. El término fue utilizado por numerosas instituciones medievales, incluidos los GREMIOS. En muchas UNIVERSIDADES de la Edad Media tardía, *collegium* significaba una residencia donada para estudiantes universitarios. Los *colleges* contaban con bibliotecas e instrumentos científicos y pagaban salarios a tutores que podían preparar a estudiantes para rendir exámenes destinados a obtener GRADOS ACADÉMICOS. Finalmente, pocos alumnos vivían fuera de los *colleges*, y la enseñanza en estos eclipsó a la de las universidades. En Inglaterra, en algunas ocasiones se aplica el término a las escuelas secundarias (p. ej., Winchester y ETON COLLEGE). En Canadá también existen *colleges*. En EE.UU., la palabra *college* puede referirse a una institución de educación superior que otorga grados de licenciado, luego de cuatro años de estudio; también existe el JUNIOR COLLEGE, con programas de dos años conducentes al grado de asociado. Generalmente, un *college* de cuatro años hace hincapié en la educación general o en las artes liberales o humanidades, y no en una preparación especializada más técnica o vocacional. El *college* de cuatro años puede ser una institución privada independiente o una división de pregrado de una universidad.

colleja Cualquiera de las plantas ornamentales para jardín de rocallas o arriate que constituyen el género *Silene*, de la familia de las CARIOFILÁCEAS, que incluye unas 500 especies de plantas herbáceas presentes en todo el mundo. Algunas especies crecen verticalmente, otras son rastreras. Los tallos están cubiertos a menudo por un material pegajoso. Algunas tienen flores solitarias y otras, racimos ramificados con flores rojas, blancas o rosadas. El fruto es una CÁPSULA.

collie Raza canina de trabajo desarrollada en Gran Bretaña, probablemente en el s. XVIII. La variedad de pelo largo se utilizó en sus orígenes para custodiar y pastorear ovejas, en tanto la de pelo corto, para arrear ganado al mercado. Ambas variedades son perros ágiles, con una cabeza ahusada, ojos almendrados y orejas erectas que se inclinan hacia adelante en los extremos. Tienen una altura de 56–66 cm (22–26 pulg.), pesan 23–34 kg (50–75 lb) y pueden ser de diversos colores. Ver también COLLIE DE LA FRONTERA.

Perro raza collie.
SALLY ANNE THOMPSON

collie de la frontera Raza de perro OVEJERO pelilargo usado a lo largo de la frontera entre Inglaterra y Escocia por unos 300 años. Generalmente blanquinegro, tiene una alzada de unos 50 cm (20 pulg.) y pesa de 14–23 kg (30–50 lb). Es el perro ovejero más popular en las islas Británicas.

Collingwood, R(obin) G(eorge) (22 feb. 1889, Cartmel Fell, Lancashire, Inglaterra–9 ene. 1943, Coniston, Lancashire). Filósofo e historiador británico. Conferencista y luego profesor de la Universidad de Oxford (1912–41), fue una autoridad sobresaliente en arqueología e historia de la Britania romana. Pensaba que "la tarea más difícil de la filosofía del s. XX es tratar con la historia del s. XX" y que la filosofía y la historia consisten ante todo en el descubrimiento de presuposiciones fundamentales. En su obra más influyente, Idea de la historia (1946), sostuvo, en lo referente al pensamiento histórico, que la explicación debe ser parte integrante de toda descripción, y que es tarea del filósofo articular y justificar la metodología histórica. Se estima que su pensamiento ha impulsado el desarrollo de la filosofía de la HISTORIA.

Collins, Michael (16 oct. 1890, Clonakilty, cond. de Cork, Irlanda–22 ago. 1922, Beal-na-Blath, Cork). Dirigente nacionalista irlandés. Después de trabajar en Londres (1906–16), regresó para luchar en el levantamiento de Pascua en Dublín (1916) y permaneció encarcelado el resto del año. Posteriormente fue elegido para la Asamblea de Irlanda como miembro del Sinn Féin (1918), movimiento a favor de la independencia; luego se convirtió en ministro de asuntos internos, el primero de la República irlandesa. Fue general de los voluntarios y director de inteligencia del EJÉRCITO REPUBLICANO IRLANDÉS (IRA) en la guerra anglo-irlandesa. En 1921 firmó el controvertido tratado anglo-irlandés, que reconoció a Irlanda la condición de dominio británico dentro de la Commonwealth, aunque estipulando que el Estado libre irlandés debía aceptar su separación definitiva de Irlanda del Norte y jurar lealtad a la corona. Él y ARTHUR GRIFFITH se convirtieron en los líderes del gobierno provisional. Cuando estalló la guerra civil, dirigió las fuerzas de gobierno que combatían a los republicanos contrarios al tratado. A la muerte de Griffith asumió la presidencia (1922) y fue asesinado diez días después en una emboscada. Tenía 31 años de edad.

Collins, (William) Wilkie (8 ene. 1824, Londres, Inglaterra–23 sep. 1889, Londres). Novelista inglés. Tras incursionar brevemente en el ámbito legal y comercial, se dedicó a la literatura y cultivó una relación de amistad con CHARLES DICKENS, quien ejerció una influencia formativa en su carrera. Dos obras bastaron para consagrar a Collins como uno de los primeros y más relevantes escritores ingleses de novelas de misterio. *La dama de blanco* (1860), inspirada en un caso criminal real, lo catapultó a la fama. *La piedra lunar* (1868), una de las primeras novelas inglesas de detectives, introdujo ciertos tópicos que con el tiempo llegarían a ser característicos de ese género literario.

Collor de Mello, Fernando (Affonso) (n. 12 ago. 1949, Río de Janeiro, Brasil). Presidente de Brasil (1990–92). Nacido en el seno de una familia acaudalada, se convirtió en gobernador del pequeño estado de Alagoas en 1987. Prometiendo promover el crecimiento económico y combatir la corrupción y la ineficiencia, derrotó al izquierdista LUÍZ INÁCIO DA SILVA en 1989 y se convirtió en el primer presidente brasileño elegido por votación popular en cerca de 30 años. La declinación económica del país, alimentada por una deuda externa e hiperinflación asombrosas, no pudo ser revertida; renunció en 1992, cuando estaba por comenzar un juicio en su contra por corrupción.

Colman, Ronald (Charles) (9 feb. 1891, Richmond, Surrey, Inglaterra–19 may. 1958, Santa Bárbara, Cal., EE.UU.). Actor de cine estadounidense de origen británico. Comenzó su carrera de teatro y cine en Inglaterra, y en 1920 emigró a EE.UU., donde se hizo conocido con *La hermana blanca* (1923). Protagonizó roles románticos en otras películas mudas como *Beau Geste* (1926), y su voz expresiva y cultivada le permitió fácilmente dar el paso al cine sonoro. Entre sus filmes más conocidos se cuentan *El Dr. Arrowsmith* (1931), *Historia de dos ciudades* (1935), *Horizontes perdidos* (1937), *Si yo fuera rey* (1938), *Niebla en el pasado* (1942) y *Doble vida* (1947, premio de la Academia).

Colmar, Charles Xavier Thomas de (1785, Colmar, Francia–1870, París). Matemático francés. En 1820, mientras servía en el ejército francés, construyó su primer aritmómetro, instrumento que podía ejecutar suma, resta, multiplicación y división básicas. Fue la primera calculadora mecánica que logró un uso generalizado, convirtiéndose en un éxito comercial; continuó usándose hasta la primera guerra mundial.

colmenilla Cualquiera de varias especies de SETAS comestibles del género *Morchella*. Tienen una cabeza o sombrero con pliegues u hoyos, varían de forma y están presentes en hábitats diversos. *M. esculenta*, que se encuentra en los bosques a comienzos de verano, es una de las setas más apreciadas como alimento. Las colmenillas falsas pertenecen a los géneros *Gyromitra* y *Helvella*. La mayoría de las especies de *Gyromitra* son venenosas.

colobo Cualquiera de 10 especies africanas de MONOS DEL VIEJO MUNDO, de cola larga, esencialmente sin pulgares, del género *Colobus* (familia Cercopithecidae). Son gregarios y de hábitos diurnos; se alimentan de vegetales. Dan grandes saltos de árbol en árbol. Las cuatro especies de colobo blanquinegro tienen una longitud de 55–60 cm (22–24 pulg.), sin considerar la cola de 77–82 cm (30–32 pulg.). Son esbeltos y tienen un pelaje largo y sedoso. Las cinco especies de colobos rojos son pardos o negros con marcas rojas, y tienen una longitud de 46–60 cm (18–24 pulg.), sin incluir la cola de 40–80 cm (16–31 pulg.). El colobo oliváceo tiene un pelaje corto, de color aceitunado. Varias razas del colobo rojo se consideran en peligro de extinción; otras especies de colobo son vulnerables o raras.

Colobo rojo macho (*Piliocolobus badius teminckii*).
© STARIN

Colofón Antigua ciudad jónica griega del oeste de Anatolia. Ubicada a 25 km (15 mi) al noroeste de la antigua ciudad de ÉFESO, fue una próspera ciudad comercial en los s. VIII–V AC, famosa por su caballería, sus lujos y su elaboración de colofonia (resina). Fue miembro de la Liga de DELOS y durante la guerra del PELOPONESO estuvo primero controlada por la dinastía aqueménida de Persia y luego por Atenas. Fue conquistada por Macedonia, en 302 AC, bajo el mando de Alejandro Magno. Hoy en día son visibles sólo unos pocos cimientos de la antigua ciudad amurallada.

coloide Sustancia que consta de partículas que, aunque demasiado diminutas para ser observadas a simple vista (por lo general, de 1 nanómetro a 10 micrómetros), resultan mucho más grandes que los ÁTOMOS y las MOLÉCULAS corrientes, y están dispersas en una fase continua. Tanto la fase dispersa como la continua pueden ser sólidas, líquidas o gaseosas. Algunos ejemplos son las suspensiones, AEROSOLES, humos, EMULSIONES, geles, soles, pastas y espumas. Los coloides se clasifican a menudo en reversibles o irreversibles, dependiendo de si sus componentes pueden ser separados. Los COLORANTES, DETERGENTES, POLÍMEROS, PROTEÍNAS y muchas otras sustancias importantes presentan comportamiento coloidal.

COLOMBIA

- **Superficie:** 1.141.568 km² (440.762 mi²)
- **Población:** 42.954.000 hab. (est. 2005)
- **Capital:** BOGOTÁ, D.C
- **Moneda:** peso colombiano

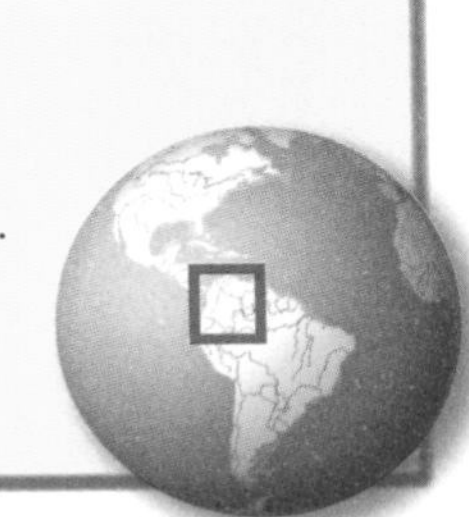

Colombia *ofic.* **República de Colombia** País del extremo noroccidental de América del Sur. Más de la mitad de la población es mestiza, seguida por los de origen europeo (cerca de 20%), mulatos, negros e indígenas. Idioma: español (oficial). Religión: católica. La topografía está dominada por la cordillera de los ANDES. Al sur se extiende una extensa zona de tierras bajas, por donde corren los ríos ORINOCO y AMAZONAS. La economía de Colombia, en desarrollo, se basa principalmente en los servicios, la agricultura y la manufactura; el café es el principal cultivo comercial. Está muy extendida la producción de coca (base de la cocaína) y opio, proveniente de la amapola (para la elaboración de la heroína), que se trafican a gran escala en forma ilícita. Rica en minerales, Colombia es el más importante productor de esmeraldas del mundo y uno de los más grandes productores de oro de América del Sur. Es una república multipartidaria bicameral; el jefe de Estado y de Gobierno es el presidente. Sus primeros habitantes fueron los chibchas. Los españoles llegaron c. 1500 y en 1538 habían conquistado la región, que quedó bajo la dependencia del virreinato del PERÚ. Después de 1740, la autoridad fue transferida al recién creado virreinato de NUEVA GRANADA. Algunas regiones de Colombia proclamaron su autonomía del dominio español en 1810. La completa independencia se logró después de que el líder revolucionario SIMÓN BOLÍVAR derrotó a los españoles en 1819. La guerra civil en 1840 retrasó el desarrollo. El conflicto entre los partidos Liberal y Conservador condujo a la guerra de los mil días (1899–1903). Siguieron años de relativa paz, pero las hostilidades estallaron nuevamente en 1948; las dos fuerzas políticas acordaron en 1958 un plan para la alternancia en el gobierno. Se promulgó una nueva constitución en 1991, pero la democracia siguió amenazada por la inestabilidad política. A inicios del s. XXI, rebeldes de izquierda y grupos paramilitares de derecha han financiado sus actividades por medio de secuestros y el tráfico de narcóticos.

Catedral de Bogotá, emplazada en la zona histórica de la capital de Colombia, cuya fachada de estilo neoclásico se terminó de construir a comienzos del s. XX.
FOTOBANCO

Colombo Ciudad (pob., est. 2001: 642.020 hab.), capital administrativa de Sri Lanka. Situada en la costa occidental de la isla, es un puerto importante con una de las radas artificiales más grandes del mundo. Mercaderes árabes se instalaron en la zona en el s. VIII. Fue ocupada por los portugueses en 1517, los holandeses en 1656 y los ingleses en 1796. En 1815 pasó a ser la capital de la isla. Ha habido una disminución de la influencia occidental desde que Sri Lanka obtuvo su independencia en 1948. Centro comercial e industrial, posee una industria manufacturera que produce maquinaria y alimentos procesados. Es sede de la Universidad de Colombo (fundada en 1921).

Colombo, Matteo Realdo (¿1516?, Cremona [Italia]–1559, Roma). Anatomista y cirujano italiano. Se le atribuye el descubrimiento de la circulación pulmonar. *De re anatomica* [Sobre cosas anatómicas] (1559), su único trabajo formal escrito, consigna una descripción de cómo el corazón bombea la sangre, y bosqueja la circulación pulmonar y el retorno de la sangre roja brillante de los pulmones al corazón.

colon Segmento que forma la mayor parte del INTESTINO GRUESO. Aunque ambos términos suelen emplearse por igual, el colon excluye técnicamente al ciego (un saco ubicado al comienzo del intestino grueso), el RECTO y el canal ANAL. Sube por el lado derecho del abdomen (colon ascendente), lo cruza (colon transverso) y luego desciende por el lado izquierdo (colon descendente); su última sección (colon sigmoides) se une al recto. No tiene una función digestiva propiamente tal, pero lubrica los productos de desecho, absorbe los líquidos y sales remanentes, y almacena los desechos hasta su EXCRECIÓN. Los problemas que afectan al colon son la COLITIS ULCEROSA, constipación y DIARREA, molestias por gases, megacolon (colon de tamaño aumentado) y cáncer.

colon irritable, síndrome del Trastorno crónico caracterizado por dolor abdominal, gases intestinales y diarrea, constipación o ambos. También puede haber otros síntomas como dolor abdominal que se alivia al defecar o sensación de evacuación incompleta del recto. Se debe a una alteración de la motilidad intestinal, que puede ser consecuencia del aumento de la sensibilidad de los intestinos a la distensión. El estrés o la ingestión de alimentos grasos, productos lácteos, ciertas frutas o vegetales (p. ej., brécoles y coles), alcohol o cafeína, pueden producir síntomas similares. El tratamiento comprende relajación, ejercicios y abstención de los alimentos que lo exacerban. Los medicamentos antidiarreicos y los suplementos de fibras pueden reducir los síntomas. Aunque el síndrome suele causar incomodidad y tensión emocional, no produce daño intestinal permanente.

Colón, archipiélago de ver islas GALÁPAGOS

Colón, Cristóbal *italiano* **Cristoforo Colombo** (¿entre 26 ago. y 31 oct.?, 1451, Génova–20 may. 1506, Valladolid, España). Navegante y explorador genovés cuyos viajes transatlánticos abrieron el camino a la exploración, explotación y colonización europea de América. Se inició como joven marinero en la marina mercante portuguesa. En 1492 obtuvo el patrocinio de los reyes católicos FERNANDO II e ISABEL I para intentar llegar a Asia navegando hacia el oeste, en lo que se suponía mar abierto. En su primer viaje zarpó en agosto de 1492 con tres naves –la Santa María, la Niña y la Pinta–, y avistó tierra en las Bahamas el 12 de octubre. Navegó a lo largo de la costa norte de La Española y regresó a España en 1493. Hizo un segundo viaje (1493–96) con al menos 17 naves y fundó La Isabela (en lo que hoy es República Dominicana), el primer poblado europeo en el Nuevo Mundo. Este viaje inauguró el esfuerzo de España por promover la evangelización cristiana. En su tercer viaje (1498–1500) llegó a América del Sur y al delta del río Orinoco. Debido a acusaciones en su contra de mal gobierno debió regresar encadenado a España. En su cuarto viaje (1502–04) retornó a América del Sur y navegó a lo largo de las costas de lo que actualmente es Honduras y Panamá. No pudo llevar a cabo sus metas de obtener nobleza y fortuna. Su personalidad y sus logros han sido objeto de un largo debate, pero los estudiosos en general concuerdan en que fue un brillante e intrépido navegante.

Cristóbal Colón, retrato de José Roldán.
FOTOBANCO

colonia En la antigüedad, cada uno de los nuevos asentamientos establecidos en el territorio conquistado principalmente por los griegos (s. VIII–VI AC), ALEJANDRO MAGNO (s. IV AC) y los romanos (s. IV AC–s. II DC). Las colonias griegas se extendieron a Italia, Sicilia, España, el Mediterráneo oriental (incluido Egipto) y el mar Negro. Alejandro las estableció aún más lejos, en Asia central, Asia meridional y Egipto. La colonización romana cubrió gran parte de esta misma área y regiones al sur hasta el norte de África, al oeste hasta España y al norte hasta Britania y Germania. La colonización estuvo motivada por la expansión del comercio, la obtención de materias primas, la necesidad de dar solución a problemas de orden político o de sobrepoblación y el deseo de obtener tierras y recompensas. Las colonias mantuvieron sus vínculos y su lealtad con Roma, aunque las rebeliones eran frecuentes. Después de 177 AC, los colonos conservaron la ciudadanía romana en las colonias y pudieron ejercer plenos derechos políticos. En la antigüedad, la colonización extendió la cultura helénica y romana a los más lejanos límites de los imperios, a menudo asimilándose en las poblaciones locales, algunas de las cuales adquirieron la ciudadanía romana.

colonia En zoología, grupo de organismos de una ESPECIE que viven e interaccionan estrechamente de manera organizada. Una colonia es diferente de un agregado, que no presenta función cooperativa u organizada. Las colonias de insectos sociales (p. ej., hormigas, abejas) tienen por lo general CASTAS con distintas responsabilidades. Muchas aves forman colonias temporales para la crianza, en algunos casos para estimular las actividades reproductoras, en otros, para maximizar el uso de un hábitat reproductor restringido y coordinar las labores de protección de los nidos contra los predadores. Se dice que ciertos mamíferos que viven en grupos cercanos son coloniales, aunque carecen de actividades cooperativas y cada cual conserva un territorio.

Colonia *alemán* **Köln** Ciudad (pob., est. 2002: ciudad, 967.900 hab.; área metrop. 1.823.500 hab.), en el oeste de Alemania. Ubicada a orillas del RIN, es uno de los principales puertos interiores de Europa. Sus primeros pobladores fueron los romanos en el s. I AC; su importancia comercial aumentó dada su privilegiada localización sobre las principales rutas mercantiles europeas. Durante la Edad Media se convirtió también en centro eclesiástico y en importante núcleo de arte y erudición. A pesar de su casi total destrucción en la segunda guerra mundial, la ciudad conserva algunos edificios y monumentos de todos los períodos. Su catedral, la iglesia gótica más grande del norte de Europa, es su símbolo no oficial. La actividad bancaria ha sido importante desde la Edad Media. El agua de colonia, que se comercializó por primera vez en el s. XVIII, se sigue fabricando allí. La ciudad es también un importante centro comunicacional, con muchas casas editoriales y medios de producción de radio y televisión. Es famosa por su carnaval previo a la Cuaresma.

Colonia de El Cabo ver provincia de El CABO

colonia penal Asentamiento establecido lejos de los sitios poblados o en ultramar, destinado a castigar a los criminales mediante trabajos forzados y el aislamiento de la sociedad. Estas colonias fueron instaladas en su mayoría por Inglaterra, Francia y Rusia. Gran Bretaña envió criminales a sus colonias de América del Norte hasta la guerra de independencia de EE.UU.; Australia fue principalmente una colonia penal desde su colonización hasta mediados del s. XIX. Tristemente famosa por sus condiciones inhumanas, la GUAYANA FRANCESA fue sitio de una colonia penal del país galo; la isla del DIABLO seguía aún en funciones durante la segunda guerra mundial. Las colonias penales rusas se establecieron en Siberia bajo el reinado de los zares, pero su uso más intensivo tuvo lugar durante el régimen de Stalin. Desprestigiadas por sus duras políticas de castigo y subalimentación, la mayoría de las colonias penales han sido abolidas en la actualidad.

colonial americano, mobiliario ver MOBILIARIO COLONIAL AMERICANO

colonialismo Control que ejerce una potencia sobre un pueblo o territorio dependiente. Entre los propósitos del colonialismo se cuentan la explotación económica de los recursos naturales de la colonia, la creación de nuevos mercados para la potencia colonizadora y la extensión de la forma de vida de esta más allá de sus fronteras nacionales. Los más activos colonizadores fueron los países europeos; entre 1500–1900, Europa colonizó en su totalidad América del Norte y del Sur así como Australia, la mayor parte de África y buena parte de Asia, enviando colonizadores a poblar el territorio o tomando el control de los gobiernos. Las primeras colonias en el Nuevo Mundo fueron establecidas por los españoles y los portugueses en los s. XV y XVI. Los holandeses colonizaron Indonesia en el s. XVI y Gran Bretaña colonizó América del Norte e India en los s. XVII y XVIII. Con posterioridad se establecieron colonizadores británicos en Australia y Nueva Zelanda. La colonización de África sólo comenzó efectivamente en la década de 1880, pero ya en 1900 prácticamente todo el continente estaba controlado por Europa. La era colonial terminó en forma gradual después de la segunda guerra mundial; los únicos territorios que todavía son administrados como colonias corresponden a islas pequeñas. Ver también IMPERIALISMO; DEPENDENCIA; DESCOLONIZACIÓN.

Colonias Unidas de Nueva Inglaterra ver Confederación de NUEVA INGLATERRA

color Aspecto de cualquier objeto que puede ser descrito en términos de tono, brillo y saturación. Está asociado con las LONGITUDES DE ONDA visibles de la RADIACIÓN ELECTROMAGNÉTICA que estimulan las células sensoriales del ojo. La LUZ roja tiene las longitudes de onda más largas, mientras que el azul posee las más cortas, con valores intermedios para los otros colores como el naranja, amarillo y verde. El tono se refiere a longitudes de onda dominantes. El brillo alude a la intensidad o grado de sombreado. La saturación corresponde a la pureza, o a la cantidad de luz blanca mezclada con un tono. El rojo, verde y azul, llamados colores primarios, pueden combinarse en proporciones variables para producir todos los demás. Los colores primarios combinados en proporciones iguales producen los colores secundarios. Dos colores que al combinarse producen luz blanca se denominan complementarios.

color crema, loza de LOZA inglesa de color crema fabricada a fines del s. XVIII. Fue designada como sustituto de la porcelana china. En 1762, JOSIAH WEDGWOOD logró comercializar con éxito esta loza utilitaria de bajo precio. Los diseños sobrios y las elegantes impresiones por transferencia eran compatibles con sus productos de glaseado cremoso. En 1790 muchas otras fábricas (p. ej., Liverpool, Bristol, Staffordshire) ya producían la loza de color crema con buenos resultados. Las imitaciones continentales eran generalmente inferiores. La loza de color crema se fabricó en forma continua durante el s. XIX y con posterioridad.

Tetera de loza de color crema de Leeds decorada con esmalte verde y trabajo de calado, Yorkshire, Inglaterra, fines del s. XVIII.
GENTILEZA DEL MUSEO VICTORIA Y ALBERTO, LONDRES

coloradilla LARVA de unas 10.000 especies de ÁCARO que varían entre 0,1 y 16 mm (0,004–0,6 pulg.) de largo. Algunas son terrestres, otras viven en agua dulce o salada. Pueden ser predadoras, carroñeras o fitófagas y algunas son pestes humanas, ya sea como parásitos o como vectores de enfermedades. En Norteamérica, la coloradilla común que ataca a los seres humanos abarca una zona comprendida entre la costa atlántica, el Medio Oeste de EE.UU. y México. La larva penetra la ropa y una vez que se adhiere a la piel inyecta un fluido que digiere el tejido y causa mucha picazón. Después de alimentarse, se deja caer al suelo y comienza a madurar.

colorado Grupo indígena de la costa ecuatoriana del Pacífico. Junto a sus vecinos, los cayapas, constituyen los últimos grupos aborígenes que subsisten en las tropicales tierras bajas donde los colorados han vivido tradicionalmente. Se les llama así porque usan pigmentos rojos para decorar el rostro y el cuerpo; han sido pescadores, cazadores y agricultores itinerantes; algunos, sin embargo, han entrado a trabajar en plantaciones, y otros han emigrado a la ciudad en procura de trabajo.

Colorado Estado (pob., 2000: 4.301.261 hab.), del centro-oeste de EE.UU. Limita con los estados de Wyoming, Nebraska, Kansas, Oklahoma, Nuevo México y Utah, y cubre 269.619 km^2 (104.100 mi^2); su capital es DENVER. Ubicado a ambos lados de las montañas ROCOSAS, el estado tiene tres regiones fisiográficas: las llanuras, segmento semiárido en la parte oriental; las tierras bajas en la parte central, donde vive la mayor parte de la población y las montañas Rocosas meridionales y mesetas de Colorado del oeste. Su gran población urbana ha crecido en forma más rápida que el promedio nacional. Sus habitantes originarios son los indios de las LLANURAS y de la Gran Cuenca, entre los que se cuenta a los indios ARAPAJÓ, CHEYENE y UTE. La zona fue reclamada por España en 1706, pero gran parte de ella pasó posteriormente al dominio francés. La zona de Colorado del este fue parte de la adquisición de LUISIANA en 1803, mientras que el resto permaneció bajo dominio español y, después de la independencia, bajo el poder mexicano hasta 1848. Se descubrió oro en 1859, lo que provocó un rápido aumento de la población. Organizado como Territorio del Colorado en 1861, alcanzó la condición de estado en 1876. La agricultura, la producción bovina y la minería son importantes para la economía, al igual que el sector manufacturero. Las instalaciones militares gubernamentales e industrias de servicios se han vuelto muy importantes y el turismo constituye una de las fuentes principales de ingresos del estado (ver ASPEN; BOULDER).

Colorado, escarabajo de la patata de ver ESCARABAJO DE LA PATATA DE COLORADO

Colorado National Monument Parque nacional en el oeste del estado de Colorado, EE.UU. Constituido en 1911, este parque de 83 km^2 (32 mi^2) es conocido por sus coloridas formaciones de arenisca erosionadas por el viento, monolitos que se erigen en forma de torre y cañones de paredes escarpadas. En la zona se han encontrado fósiles de dinosaurios y troncos petrificados. El camino llamado Rim Rock Drive bordea las paredes del cañón que se elevan a más de 2.000 m (6.500 pies).

Colorado, río Río del centro-sur de la Argentina. Sus principales afluentes son los ríos Grande y Barrancas, que discurren hacia el sur desde la cordillera de los ANDES y se unen para formar el Colorado cerca de la frontera con Chile. Fluye hacia el sudeste, cruzando la región septentrional de la PATAGONIA y el sur de la PAMPA. Su curso inferior se bifurca, desembocando en el océano Atlántico al sur de Bahía Blanca. Su extensión total es cercana a los 850 km (530 mi).

Colorado, río Río en el oeste del estado de Texas, EE.UU. Fluye 1.387 km (862 mi) hacia el sudeste a través de praderas, cerros y cañones, pasa frente a AUSTIN y atraviesa la planicie costera para ingresar a Matagorda Bay. El río es el de mayor longitud dentro del territorio de Texas, y actúa como medio de control de inundaciones y provee energía, riego y recreación.

Colorado, río Río de América del Norte. Nace en las montañas ROCOSAS del estado de Colorado, EE.UU., y corre 2.330 km (1.450 mi) hacia el oeste y sur para desembocar en el golfo de CALIFORNIA, en el noroeste de México. Drena un vasto sector del continente norteamericano, aprox. 637.000 km^2 (246.000 mi^2). Ningún otro río en el mundo ha excavado tantos cauces profundos, de los cuales el GRAN CAÑÓN es el más grande y espectacular. Es un río importante para la energía hidroeléctrica y el riego; en él y sus tributarios se han construido más de 20 represas, entre las que destaca la de HOOVER.

Colorado Springs Ciudad (pob., 2000: 360.890 hab.), en el centro del estado de Colorado, EE.UU. Se ubica sobre una meseta cerca de la base oriental del pico PIKES y fue fundada en 1871 con el nombre de Fountain Colony; recibió posteriormente el nombre de un manantial de aguas minerales cercano. En la década de 1890 experimentó un fuerte crecimiento después de los descubrimientos de oro en Cripple Creek. Instalaciones militares le dieron mayor ímpetu a su

Vista del río Colorado cruzando el Gran Cañón, EE.UU.
ARCHIVO EDIT. SANTIAGO

desarrollo. Es sede del Comando de defensa aeroespacial de América del Norte (NORAD) y del Comando espacial de EE.UU., que tienen sus oficinas centrales en la base aérea Peterson (establecida en 1942); de Fort Carson (1942), y de la ACADEMIA DE LA FUERZA AÉREA DE LOS ESTADOS UNIDOS DE AMÉRICA (1954). The Garden of the Gods, parque natural con monolitos de arenisca de color rojo, es una de sus muchas atracciones pintorescas.

Colorado, Universidad de Universidad del estado de Colorado, EE.UU. Su campus principal se encuentra en Boulder, con sedes en Colorado Springs y Denver; además, cuenta con un centro de ciencias de la salud en Denver. Ofrece programas de pregrado y posgrado, entre ellos arquitectura, ingeniería, periodismo, música, administración de empresas, educación y artes y ciencias. En el campus de Boulder, fundado en 1876, existe una escuela de derecho.

colorante Cualquiera de una clase de compuestos orgánicos complejos intensamente coloreados, que se utiliza para teñir tejidos, cuero, papel y otros materiales. Los colorantes conocidos en la antigüedad provenían de plantas como el ÍNDIGO y la rubia (ver RUBIÁCEAS) o de las conchas de los moluscos; hoy la mayoría de los colorantes son fabricados a partir del alquitrán mineral y de PETROQUÍMICOS. Su estructura química es relativamente fácil de modificar, de modo que se han sintetizado muchos colores y tipos de colorantes nuevos. Las moléculas de colorantes de la solución se depositan sobre los materiales, de tal manera que no puedan ser removidas por el solvente original. Los colorantes reactivos a la fibra forman un ENLACE COVALENTE con ella. Otros colorantes requieren aplicación previa de un mordiente, un material inorgánico que hace que el colorante precipite como una sal insoluble. Otra técnica es el teñido en tina, en la cual un compuesto soluble incoloro es absorbido por las fibras, y luego oxidado (ver OXIDACIÓN-REDUCCIÓN) para convertirse en el compuesto coloreado insoluble, haciéndolo notablemente resistente a los efectos de desteñido ocasionados por lavado, luz y productos químicos. Ver también AZO COLORANTE.

colorimetría Medida de la intensidad de una RADIACIÓN ELECTROMAGNÉTICA en el ESPECTRO visible transmitida a través de una solución o un sólido transparente. Se utiliza para identificar y determinar las concentraciones de sustancias que absorben LUZ de una longitud de onda o color específicos, de acuerdo a la ley de Lambert, la cual relaciona la cantidad de luz absorbida con la distancia recorrida a través del medio absorbente, y la ley de Beer, que la relaciona con la concentración de sustancia absorbente en la solución coloreada. A menudo se utiliza una celda FOTOELÉCTRICA para medir la cantidad de luz transmitida a través de un tubo de vidrio que contiene la solución que va a analizarse; el resultado se compara con los resultados de un tubo similar que sólo contiene solvente. La mayoría de los ELEMENTOS QUÍMICOS y muchos COMPUESTOS, en muestras bien tratadas, pueden ser identificados por colorimetría o por ESPECTROFOTOMETRÍA, una técnica muy afín.

coloso de Rodas ver coloso de RODAS

colostomía Construcción quirúrgica de un ano artificial que se practica mediante una abertura en el COLON que lo une con la cara externa de la pared abdominal. Puede hacerse para descomprimir un colon obstruido, permitir la EXCRECIÓN fecal cuando hay que extirpar parte del colon o para facilitar su curación. Las colostomías pueden ser transitorias o permanentes. La colostomía del sigmoides, el tipo más común de las permanentes, no necesita aditamentos (aunque a veces se emplea una bolsa ligera para tranquilizar al paciente) y permite hacer una vida normal, salvo por la vía de la evacuación fecal. Ver también OSTOMÍA.

cólquico Cualquier planta del género *Colchicum*, familia de las LILIÁCEAS, que comprende unas 30 especies de plantas herbáceas originarias de Eurasia. Las flores, azafranadas y sin pecíolo, aparecen en otoño. Varias especies se cultivan con fines ornamentales por sus flores tubulares rosadas, blancas o púrpura azulosas, en especial *C. autumnale*, *C. bornmuelleri* y *C. speciosum*. El tallo subterráneo y engrosado de *C. autumnale* contiene colchicina, una sustancia que se usa para aliviar el dolor de la GOTA.

Cólquida Antigua región en el mar Negro. En la actualidad corresponde a la región occidental de la República de Georgia. Según la mitología griega, Cólquida fue el hogar de MEDEA y el destino de los ARGONAUTAS. Históricamente fue colonizada por los griegos milesios con el apoyo de los nativos de Cólquida, cuya composición étnica es poco clara. Después del s. VI AC fue controlada nominalmente por Persia; pasó a manos de MITRÍDATES VI EUPÁTOR, rey del Ponto, en el s. I AC y más tarde fue gobernada por los romanos.

Colt, Samuel (19 jul. 1814, Hartford, Conn., EE.UU.–10 ene. 1862, Hartford). Inventor estadounidense. Trabajó en la fábrica de textiles de su padre antes de hacerse marino, en 1830. En un viaje a India concibió la idea de su primer REVÓLVER, que posteriormente patentó (1835–36). Las pistolas de seis tiros de Colt se demoraron en lograr aceptación, y su compañía establecida en Paterson, N.J., quebró en 1842. Un año después inventó una mina marina con el primer explosivo accionado por control remoto y desarrolló un negocio telegráfico que usó el primer cable submarino. Los informes favorables de los soldados que combatían en la guerra mexicano-estadounidense promovieron la fabricación de varias unidades; lo que permitió a Colt reiniciar la fabricación en 1847. Ayudado por Eli Whitney, Jr., anticipó el desarrollo de PIEZAS INTERCAMBIABLES y de la LÍNEA DE MONTAJE. Su compañía, con base en Hartford, fabricó los revólveres más usados en la guerra de Secesión y en la colonización del Oeste, incluido el famoso Colt .45.

Samuel Colt, fabricante del famoso revólver Colt .45.
FOTOBANCO

Colton, Gardner (Quincy) (7 feb. 1814, Georgia, Vt., EE.UU.–9 ago. 1898, Rotterdam, Países Bajos). Anestesista e inventor estadounidense. Fue uno de los primeros en usar el óxido nitroso como anestésico en odontología; tras la sugerencia de un dentista, lo empleó para extraer miles de piezas dentales sin inconvenientes. También inventó un motor eléctrico que fue exhibido en 1847.

Coltrane, John (William) (23 sep. 1926, Hamlet, N.C., EE.UU.–7 jul. 1967, Huntington, N.Y.). Saxofonista y compositor estadounidense. Creció en Filadelfia y ganó primero experiencia con las bandas de DIZZY GILLESPIE y JOHNNY HODGES. Sus asociaciones con MILES DAVIS y THELONIOUS MONK en la década de 1950 colocaron a Coltrane en la vanguardia del JAZZ moderno. Su cuarteto de principios de la década de 1960 fue uno de los grupos más destacados de la historia del jazz. Su estilo abarcó el jazz modal, que exploró inicialmente con Davis las complejas estructuras de acordes de sus propias composiciones y, por último, los timbres, dinámicas y registros extremos asociados con el "free jazz". El dominio total del saxo tenor y soprano que poseía Coltrane, la rica densidad armónica de sus composiciones y su clara proyección de las emociones le permitieron conciliar la virtuosidad técnica con una profundidad a menudo espiritual.

John Coltrane, 1966.
REIMPRESIÓN CON AUTORIZACIÓN DE LA REVISTA *DOWN BEAT*

Columba, san *o* **Colum** *o* **Columcille** (c. 521, Tirconaill–8/9 jun. 597, Iona; festividad: 9 de junio). Abad y misionero irlandés. Miembro de la aristocracia militar, fue excomulgado por su participación en una sangrienta batalla. Exiliado, se propuso hacer penitencia como misionero. Fundó dos famosos monasterios en Irlanda antes de viajar con doce discípulos a la isla escocesa de Iona (c. 563); estableció allí una iglesia y monasterio desde donde se inició la conversión de los PICTOS escoceses, y por tanto de Escocia.

Columbano, san (c. 543, Leinster, Irlanda–23 nov. 615, Bobbio, Italia; festividad: 23 de noviembre). Abad y misionero irlandés. Uno de los más grandes predicadores de la Iglesia céltica, inició un despertar espiritual en el continente europeo. Partió de Irlanda c. 590 junto a 12 monjes y con la venia del rey merovingio Guntram, quien le concedió tierras en el macizo montañoso de los Vosgos en la Galia, donde estableció varios monasterios, entre ellos el gran centro intelectual y religioso de Luxeuil. Fue castigado por celebrar la Pascua de Resurrección según la usanza céltica y entró en conflicto con el clero franco por haberlos acusado de relajación moral. Fue obligado a marchar al exilio por denunciar los pecados de la poderosa reina BRUNILDA y su corte. Se trasladó a la actual Suiza, en donde predicó a los alamanes. Más tarde se estableció en Italia y fundó el monasterio de Bobbio (c. 612), centro de la cultura medieval conocido por su gran biblioteca.

Columbia Ciudad (pob., 2000: 116.278 hab.), capital del estado de Carolina del Sur, EE.UU. Ubicada en el centro del estado junto al río Congaree, data de 1786, año en que se emplazó la ciudad en sustitución a CHARLESTON como la capital del estado. Durante la guerra de SECESIÓN fue un centro de transporte y sede de muchos organismos oficiales de la Confederación. En 1865 fue ocupada por tropas de la Unión y virtualmente destruida por el fuego. Reconstruida después de la guerra, desarrolló una economía diversificada basada en la agricultura, industria y actividades gubernamentales del estado. Algunos cultivos importantes en el área circundante son el algodón, tabaco y frutos como melocotones. Es sede de la Universidad de CAROLINA DEL SUR.

Columbia Británica *inglés* **British Columbia** Provincia (población, 2001: 3.907.738 hab.) en el oeste de Canadá. Limita con los territorios del Yukón y del Noroeste, la provincia de Alberta, el océano Pacífico y con EE.UU. (incluso Alaska). La provincia tiene una superficie de 947.800 km^2 (365.948 mi^2) y su capital es VICTORIA. La región fue habitada por pueblos indígenas, como los salish de la costa, los NOOTKA, KWAKIUTL y HAIDA. La zona fue explorada en 1578 por Sir FRANCIS DRAKE y en 1778 por el cap. JAMES COOK, quien buscaba el paso del NOROESTE. El cap. George Vancouver hizo mediciones de la costa (1792–94) y varios exploradores realizaron expediciones terrestres, entre ellos ALEXANDER MACKENZIE, MERIWETHER LEWIS y WILLIAM CLARK además de Simon Fraser. Británicos y estadounidenses mantuvieron por años una contienda sobre la isla VANCOUVER, hasta que esta fue reconocida como británica y declarada colonia de la corona en 1849. La parte continental se transformó en la colonia de Columbia Británica en 1858; con la colonia de Vancouver, en 1871 se unió a Canadá como la provincia de Columbia Británica. En la actualidad, goza de una próspera economía basada en diversos recursos, como la actividad forestal, minera, agrícola y de transporte marítimo.

Columbia, distrito de Distrito federal de EE.UU. Corresponde en extensión a la ciudad de WASHINGTON D.C., y limita con Maryland y Virginia. Originalmente de 259 km^2 (100 mi^2), el territorio fue autorizado por el Congreso en 1790 y concedido por Maryland y Virginia; en la actualidad ocupa 176 km^2 (68 mi^2). El lugar fue elegido por el pdte. GEORGE WASHINGTON y se transformó en la sede del gobierno federal en 1800. Una parte del distrito (ALEXANDRIA, Va.) fue devuelto a Virginia en 1847. En 1850 se prohibió el comercio de esclavos en su jurisdicción y en 1862 se abolió la esclavitud. En 1874 el gobierno territorial fue revocado y se creó otro a cargo de una comisión designada por el presidente. En 1961 a los residentes se les garantizó el sufragio en las elecciones nacionales por medio de la XXIII enmienda a la Constitución de los ESTADOS UNIDOS DE AMÉRICA. En 1967 se estableció un gobierno formado por el ayuntamiento, con un alcalde y concejales, originalmente designados por el presidente, los que en 1973 pasaron a ser funcionarios elegidos y al año siguiente recibieron poderes legislativos de nivel local.

Columbia Pictures Entertainment, Inc. Importante estudio cinematográfico estadounidense. Se creó en 1920, cuando los hermanos Jack y HARRY COHN, junto con Joe Brandt, formaron una compañía que produjo cortometrajes y *westerns* de bajo presupuesto. En 1924 pasó a llamarse Columbia Pictures y, Harry Cohn, quien fue presidente y jefe de producción desde 1932 hasta su muerte en 1958, se convirtió en el motor conductor de su éxito. En la década de 1930, el estudio produjo filmes de FRANK CAPRA, además de otras películas exitosas, como *El político* (1949), *De aquí a la eternidad* (1953), *Lawrence de Arabia* (1962), *Mi vida es mi vida* (1970), *Encuentros cercanos del tercer tipo* (1977) y *El último emperador* (1987). En 1982, Columbia fue adquirida por COCA-COLA CO. y participó en la formación del estudio cinematográfico Tri-Star Pictures. Los dos estudios se fusionaron en 1987 bajo el nombre de Columbia Pictures Entertainment, el cual fue comprado por SONY CORP. en 1989.

Columbia, río Río del sudoeste de Canadá y el noroeste de EE.UU. Nace en las montañas Rocosas canadienses y corre a través del estado de Washington hasta ingresar al océano Pacífico en Astoria, Ore.; tiene una longitud total de 2.000 km (1.240 mi). Fue una vía importante de transporte fluvial en el

Fachada del Parlamento de la Columbia Británica; en primer plano, tótem de la sabiduría, Victoria, Canadá.
FOTOBANCO

noroeste hasta la llegada del ferrocarril. El aprovechamiento del río comenzó en la década de 1930 con la construcción de las represas Grand Coulee y Bonneville, y en el lapso de 50 años todo el río en territorio estadounidenses. se había convertido en una serie de "escalones" con un total de 11 represas. Sus centrales hidroeléctricas son fundamentales para la red de generación de energía eléctrica del noroeste de EE.UU.

Columbia, Universidad de Universidad privada con sede en la ciudad de Nueva York, miembro tradicional de la IVY LEAGUE. Fue fundada en 1754 con el nombre de King's College y en 1784 pasó a llamarse Columbia College, al reabrir sus puertas luego de la guerra de Secesión. En 1912 se convirtió en la Universidad de Columbia. En 1983, su *college* (colegio universitario) de artes liberales empezó a admitir mujeres. El vecino Barnard College, fundado en 1889, que formaba parte de la universidad desde 1900, continúa siendo un *college* para mujeres de artes liberales. Muchos de los cursos se imparten a alumnos de ambos *colleges*. Desde sus inicios, la Universidad de Columbia se diferenció de otras universidades privadas del este de EE.UU. por poner mayor énfasis en temas como el estudio de la naturaleza, el comercio, la historia y la administración del Estado. Ofrece importantes programas de posgrado en artes y ciencias, y cuenta con varios institutos de investigación destacados. Entre las escuelas profesionales se cuentan las de arquitectura, administración de empresas, educación (el Teachers College de la Universidad de Columbia), ingeniería, asuntos públicos e internacionales, periodismo, derecho, medicina (incluidas las asociaciones con el Columbia-Presbyterian Medical Center y el NewYork-Presbyterian Hospital), enfermería, salud pública y trabajo social.

Fachada principal de la biblioteca de la Universidad de Columbia, Nueva York.
FOTOBANCO

Columbus Ciudad (pob., 2000: 711.470 hab.), capital del estado de Ohio, EE.UU. Ubicada en la confluencia de los ríos Scioto y Olentangy, fue planificada en 1812 como centro político y fue emplazada frente al asentamiento original de Franklinton en 1797. El gobierno del estado se trasladó a la ciudad en 1816. La construcción de caminos, canales y del ferrocarril a mediados del s. XIX se tradujo en un crecimiento relevante y en 1900 Columbus se había convertido en un centro importante de transporte y comercio. Es la ciudad más grande del estado de Ohio y su economía se sustenta en la industria, organismos de gobierno y numerosas instituciones de educación e investigación, como la Universidad del estado de OHIO.

Columbus Ciudad (pob., 2000: 186.291 hab.), del oeste del estado de Georgia, EE.UU. Ubicada junto al río CHATTAHOOCHEE, fue fundada en 1827 y en 1840 se había convertido en uno de los principales puertos interiores de tráfico de algodón con una industria textil próspera. Durante la guerra de SECESIÓN fue una ciudad de aprovisionamiento importante para los confederados y lugar de la última batalla al este del Mississippi. En la actualidad es una ciudad altamente industrializada y uno de los centros textiles más grandes del sur de EE.UU. Es sede del Museo naval de la Confederación. Cerca se halla Fort Benning (establecido en 1918).

columna En arquitectura, elemento vertical, generalmente un fuste, esbelto, que proporciona soporte estructural, sustentando cargas axiales de compresión. Si las columnas son muy esbeltas pueden estar sujetas al pandeo. Las columnas pueden estar expuestas u ocultas dentro de muros; se construyen de hormigón prefabricado, mampostería, piedra o madera, o con perfiles o tubos de acero de ala ancha. Pueden ser lisas, acanaladas o esculpidas, ahusadas o cilíndricas, con o sin CAPITEL y con o sin base. Las columnas pueden ser no estructurales, usadas con fines decorativos o monumentales. Es un elemento muy empleado en la arquitectura clásica. Ver también INTERCOLUMNIO; ORDEN.

Columnas dóricas del templo griego de Segesta, Sicilia, c. 424–416 AC.
SCALA/ART RESOURCE, NY

Columna, La ver BOLÍVAR, PICO

columna vertebral *o* **espina dorsal** Columna flexible que se extiende a lo largo del tronco. En los seres humanos consiste en 32–34 vértebras, con diferentes formas y funciones en cada una de cinco regiones: siete cervicales, en el cuello (incluidos atlas y axis, modificados para permitir amplitud de movimientos al CRÁNEO); 12 dorsales en el tórax; cinco lumbares, en el lomo; cinco sacras (fusionadas en el sacro, parte posterior de la cintura pelviana), y tres a cinco coccígeas (huesos vestigiales de la cola fusionados en el cóccix). El cuerpo de cada vértebra está separado del de sus vecinas por un cojín de CARTÍLAGO, el disco intervertebral. Detrás del cuerpo está el arco vertebral (neural) en forma de Y, del cual emergen prolongaciones hacia arriba y abajo para formar ARTICULACIONES con las vértebras adyacentes, y hacia atrás y los lados otorgando puntos de apoyo a los MÚSCULOS y LIGAMENTOS. La columna sustenta el tronco y protege la MÉDULA ESPINAL.

columnata *o* **peristilo** Hilera de columnas sobre la cual generalmente se apoya un CORNISAMENTO, usada como elemento independiente (p. ej., un pasillo cubierto) o como parte de un edificio (p. ej., un PÓRTICO). Las primeras columnatas aparecen en la arquitectura de templos de la antigua Grecia. En una BASÍLICA, se emplean columnatas para separar las naves laterales de la nave central. Ver también STOA.

colza Planta anual (*Brassica napus*) de la familia de las CRUCÍFERAS, originaria de Europa. Esta planta de 30 cm (1 pie) de alto tiene una raíz primaria larga y delgada; hojas lisas, verde azuladas, profundamente festoneadas y ramos de flores amarillas. Cada cápsula redonda, alargada, tiene un rostro corto y contiene muchas semillas. Las semillas dan un aceite (canola o aceite de colza) que contiene menos grasas saturadas que cualquier aceite comestible; en Norteamérica es muy popular para cocinar. También se usa como ingrediente en jabón y margarina y como combustible para lámparas.

coma Inconsciencia absoluta, con pérdida de la reacción a los estímulos y de la actividad nerviosa espontánea. Habitualmente se asocia a injuria cerebral de origen metabólico o físico. Las CONCUSIONES simples causan inconsciencia breve. El coma por hipoxia puede durar varias semanas y a menudo es fatal. El coma producido por un ACCIDENTE VASCULAR ENCEFÁLICO puede ser repentino, mientras que los debidos a anormalidades metabólicas (como en la DIABETES MELLITUS) o a TUMORES cerebrales se establecen gradualmente. El tratamiento depende de la causa.

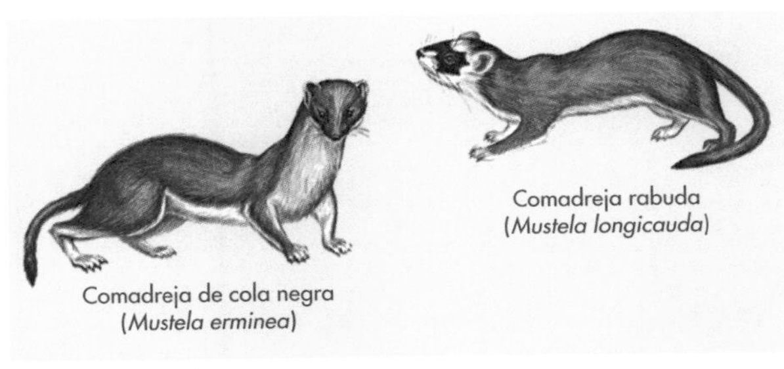

Especies de comadreja.

comadreja Cualquiera de varias especies del género *Mustela* (familia Mustelidae) de CARNÍVOROS predadores nocturnos y voraces que habitan en toda América, África y Eurasia. La comadreja tiene cuerpo y cuello delgados, cabeza plana y pequeña, patas cortas, dedos garfados, pelaje corto y tupido, y cola puntiaguda y delgada. El tamaño y largo relativo de la cola varía entre las especies. Su largo total es 17–50 cm (7–20 pulg.) y puede pesar 30–350 g (1–12 oz). Las 10 especies y pico de *Mustela* del Nuevo Mundo y Eurasia son marrón rojizas; en las regiones frías, su pelaje se torna blanco en invierno y la piel correspondiente, especialmente la de la comadreja de cola negra (*M. erminea*), se llama ARMIÑO. En general, las comadrejas cazan solas, alimentándose de roedores, peces, ranas y huevos de ave.

Comana Antigua ciudad de CAPADOCIA, en el este de Anatolia. Ubicada en los montes TAURUS, a orillas del río Seyhan, fue el centro del culto a la diosa madre Mâ-Enyo y lugar de espléndidas celebraciones. Era gobernada por un sumo sacerdote, generalmente un miembro de la familia real de Capadocia, que seguía al rey en jerarquía. Pasó a ser colonia romana en el s. III DC y allí cruzaba el principal camino militar a las fronteras orientales del imperio.

comanche Grupo indígena nómada norteamericano, del sudoeste de Oklahoma, Texas, California y Nuevo México, EE.UU. El nombre comanche proviene de una palabra ute que significa "cualquiera que siempre desee luchar conmigo"; se llamaban a sí mismos numunuh (que significa "el pueblo o la gente"). Su idioma es de estirpe UTOAZTECA. Conformaban una rama de los SHOSHONES y estaban organizados en unas 12 bandas autónomas, grupos locales que carecían de linajes, clanes, sociedades militares y gobierno tribal, característicos de la mayoría de los indios de las LLANURAS. En los s. XVIII y XIX deambulaban por la parte meridional de las Grandes Llanuras. Su alimento principal era la carne de búfalo. Sus diestrísimos jinetes marcaron la tónica del nomadismo ecuestre de las llanuras. En 1864, el coronel KIT CARSON condujo las fuerzas estadounidenses en una fallida campaña en su contra. En 1865 y 1867 se firmaron tratados, pero el gobierno federal no logró mantener a los hombres blancos alejados de las tierras que les fueron prometidas a los indios, lo que desató violentos conflictos. En años posteriores, los comanches, al igual que otros nativos norteamericanos, desempeñaron un rol notable durante ambas guerras mundiales transmitiendo mensajes en clave en su propia lengua. Unas 10.000 personas declararon tener ascendencia exclusivamente comanche en el censo estadounidense de 2000.

comando En las fuerzas militares británicas, unidad conformada por infantes de marina y soldados, organizada para un despliegue rápido y entrenada para realizar operaciones especiales. El comando se originó entre los bóers en Sudáfrica, donde era la unidad administrativa y táctica "reclutada por fuerza de la ley" (en afrikáans, *kommandeer*). En la segunda guerra mundial, los británicos adoptaron el término para una nueva fuerza de ataque anfibia especialmente entrenada. Los comandos modernos son unidades de la Real Infantería de Marina (Royal Marines) con apoyo de tropas del ejército británico; por extensión, un miembro de dicha unidad es llamado comando, y tiene derecho a usar una boina verde.

Comaneci, Nadia (n. 12 nov. 1961, Gheorghe Gheorghiu-Dej, Rumania). Gimnasta rumana. Participó por primera vez en una competencia internacional en 1972 y ganó tres medallas de oro. En los Juegos Olímpicos de Montreal, en 1976, los primeros en que se otorgó una puntuación perfecta de diez en una competencia gimnástica, Comaneci obtuvo el asombroso récord de siete puntuaciones perfectas y ganó las medallas de oro individuales en la barra de equilibrio, las barras paralelas asimétricas y en la clasificación general individual. En los Juegos Olímpicos de 1980 ganó medallas de oro en la barra de equilibrio y los ejercicios de piso. Se retiró de las competencias en 1984 y en 1989 desertó de su país y fijó residencia en EE.UU.

Nadia Comaneci en la barra de equilibrio durante los Juegos Olímpicos de 1976.

comátula Cualquiera de las 550 especies vivientes de EQUINODERMOS crinoideos (clase Crinoidea) que no poseen el pedúnculo que sus parientes, los lirios de mar, usan para fijarse al fondo del océano. La mayoría posee cinco brazos con cirros. Las comátulas normalmente se fijan a una superficie u objeto flotante y se alimentan de microorganismos en suspensión, atrapándolos en los surcos pegajosos que tienen en los brazos. Viven de preferencia en fondos rocosos de aguas someras. Abundan desde el océano Índico hasta Japón y también se encuentran en el Atlántico.

comba *o* **salto de la cuerda** Juego infantil en que los participantes sostienen una cuerda desde sus extremos y la voltean, mientras uno o más jugadores saltan sobre ella cada vez que roza el suelo. Surgido en el s. XIX, ha sido tradicionalmente un juego de niñas practicado en veredas o plazas y en el que se suele llevar el ritmo con canciones. Hay muchos tipos de comba, entre ellos el simple, el doble y aquel en que se entra de espaldas. En el "doble holandés" se hacen girar simultáneamente dos cuerdas en sentido opuesto. Los boxeadores suelen saltar la cuerda para desarrollar la capacidad pulmonar y las piernas, y mejorar la coordinación y el juego de los pies.

Combes, (Justin-Louis-) Émile (6 sep. 1835, Roquecourbe, Francia–25 may. 1921, Pons). Político francés. Se convirtió en alcalde de Pons en 1875 y fue elegido al Senado en 1885 como miembro del Partido Radical anticlerical. Como primer ministro (1902–05), encabezó la separación de la Iglesia y el Estado después del caso de ALFRED DREYFUS. Convino en la aprobación de las leyes que expulsaron a casi todas las órdenes religiosas de Francia y que desmantelaron los principales aspectos de las funciones públicas de la Iglesia, especialmente en educación. Admirado por muchos republicanos, más tarde ejerció como ministro sin cartera (1915), a pesar de su avanzada edad.

combinación ver PERMUTACIONES Y COMBINACIONES

Combination Acts ver leyes de ASOCIACIÓN

combinatoria Rama de la matemática que se ocupa de la selección, arreglo y combinación de objetos elegidos de un conjunto finito. El número de posibles manos de cartas en el bridge es un ejemplo simple; problemas más complejos son el diseño del horario de clases en las distintas salas de una gran universidad y el diseño del sistema de rutas de las señales telefónicas. No hay procedimientos algebraicos estándares que se apliquen a todos los problemas combinatorios; un análisis lógico separado puede ser necesario para cada problema. La combinatoria tiene sus raíces en la antigüedad, pero nuevos usos en las ciencias de la COMPUTACIÓN y en administración de sistemas han aumentado su importancia en años recientes. Ver también PERMUTACIONES Y COMBINACIONES.

combustible, celda de Dispositivo que convierte la ENERGÍA QUÍMICA de un combustible directamente en ELECTRICIDAD (ver ELECTROQUÍMICA). Las celdas de combustible son más eficientes que la mayoría de los demás dispositivos de conversión de energía. Las reacciones químicas electrolíticas hacen que se desprendan ELECTRONES de un ELECTRODO y fluyan a través de un circuito externo hacia un segundo electrodo. Si bien en las BATERÍAS, los electrodos son la fuente de los ingredientes activos que se alteran y agotan durante la reacción, en las celdas de combustible se suministra continuamente el combustible gaseoso o líquido (a menudo hidrógeno, alcohol metílico, hidracina o un simple hidrocarburo) desde una fuente externa hacia un electrodo, y oxígeno o aire hacia el otro. Así, mientras se suministre combustible y oxidante, la celda de combustible no se agotará ni requerirá ser recargada. Las celdas de combustible se pueden usar en lugar de prácticamente cualquier otra fuente de electricidad. Se están desarrollando especialmente para emplearlas en AUTOMÓVILES ELÉCTRICOS, con la esperanza de lograr reducciones enormes de contaminación.

Escena de la filmación de *Hello Pop*, protagonizada por Los Tres Chiflados, quienes popularizaron el género de la comedia bufonesca en más de 200 cortos cómicos entre 1934 y 1958.
FOTOBANCO

combustible fósil Cualquier tipo de material de origen biológico que se encuentra en la corteza terrestre y que puede ser usado como fuente de energía. Los combustibles fósiles comprenden CARBÓN, PETRÓLEO y GAS NATURAL. Todos contienen carbono y se formaron como resultado de procesos geológicos que actuaron sobre los restos de plantas (mayoritariamente) y animales que vivieron y murieron cientos de millones de años atrás. Todos los combustibles fósiles pueden ser quemados para producir calor, el cual puede ser utilizado en forma directa, como en la calefacción doméstica, o producir vapor para mover un generador eléctrico. Los combustibles fósiles proveen cerca del 90% de toda la energía empleada por las naciones industrialmente desarrolladas.

Comden, Betty *orig.* **Elizabeth Cohen** (n. 3 may. 1919, Brooklyn, N.Y., EE.UU.). Escritora y letrista de musicales estadounidense. En 1938, Comden junto con Adolph Green (n. 1915–m. 2002), Judy Holliday (n. 1922–m. 1965) y otros, idearon un número que se presentó en clubes nocturnos. En 1944, Comden y Green escribieron el libreto y las letras para *Un día en Nueva York* de LEONARD BERNSTEIN. Después colaboraron con JULE STYNE en musicales como *Peter Pan* (1954), *Bells Are Ringing* (1956) y *Hallelujah, Baby!* (1967, premio Tony). Por sus letras en *Wonderful Town* (1953), *Aplausse* (1970) y *On the 20th Century* (1978) obtuvieron otros tres premios Tony. Entre sus guiones se cuentan *Cantando bajo la lluvia* (1952) y *Tía Mame* (1958). "Just in Time" y "The Party's Over" son dos de sus canciones más reconocidas.

Comecon ver CONSEJO DE ASISTENCIA ECONÓMICA MUTUA

comedia Género dramático cuya pretensión última es divertir al público, ya sea con situaciones hilarantes o abordando temas importantes y profundos de un modo liviano, satírico o pedestre. Su origen puede rastrearse en las alegres jaranas que acompañaban la adoración a los dioses en la Grecia del s. V AC. ARISTÓFANES, MENANDRO, TERENCIO y PLAUTO son los autores de comedias en la literatura clásica. El género reapareció en la tardía Edad Media, con un desplazamiento del significado del término que se usaba para denotar cualquier historia con final feliz (como la *Divina Comedia* de Dante), tal como se entiende en las novelas de los últimos tres siglos (p. ej., las novelas de JANE AUSTEN). Ver TRAGEDIA.

comedia bufonesca *inglés* **slapstick** Comedia que se caracteriza por el humor tosco, las situaciones absurdas y la acción vigorosa a menudo violenta. El término *slapstick* proviene de un artefacto parecido a una paleta, probablemente introducido en el s. XVI por las compañías de la COMMEDIA DELL'ARTE, el que producía un sonoro golpe cuando un actor cómico lo usaba para pegarle a otro. La comedia bufonesca se hizo popular en los *music halls* y los teatros de vodevil del s. XIX y se introdujo en el s. XX gracias a comediantes de películas mudas como CHARLIE CHAPLIN, HAROLD LLOYD y los Keystone Kops de MACK SENNETT, y más tarde con LAUREL y Hardy, los hermanos MARX y LOS TRES CHIFLADOS.

comedia de costumbres Forma dramática satírica que aborda con ironía y agudeza las costumbres y maneras de una determinada clase o grupo social. La suelen escribir autores refinados y está destinada a un público compuesto por sus pares. Sus temas tienen que ver con las modas sociales y la destreza o torpeza con que ciertos personajes siguen las pautas de comportamiento de la época, convenciones que pueden ser tan rigurosas como banales desde el punto de vista moral. La trama, que por lo general contempla un amor ilícito o algún otro asunto escandaloso, es menos importante que los diálogos ingeniosos, los comentarios punzantes sobre las flaquezas humanas y la atmósfera llena de susceptibilidades de la obra. LOPE DE VEGA, TIRSO DE MOLINA, PEDRO CALDERÓN DE LA BARCA, Agustín Moreto, Antonio Mira de Amescua y otros dramaturgos del s. XVII español fueron los primeros creadores de este tipo de comedias. Sus obras serían traducidas e imitadas en el resto de Europa donde este género tuvo un desarrollo ulterior, especialmente en Francia, Italia, Alemania e Inglaterra. Algunos de los autores más notables de comedias de costumbres de lengua inglesa son WILLIAM CONGREVE, OLIVER GOLDSMITH, RICHARD BRINSLEY SHERIDAN, OSCAR WILDE y NOËL COWARD.

comedia musical ver MUSICAL

Comedia Nueva Forma que adopta el teatro griego desde c. 320 AC hasta mediados del s. III AC. A diferencia de la Comedia Antigua, que parodiaba a figuras públicas y acontecimientos sociales (ver ARISTÓFANES), la Comedia Nueva ponía en escena a ciudadanos corrientes en diferentes situaciones de su vida cotidiana, conformando una sátira amable de la sociedad ateniense de su época. En la Comedia Nueva, el CORO, que tradicionalmente representaba las fuerzas sobrenaturales o el espíritu reflexivo, se vio reducido a una pequeña banda de músicos y bailarines; los personajes solían ser estereotipados y la trama giraba a menudo en torno a unos amores contrariados. MENANDRO impuso la Comedia Nueva y se transformó en su más célebre exponente; PLAUTO y TERENCIO adaptaron sus obras para el público romano. Ciertos elementos de la Comedia Nueva influyeron en el desarrollo del drama europeo hasta el s. XVIII.

Comédie-Française Teatro nacional de Francia. Es el teatro de mayor data en el mundo. Fue fundado en París en 1680, a raíz de la fusión de dos compañías teatrales, siendo una de ellas la que trabajó junto con MOLIÈRE. La Revolución francesa dividió la compañía y, los partidarios de la revolución, liderados por FRANÇOIS-JOSEPH TALMA, se mudaron a la actual sede del teatro en 1791. La compañía fue reestablecida en 1803. Según sus reglas de organización, establecidas por NAPOLEÓN I en 1812, sus miembros comparten responsabilidades y beneficios. Entre sus actores ilustres se cuentan SARAH BERNHARDT y JEAN-LOUIS BARRAULT. El teatro es conocido por las producciones de clásicos franceses, aunque también monta obras contemporáneas.

comercialización *inglés* **merchandising** Elemento de MERCADOTECNIA que se ocupa especialmente de la venta de bienes y servicios a los clientes. Un aspecto de la comercialización es la PUBLICIDAD, cuyo objetivo es captar el interés del segmento de la población más susceptible de comprar el producto. La comercialización también contempla la exhibición de los productos; las empresas entregan a los comerciantes minoristas materiales para exhibición y promoción y negocian espacio para sus productos en las estanterías. El desarrollo de las estrategias de venta comprende la determinación de precios, los descuentos y ofertas especiales, la creación del mensaje comercial y la identificación de los canales de venta, entre los que se incluyen los establecimientos del comercio MINORISTA y medios alternativos, como mercadeo por CORREO DIRECTO, telemercadeo, sitios web comerciales, máquinas EXPENDEDORAS y ventas puerta a puerta.

comercio al detalle ver comercio MINORISTA

Comercio, El Periódico de circulación nacional, con sede en Quito, Ecuador. Creado en 1906 por los hermanos César y Carlos Mantilla Jácome, partió imprimiendo 500 ejemplares al día para luego transformarse en uno de los periódicos más influyentes del país. Forma parte de la empresa periodística del mismo nombre, cuya presidenta es desde 1979 Guadalupe Mantilla de Aquaviva, nieta de uno de sus fundadores. Integra el consorcio GRUPO DE DIARIOS AMÉRICA.

Comercio, El Periódico peruano de circulación nacional. Fue fundado en 1839 por el militar chileno Manuel Amunátegui y el argentino Alejandro Villota. En 1875-98 la dirección recayó en José Antonio Miró Quesada, asociado con Luis Carranza, sobrino político de Amunátegui. Miró Quesada y sus descendientes son propietarios y han dirigido el diario, excepto en el período de 1974–80, cuando fue expropiado por el gobierno de JUAN VELASCO ALVARADO. Decano de la prensa peruana, forma parte del GRUPO DE DIARIOS AMÉRICA. Es el medio escrito más influyente del país; dio origen a ECO Grupo de Comunicación, conglomerado que reúne a las empresas Prensa Popular (que publica los diarios Perú.21 y Trome), Zeta Comunicadores del Perú (preprensa digital), Amauta Impresiones Comerciales, y Plural TV.

comercio electrónico *inglés* **e-commerce** Comercio a través de INTERNET u otras redes electrónicas entre empresas y entre estas y consumidores. El comercio electrónico tiene su origen en una norma para el intercambio de documentos, utilizada durante el bloqueo al puente aéreo de Berlín en 1948–49. Diversas industrias contribuyeron a la elaboración del sistema hasta que se publicó el primer protocolo general en 1975. El protocolo de intercambio electrónico de datos (EDI por su sigla en inglés) es inequívoco, no depende de ninguna máquina en particular y tiene la flexibilidad suficiente para procesar la mayoría de las transacciones electrónicas simples. Además de las operaciones habituales entre empresas, el comercio electrónico abarca áreas de actividades mucho más amplias, p. ej., la utilización de redes internas seguras (intranets) para compartir información dentro de una empresa, y extensiones selectivas de la intranet de una empresa con redes de empresas colaboradoras (extranets). Ha surgido una nueva forma de cooperación denominada empresa virtual, que es en realidad una red de empresas en la que cada una desempeña alguno de los procesos necesarios para fabricar un producto o prestar un servicio.

comercio entre estados En EE.UU., todo tráfico o transacción comercial que atraviesa las fronteras de un estado o en el que interviene más de un estado. La reglamentación del comercio entre estados se basa en la disposición de la constitución relativa al comercio (artículo I, sección 8) que autoriza al congreso para "reglamentar el comercio con naciones extranjeras entre los diversos estados y con las tribus indias". Originalmente, la Comisión de comercio interestadual (ICC), creada en 1887, tenía por objeto regular la industria ferroviaria; más adelante, su jurisdicción se amplió a los camiones, buques, despachadores de carga y otros empresarios que se dedicaran al transporte entre estados. La ley Sherman (1890), y luego la ley Clayton (1914), prohibieron todo acto que obstaculizara la libre competencia entre industrias, negocios y actividades comerciales entre estados y al interior de ellos. La Comisión Federal de Comercio (FTC, por su sigla en inglés) fue creada por una ley de 1914, que le dio atribuciones judiciales, legislativas y ejecutivas para fiscalizar la aplicación de las leyes Sherman y Clayton. La Comisión Federal de Comunicaciones (FCC, por su sigla en inglés) se creó para proteger el acceso público a los canales de transmisión radial mediante el otorgamiento de licencias y la supervisión de las prácticas de las compañías de radio y televisión. En el s. XX, las sentencias de los tribunales generalmente interpretaron en forma amplia el comercio entre los estados, con lo cual el congreso pudo reglamentar una gran variedad de actividades que podían afectar dicho comercio, incluso si tenían lugar dentro de los límites de un solo estado. Una de estas sentencias fue Heart of Atlanta Motel v. U.S. (1964), en la cual la Corte Suprema reafirmó la prohibición de discriminar en los lugares públicos contemplada por la ley de derechos civiles de 1964, basándose en que las prácticas discriminatorias en que incurre una empresa que opera en un solo estado pueden afectar el comercio entre diversos estados.

comercio justo, ley de En EE.UU., cualquier ley que permita a los fabricantes de productos de marca propia o registrada fijar los precios reales o los precios mínimos de reventa de sus productos (fuera de EE.UU., esta práctica se llama imposición de precios). Varios estados aprobaron leyes de comercio justo durante la GRAN DEPRESIÓN, como una manera de proteger a los minoristas independientes frente a las rebajas de precios de las grandes cadenas de almacenes y la consecuente pérdida de empleos en el sector de la distribución. Sin embargo, estas leyes fueron, en su mayoría, revocadas más tarde a nivel estadual, ya que se les criticaba por restringir la competencia. Además, su aplicación se volvió impracticable a raíz de la complejidad de los canales de comercialización en la época posterior a la segunda guerra mundial. En 1975, el congreso revocó las pocas leyes que permanecían en vigor.

cometa Cualquiera de los pequeños cuerpos helados que giran alrededor del Sol y desarrollan envolturas gaseosas, a menudo colas luminosas, cuando se acercan a él. Se distinguen de otros objetos en el sistema solar por su composición, su apariencia borrosa y sus órbitas muy excéntricas. La mayoría de los cometas

Cometa Kohoutek con su cola luminosa.
ARCHIVO EDIT. SANTIAGO

se originan en la nube de OORT o en el cinturón de KUIPER. La gravitación de otros cuerpos puede alterar sus órbitas, provocando que se acerquen al Sol. Los cometas de período corto vuelven cada 200 años o menos; los otros, en miles de años. Algunos no regresan jamás. Un cometa está constituido básicamente por un pequeño núcleo irregular, a menudo descrito como una "bola de nieve sucia", con polvo y otros materiales congelados en agua mezclados con compuestos volátiles. Cuando un cometa se acerca al Sol, el calor vaporiza su superficie, liberando gases y partículas de polvo, lo cual forma una nube (coma) alrededor del núcleo. El material de la coma es empujado en dirección contraria al Sol por su radiación y por el VIENTO SOLAR, formando una o más colas. Cuando la Tierra pasa a través del polvo dejado por el tránsito de un cometa se producen LLUVIAS METEÓRICAS.

cometa *o* **volantín** Armazón ligera cubierta de papel o tela, generalmente provista de una cola que le proporciona equilibrio, diseñada para elevarse y mantenerse en el aire mediante un hilo muy largo para su conducción. Las cometas se han utilizado en Asia desde tiempos inmemoriales y todavía se celebran ceremonias de elevación de cometas. En 1752, en un famoso experimento, BENJAMIN FRANKLIN colgó una llave metálica del hilo de una cometa durante una tormenta para atraer electricidad. Las cometas se usaron para elevar dispositivos de registro meteorológico antes del advenimiento de globos y aviones. Entre las cometas comúnmente usadas en la actualidad figuran la hexagonal, la malaya (un diamante modificado) y la cometa cúbica, inventada en la década de 1890. También se utilizan cometas de diseño más moderno, con forma de alas y con pares de hilos para dirigirlas mejor.

comezón ver PICAZÓN

comicios centuriados (latín, *Comitia Centuriata*). Antigua asamblea militar romana instituida c. 450 AC. Tomaba resoluciones sobre la guerra y la paz, aprobaba leyes, elegía CÓNSULES, PRETORES y CENSORES, y fallaba apelaciones de condenas capitales. A diferencia de los más antiguos comicios curiados, incluía tanto a PATRICIOS como a PLEBEYOS, distribuidos en clases y *centuriae* (centurias o grupos de 100), según su riqueza y el equipamiento que podían proporcionar para la consecución de sus deberes militares. La votación comenzaba con las centurias más acaudaladas, cuyos votos valían más que los de las centurias más pobres.

cómics, libro de Libro de historietas. Reúne una serie de TIRAS CÓMICAS, a menudo en orden cronológico, que por lo general cuentan una sola historia o una serie de ellas. El primer cómic propiamente tal se comercializó en 1933 como obsequio promocional. En 1935 ya se vendían grandes tiradas de cómics que reimprimían las historietas de los periódicos, pero también libros con historias originales. Durante la segunda guerra mundial, los soldados destinados a ultramar constituían un público masivo de lectores de cómics sobre historias de guerra y crímenes. En la década de 1950 se tildó a los cómics de fomentar la delincuencia juvenil; si bien la industria respondió autorregulando sus contenidos, ciertas historietas de aventuras siguieron siendo blanco de críticas. En la década de 1960 se popularizaron los cómics que parodiaban la contracultura, especialmente en los campus universitarios. También se han usado para tratar asuntos serios, como el trabajo de Art Spiegelman sobre el holocausto titulado *Maus*. Los libros de historietas japoneses, *manga*, de los que existe una inmensa variedad según el contenido o el público al que están destinados, han tenido gran éxito. Actualmente, los cómics alternativos representan una vibrante subcultura.

comino Pequeña y esbelta hierba de ciclo anual (*Cuminum cyminum*) de la familia de la zanahoria (Apiaceae). Se cultiva en la región del Mediterráneo, India, China y México. Sus semillas, o más bien sus frutos secos, se utilizan en muchos preparados de especies, como los polvos de ají y curry. El comino es especialmente popular en las cocinas asiáticas, norafricanas y latinoamericanas. Su aceite se usa en perfumes, para saborizar licores y con fines medicinales.

Comisión Ballenera Internacional (CBI) Organización intergubernamental creada en 1946 para controlar la escalada de la pesca de ballena. El propósito original de la CBI fue preservar las poblaciones del cetáceo de los balleneros comerciales. Las poblaciones, sin embargo, continuaron declinando y en 1986 la CBI instituyó una moratoria a la pesca comercial de ballenas que aún sigue vigente. A comienzos del s. XXI, 40 países pertenecían a la comisión, pero el número de miembros ha fluctuado con el correr de los años. El éxito de la comisión ha sido limitado porque los gobiernos la han abandonado, han hecho caso omiso de sus políticas o han transgredido el reglamento.

Comisión de Valores y Bolsa ver SECURITIES AND EXCHANGE COMMISSION (SEC)

comité de acción política (CAP) En la política estadounidense, organización cuyo propósito es reunir y distribuir fondos de campaña para los candidatos a un cargo de elección popular. Los CAP alcanzaron relevancia después de que la ley de campañas electorales de 1971 limitó los montos de dinero que las empresas, sindicatos y personas particulares podían donarle al candidato. Los CAP pudieron eludir estos límites solicitando menores contribuciones a un número mayor de personas. En la última parte del s. XX y comienzos del s. XXI, las enormes cantidades de dinero reunidas por los CAP incrementaron considerablemente el costo de postulación a un cargo y condujeron a que se realizaran esfuerzos encaminados a reformar este método de financiamiento de las campañas.

Comité de Actividades Antinorteamericanas *inglés* **House Un-American Activities Committee (Huac)** Comité de la Cámara de Representantes establecido en 1938 y presidido por MARTIN DIES, que durante las décadas de 1940 y 1950 investigó supuestas actividades comunistas. Entre las personas investigadas hubo numerosos artistas y personalidades del espectáculo, como los DIEZ DE HOLLYWOOD, ELIA KAZAN, PETE SEEGER, BERTOLT BRECHT y ARTHUR MILLER. Uno de sus miembros activos a fines del decenio de 1940 fue RICHARD NIXON y quizá el caso más célebre fue el de ALGER HISS. Las actividades del Comité condujeron a varias condenas por desacato al congreso y existió una lista negra de los muchos que se negaron a responder a sus indagaciones. Muy controvertido por sus tácticas, se le criticó por violar los derechos garantizados por la Primera enmienda. Su influencia menguó en la década de 1960 y en 1969 se le cambió el nombre por el de Comité de Seguridad Interior. Fue disuelto en 1975.

Comité de salvación pública Organismo político de la REVOLUCIÓN FRANCESA que controló Francia durante el régimen de El TERROR. Fue creado en abril de 1793 para defender al país de sus enemigos externos e internos. Al principio fue dominado por GEORGES DANTON y sus seguidores, pero pronto fueron reemplazados por los jacobinos radicales (ver club de los JACOBINOS), entre ellos MAXIMILIEN ROBESPIERRE. Se tomaron duras medidas contra los supuestos enemigos de la Revolución, se estableció una economía de tiempo de guerra y se procedió a la conscripción masiva. Disensiones al interior de la organización contribuyeron a la caída de Robespierre en julio de 1794, después de lo cual el Comité perdió importancia.

Comité para la defensa de los derechos legítimos *árabe* **Lajnat al-Difāʿ ʿan al-Ḥuqūq al-Sharʿiyyah** Grupo musulmán sunní opuesto a la dinastía SAUDÍ que gobierna ARABIA SAUDITA. Se fundó en 1992 y está integrado principalmente por académicos y clérigos musulmanes de menor nivel. Se considera a sí mismo un grupo de presión que aboga por un proceso pacífico de reformas y el mejoramiento de los derechos humanos en Arabia Saudita, pero también se expresa contra lo que califica de corrupción política por el gobierno y la familia saudí gobernante. Su director es un ex profesor de física, Muḥammad ibn al-Masaʿarī. En 1994, después de haber sido víctima de la represión gubernamental, el grupo trasladó su centro de operaciones a Londres. Pese a que sostiene estar a favor de los cambios pacíficos, ha sido acusado de ayudar a los militantes islámicos que buscan derrocar el gobierno saudí.

comités de correspondencia Comisiones nombradas por el poder legislativo de cada una de las trece colonias norteamericanas para asegurar un medio de comunicación entre ellas. SAMUEL ADAMS organizó en Boston el primer grupo permanente (1772) y dentro de tres meses se habían formado otros 80 en Massachusetts. En 1773 Virginia organizó un comité con 11 integrantes, entre ellos THOMAS JEFFERSON y PATRICK HENRY. Fueron estas instancias las que promovieron la unidad de las colonias y convocaron en 1774 el primer Congreso CONTINENTAL.

commedia dell'arte Forma teatral italiana que floreció en toda Europa entre los s. XVI y XVIII. Sus personajes estereotipados, a menudo interpretados por actores con máscaras, parodian arquetipos regionales o personajes clásicos de la literatura; los más conocidos son el astuto criado ARLEQUÍN, el mercader veneciano Pantalón, la doncella Colombina, el ingenuo y honrado Pierrot (Pedrolino), el inescrupuloso sirviente Scaramucia y Capitano, un capitán proclive a las bravuconadas. El género se basa en la improvisación dentro de un esquema de situaciones clásicas y máscaras convencionales, y en su origen lo practicaban compañías que hablaban en dialecto y privilegiaban la acción y las situaciones cómicas. La primera tropa conocida que se dedicó a la commedia dell'arte se formó en 1545. Aparte de Italia, esta forma teatral gozó de gran popularidad en Francia, donde se le conoció como Comédie-Italienne; en Inglaterra adoptó la forma de la arlequinada y el teatro de títeres (ver POLICHINELA). Ver también familia ANDREINI.

Escena que ilustra los personajes típicos de la *commedia dell'arte:* Polichinela y Colombina (al centro).
FOTOBANCO

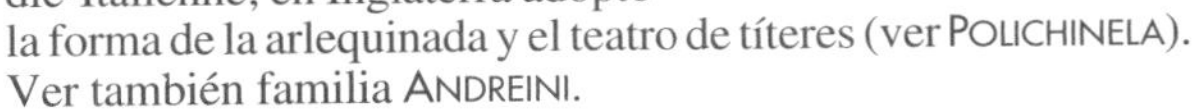

commodity exchange ver BOLSA DE PRODUCTOS

common law Conjunto de normas basado en la costumbre y en los principios generales de derecho y que, incorporado en la jurisprudencia, sirve de precedente o se aplica a situaciones no reguladas por el derecho escrito. De acuerdo con el sistema de *common law,* cuando un tribunal falla y da a conocer su sentencia en relación con un caso determinado, este pasa a formar parte del derecho y puede ser aplicado en casos posteriores relacionados con asuntos afines. Este uso de los precedentes se conoce como STARE DECISIS. El *common law* ha sido aplicado por los tribunales de Inglaterra desde la Edad Media; también se lo encuentra en EE.UU. y en la mayoría de los países de la Mancomunidad Británica de Naciones (Commonwealth). Se distingue del DERECHO CIVIL.

Commoner, Barry (n. 28 may. 1917, Brooklyn, N.Y., EE.UU.). Biólogo y pedagogo estadounidense. Estudió en la Universidad de Harvard y enseñó en la Universidad de Washington y en la de Queens. A partir de la decada de 1950, sus advertencias acerca de las amenazas ambientales que plantea la tecnología moderna (a saber, las armas nucleares, el uso de los pesticidas y otros productos químicos tóxicos y el manejo ineficaz de los desechos), en obras como su clásico *Ciencia y supervivencia* (1978), lo convirtieron en uno de los portavoces ambientalistas más importantes de su época. Postuló como candidato independiente a la presidencia de EE.UU. en 1980.

Barry Commoner, ambientalista estadounidense.
FOTOBANCO

Commons, John R(ogers) (13 oct. 1862, Hollandsburg, Ohio, EE.UU.–11 may. 1945, Fort Lauderdale, Fla.). Economista estadounidense. Impartió clases en la Universidad de Wisconsin (1904–32) y entre sus obras se cuentan *A Documentary History of American Industrial Society* [Historia documental de la sociedad industrial estadounidense] (10 vol., 1910–11) y *A History of Labor in the United States* [Historia del trabajo en Estados Unidos] (4 vol., 1918–35), donde vinculó la evolución del movimiento laboral en su país con cambios en la estructura del mercado. Redactó el proyecto de reformas de la legislación de Wisconsin y trabajó para el gobierno federal en el campo de la administración pública y las remuneraciones laborales.

commonwealth Entidad política fundada en el derecho para el bien común. El término fue empleado a menudo por los escritores del s. XVII para designar a una colectividad políticamente organizada, y su significado es en consecuencia similar al concepto moderno de Estado o nación. Hoy en día se refiere principalmente a la COMMONWEALTH. Cuatro estados de EE.UU. (Kentucky, Massachusetts, Pensilvania y Virginia) se autodenominan *commonwealths*, distinción meramente nominativa. Puerto Rico ha sido una *commonwealth* más que un Estado desde 1952; sus residentes, aunque son ciudadanos estadounidenses, sólo cuentan con un representante sin derecho a voto en el congreso y no pagan impuestos federales.

Commonwealth *o* **Commonwealth of Nations** (inglés: "Comunidad de Naciones"). Asociación libre de estados soberanos constituida por Gran Bretaña y muchas de sus antiguas posesiones, que han decidido mantener lazos de amistad y cooperación. Fue establecida en 1931 por el estatuto de WESTMINSTER con el nombre de British Commonwealth of Nations (Comunidad Británica de Naciones). Más tarde cambió de nombre y se la redefinió con el fin de incluir a países independientes. La mayoría de los estados soberanos que obtuvieron la independencia después de 1947 optaron por permanecer como miembros. Está encabezada simbólicamente por el monarca británico y cada dos años se reúnen los más de 50 jefes de Gobierno de la Commonwealth. Ver también Imperio BRITÁNICO.

Commonwealth de Massachusetts ver MASSACHUSETTS

Commonwealth, juegos deportivos de la Competencia deportiva que se celebra cada cuatro años, en la que participan los países de la Commonwealth (Comunidad de Naciones). La primera edición, que recibió el nombre de Juegos del Imperio británico, tuvo lugar en Hamilton, Ontario, Canadá, en 1930. Los juegos de la Commonwealth abarcan ATLETISMO, GIMNASIA, BOCHAS DE CÉSPED y NATACIÓN, en varones y damas, y BOXEO, CICLISMO, TIRO, HALTEROFILIA y LUCHA sólo en varones. En ocasiones se han incluido también REMO, BÁDMINTON y ESGRIMA.

community college ver JUNIOR COLLEGE

Commynes, Philippe de (c. 1447, Commynes, Flandes–18 oct. 1511, Argenton-Château, Francia). Estadista y cronista. Educado en la corte borgoñona, fue consejero de CARLOS EL TEMERARIO (1467–72) y luego de LUIS XI, antiguo enemigo de Carlos. Estuvo implicado en la "guerra loca" entre Ana de Beaujeu, regente de Francia, y el duque de Orleans (luego LUIS XII). Fue encarcelado por breve tiempo, pero en 1489 fue reivindicado por Carlos VIII y más tarde ayudó a formular la política italiana de Luis. Sus *Mémoires* (1524) constituyen un relato escrito por un testigo de los hechos que aporta importante información acerca de la época y sus intrigas políticas.

Como, lago de *antig.* **Lacus Larios** Lago de LOMBARDÍA en el norte de Italia. Está ubicado a 199 m (653 pies) de altura en una depresión rodeada de montañas de piedra caliza y granito. Mide 47 km (29 mi) de largo y alcanza hasta 4 km (2,5 mi) de ancho; su superficie es de 146 km² (56 mi²) y la profundidad máxima de 414 m (1.358 pies). Famoso por la belleza de su entorno natural, se han construido numerosos centros hoteleros en sus riberas.

Centros hoteleros en Bellagio, a orillas del lago Como, Italia.
FOTOBANCO

cómoda Pieza de mobiliario que se asemeja al arca inglesa con cajones, usada en Francia a partir de fines del s. XVII. La mayoría tenía cubierta de mármol y algunas poseían un par de puertas. ANDRÉ-CHARLES BOULLE fue uno de los primeros en hacer cómodas, que eran de estructura pesada y tenían elaboradas decoraciones en sus chapas de marquetería y bronce. En el período de Luis XV (1715–74) se pusieron de moda las curvas extravagantes y el ornamento recargado en la superficie. La cómoda del s. XIX perdió sus características decorativas y se tornó puramente funcional.

Cómodo *latín* **Caesar Marcus Aurelius Commodus Antoninus Augustus** *orig.* **Lucius Aelius Aurelius Commodus** (31 ago. 161, Lanuvium, Lacio–31 dic. 192). Emperador romano (177–192 DC). Gobernó con su padre MARCO AURELIO hasta la muerte de este en 180; llamado de regreso a la capital desde la frontera, se sumergió en una vida de disipación en Roma. Después de que su hermana trató de asesinarlo (182), ejecutó a los senadores involucrados y comenzó a gobernar en forma caprichosa. Su brutalidad generó la zozobra política, poniendo fin a años de estabilidad y prosperidad romanas. Cambió el nombre de Roma a *Colonia Commodiana* ("Colonia de Cómodo"). Físicamente imponente, aseguró ser Hércules y participó en luchas como gladiador. Su amante y consejeros lo hicieron estrangular, dando fin a la dinastía antonina.

Cómodo como Hércules, busto en mármol; Museo Capitolino, Roma.
ANDERSON–ALINARI FROM ART RESOURCE/EB INC.

COMORES

- **Superficie:** 1.862 km² (719 mi²)
- **Población:** 614.000 hab. (est. 2005)
- **Capital:** MORONI
- **Moneda:** franco de las Comores

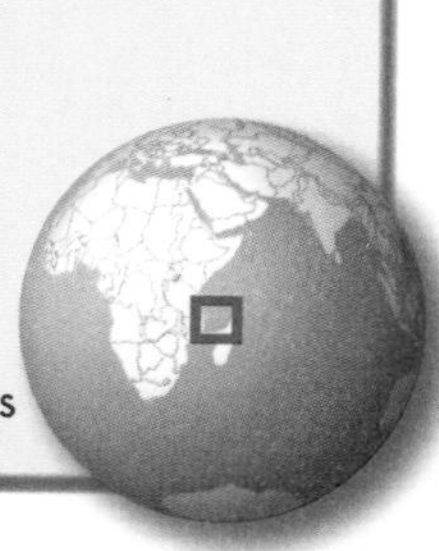

Comores *ofic.* **Unión de Comores** *ant.* **República Federal Islámica de Comores** República islámica frente a la costa oriental de África. La población está compuesta por distintos grupos, entre inmigrantes malayos, comerciantes árabes y grupos provenientes de Madagascar y África continental. Idiomas: comoriano (una lengua bantú), árabe y francés (todos oficiales). Religión: Islam (oficial). El país comprende un grupo de islas ubicadas entre Madagascar y el continente, entre ellas Gran Comore (Ngazidja), Mohéli (Moili) y Anjouan (Ndzouani), con la excepción de MAYOTTE (perteneciente a Francia). Las islas son generalmente rocosas, con suelos poco profundos y puertos inadecuados, aunque Mohéli, la más pequeña, tiene valles fértiles y laderas forestadas. El volcán activo, monte Karthala, es la mayor elevación, con 2.361 m (7.746 pies). Su clima es tropical. Es uno de los países más pobres del mundo, con una economía basada en una agricultura de subsistencia. El jefe de Estado y de Gobierno es el presidente. Conocidas por los navegantes europeos desde el s. XVI, la mayor influencia fue ejercida durante mucho tiempo por los árabes. En 1843, Francia tomó posesión oficial de Mayotte y en 1886 mantuvo otras tres islas como protectorado. Subordinadas a Madagascar en 1914, las Comores se transformaron en un territorio de ultramar de Francia en 1947. En 1961 se les reconoció la autonomía. En 1974, en tres de las islas, la mayoría votó por la independencia, que fue reconocida en 1975. En la siguiente década se produjeron varios intentos de golpe de Estado, que culminaron con el asesinato del presidente en 1989. La intervención francesa permitió la realización de elecciones pluripartidistas en 1990, pero el país se mantuvo en una inestabilidad crónica. En 1999, el ejército tomó el control del gobierno.

compañeros del Profeta *árabe* **Sahaba** *o* **Ashab** Seguidores de MAHOMA que tuvieron contacto personal con él, incluido todo musulmán contemporáneo que lo vio. Como testigos oculares, son las fuentes más importantes del HADIZ. Los musulmanes SUNNÍES consideran como los más importantes a los cuatro primeros CALIFAS (que estaban entre los diez compañeros a quienes Mahoma prometió el paraíso). Los musulmanes CHIITAS no reconocen a los compañeros, a quienes consideran responsables de que la familia de ʿALĪ perdiera el califato.

compañía con carta de privilegio Tipo de empresa que se desarrolló en el s. XVI en Europa. Mediante una carta concedida por la autoridad soberana del Estado, la compañía tenía ciertos derechos y obligaciones que generalmente le otorgaban un monopolio comercial en determinada área geográfica o para un tipo específico de producto. En el s. XVII, las compañías con carta de privilegio fueron fomentadas por los gobiernos inglés, francés y holandés y estimularon a dichas compañías a promover el comercio y alentar la exploración de ultramar. Aquellas que se formaron para comerciar con las Indias (ver COMPAÑÍA INGLESA DE LAS INDIAS ORIENTALES; COMPAÑÍA HOLANDESA DE LAS INDIAS ORIENTALES; COMPAÑÍA FRANCESA DE LAS INDIAS ORIENTALES) y el Nuevo Mundo (ver HUDSON'S BAY CO.)

tuvieron la máxima influencia. Otras participaron en el asentamiento de colonos (ver LONDON COMPANY; PLYMOUTH COMPANY). Con el tiempo, el desarrollo de las modernas compañías de RESPONSABILIDAD LIMITADA provocó la decadencia de las compañías con carta de privilegio.

Compañía Francesa de las Indias Orientales Compañía comercial fundada por JEAN-BAPTISTE COLBERT en 1664 (y las compañías sucesoras), con el propósito de supervisar el comercio francés con India, África oriental y otros territorios del océano Índico y de las Indias Orientales. En permanente competencia con la ya establecida COMPAÑÍA HOLANDESA DE LAS INDIAS ORIENTALES, organizó costosas expediciones que fueron frecuentemente hostilizadas por los holandeses. También sufrió graves pérdidas durante la crisis económica francesa de 1720. En 1740, el valor de su comercio con India era la mitad que el de la COMPAÑÍA INGLESA DE LAS INDIAS ORIENTALES. En 1769 se terminó su monopolio sobre el comercio francés con India, iniciándose así su decadencia hasta finalmente desaparecer durante la REVOLUCIÓN FRANCESA.

Compañía Holandesa de las Indias Orientales Compañía comercial fundada por los holandeses en 1602 para proteger su comercio en el océano Índico y contribuir en la guerra para obtener la independencia de España. El gobierno holandés le concedió el monopolio comercial marítimo entre el cabo de Buena Esperanza y el estrecho de Magallanes. Bajo la dirección de vigorosos gobernadores generales, logró derrotar a la flota británica y desplazar en gran medida a los portugueses de las Indias Orientales. Prosperó a lo largo de la mayor parte del s. XVII, pero luego comenzó a decaer como potencia comercial y marítima hasta ser disuelta en 1799. Ver también COMPAÑÍA FRANCESA DE LAS INDIAS ORIENTALES; COMPAÑÍA INGLESA DE LAS INDIAS ORIENTALES.

Compañía Inglesa de las Indias Orientales COMPAÑÍA CON CARTA DE PRIVILEGIO constituida en 1600 en Inglaterra para comerciar con India y Asia oriental y sudoriental. Comenzó como una compañía comercial monopólica, que estableció sus primeras sucursales en Surat, Madrás (actual CHENNAI), Bombay (MUMBAI) y Calcuta (KOLKATA). Su rubro original era el comercio de especias; luego se expandió para incluir algodón, seda y otros productos. En 1708 se fusionó con una compañía rival y se le dio el nuevo nombre de United Co. of Merchants of England Trading to the East Indies. Al participar cada vez más en la política, actuó como el principal agente del imperialismo británico en India durante los s. XVIII–XIX, ejerciendo un considerable poder sobre gran parte del subcontinente. Las actividades de la compañía en China durante el s. XIX sirvieron como catalizador para la expansión de la influencia británica en esa región. La primera de las guerras del OPIO (1839–42) estalló debido a que financiaba el comercio del té mediante la exportación ilegal de opio. A partir de fines del s. XVIII, comenzó a perder gradualmente el control comercial y político. Su autonomía se vio reducida después de la aprobación de dos leyes (1773, 1774) que establecieron una junta de vigilancia responsable ante el Parlamento británico, aunque la ley le otorgó plena autoridad en sus posesiones. Dejó de existir como entidad legal en 1873. Ver también COMPAÑÍA FRANCESA DE LAS INDIAS ORIENTALES; COMPAÑÍA HOLANDESA DE LAS INDIAS ORIENTALES.

comparador Instrumento para comparar algo con una cosa similar o con una medida de referencia, en particular para medir pequeños desplazamientos en dispositivos mecánicos. En astronomía se usa el comparador de parpadeo para examinar placas fotográficas con el fin de detectar señales de cuerpos celestes en movimiento. Los maquinadores usan comparadores o calibres visuales para centrar o alinear el trabajo en MÁQUINAS HERRAMIENTA.

comparador de cuadrante Cualquiera de varios CALIBRES del tipo desviación que indica cuánto se aparta un objeto que está siendo calibrado de un patrón de referencia. Esta desviación se suele indicar en unidades de medición, pero algunos calibres señalan únicamente si la desviación se encuentra dentro de un cierto margen. Dentro de los comparadores de cuadrante se encuentran los indicadores de cuadrante, en los cuales el movimiento de un husillo calibrador mueve un puntero en un cuadrante graduado; los comprobadores de centros, usados por maquinadores para centrar o alinear el trabajo en MÁQUINAS HERRAMIENTA; los COMPARADORES o calibres visuales, y los calibres neumáticos que se emplean para calibrar agujeros de diversos tipos.

compatibilismo Tesis conforme a la cual el libre albedrío, en el sentido requerido para que exista responsabilidad moral, es consistente con el DETERMINISMO causal universal. Es importante distinguir entre la cuestión de la consistencia lógica de la creencia en el determinismo causal universal y la creencia simultánea en el libre albedrío, por una parte, y, por otra, la cuestión de si la tesis del libre albedrío (o la del determinismo causal) es verdadera. No es obligatorio que los compatibilistas afirmen al mismo tiempo (aunque muchos lo hacen) la realidad del libre albedrío y del determinismo causal. Entre los incompatibilistas, algunos sostienen la existencia del libre albedrío y, consiguientemente, niegan el determinismo causal universal, mientras que otros sustentan el determinismo causal universal y niegan la existencia del libre albedrío. Ver también problema del LIBRE ALBEDRÍO.

competencia Facultad de un tribunal de conocer y pronunciarse en causas legales. Esta facultad tiene base constitucional. Ejemplos de competencia judicial son la competencia de alzada, en virtud de la cual un tribunal superior puede enmendar los errores jurídicos cometidos por un tribunal inferior; la competencia concurrente, según la cual se puede interponer una demanda ante cualquiera de dos o más tribunales; y la competencia federal. Los tribunales tienen jurisdicción dentro de un territorio determinado. En EE.UU., la competencia sumaria es aquella en virtud de la cual los jueces o magistrados pueden instruir juicios que terminen en sentencias condenatorias sin la intervención de un jurado. Se limita a las infracciones menores.

competencia de circuito Antiguamente en EE.UU., desplazamiento de un juez dentro de los límites de un distrito (o circuito) judicial para facilitar la vista de las causas. Esta práctica fue abandonada con la creación de tribunales permanentes y la promulgación de leyes que exigen la comparecencia de las partes ante el juez.

competencia de perros de caza ver pruebas de PERROS DE CAZA

competencia territorial En el derecho estadounidense, lugar o condado en que ocurren los hechos que dan lugar a una acción judicial y en que residen las personas que podrán ser llamadas a integrar el jurado que juzgará el caso. Las leyes sobre competencia territorial generalmente establecen que el juicio debe tener lugar en el distrito que tenga jurisdicción sobre el asunto. También especifican las causales que justifican la prórroga de jurisdicción, como el temor a que un jurado no sea imparcial debido a la publicidad que han dado los medios al hecho, el peligro de violencia y el prejuicio racial.

compilador SOFTWARE de computadora que traduce (compila) el código fuente, escrito en un lenguaje de programación de alto nivel (p. ej., C++), a un conjunto de instrucciones en LENGUAJE DE MÁQUINA que pueden ser entendidas por la CPU de una COMPUTADORA DIGITAL. Los compiladores son programas muy grandes, con capacidad de verificación de errores y otras características. Algunos compiladores traducen el lenguaje de alto nivel a un LENGUAJE ENSAMBLADOR de nivel intermedio, el que luego es traducido a código de máquina por un programa ensamblador. Otros compiladores generan directamente lenguaje de máquina.

complejidad computacional Costo inherente de la solución de un problema en la computación científica a gran escala, medido por el número de operaciones requeridas, así como también por la cantidad de memoria usada y el orden en que se emplea. El resultado de un análisis de complejidad es una estimación de cuán rápidamente aumenta el tiempo de la solución a medida que aumenta el tamaño del problema, la que puede utilizarse para analizar problemas y ayudar en el diseño de ALGORITMOS para su solución.

complemento En fisiología, sistema complejo de a lo menos 20 PROTEÍNAS (componentes del complemento) del suero sanguíneo normal (ver SANGRE). La unión de un componente con un complejo ANTÍGENO-ANTICUERPO inicia una reacción química en cadena, que es importante para muchos procesos inmunológicos, como la destrucción de células extrañas e infectadas, ingestión de partículas extrañas y restos celulares, e inflamación de los tejidos vecinos. Los componentes del complemento y los anticuerpos son las sustancias del suero humano responsables de matar a las bacterias.

completitud Concepto de la adecuación de un sistema FORMAL que se utiliza tanto en la teoría de prueba como en la teoría de modelo (ver LÓGICA). En la teoría de prueba, un sistema formal se declara sintácticamente completo si y sólo si cada oración cerrada del sistema es tal que ella o su negación puede ser probada. En la teoría de modelo, un sistema formal se declara semánticamente completo si y sólo si cada teorema del sistema puede ser probado en el sistema.

complot de los médicos (1953). Supuesta conspiración de prominentes especialistas médicos soviéticos para asesinar a importantes funcionarios del gobierno y del partido. En enero de 1953, la prensa soviética informó que nueve doctores, al menos seis de ellos judíos, habían sido arrestados y habían confesado su delito. Debido a la muerte de STALIN acaecida en el mes de marzo, no hubo juicio. Posteriormente, *Pravda* anunció que los cargos contra los médicos eran falsos y que sus confesiones se habían obtenido bajo tortura. En su discurso privado ante el XX Congreso del PARTIDO COMUNISTA DE LA UNIÓN SOVIÉTICA, NIKITA JRUSCHOV afirmó que Stalin había intentado manipular el juicio a los doctores para efectuar una purga masiva en el partido.

complot papista (1678). En la historia inglesa, falso rumor, al que se dio amplia credibilidad, de que los jesuitas planeaban asesinar a CARLOS II para reemplazarlo por su hermano católico, el duque de York, más tarde JACOBO II. El rumor fue inventado por TITUS OATES, quien hizo una declaración jurada de su "evidencia" ante un juez de paz de Londres. Cuando este último fue encontrado asesinado, cundió el pánico entre la gente y se iniciaron acusaciones y procesos que llevaron a la ejecución de cerca de 35 personas inocentes. La calma se restableció una vez que Oates fue desacreditado.

Complutense de Madrid, Universidad Universidad pública de España, la más grande del país. Fue fundada en Alcalá de Henares, la antigua Complutum, en 1499. Sin embargo, su verdadero origen se remonta a 1293, fecha en que el rey SANCHO IV de Castilla creó el Estudio de Escuelas Generales de Alcalá, que daría lugar dos siglos después a la Universidad Complutense de Cisneros. En 1836 fue trasladada a Madrid con el nuevo nombre de Universidad Central. En 1970, bajo los planes de reforma de la enseñanza superior española, pasó a denominarse Universidad Complutense de Madrid, recuperando la denominación de su lugar de origen. Posee dos sedes: Moncloa y Somosaguas. Ofrece programas de pregrado y posgrado, además de 77 títulos oficiales agrupados en cuatro áreas del conocimiento: humanidades, ciencias experimentales, ciencias de la salud y ciencias sociales. Además ofrece programas de extensión cultural y cursos de formación general. En sus aulas impartieron clases, entre otros, JOSÉ ORTEGA Y GASSET, Manuel García Morente, Luis Jiménez de Asúa, Santiago Ramón y Cajal, y Blas Cabrera.

Patio de la Universidad Complutense de Madrid, España.
FOTOBANCO

comportamiento alimentario Cualquier actividad de un animal que tiende a obtener nutrientes. Cada especie desarrolla métodos para buscar, obtener e ingerir el alimento por el cual puede competir con éxito. Algunas especies consumen un único tipo de alimento, otras, varios de ellos. En los invertebrados la elección alimentaria es instintiva, mientras que en los vertebrados es aprendida.

comportamiento caótico Comportamiento en un sistema complejo que parece irregular o impredecible, pero que es en realidad determinado. El comportamiento aparentemente aleatorio o impredecible en sistemas regidos por leyes deterministas complicadas (no lineales) es el resultado de una alta sensibilidad a las condiciones iniciales. Por ejemplo, EDWARD LORENZ descubrió que un simple modelo de CONVECCIÓN de calor muestra comportamiento caótico. En un ejemplo ahora ya clásico de dicha sensibilidad a las condiciones iniciales, sugirió que el mero aletear de las alas de una mariposa podría resultar en definitiva en cambios climáticos a gran escala (el "efecto mariposa").

comportamiento de cardumen Actividad característica de los peces clupeiformes (ARENQUES, ANCHOAS y otros peces relacionados), en la cual muchos peces nadan juntos, actuando en apariencia como un único organismo. Un cardumen de arenques puede tener muchos millones de individuos de tamaño aproximadamente similar. Aquellos peces que sobrepasan o no alcanzan un tamaño dado se segregan y forman cardúmenes independientes. Para los peces, la ventaja primordial parece ser la seguridad individual. Bajo amenaza, un cardumen de miles de anchoas, de varios cientos de metros de extensión, se contraerá hasta formar una esfera bullente, de sólo unos pocos metros de diámetro. Se frustrará así la captura de un individuo en particular por un depredador natural.

comportamiento, terapia del *o* **modificación conductual** Aplicación de los principios del APRENDIZAJE, obtenidos experimentalmente, al tratamiento de los trastornos psicológicos y al control de la conducta. El concepto tiene sus orígenes en el trabajo realizado por EDWARD L. THORNDIKE y fue popularizado en EE.UU. por teóricos del CONDUCTISMO como B. F. SKINNER. Las técnicas de la terapia de conducta se basan en los principios del CONDICIONAMIENTO operante, en los cuales se premian las conductas deseadas. Existe muy poca o ninguna preocupación por las experiencias conscientes o por los procesos inconscientes. Dichas técnicas han sido utilizadas, con algún grado de éxito, en trastornos tales como la ENURESIS, TICS, FOBIAS, TARTAMUDEZ, TRASTORNO OBSESIVO-COMPULSIVO y varias NEUROSIS. Habitualmente, la modificación conductual se refiere a la aplicación de técnicas de refuerzo para modelar la conducta del individuo hacia un objetivo deseado, o para controlar el comportamiento tanto en las salas de clases o en situaciones institucionales. Ver también PSICOTERAPIA.

comportamiento territorial En zoología, acciones en virtud de las cuales un animal, o un grupo de animales, protege su territorio de las incursiones de otros de su misma especie. Los límites del territorio se pueden marcar con sonidos (p. ej., CANTO de aves), olores o incluso cúmulos de estiércol. Si tales señales de advertencia no disuaden a los intrusos, entonces habrá persecuciones y enfrentamientos. Los territorios pueden ser estacionales (habitualmente para anidar y alimentar a las crías) o defendidos en forma permanente (como coto de caza y lugar de vida). El comportamiento territorial beneficia a las especies al permitir un apareamiento y crianza sin interrupciones, evitar la superpoblación y minimizar la competencia por el alimento.

composición tipográfica En diversos procesos de IMPRESIÓN, conjunto de tipos compuestos en líneas para el armado de páginas. El tipo de bloques de madera fue inventado en China en el s. XI y el tipo móvil con moldes de metal había aparecido en Corea alrededor del s. XIII. Fue reinventado en Europa en la década de 1450 por JOHANNES GUTENBERG. A través de gran parte de su historia, la composición tipográfica y la impresión eran a menudo realizadas por una misma persona, quien disponía los tipos, un carácter a la vez, en filas que correspondían a las líneas individuales del futuro documento, al tiempo que manejaba la prensa manual para imprimirlo en papel. La composición tipográfica cambió radicalmente en la década de 1880 con el invento de los procesos de "metal caliente": la LINOTIPIA (patentada en 1884), en la cual las líneas de tipos se armaban mediante el uso de un teclado parecido al de la máquina de escribir y cada línea se fundía en un lingote de metal; y la monotipia, patentada en 1887 (ver MONOTIPO), que también empleaba un teclado, pero que fundía cada carácter en forma separada. La fotocomposición –composición de texto directamente sobre una película o papel fotosensible mediante un tambor o disco rotatorio con los tipos recortados y a través de los cuales se podía dirigir la luz sobre una superficie receptora– apareció a comienzos del s. XX. A fines del s. XX, la generación de caracteres, el corte de palabras, el espaciamiento, la diagramación y demás decisiones de composición de cada página se comenzó a manejar con computadoras y *software* editorial con un archivo electrónico como resultado, que incluye además elementos gráficos; este es traspasado a una impresora láser para su reproducción en papel o en película.

Antigua plancha de composición tipográfica móvil del *Osservatore Romano*.
FOTOBANCO

compost Masa de materia orgánica como resultado de la descomposición de residuos vegetales. Se suele usar en agricultura y jardinería para mejorar la estructura del suelo, más que como un fertilizante, ya que tiene un bajo contenido de nutrientes vegetales. Si se elabora adecuadamente carece de malos olores. Por lo general, el compost contiene 2% de nitrógeno, 0,5–1% de fósforo y un 2% de potasio, aprox. Para acelerar el proceso de descomposición se puede agregar cal, fertilizantes nitrogenados y ESTIÉRCOL. El compost suministra el nitrógeno lentamente y en pequeñas cantidades. El bajo contenido de nutrientes del compost obliga a aplicarlo en grandes cantidades.

Elaboración de compost como fertilizante natural.
FOTOBANCO

comprensión *o* **entendimiento** Acto de o capacidad de asir con el intelecto. Habitualmente, el término se utiliza con respecto a las pruebas que evalúan destrezas de lectura y del lenguaje, aunque también pueden examinar otras habilidades (p. ej., razonamiento matemático). Los especialistas que administran e interpretan estas pruebas se conocen como psicometristas (ver PSICOMETRÍA) o psicólogos diferenciales. Ver también DISLEXIA; HABLA; LATERALIDAD; PRUEBAS PSICOLÓGICAS.

compresión de datos Proceso de reducción de la cantidad de datos necesarios para el almacenamiento o transmisión de una información dada (texto, gráficos, vídeo, sonido, etc.), comúnmente mediante el uso de técnicas de codificación. La compresión de datos se caracteriza por la pérdida o no pérdida de información, dependiendo de si algunos datos son descartados o no, respectivamente. La compresión sin pérdida examina los datos en busca de secuencias o regiones repetitivas para reemplazarlas con una "señal" única. Por ejemplo, cada ocurrencia de la palabra *el* o de la región con el color rojo puede convertirse en *$*. Los formatos sin pérdida de información más comunes para texto y gráficos son los llamados ZIP y GIF, respectivamente. La compresión con pérdida de información se utiliza por lo general para archivos de fotografías, vídeo y sonido, donde la pérdida de algún detalle pasa a menudo inadvertido. Los formatos más comunes de compresión con pérdida son los llamados JPEG y MPEG (ver MP3).

compresión, relación de Grado al cual se comprime la mezcla combustible en un MOTOR DE COMBUSTIÓN INTERNA antes del encendido. Se define como el volumen de la cámara de combustión con el pistón en su posición más alejada de la cabeza del cilindro, dividido por su volumen con el pistón en la posición de compresión máxima (ver PISTÓN Y CILINDRO). Una relación de compresión de seis significa que la acción del pistón comprime la mezcla a un sexto de su volumen original. Una relación elevada mejora la eficiencia, pero puede causar golpeteo en el motor.

compresor Máquina para aumentar la presión de un GAS mediante la reducción mecánica de su volumen. El aire es el gas que se comprime con mayor frecuencia, pero también se comprimen a menudo gas natural, oxígeno, nitrógeno y otros gases de importancia industrial. Hay tres tipos generales de compresores. Los compresores de desplazamiento positivo suelen ser del tipo de pistón de movimiento alternativo o de vaivén (ver PISTÓN Y CILINDRO), útiles para suministrar pequeñas cantidades de un gas a presiones relativamente altas. Los compresores centrífugos son muy apropiados para comprimir grandes volúmenes de gas a presiones moderadas. Los compresores axiales se usan para motores de aviación de reacción y en turbinas de gas.

compromiso de 1850 Conjunto de medidas aprobadas por el Congreso de EE.UU. para resolver los problemas de la esclavitud y evitar la SECESIÓN. La crisis se produjo a fines de 1849, cuando el territorio de California pidió ingresar a la Unión con una constitución que prohibía la esclavitud y se complicó con la cuestión pendiente de extender la esclavitud a otros sectores cedidos por México en 1848. En el afán de dejar satisfechas a las fuerzas esclavistas y abolicionistas, el sen. HENRY CLAY propuso una serie de medidas que admitían a California como estado libre, dejaban la cuestión de la esclavitud en manos de los nuevos territorios para que los residentes la resolvieran y disponían el regreso forzoso de los esclavos prófugos y la prohibición del comercio esclavista en el distrito de Columbia. El apoyo otorgado por DANIEL WEBSTER y STEPHEN A. DOUGLAS contribuyó a asegurar la aprobación del compromiso. En toda la Unión, los moderados aceptaron estas condiciones, las que evitaron la secesión durante otros diez años, pero se sembró la semilla de la discordia.

Henry Clay, impulsor del compromiso de 1850 en EE.UU.
FOTOBANCO

compromiso de 1867 *o* **Ausgleich** Pacto que estableció la monarquía dual de AUSTRIA-HUNGRÍA. El reino de Hungría aspiraba a tener una situación de igualdad con el Imperio austríaco, debilitado por su derrota en la guerra austro-prusiana de 1866. El emperador austríaco FRANCISCO JOSÉ I otorgó a Hungría plena autonomía interna, junto con un ministerio responsable, y a cambio, esta convino en que el imperio debía continuar siendo un solo gran Estado para propósitos de guerra y de relaciones exteriores, manteniendo así su prestigio dinástico en el mundo.

Compton, Arthur (Holly) (10 sep. 1892, Wooster, Ohio, EE.UU.–15 mar. 1962, Berkeley, Cal.). Físico estadounidense. Enseñó en la Universidad de Chicago (1923–45) y más tarde se desempeñó como rector (1945–54) y profesor (1953–61) en la Washington University. Es conocido principalmente por su descubrimiento y explicación del efecto COMPTON, por el cual compartió con C.T.R. WILSON el Premio Nobel de Física en 1927. Fue determinante en la iniciación del proyecto MANHATTAN y dirigió el desarrollo de los primeros reactores nucleares.

Arthur Compton, 1936.
FOTOBANCO

Compton, efecto Cambio en la LONGITUD DE ONDA de los RAYOS X y otros tipos de RADIACIÓN ELECTROMAGNÉTICA de alta energía cuando colisionan con ELECTRONES. Constituye una de las formas principales en que la energía radiante es absorbida por la materia, causada por la transferencia de energía de los FOTONES a los electrones. Cuando los fotones colisionan con electrones que están libres o débilmente ligados a átomos, transfieren parte de su energía y momento a los electrones que luego rebotan. Se producen nuevos fotones de menor energía y momento y, por lo tanto, de mayor longitud de onda; estos se dispersan en variados ángulos, dependiendo de la cantidad de energía entregada a los electrones que rebotan. El efecto demuestra la naturaleza del fotón como una partícula verdadera con energía y momento. Su descubrimiento en 1922 por ARTHUR COMPTON fue esencial para establecer la DUALIDAD ONDA-PARTÍCULA de la radiación electromagnética.

Compton-Burnett, Dame Ivy (5 jun. 1884, Pinner, Middlesex, Inglaterra–27 ago. 1969, Londres). Novelista británica. Se graduó en la Universidad de Londres y en 1911 publicó su primera novela, *Dolores*. En la segunda, *Pastors and Masters* [Pastores y amos] (1925), introduce diálogos precisos y pulimentados que desnudan el carácter de sus personajes, hacen avanzar la trama y que serían una característica distintiva de su obra. Las novelas de Compton-Burnett suelen girar en torno a luchas de poder dentro de una familia: *Men and Wives* [Hombres y esposas] (1931) retrata a una madre tiránica y *La casa y su dueño* (1935), a un padre tiránico. La escritora recibió el título honorífico de Dama del Imperio británico en 1967.

Compuestas Una de las familias más grandes de plantas, conocida también como Asteráceas (ver MARGARITA y ASTER), que contiene más de 1.100 géneros y casi 20.000 especies de plantas herbáceas, arbustos y árboles que pueblan todo el mundo. Aunque de hábitos y hábitats diversos, tienden a crecer en lugares soleados de regiones templadas y subtropicales. Comprende muchas plantas ornamentales de jardín, entre otras, AGÉRATO, aster, CRISANTEMO, COSMOS, DALIA y los géneros TAGETES y ZINNIA. Otras son malezas como DIENTE DE LEÓN, especies del género AMBROSÍA y CARDO. La ALCACHOFA, ENDIBIA, ALAZOR, SALSIFÍ, LECHUGA, MARAVILLA y las especies del género ARTEMISIA tienen importancia por los productos que se obtienen de sus flores, semillas, hojas, raíces o tubérculos. Las cabezuelas están formadas por numerosas florecillas rodeadas de BRÁCTEAS. El centro de cada cabezuela está formado por florecillas tubulares acampanadas; las florecillas radiadas liguladas se extienden hacia afuera como pétalos y a veces se pliegan sobre sí mismas. Algunas especies tienen flores únicamente con florecillas tubulares o únicamente florecillas radiadas.

Crisantemo (*Chrysanthemum morifolium*), familia de las Compuestas.
© ENCYCLOPÆDIA BRITANNICA, INC.

compuesto Cualquier sustancia compuesta de MOLÉCULAS idénticas que constan de ÁTOMOS de dos o más ELEMENTOS QUÍMICOS. Se conocen millones de estos compuestos, cada uno único, con propiedades únicas. La mayoría de los materiales comunes son mezclas de compuestos. Los compuestos puros pueden ser obtenidos por métodos de separación físicos, como la precipitación y la DESTILACIÓN. Los compuestos pueden ser separados en sus componentes en diversos grados o pueden transformarse en otros nuevos por REACCIONES QUÍMICAS. Los átomos se combinan siempre en proporciones fijas para dar moléculas, lo que distingue a los compuestos de las SOLUCIONES y de otras mezclas mecánicas. A menudo se clasifican como COMPUESTOS INORGÁNICOS y COMPUESTOS ORGÁNICOS; los complejos coordinados, los cuales contienen átomos de METAL (generalmente elementos de TRANSICIÓN) unidos a LIGANDOS, que pueden ser orgánicos, son en cierto modo un grupo intermedio. Los compuestos también pueden clasificarse según tengan ENLACES IÓNICOS o ENLACES COVALENTES (muchos comprenden ambos tipos).

compuesto acrílico Cualquiera de una clase de plásticos sintéticos, resinas y aceites que se utilizan para fabricar una variedad de productos. Al variar los reactivos primarios (como ácido acrílico, $C_3H_4O_2$, o acrilonitrilo, C_3H_3N) y el proceso de formación, se puede producir un material duro y transparente, suave y resiliente, o un líquido viscoso. Los compuestos acrílicos se usan para hacer piezas o partes estructurales y ópticas estampadas, joyas, adhesivos, compuestos de recubrimiento y fibras textiles. Lucite y Plexiglas son marcas registradas que se utilizan para materiales acrílicos vítreos.

compuesto aromático Cualquiera de una gran clase de compuestos orgánicos cuya estructura molecular comprende uno o más anillos planares de átomos, casi siempre de seis átomos de CARBONO. Los enlaces carbono-carbono del anillo (ver ENLACE) no son ni simples ni dobles, sino un tipo característico de estos compuestos, en el cual los electrones son compartidos igualmente con todos los átomos alrededor del anillo en una nube de electrones. El término se aplicó primero c. 1860 a una clase de HIDROCARBUROS aislados del alquitrán, que se distingue por los olores mucho más fuertes que aquellos de otras clases de hidrocarburos. En la química moderna, la aromaticidad denota el comportamiento químico, especialmente la baja reactividad de esta clase de moléculas relacionada con su enlace. El compuesto-padre de esta clase es el BENCENO (C_6H_6). Ver también HIDROGENACIÓN.

compuesto heterocíclico Cualquiera de una clase de compuestos orgánicos cuyas moléculas contienen uno o más anillos de átomos con al menos un átomo (el heteroátomo) diferente al carbono, en la mayor parte de los casos, oxígeno, nitrógeno o azufre. Como en los HIDROCARBUROS cíclicos regulares, tales anillos heterocíclicos pueden tener enlaces simples, dobles o triples, o ser aromáticos (ver ENLACE COVALENTE; COMPUESTO AROMÁTICO), y el compuesto puede contener uno o más anillos simples, o tener anillos fusionados (en los cuales los anillos contiguos comparten dos átomos de carbono). Los compuestos que tienen anillos heterocíclicos pentagonales son la CLOROFILA, la HEMOGLOBINA, el ÍNDIGO, el TRIPTÓFANO y ciertos polímeros. Aquellos anillos heterocíclicos hexagonales comprenden la PIRIDINA, la piridoxina (vitamina B_6; ver complejo de VITAMINA B), la VITAMINA E, la QUININA y el núcleo del pirano, los cuales se encuentran en los azúcares y en los pigmentos de antocianina. La NICOTINA y la MORFINA ambas poseen anillos heterocíclicos penta y hexagonales; algunos antibióticos (p. ej., la PENICILINA) cuentan con dos heteroátomos diferentes en sus anillos. Otros compuestos heterocíclicos importantes son las PIRIMIDINAS, que se encuentran en los BARBITÚRICOS, y las PURINAS, presentes en la CAFEÍNA y en compuestos afines; la pirimidina y la purina son los compuestos-padres de los ácidos NUCLEICOS.

compuesto inorgánico Cualquier sustancia en la cual están combinados dos o más ELEMENTOS QUÍMICOS, a excepción del CARBONO, casi siempre en proporciones definidas (ver ENLACE), así como también algunos COMPUESTOS que contienen carbono, pero que carecen de enlaces carbono-carbono (p. ej., CARBONATOS, CIANUROS). Los compuestos inorgánicos pueden ser clasificados por los elementos o grupos que contienen (p. ej., óxidos, SULFATOS). Las clases principales de POLÍMEROS inorgánicos son las SILICONAS, los SILANOS, los silicatos y los boratos. Los compuestos coordinados (o complejos), una subclase importante de compuestos inorgánicos, consisten en moléculas con un átomo de METAL central (normalmente un elemento de TRANSICIÓN), unidas a uno o más LIGANDOS no metálicos (inorgánico, orgánico o ambos), a menudo de un colorido intenso. Ver también COMPUESTO ORGÁNICO.

compuesto orgánico Sustancia cuyas MOLÉCULAS contienen uno o más (a menudo muchos más) ÁTOMOS de CARBONO (excepto carbonatos, cianuros, carburos y algunos otros; ver COMPUESTO INORGÁNICO). Hasta 1828 (ver UREA), los científicos creían que los compuestos orgánicos podían formarse sólo por procesos biológicos (de ahí el nombre). Como el carbono tiene una tendencia mucho mayor a formar cadenas y anillos moleculares que otros elementos químicos, sus COMPUESTOS son enormemente más numerosos (se han descrito muchos millones) que todos los otros conocidos. Los organismos vivos están compuestos en su mayor parte de agua y compuestos orgánicos: PROTEÍNAS, CARBOHIDRATOS, GRASAS, ácidos NUCLEICOS, HORMONAS, VITAMINAS y una cantidad de otros. Las fibras naturales y sintéticas y la mayoría de los combustibles, drogas y plásticos son orgánicos. Los HIDROCARBUROS contienen sólo carbono e hidrógeno; los compuestos orgánicos con otros GRUPOS FUNCIONALES comprenden ácidos CARBOXÍLICOS, ALCOHOLES, ALDEHÍDOS, CETONAS, FENOLES, ÉTERES, ÉSTERES y otras moléculas más complejas, como COMPUESTOS HETEROCÍCLICOS, ISOPRENOIDES y AMINOÁCIDOS.

computación, ciencia de la Estudio de las computadoras, su diseño (ver ARQUITECTURA DE COMPUTADORA) y sus usos en la computación, PROCESAMIENTO DE DATOS y control de sistemas, incluido el diseño y el desarrollo de HARDWARE y SOFTWARE de computadoras, y también la programación. La disciplina abarca teoría, actividades matemáticas como el diseño y análisis de algoritmos, estudio del rendimiento de los sistemas y sus componentes, y estimación de la fiabilidad y disponibilidad de los sistemas por técnicas probabilísticas. Dado que los sistemas computacionales son a menudo demasiado grandes y complicados para predecir el fracaso o el éxito de un diseño sin realizar pruebas, se incorpora la experimentación al ciclo de desarrollo.

computación cuántica Método experimental de computación que utiliza fenómenos de la mecánica cuántica. Incorpora la teoría cuántica y el PRINCIPIO DE INCERTIDUMBRE. Las computadoras cuánticas permitirían que un BIT almacenara valores de 0 y 1 en forma simultánea. Podrían responder múltiples preguntas simultáneamente, con una salida final dependiente del patrón de interferencia generado por los diversos cálculos. Ver también computación de ADN; MECÁNICA CUÁNTICA.

computadora Máquina programable que puede almacenar, recuperar y procesar datos. Las computadoras actuales tienen al menos una CPU que ejecuta la mayoría de los cálculos y comprende una memoria principal, una unidad de control y una unidad aritmético-lógica. Cada vez más, las COMPUTADORAS PERSONALES cuentan con procesadores gráficos especializados, con memoria dedicada para manejar los cálculos necesarios a fin de mostrar gráficos complejos, como aquellos de simulaciones tridimensionales y de juegos. Por lo general, el almacenamiento auxiliar de datos es provisto por un DISCO DURO interno, que puede ser complementado por otros medios como los DISQUETES o CD-ROM. El equipamiento periférico comprende los dispositivos de entrada (p. ej., teclado, ratón o *mouse*) y dispositivos de salida (p. ej., monitor, IMPRESORA DE COMPUTADORA), así como la red de circuitos y el cableado que conecta todos los componentes. Las generaciones de computadoras se caracterizan por su tecnología. La primera generación de COMPUTADORAS DIGITALES, desarrollada en su mayor parte en EE.UU. después de la segunda guerra mundial, usaba TUBOS DE VACÍO y eran enormes. La segunda generación, introducida c. 1960, ocupó TRANSISTORES y fueron las primeras computadoras comercialmente exitosas. La tercera generación de computadoras (fines de las décadas de 1960–70) se caracterizó por la miniaturización de componentes y el uso de CIRCUITOS INTEGRADOS. El chip MICROPROCESADOR, introducido en 1974, define la cuarta generación de computadoras.

computadora analógica COMPUTADORA en la cual se usan cantidades físicas con variación continua, como potencial eléctrico, presión de fluido, o movimiento mecánico, para representar (de manera análoga) las cantidades del problema a resolver. El sistema analógico se configura de acuerdo con las condiciones iniciales y luego se le permite que cambie libremente. Las respuestas al problema se obtienen midiendo las variables del modelo analógico. Las computadoras analógicas sirven sobre todo para simular sistemas dinámicos; tales simulaciones pueden realizarse en tiempo real o con ritmos muy acelerados, lo que permite la experimentación al efectuar un proceso muchas veces con diferentes variables. Se han utilizado extensamente en la simulación de la operación de aviones, de plantas de energía nuclear y de procesos químicos industriales. Ver también COMPUTADORA DIGITAL.

computadora, animación asistida por ver ANIMACIÓN ASISTIDA POR COMPUTADORA

computadora, arquitectura de ver ARQUITECTURA DE COMPUTADORA

computadora, arte por ver ARTE POR COMPUTADORA

computadora digital COMPUTADORA capaz de resolver problemas mediante el procesamiento de la información expresada en forma discreta. Manipulando combinaciones de dígitos binarios (ver CÓDIGO BINARIO), puede ejecutar cálculos matemáticos, organizar y analizar datos, controlar los procesos industriales y de otra índole, y simular sistemas dinámicos como patrones meteorológicos a nivel mundial. Ver también COMPUTADORA ANALÓGICA.

computadora, edición por ver EDICIÓN POR COMPUTADORA

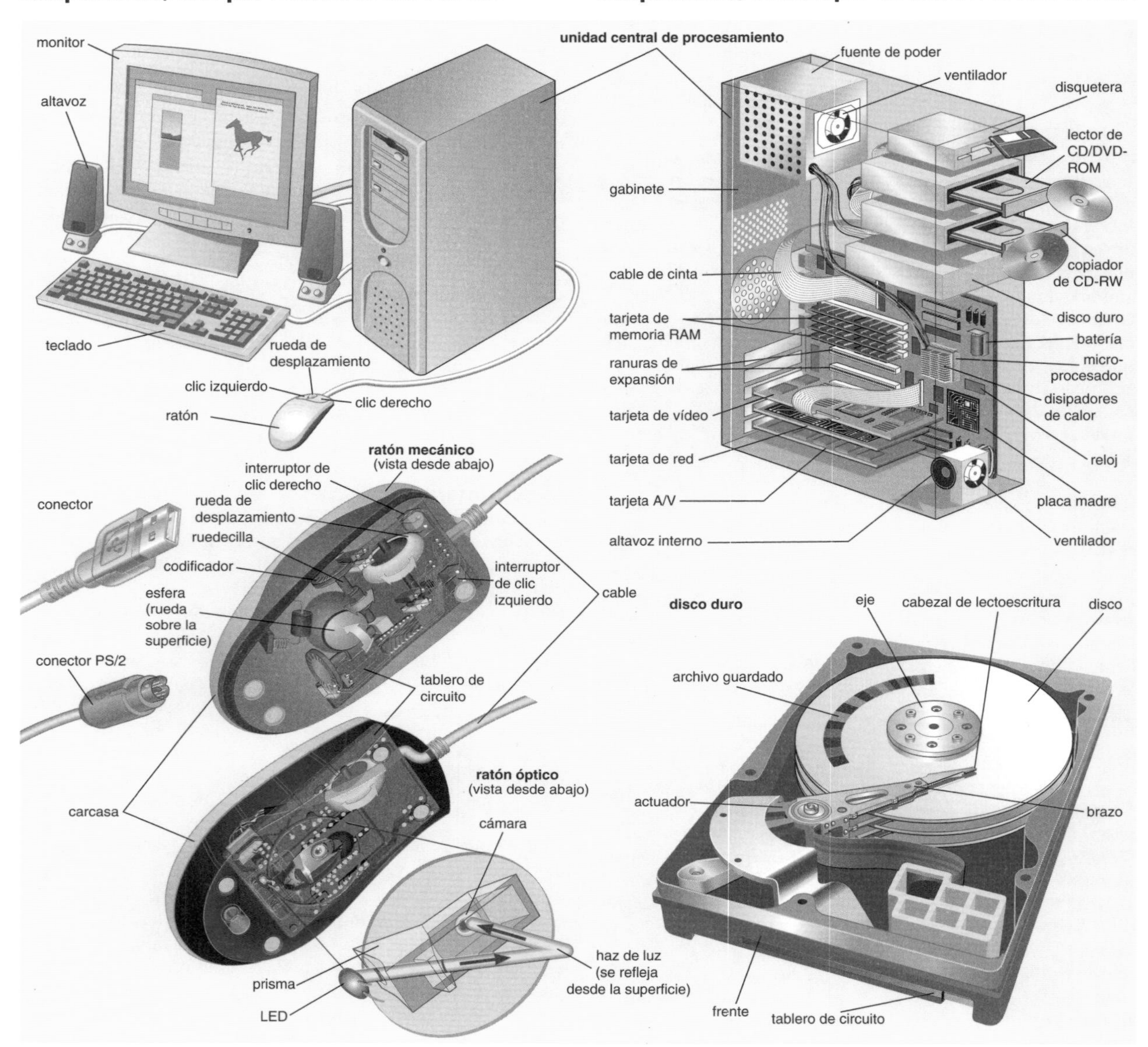

Una computadora personal típica consta de la computadora propiamente tal, un monitor de vídeo, un teclado, un ratón o *mouse* y altavoces. Otros dispositivos periféricos pueden ser una impresora, un escáner, una cámara, un micrófono o un dispositivo de almacenamiento externo. Los chips y tarjetas de circuito se conectan en la placa madre. Otros componentes, como las disqueteras, se alojan en el gabinete de la computadora y son controlados por una tarjeta denominada controlador. El microprocesador dirige la actividad de la computadora a través de la placa madre y procesa los datos con sus millones de transistores. Los datos y los programas en uso se almacenan en las tarjetas de memoria RAM. Los disquetes y los discos duros guardan información de uso ulterior en discos magnéticos. Los discos ópticos, como los CD-ROM y los DVD, también pueden almacenar datos. Algunos tableros de circuito tienen funciones específicas; por ejemplo, la tarjeta de sonido genera sonidos y música. Es posible agregar tableros adicionales como módem, insertándolos en una ranura de expansión, que es una hilera de conectores eléctricos en los que se enchufa el tablero. La fuente de poder convierte la corriente alterna estándar en los voltajes y corrientes requeridos para operar los componentes de la computadora. Una batería hace funcionar el reloj y los datos de configuración cuando se desconecta la corriente alterna. El disco duro, principal fuente de almacenamiento, contiene por lo general varios discos rígidos fijados a un eje que los hace girar miles de veces por minuto. Los discos son accesados por cabezales de lectoescritura fijados en los extremos de brazos móviles. La posición del cabezal es controlada por el actuador del cabezal. Los cabezales, controlados por un tablero de circuito, leen los datos detectando la orientación de partículas magnetizadas en los discos y escriben nuevos datos en ellos reordenando los campos magnéticos por medio de un electroimán diminuto. El ratón es un dispositivo de entrada que se usa para posicionar un puntero en la pantalla de la computadora y para hacer selecciones en ella. Cuando el usuario mueve el ratón con esfera, se acciona una bola de goma que hace girar dos ruedecillas, que corresponden al movimiento horizontal y vertical en la pantalla. Las ruedecillas están sujetas a codificadores cuyos contactos eléctricos captan la dirección y la magnitud del movimiento, y envían las señales correspondientes a la computadora. Las selecciones en pantalla se realizan mediante un "clic" en uno de los botones del ratón, el cual cierra un circuito eléctrico y envía una señal a la computadora.

computadora, fabricación integrada por ver FABRICACIÓN INTEGRADA POR COMPUTADORA

computadora, gráfica por ver GRÁFICA POR COMPUTADORA

computadora personal *inglés* **personal computer (PC)** MICROCOMPUTADORA diseñada para ser usada por una sola persona. El montaje típico de un PC comprende una CPU, MEMORIA interna consistente en las llamadas RAM y ROM, dispositivos de almacenamiento de datos (que incluye un DISCO DURO, un DISQUETE o CD-ROM), y dispositivos de entrada/salida (que comprenden monitor, teclado, RATÓN e IMPRESORA DE COMPUTADORA). La industria de los PC se inició en 1977 cuando APPLE COMPUTER INC. introdujo la Apple II. Radio Shack y Commodore Business Machines también introdujeron PC ese año. IBM CORP. entró en ese mercado en 1981. El PC IBM, con mayor capacidad de memoria y respaldado por la gran organización de ventas de IBM, rápidamente llegó a ser el estándar de la industria. La Macintosh de Apple (1984) fue particularmente útil para EDICIÓN POR COMPUTADORA. MICROSOFT CORP. introdujo MS WINDOWS (1985), una INTERFAZ GRÁFICA DE USUARIO que dio a los PC muchas de las capacidades de la Macintosh, al principio como una superposición del MS-DOS. Windows pasó a reemplazar al MS-DOS como el SISTEMA OPERATIVO dominante de las computadoras personales. Los usos de los PC se multiplicaron a medida que las máquinas se hacían más poderosas y proliferaban los SOFTWARE de aplicaciones. En la actualidad, los PC se utilizan en PROCESAMIENTO DE TEXTO, acceso a INTERNET y muchas otras tareas diarias.

computadora, visión por ver VISIÓN POR COMPUTADORA

Comstock, Anthony (7 mar 1844, New Canaan, Conn., EE.UU.–21 sep. 1915, Nueva York, N.Y.). Reformador social estadounidense. Uno de los primeros manifestantes contra el aborto y la pornografía, logró la promulgación (1873) de una ley federal muy estricta que prohibía el transporte de material obsceno por correo (ley de Comstock). El mismo año fundó la Sociedad para la supresión del vicio, la que dirigió hasta su muerte. En calidad de agente especial de Correos de EE.UU. (1873–1915), realizó espectaculares visitas sin aviso a editoriales y vendedores. Entre los libros que publicó se incluyen *Traps for the Young* [Trampas para la juventud] (1883) y *Morals Versus Art* [La moral contra el arte] (1888).

Comte, (Isidore-) Auguste (-Marie-François-Xavier) (19 ene. 1798, Montpellier, Francia–5 sep. 1857, París). Pensador francés, fundador filosófico de la SOCIOLOGÍA y el POSITIVISMO. Discípulo de HENRI DE SAINT-SIMON, fue docente en la École Polytechnique (1832–42) al tiempo que impartía clases gratuitas a los trabajadores. Dio su nombre a la ciencia de la sociología e instituyó el nuevo objeto de estudio sobre una base conceptual (aunque no empírica), a partir de la idea de que los fenómenos sociales podían reducirse a leyes, tal como ocurre con los fenómenos naturales. Sus ideas ejercieron influencia en JOHN STUART MILL (quien lo apoyó financieramente durante muchos años), ÉMILE DURKHEIM, HERBERT SPENCER y EDWARD BURNETT TYLOR. Sus trabajos más importantes son *Curso de filosofía positiva* (6 vol., 1830–42) y *Sistema de política positiva* (4 vol., 1851–54).

Auguste Comte, dibujo de Tony Toullion, s. XIX; Bibliothèque Nationale, París.
H. ROGER-VIOLLET

comuna Grupo de personas que coexisten, que poseen bienes en común y que viven conforme a un conjunto de principios habitualmente acordados o respaldados por el grupo. El SOCIALISMO UTÓPICO de ROBERT DALE OWEN y de otros condujo al establecimiento de comunas experimentales de este tipo a inicios del s. XIX en Gran Bretaña y EE.UU., como Nueva Armonía, la BROOK FARM y la comunidad Oneida. Muchas comunas se inspiran en principios religiosos: la vida monástica es esencialmente comunitaria (ver MONACATO). La obra de B.F. SKINNER, *Walden dos* (1948), inspiró muchos intentos de vida comunal en América del Norte, especialmente a fines de la década de 1960 y principios de 1970. Ver también GRANJA COLECTIVA, COMUNITARISMO, KIBUTZ, MOSHAV.

comuna En la historia medieval europea, ciudad que adquiría instituciones municipales de autogobierno. En la mayoría de ellas, un juramento obligaba a los ciudadanos o burgueses de la ciudad a prestarse protección y asistencia mutua. Se convirtió en una asociación que estaba habilitada para poseer propiedades, hacer convenios, tener jurisdicción sobre sus miembros y ejercer poderes gubernamentales. Eran particularmente poderosas en el norte y el centro de Italia, donde la ausencia de un gobierno central fuerte les permitió convertirse en ciudades-estado independientes. En Francia, en cambio, estaban por lo general más limitadas al gobierno local.

comunicación animal Transmisión de información de un animal a otro por medio de sonidos, señales o comportamientos visibles, sabor u olor, impulsos eléctricos, tacto o una combinación de estos. La mayor parte de la comunicación animal se produce a través del sonido (p. ej., el reclamo de los pájaros, el chirrido de los grillos). La comunicación visual indica habitualmente la identidad del animal (la especie, el sexo, la edad, etc.) u otra información a través de características (la cornamenta, manchas de color) o comportamientos (p. ej., la "danza" de la abeja que describe una fuente de alimento) específicos. La comunicación química involucra a las feromonas (señales químicas) que produce el sistema endocrino del animal. Las ANGUILAS y algunos otros peces usan impulsos eléctricos para comunicarse.

comunicación reservada *o* **comunicación confidencial** En derecho, comunicación entre partes caracterizada por su confidencialidad, en virtud de la cual el receptor no está obligado a revelarla si es citado a declarar como testigo. Las comunicaciones entre abogado y cliente son reservadas y no tienen que ser informadas al tribunal. También hay derecho a comunicación reservada entre los cónyuges, ya que ninguno de ellos está obligado a testificar contra el otro, y entre médico y paciente, aunque a este se le puede exigir que revele información cuando el derecho del acusado a un juicio justo es superior al derecho del paciente a la confidencialidad. Los miembros del clero tienen un derecho limitado a negarse a testificar en los tribunales, y a los periodistas se les reconoce cierto derecho de reserva en relación con sus fuentes de información, aunque en algunas circunstancias puede ordenárseles que den a conocer la información que disponen.

comunicación, teoría de la *o* **teoría de la información** Campo de la matemática que estudia los problemas de transmisión de señales, su recepción y su procesamiento. Deriva de los métodos matemáticos de CLAUDE E. SHANNON para medir el grado de orden (la no aleatoriedad) en una señal, que aprovecha en gran medida la teoría de PROBABILIDADES y los procesos ESTOCÁSTICOS, y que condujo a técnicas para determinar la tasa o velocidad de producción de información de una fuente, la capacidad de un canal para trasmitir información y la cantidad media de información en un tipo de mensaje dado. Siendo crucial para el diseño de sistemas de comunicación, estas técnicas tienen aplicaciones importantes en LINGÜÍSTICA, PSICOLOGÍA e incluso en teoría literaria.

comunicaciones inalámbricas Sistema que opera mediante radiofrecuencias, ondas infrarrojas, microondas, u otro tipo de ondas electromagnéticas o acústicas para transmitir señales o datos, en lugar de alambres, cables o fibras ópticas. Los dispositivos inalámbricos comprenden teléfonos CELULARES, aparatos emisores y receptores, controles remotos de puertas de garaje, controles remotos de televisores y receptores GPS. Los módems inalámbricos, transmisores de microondas y satélites permiten acceder a INTERNET desde cualquier parte del mundo. El lenguaje de marcado para comunicaciones inalámbricas (WML, sigla en inglés de *Wireless Markup Language*) basado en XML, orienta su uso a dispositivos de banda angosta, como celulares y buscapersonas, para transferir y mostrar texto.

Comunidad de Cristo *ant.* **Iglesia Reorganizada de Jesucristo de los Santos de los Últimos Días** Facción de la religión fundada en 1830 en EE.UU. por JOSEPH SMITH, cuyo cuerpo principal se transformó en la Iglesia de Jesucristo de los Santos de los Últimos Días, o Iglesia MORMONA. La secta, originalmente conocida como Iglesia Reorganizada de Jesús de los Santos de los Últimos Días, se dividió en 1852, al rechazar el liderazgo de BRIGHAM YOUNG y preferir al hijo de Smith; también impugnaron la práctica de la poligamia y el apelativo mormón. Sus enseñanzas se basan en la BIBLIA, en el Libro del MORMÓN y en la Doctrina y convenios, un libro de revelaciones recibidas por sus profetas. En 2001 cambió oficialmente de nombre y pasó a llamarse Comunidad de Cristo. Al comenzar el s. XXI, esta comunidad contaba con unos 250.000 miembros y su sede está en Independence, Missouri.

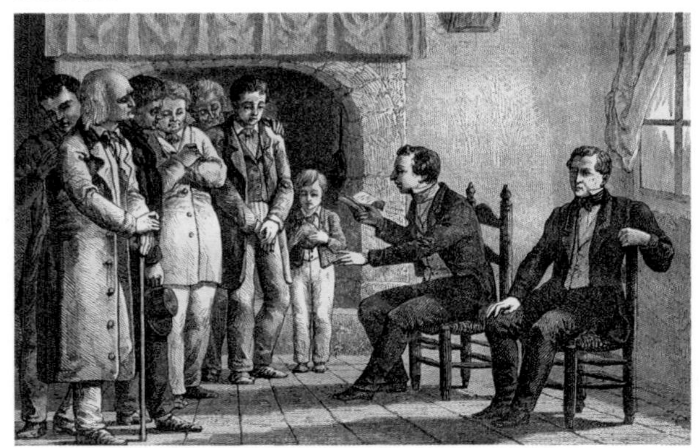

Joseph Smith leyendo el Libro del mormón a los seguidores de la actualmente llamada Comunidad de Cristo.
FOTOBANCO

Comunidad de Estados Independientes Libre asociación de estados soberanos creada en 1991, que comprende a Rusia y otras 11 repúblicas que formaron parte de la Unión Soviética. Sus miembros son Rusia, Ucrania, Belarús, Kazajstán, Kirguizistán, Tayikistán, Turkmenistán, Uzbekistán, Armenia, Azerbaiyán, Georgia y Moldavia. Su centro administrativo está en Minsk, Belarús. Las funciones de la Comunidad son coordinar a los países miembros en sus políticas económicas, de relaciones exteriores, de defensa, de inmigración, de protección ambiental y de cumplimiento de la ley.

Comunidad Económica Europea (CEE) *post.* **Comunidad Europea (CE)** *llamada* **Mercado Común** Asociación de países europeos ideada para promover la unidad económica europea. Fue establecida por los tratados de ROMA en 1957 para desarrollar las economías de los estados miembros hacia la formación de un mercado común y estructurar la unidad política de los estados de Europa occidental. La CEE se propuso, además, establecer una política comercial única con respecto a los países no miembros, coordinar los sistemas de transporte, las políticas agrícolas y económicas en general, eliminar las medidas que restringían la libre competencia y asegurar el libre movimiento de la mano de obra, el capital y la capacidad empresarial entre los estados miembros. La liberalización de las políticas comerciales impulsada por la CEE desde la década de 1950 logró muy buenos resultados en cuanto a incrementar el comercio y la prosperidad económica en Europa occidental. En 1967, sus organismos de gobierno fueron fusionados en la COMUNIDAD EUROPEA (CE). En 1993, a la CEE se le dio el nuevo nombre de Comunidad Europea (CE); en la actualidad es la principal organización dentro de la UNIÓN EUROPEA (UE).

Comunidad Europea (CE) Organización formada en 1967 por la fusión de la COMUNIDAD ECONÓMICA EUROPEA (CEE), la COMUNIDAD EUROPEA DEL CARBÓN Y DEL ACERO (CECA) y la COMUNIDAD EUROPEA DE ENERGÍA ATÓMICA (Euratom). La fusión creó una única Comisión de la Comunidad Europea y un único Consejo de Ministros. Otros cuerpos ejecutivos, legislativos y judiciales también fueron reunidos bajo ella. En 1993, la CE se convirtió en la base de la UNIÓN EUROPEA (UE), y la Comunidad Económica Europea pasó a denominarse Comunidad Europea.

Comunidad Europea de Defensa (CED) Intento de las potencias europeas occidentales, con apoyo de EE.UU., de contrapesar la abrumadora superioridad de la fuerza militar convencional soviética en Europa, mediante la creación de un ejército europeo supranacional que incluía a las fuerzas de Alemania Occidental. Aunque se acordó un tratado en 1952, la negativa del Parlamento francés a ratificarlo en 1954 puso fin al proyecto. Como consecuencia de la actitud francesa, en 1955 se decidió rearmar a Alemania Occidental y permitirle su ingreso a la OTAN. En 1955, la CED fue reemplazada por la UNIÓN EUROPEA OCCIDENTAL (UEO).

Comunidad Europea de Energía Atómica (Euratom) Organización internacional establecida en 1958 para formar un mercado común orientado al desarrollo de los usos pacíficos de la energía atómica. Originalmente tenía seis miembros; actualmente incluye a todos los miembros de la UNIÓN EUROPEA (UE). Entre sus objetivos estaban los de facilitar el establecimiento de una industria de energía nuclear a una escala europea más que nacional, coordinar la investigación, fomentar la construcción de centrales de energía atómica, establecer regulaciones de seguridad y crear un mercado común para el comercio de materiales y equipamientos nucleares. En 1967 sus organismos directivos se fusionaron en la COMUNIDAD EUROPEA (CE).

Comunidad Europea del Carbón y del Acero (CECA) Organismo administrativo ideado para integrar las industrias del carbón y el acero de Francia, Alemania Occidental, Italia, Bélgica, Países Bajos y Luxemburgo. Tuvo su origen en el proyecto de ROBERT SCHUMAN (1950) que buscaba establecer un mercado común para el carbón y el acero de aquellos países que tenían la voluntad de someterse a una autoridad independiente. Creada en 1952, la CECA llegó a incluir a todos los miembros de la UNIÓN EUROPEA (UE). Al principio eliminó las barreras para comerciar carbón, coke, acero y hierro (en lingotes y chatarra); más tarde supervisó la reducción del exceso de producción entre sus miembros. En 1967 sus organismos directivos se fusionaron en la COMUNIDAD EUROPEA (CE). Cuando el tratado expiró en 2002, la CECA se disolvió.

Comunidad Francesa *francés* **la Communauté** Asociación de territorios de ultramar creada en 1958 por la constitución de la QUINTA REPÚBLICA para reemplazar a la UNIÓN FRANCESA en el tratamiento de asuntos de política exterior, defensa, política económica y monetaria y educación superior. Cuando las antiguas colonias obtuvieron su plena independencia en las décadas de 1960 y 1970, la Comunidad quedó obsoleta; desapareció a fines de la década de 1970.

Comunión anglicana ver Iglesia de INGLATERRA

comunismo Teoría política que preconiza el dominio en común de todos los bienes, cuyos beneficios deben ser compartidos por todos de acuerdo con las necesidades de cada cual. La teoría fue obra principalmente de KARL MARX y FRIEDRICH ENGELS. Su *Manifiesto Comunista* (1848) hacía mención especial a la "dictadura del PROLETARIADO", etapa de transición que Marx llamó SOCIALISMO; el comunismo representaba la etapa final en la cual no sólo la división de clases, sino que incluso el Estado organizado –visto por Marx inevitablemente como un instrumento de opresión– serían trascendidos (ver MARXISMO). Dicha distinción pronto se perdió, y la palabra "comunista" se empezó a aplicar más a un partido específico que a un objetivo final. LENIN sostenía que el proletariado necesitaba revolucionarios profesionales para guiarlo (ver LENINISMO). La versión de STALIN del comunismo (ver ESTALINISMO) fue para muchos sinónimo de TOTALITARISMO. MAO ZEDONG movilizó a los campesinos más que a los proletarios urbanos en la revolución comunista china (ver MAOÍSMO). El comunismo europeo (ver EUROCOMUNISMO) perdió a la mayor parte de sus seguidores con el colapso de la Unión Soviética (1991). Ver también MATERIALISMO DIALÉCTICO, PARTIDO COMUNISTA, PRIMERA INTERNACIONAL, SEGUNDA INTERNACIONAL.

comunismo de guerra (1918–21). Política económica soviética aplicada por los BOLCHEVIQUES durante la guerra civil RUSA. Se caracterizó principalmente por la expropiación de las empresas privadas y la nacionalización de la industria, así como la requisición al campesinado del excedente de grano y otros productos alimenticios. Estas medidas causaron una rápida disminución de la producción agrícola e industrial y de la productividad laboral. Los salarios reales cayeron en dos tercios y la inflación descontrolada provocó que el papel moneda perdiera su valor. En 1921, el descontento público se manifestó en huelgas y protestas que culminaron en la rebelión de KRONSTADT. En respuesta, los bolcheviques adoptaron una estrategia menos radical, la NUEVA POLÍTICA ECONÓMICA (NEP).

Comunismo, pico ver pico ISMAIL SAMANI

comunitarismo Filosofía política y social que hace hincapié en la importancia de la comunidad en el funcionamiento de la vida política, en el análisis y evaluación de las instituciones políticas y en el entendimiento de la identidad humana y el bienestar. Se desarrolló en las décadas de 1980 y 1990, en oposición explícita al LIBERALISMO teórico de pensadores como JOHN RAWLS. Según los comunitaristas, el liberalismo descansa en una concepción de la persona que es irrealmente atomística y abstracta; también le da demasiada importancia a los valores individuales como la libertad y la autonomía. Entre sus principales representantes se cuentan Amitai Etzioni, Michael Sandel y Charles Taylor. Ver también COLECTIVISMO.

Conakry Capital (pob., est. 1999: regional 1.764.000 hab.), la ciudad más poblada y principal puerto de Guinea, en el océano Atlántico. Ubicada en la isla de Tombo y en la península de Kaloum, fue fundada por los franceses en 1884. Se convirtió sucesivamente en la capital del protectorado de Rivières du Sud (1891), de la colonia de Guinea Francesa (1893) y de la República Independiente de Guinea (1958). La isla de Tombo, lugar de emplazamiento original de la ciudad, está unida a la península por una calzada elevada. La ciudad se industrializó en la década de 1950, después de la explotación de la minería de hierro y la producción de bauxita. Es sede de la Universidad de Conakry (1962).

Sector de Boulbinet y el puerto pesquero en Conakry, capital de Guinea.
SHOSTAL

Conan Doyle, Sir Arthur (22 may. 1859, Edimburgo, Escocia–7 jul. 1930, Crowborough, Sussex, Inglaterra). Escritor escocés. Médico de profesión, se inspiró en uno de sus profesores, el doctor Joseph Bell, para crear el famoso personaje Sherlock Holmes. Ejerció la medicina hasta 1891 y luego se dedicó únicamente a escribir. Sherlock Holmes, el investigador que resolvía casos criminales mediante el razonamiento deductivo, apareció por primera vez en el relato *Estudio en escarlata* (1887). Las historias de Holmes y su inseparable colega, el doctor Watson, se recopilaron en *Las aventuras de Sherlock Holmes* (1892). Cansado de su personaje, Conan Doyle proyectó la muerte del popular detective en 1893, pero la presión del público lo obligó a hacerlo revivir. Otras novelas protagonizadas por Holmes son *El signo de los cuatro* (1890), *El sabueso de los Baskerville* (1902) y *El valle del terror* (1915). También escribió novelas históricas, como *La compañía blanca* (1890), y dos obras en defensa de la postura británica en la guerra de los BÓERS, en la que participó como médico. Por estas acciones se le concedió el título de Sir en 1902. Durante la última etapa de su vida, Conan Doyle se consagró al movimiento espiritista.

Sir Arthur Conan Doyle, detalle de un retrato de H.L. Gates, 1927.
GENTILEZA DE LA NATIONAL PORTRAIT GALLERY, LONDRES

Conant, James B(ryant) (26 mar. 1893, Dorchester, Mass., EE.UU.–11 feb. 1978, Hanover, N.H.). Educador y científico estadounidense, presidente de la Universidad de HARVARD (1933–53). Conant obtuvo un Ph.D. (1916) en Harvard, donde posteriormente dictó clases de química hasta que fue nombrado presidente en 1933. Llevó a la universidad a ampliar la configuración geográfica y social del alumnado. Durante la segunda guerra mundial fue figura central en la organización de la ciencia de su país, incluido el desarrollo de la bomba atómica. En 1953 fue designado alto comisionado de EE.UU. en Alemania Oriental, y en 1955 fue nombrado embajador. Entre sus publicaciones se cuentan textos de estudio de química, trabajos de ciencia para legos y libros sobre política educativa.

concejo municipal de vecinos *inglés* **town meeting** En EE.UU. asamblea legislativa de una ciudad en la cual todos o algunos de los votantes están facultados para dirigir los asuntos de la comunidad. Los concejos municipales tuvieron lugar por primera vez en la Nueva Inglaterra colonial y son todavía en gran medida un fenómeno de esa región, en parte debido a que los poblados y ciudades miembros tienden a ejercer poderes que se otorgan a los condados en otros lugares. Las reuniones normalmente se celebran una vez al año. La autoridad ejecutiva por lo general es dirigida por una junta de tres o cinco miembros. Los concejos abiertos, ampliamente considerados una forma de democracia de excepcional pureza, permiten a todos los votantes inscritos emitir su voto respecto de los temas incorporados en la agenda; los concejos representativos sólo permiten votar a los miembros elegidos.

Concepción Ciudad (pob., est. 2002: 371.000 hab.), capital de la región del Biobío, en el centro-sur de Chile. Una de las ciudades más populosas de Chile, fue fundada en las costas del océano Pacífico en 1550 (en la actual Penco), donde resultó incendiada en dos ocasiones por los MAPUCHES.

En varias oportunidades ha sido destruida por terremotos, dos de ellos seguidos de maremotos; en 1754 se la trasladó al interior de su actual ubicación, cerca de la desembocadura del río BIOBÍO. A pesar de la intensa actividad sísmica de la zona, se ha transformado en un importante centro comercial e industrial, como también un punto de distribución para el sur del país. Entre las industrias locales más importantes destacan la de celulosa, la maderera, la de harina de pescado, alimentaria y siderúrgica.

concepción de la unidad de la ciencia ver CIENCIA UNIFICADA

concepción en tubo de ensayo ver FECUNDACIÓN IN VITRO (FIV)

conceptismo Una de las dos principales modalidades estilísticas de la literatura española durante el período BARROCO. A diferencia del CULTERANISMO, el conceptismo consiste en el preciosismo de las ideas o fondo del texto, dirigiéndose más bien a la inteligencia. Para ello, aplica recursos tales como antítesis ("Nace en las Indias honrado... viene a morir en España"), PARADOJAS ("Escribiré de aquel serafín humano"), hipérboles extremadas ("Érase un hombre a una nariz pegado"), equívocos ("Escribiré de aquella pluma que, si no volaron con ella los serafines... ") y retruécanos ("¿Siempre se ha de sentir lo que se dice? ¿Nunca se ha de decir lo que se siente?"). Sus más eminentes figuras son FRANCISCO DE QUEVEDO Y VILLEGAS (de cuyas obras están tomados los precedentes ejemplos) y Baltasar Gracián.

concepto, formación de Proceso para el desarrollo de reglas abstractas o de constructos mentales basado en experiencias sensoriales. La formación de conceptos es primordial en el desarrollo cognitivo. Fue un tema de gran relevancia para JEAN PIAGET, quien postuló que el APRENDIZAJE involucra la comprensión de las características de un fenómeno y de sus interrelaciones lógicas. NOAM CHOMSKY, posteriormente, argumentó que ciertas estructuras cognitivas (como las reglas básicas de la gramática) son innatas en los seres humanos. Ambos académicos sostenían que a medida que surge un concepto, este se convierte en materia de evaluación: el concepto que un niño tiene de "pájaro" será analizado en comparación con los detalles específicos de los pájaros. La capacidad humana de jugar (ver conducta LÚDICA) contribuye en forma importante a este proceso, ya que permite que se consideren un amplio margen de posibilidades.

conceptual, arte ver ARTE CONCEPTUAL

concertina Instrumento musical portátil operado por fuelles. La primera concertina fue patentada en Londres en 1829 por Sir Charles Wheatstone, quien posteriormente fabricó un instrumento con capacidad cromática completa. Como el ACORDEÓN, su sonido es producido por lengüetas libres, pero en lugar de teclas tiene botones. El bandoneón argentino, muy parecido a la concertina, es cuadrado en lugar de hexagonal.

Concertina tocada por Johnny Clegg, de la banda de world-music Savuka.
FOTOBANCO

concerto grosso Principal música orquestal de la era barroca caracterizada por el contraste entre un grupo pequeño de solistas y una orquesta más grande. El grupo pequeño o concertino consistía normalmente en dos violines y CONTINUO, es decir, los instrumentos de la antigua SONATA DE TRÍO, aunque también se usaban instrumentos de viento. El grupo más grande o ripieno consistía, por lo general, en cuerdas con continuo. Alessandro Stradella (n. 1642–m. 1682) escribió el primer *concerto grosso* conocido c. 1675. Los ejemplos más célebres son la colección de 12 *concerti grossi* de ARCANGELO CORELLI (c. 1680–90), los *Conciertos de Brandeburgo* de JOHANN SEBASTIAN BACH (c. 1720) y los conciertos Opus 6 de GEORG FRIEDRICH HÄNDEL (c. 1740). Desde 1750 el *concerto grosso* fue eclipsado por el CONCIERTO para solista.

conciencia Cualidad o estado de percatarse. Aplicado en animales inferiores, la conciencia se refiere a la capacidad para sentir (ver SENSACIÓN) y, usualmente, la simple voluntad. En los animales superiores, esta capacidad también puede incluir el PENSAMIENTO y la EMOCIÓN. En los seres humanos se entiende que la conciencia incluye la "metacognición", el percatarse de que uno se percata. En términos generales, también hace referencia al nivel superior de la vida mental del individuo, de la cual se percata, a diferencia de los procesos INCONSCIENTES. Los niveles de conciencia (p. ej., ATENCIÓN, SUEÑO) se correlacionan con patrones de la actividad eléctrica del cerebro (ondas cerebrales). Ver también filosofía de la MENTE.

conciencia, flujo de En las obras de ficción literaria, modalidad narrativa que se propone dar cuenta del flujo continuo de impresiones –visuales, auditivas, táctiles, asociativas y subliminales– que dan forma y contenido a una conciencia individual. Para representar la actividad mental, con su libre asociación de ideas e imágenes, el escritor incorpora retazos de pensamientos y construcciones gramaticales caóticas o incoherentes. WILLIAM JAMES acuñó el término en *Principles of Psychology* [Principios de psicología] (1890). Durante el s. XX, los escritores que deseaban reflejar el flujo de conciencia de sus personajes utilizaban el procedimiento del monólogo interior, que representa una secuencia de pensamientos y sentimientos. Algunas novelas en que el flujo de conciencia desempeña un papel importante son el *Ulises* de JAMES JOYCE (1922), *El ruido y la furia* (1929) de WILLIAM FAULKNER y *Las olas* de VIRGINIA WOOLF (1931).

concierto Composición musical para instrumento solista y orquesta. El concierto para solista tiene su origen en el antiguo CONCERTO GROSSO. Los conciertos para violín de Giuseppe Torelli de 1698 son los primeros conciertos para solista conocidos. ANTONIO VIVALDI fue el primer compositor importante de conciertos y escribió cerca de 350, la mayoría de ellos para violín. JOHANN SEBASTIAN BACH compuso los primeros conciertos para teclado. Desde el período clásico en adelante, la mayor parte de los conciertos han sido escritos para piano, instrumento seguido en popularidad por el violín y el violonchelo. WOLFGANG AMADEUS MOZART fue autor de 27 conciertos para piano. Otros compositores notables de conciertos para ese instrumento fueron LUDWIG VAN BEETHOVEN, FELIX MENDELSSOHN, FRÉDÉRIC CHOPIN, FRANZ LISZT y JOHANNES BRAHMS. Desde el comienzo, el concierto ha sido casi exclusivamente una forma de tres movimientos con tempos rápidos en el primer y tercer movimiento y uno lento en el centro. Por lo general, ha sido concebido para exhibir la virtuosidad del solista, particularmente en las cadencias no acompañadas y con frecuencia improvisadas hacia el final del primer y del tercer movimiento. Los conciertos del s. XIX fueron ideados como una especie de lucha dramática entre el solista y la orquesta; más tarde, muchos compositores han preferido que el solista se funda con la orquesta.

concierto europeo En la era posnapoleónica, el consenso existente entre las monarquías europeas que favorecía la preservación del *statu quo* territorial y político. El término daba por sentada la responsabilidad y el derecho de las grandes potencias a intervenir en los estados amenazados por rebeliones internas. Tales intervenciones fueron analizadas por las potencias en varios congresos, a saber, los de AQUISGRÁN, TROPPAU, LAIBACH y VERONA.

conciliarismo (1409–49). Movimiento católico que intentó fortalecer la autoridad de los concilios de la Iglesia por sobre la autoridad del papa. Su propósito inicial fue dar término al gran CISMA DE OCCIDENTE. Se originó en círculos legales e intelectuales del s. XIII, pero surgió como movimiento en el concilio de Pisa (1409), que eligió un tercer pontífice en un infructuoso intento de reconciliar a los partidarios del papa y del ANTIPAPA. Un segundo concilio, el de CONSTANZA (1414–18), puso fin al cisma anulando todos los cargos papales y eligiendo a un nuevo pontífice. Si bien sus miembros esperaban cumplir un papel permanente en la Iglesia, los papas continuaron en su intento por alcanzar la supremacía y el concilio de BASILEA (1431–49) finalizó sin dar frutos.

concilios budistas En la mayoría de las tradiciones budistas, dos concilios iniciales sobre doctrina y práctica. El primero, que la mayor parte de los estudiosos actuales no acepta como histórico, se habría celebrado en Rajagrha (Rajgir moderno), India, durante la primera estación lluviosa después de la muerte de BUDA. El objetivo fue recopilar las palabras de Buda, junto con los SUTRAS y las reglas monásticas. El segundo, que sí se tiene como histórico, se realizó después de más de un siglo de la muerte de Buda, en Vaisali, India, para resolver disputas suscitadas en el seno de la comunidad monástica. El budismo theravada reconoce la existencia de concilios ulteriores: un tercero, convocado por ASOKA c. 247 AC, en el que las disputas doctrinales fueron resueltas en su favor, y otros que continuaron hasta mediados del s. XX. Otras tradiciones budistas reconocen otros concilios importantes en los que se establecieron o editaron sus cánones respectivos.

Cónclave celebrado en 2005 en la Capilla Sixtina, que eligió a Benedicto XVI como sucesor de Juan Pablo II.
FOTOBANCO

cónclave En la Iglesia católica, la asamblea de CARDENALES reunida para elegir un nuevo PAPA, y el sistema de estricta reclusión al que se someten. Desde 1059 la elección se convirtió en responsabilidad de los cardenales. Luego de la muerte de Clemente IV (1268) pasaron dos años sin que los cardenales llegaran a un acuerdo, por lo que el magistrado local los encerró con llave en el palacio episcopal y los alimentó sólo con pan y agua hasta que eligieron a GREGORIO X. En 1904, PÍO X codificó el sistema de reunión en cónclave cerrado. Hoy, la elección requiere de una mayoría de dos tercios más uno. La votación secreta se realiza dos veces al día; las cédulas se queman después de cada votación. Hasta que se obtiene la mayoría necesaria, se incineran con paja húmeda para que salga humo negro; la salida de humo blanco del palacio Vaticano indica que se ha elegido un nuevo papa.

Concord Ciudad (pob., 2000: 121.780 hab.) en el oeste del estado de California, EE.UU. Ubicada cerca de SAN FRANCISCO, fue establecida en 1868 con el nombre de Todos los Santos y debe su nuevo nombre, adoptado en 1869, del de la ciudad de Concord, Mass. Después de la llegada del ferrocarril en 1912, se convirtió en centro de horticultura y granjas avícolas y actualmente es una zona principalmente residencial.

Concord Ciudad (pob., 2000: 40.687 hab.), capital del estado de New Hampshire, EE.UU. Se ubica junto al río MERRIMACK al norte de MANCHESTER. Colonizada en 1727, la comunidad fue incorporada en 1733 a Massachusetts con el nombre de Rumford, pero en 1762, después de un áspero litigio, se determinó su pertenencia a la jurisdicción de New Hampshire. Recibió su nuevo nombre de Concord en 1765 y se convirtió en capital del estado en 1808. Actividades como la imprenta, fabricación de carruajes y extracción de granito desde canteras fueron importantes en sus primeras etapas de desarrollo; aún prevalecen las faenas extractivas de granito.

Concordato de 1801 Acuerdo entre NAPOLEÓN I y el papa Pío VII que definió el estatus de la Iglesia católica en Francia y puso fin a la alteración provocada por las reformas eclesiásticas impulsadas por la REVOLUCIÓN FRANCESA (ver CONSTITUCIÓN CIVIL DEL CLERO). La fe católica fue reconocida como la religión de la mayoría de los franceses, pero no fue declarada religión oficial del Estado. Napoleón obtuvo el derecho a proponer obispos, pero los cargos debían ser conferidos por el papa. El gobierno acordó pagarle al clero, pero no se devolvieron los bienes confiscados a la Iglesia. El Concordato estuvo vigente hasta 1905.

El supersónico Concorde en vuelo.
FOTOBANCO

Concorde Primer avión comercial de pasajeros supersónico. Construido conjuntamente por fabricantes británicos y franceses, entró en servicio regular en 1976. Su máxima velocidad de crucero era de 2.179 km/h (1.354 mi/h), más del doble de la velocidad del sonido; el vuelo Londres-Nueva York tardaba menos de cuatro horas y el costo del pasaje podía llegar a cerca de US$ 10.000. Después de un impactante accidente fatal al despegar en París, el 25 de julio de 2000, sus vuelos estuvieron suspendidos durante quince meses. Nunca recuperó totalmente la confianza del público, y fue retirado de servicio. Su último vuelo se realizó el 24 de octubre de 2003.

concreto ver HORMIGÓN

concubinato Cohabitación de un hombre y una mujer sin haber cumplido todas las normas del MATRIMONIO legal. En la tradición judeocristiana, el término concubina se ha aplicado en general sólo a las mujeres; los estudios occidentales sobre sociedades no occidentales utilizan este término para referirse a mujeres unidas legalmente, pero carentes de la condición de esposas de pleno derecho. Ver también HARÉN; MATRIMONIO DE HECHO; POLIGAMIA.

concurso, programa de Programa de radio o televisión que pone a prueba la suerte, habilidad o conocimientos de concursantes o expertos. *Dr. I.Q.* (1939–49), *Information, Please* (1938–48) y *The Quiz Kids* (1940–53) fueron algunos de los populares programas radiales estadounidenes. El género fue adoptado por la televisión y los premios en dinero aumentaron. Un ejemplo de esto fue el programa radial *$64 Question*, que se convirtió en el programa televisivo *$64.000 Question*. A mediados de la década de 1950, algunos productores, con el fin de aumentar la audiencia, comenzaron a entregar las respuestas a concursantes ya escogidos para ganar. Una acusación de prácticas impropias sobre *Twenty-one* (1958) terminó en una investigación gubernamental y en el rápido fin de estos programas de grandes premios. Con el tiempo, estos programas recuperaron la popularidad con formatos basados en preguntas de menor dificultad y con premios rebajados, como *Jeopardy!* y *Wheel of Fortune*. A comienzos del s. XXI, los programas de concurso como *¿Quién quiere ser millonario?* entregan grandes premios en dinero y hoy en día son muy vistos en el horario estelar. Los *reality shows* como *Sobreviviente* adoptaron algunos aspectos del género del programa de concurso.

concusión Alteración de las funciones nerviosas que resulta de injurias cerebrales relativamente leves, a menudo sin sangramiento en la CORTEZA CEREBRAL. Causa inconsciencia breve, seguida de confusión mental y dificultades físicas. Estos efectos habitualmente desaparecen en pocas horas, pero en algunos casos el trastorno de conciencia persiste y puede haber síntomas residuales. Algún grado de AMNESIA acompaña a menudo a la concusión. La recuperación de una concusión es casi siempre completa, a menos que se relacione con una lesión más seria, como fractura del cráneo.

conde Título nobiliario europeo que en los tiempos modernos se ubica directamente debajo de un MARQUÉS o (en los países sin marqueses) de un DUQUE. En Inglaterra tiene un rango superior al de VIZCONDE. La mujer del conde es una condesa. El *comes* ("conde") romano fue originalmente un compañero palaciego del emperador. Entre los francos era un comandante y juez local. Los condes fueron más tarde incorporados a la estructura feudal, algunos subordinados a los duques, aunque unos pocos condados eran tan grandes como los ducados. Cuando se restableció la autoridad real sobre los feudos (proceso que tomó lugar en diferentes épocas según el reino), perdieron su autoridad política, aunque conservaron sus privilegios como miembros de la nobleza.

Condé, familia Importante rama francesa de la casa de BORBÓN, cuyos miembros cumplieron un papel significativo en la política dinástica francesa. El linaje comenzó con Luis I de Borbón (n. 1530–m. 1569), primer príncipe de Condé y uno de los líderes militares HUGONOTES en las guerras de RELIGIÓN en Francia. El miembro más importante de la familia fue el 4° príncipe de CONDÉ, uno de los más grandes generales de LUIS XIV. La línea del principado se extinguió cuando Louis-Antoine-Henri de Borbón-Condé (n. 1772–m. 1804), duque de Enghien y único heredero del último príncipe de Condé, fue arrestado ilegalmente y fusilado por traición, por orden de NAPOLEÓN I.

Condé, Luis II de Borbón, 4° príncipe de *llamado* **el Gran Condé** (8 sep. 1621, París, Francia–11 dic. 1686, Fontainebleau). Líder militar francés. Se distinguió luchando contra España durante la guerra de los Treinta Años y en 1649 ayudó a sofocar el levantamiento de La FRONDA. Después de ser arrestado por Mazarino en 1650, se rebeló y dirigió la segunda Fronda, luchó desde el bando español hasta que fue derrotado en la batalla de las Dunas en 1658. Perdonado al año siguiente, nuevamente se convirtió en uno de los más grandes generales de Luis XIV, y ganó numerosas batallas en España, Alemania y Flandes. Fue un hombre de gran coraje, hábitos no convencionales y una sólida autonomía de pensamiento; de gran cultura, tuvo a MOLIÈRE y a JEAN RACINE entre sus amigos. Ver también familia CONDÉ.

condensación Conversión de un vapor en líquido o sólido. La condensación a menudo se produce en una superficie que está más fría que el gas adyacente. Una sustancia se condensa cuando la PRESIÓN ejercida por su vapor excede la presión de vapor de su fase líquida o sólida a la temperatura de la superficie donde la condensación va a ocurrir. El proceso causa la liberación de ENERGÍA TÉRMICA. La condensación se produce en un vaso de agua fría, en un día cálido y húmedo, cuando el vapor de agua del aire se condensa para formar agua líquida en la superficie más fría del vaso. La condensación también explica la formación del rocío, neblina, lluvia, nieve y nubes.

condensador Dispositivo para reducir un gas o vapor a líquido. Los condensadores se usan en centrales de energía para condensar el vapor de escape de las TURBINAS y en plantas de REFRIGERACIÓN para condensar los vapores de los refrigerantes, como AMONÍACO o FREÓN. Las industrias del petróleo y química emplean condensadores para los vapores de hidrocarburos y otros productos químicos. En la DESTILACIÓN, un condensador transforma vapor en líquido. Todos los condensadores funcionan removiendo calor del gas o vapor. En algunos, el gas pasa a través de un tubo largo de metal termoconductor, como cobre (generalmente dispuesto en una bobina u otra forma compacta), y el calor escapa hacia el aire ambiente. Los condensadores industriales grandes utilizan agua o algún otro líquido como agente para remover calor. El término condensador también se refiere a un dispositivo que se acopla a las máquinas cardadoras en fábricas textiles para recoger las fibras en mecheras para las hiladoras.

condición meteorológica Estado de la atmósfera en un lugar determinado durante un período corto de tiempo. Involucra cambios diarios en fenómenos atmosféricos, como temperatura, humedad, precipitación (tipo y cantidad), presión atmosférica, vientos y nubes. La mayoría de las condiciones meteorológicas ocurren en la TROPOSFERA, pero también son afectadas por fenómenos de las regiones altas de la atmósfera, como las CORRIENTES JET, y por los rasgos geográficos, principalmente montañas y grandes cuerpos de agua. Ver también CLIMA.

condicionamiento Proceso por el cual la frecuencia o predictibilidad de una respuesta conductual aumenta con el reforzamiento (i.e., un estímulo o recompensa por la respuesta esperada). El condicionamiento clásico o de respuesta implica la sustitución de estímulos y se basa en los trabajos de IVÁN PÁVLOV, quien condicionó perros haciendo sonar una campana cada vez que los exponía al olor del alimento. Finalmente, los perros salivaban cuando sonaba la campana, aun sin que estuviera presente el olor; la salivación, en consecuencia, fue la respuesta condicionada. En el condicionamiento instrumental, u operante, una conducta espontánea (operante) se retribuye (refuerza) o se castiga. En el primer caso, su frecuencia aumenta; en el segundo, disminuye. B.F. SKINNER estudió meticulosamente el condicionamiento operante.

Luis XIV y su corte recibiendo a Luis II de Borbón, conocido como el Gran Condé por sus victorias militares.

FOTOBANCO

Condillac, Étienne Bonnot de (30 sep. 1715, Grenoble, Francia–2/3 ago. 1780, Flux). Filósofo, psicólogo y economista francés. Fue ordenado sacerdote en 1740. En *Ensayos sobre el origen de los conocimientos humanos* (1746) analizó sistemáticamente el empirismo de JOHN LOCKE. En el *Tratado de las sensaciones* (1754) cuestionó la doctrina de Locke según la cual el conocimiento intuitivo puede obtenerse directamente a través de los sentidos. En sus obras *Lógica* (1780) y *Lenguaje de los cálculos* (1798) destacó la importancia del lenguaje en el razonamiento lógico y la necesidad de un lenguaje diseñado científicamente. Sus concepciones económicas, contenidas en *Comercio y gobierno* (1776), se basaban en la noción de que el valor depende de la utilidad y no del trabajo. La necesidad de algo útil, sostenía, da origen al valor, mientras que los precios resultan del intercambio de artículos valiosos.

Condivincum ver NANTES

condominio En el derecho moderno relativo a los bienes, dominio individual sobre una unidad habitacional dentro de un edificio compuesto de unidades múltiples. Los dueños de cada unidad son dueños proindiviso del terreno y de los bienes comunes del edificio. Este tipo de propiedad ha existido en Europa desde fines de la Edad Media; en EE.UU. data de la última mitad del s. XIX y se ha popularizado en las zonas urbanas densamente pobladas. Una alternativa al condominio es la cooperativa, de acuerdo con la cual los residentes poseen acciones de una sociedad que habilitan al dueño para ocupar una unidad determinada del edificio.

Especies de cóndor.

cóndor Cualquiera de dos especies de grandes BUITRES del Nuevo Mundo. Son dos de las aves voladoras de mayor tamaño y miden alrededor de 130 cm (50 pulg.) de largo y pesan 10 kg (22 lb). Ambos se alimentan de animales muertos. El cóndor andino (*Vultur gryphus*), que vive desde la costa del Pacífico de Sudamérica hasta las altas cumbres andinas, tiene alas algo más largas (3 m o 10 pies), es negro con una gargantilla blanca y tiene cabeza, cuello y buche rosados y desnudos. El cóndor de California (*Gymnogyps californianus*) es casi negro, con plumaje blanco en la cara interna de las alas, cabeza amarilla desnuda y cuello y buche rojos. Como estuvo a punto de extinguirse en la década de 1980, se capturaron todos los ejemplares remanentes; una crianza cuidadosa ha permitido, este último tiempo, la liberación de decenas de cóndores a su hábitat natural.

Condorcet, Marie-Jean-Antoine-Nicolas de Caritat, marqués de (17 sep. 1743, Ribemont, Francia–encontrado muerto 29 mar. 1794, Bourg-la-Reine). Matemático, estadista y revolucionario francés. En su juventud demostró ser una promesa como matemático y fue el protegido de JEAN LE ROND D'ALEMBERT. En 1777 se convirtió en secretario de la Academia de Ciencias. Simpatizante de la Revolución francesa, fue elegido para representar a París en la Asamblea Legislativa (1791–92), en la que propició el establecimiento de una república. Se opuso al arresto de los moderados GIRONDINOS, lo que le significó ser declarado fuera de la ley (1792). Mientras permanecía oculto escribió su famoso *Bosquejo de un cuadro histórico del progreso del espíritu humano*, en el que propuso la idea del progreso continuo de la raza humana hacia la perfección final. Fue capturado y luego encontrado muerto en prisión.

conducción térmica Transferencia de energía térmica (CALOR) producida por las diferencias de temperatura entre cuerpos adyacentes o partes adyacentes de un mismo cuerpo. En ausencia de una BOMBA DE CALOR, la energía fluirá desde una zona de temperatura más alta hacia otra de temperatura más baja. Esta transferencia de energía ocurre como consecuencia de las colisiones entre las partículas de la materia respectiva. La tasa o velocidad de transferencia de energía es proporcional al área de la sección transversal de contacto y a la diferencia de temperatura entre las dos zonas. Una sustancia de alta conductividad térmica, como el cobre, es un buen CONDUCTOR térmico; una con baja conductividad térmica, como la madera, es un mal conductor térmico. Ver también CONVECCIÓN; RADIACIÓN.

conducta agresiva Cualquier acción de un animal con la intención de lesionar a un adversario o presa o hacer que el adversario se retire. La agresión la pueden causar estímulos diversos. Dentro de su propio grupo, el animal debe exhibir posturas agresivas para mantener su posición dentro de la jerarquía (p. ej., la DOMINANCIA JERÁRQUICA de los pollos). En muchos casos sólo la amenaza, como las plumas erizadas o los dientes que se asoman en un gruñido, basta para mantener un orden social ya establecido. La agresión ocurre a menudo en vísperas de la época de celo, cuando los machos ganadores eligen hembras y territorios.

conducta de cortejo Actividad animal que resulta en el apareamiento y la reproducción. El cortejo puede entrañar sencillamente unos cuantos estímulos químicos, visuales o auditivos o puede ser una serie muy compleja de acciones de dos o más individuos que usan varios modos de comunicación. En las hembras de algunas especies de insectos se activan FEROMONAS para atraer a los machos a la distancia. Las tortugas pintadas se cortejan por el tacto, mientras que las ranas lo hacen por medio de cantos que se escuchan en las noches de primavera en buena parte del mundo. Ciertas especies de aves tienen modalidades de cortejo de mayor complejidad. El cortejo es importante como mecanismo de aislamiento que impide que especies diferentes se crucen, y los rituales de cortejo ayudan a consolidar los lazos de pareja que pueden perdurar hasta pasada la crianza. Ver también CONDUCTA DE EXHIBICIÓN.

conducta de evasión Tipo de actividad que muestran animales expuestos a estímulos adversos, en la cual la tendencia a la huida o a actuar a la defensiva es más fuerte que la tendencia al ataque. La visión es el sentido que desata más a menudo una conducta de evasión (p. ej., la reacción de pájaros pequeños al ver un búho), pero el sonido (p. ej., un grito de alarma) también puede hacerlo.

conducta de exhibición Actividad ritual por la cual un animal transmite información específica. Las exhibiciones más conocidas son visuales, pero otras dependen del sonido, el olfato o el tacto. Las exhibiciones agonísticas (agresivas) hacen innecesaria la expulsión de intrusos del territorio o que los animales se lesionen cuando compiten por parejas. Cierto tipo de exhibición defensiva engaña a los depredadores o sirve de señuelo para alejarlos de las crías vulnerables. Ver también CANTO; CONDUCTA DE CORTEJO.

conducta reproductora En animales, cualquier actividad dirigida a perpetuar la especie. La reproducción sexual, el modo más común, ocurre cuando el espermio del macho fecunda el óvulo de la hembra. La combinación única de genes que resulta genera una diversidad genética que contribuye a la capacidad de adaptación de las especies. Las etapas de acercamiento, identificación y copulación están optimizadas para evitar a los depredadores y la pérdida de óvulos y espermios. La mayoría de los organismos unicelulares y algunos de mayor complejidad son de reproducción asexual. Ver también CONDUCTA DE CORTEJO.

conductismo *o* **behaviorismo** Escuela psicológica que ejerció una influencia dominante en la teoría psicológica de EE.UU. entre la primera y la segunda guerra mundial. El conductismo clásico se interesó exclusivamente en la evidencia objetiva de la conducta (respuestas medibles frente a estímulos) y excluyó las ideas, emociones y la experiencia mental interna (ver CONDICIONAMIENTO). Surgió en la década de 1920, a partir del trabajo realizado por JOHN B. WATSON (que se basó en IVÁN PÁVLOV) y fue desarrollada en las décadas posteriores por CLARK L. HULL y B. F. SKINNER. A partir del trabajo realizado por EDWARD C. TOLMAN, las estrictas teorías conductistas empezaron a ser complementadas y reemplazadas por aquellas que admitían variables, que daban cuenta de estados mentales y diferencias en la PERCEPCIÓN. El fruto natural de la teoría conductista fue la terapia del COMPORTAMIENTO.

conducto arterioso *o* **ductus** Conducto entre la ARTERIA pulmonar y la AORTA en el feto, que permite sortear los pulmones para distribuir el oxígeno recibido de la sangre materna a través de la placenta. Normalmente se cierra una vez que el bebé nace y sus pulmones se inflan, separándose así las CIRCULACIONES pulmonar y sistémica. Si se cierra antes del nacimiento causa problemas circulatorios. Si permanece abierto después de él (conducto arterioso persistente, más común en prematuros), se mezclan las sangres oxigenada y desoxigenada. Esto, por sí mismo, puede no ser grave y en ciertas malformaciones cardíacas su persistencia puede ser incluso necesaria para vivir.

conductor Cualquiera de varias sustancias que permiten el flujo de CORRIENTE ELÉCTRICA O ENERGÍA TÉRMICA. Un conductor es un mal AISLANTE debido a su baja RESISTENCIA a dicho flujo. Los conductores eléctricos se usan para conducir corriente eléctrica, como en los cables metálicos de un CIRCUITO eléctrico. Los conductores eléctricos son a menudo metálicos. Los conductores térmicos permiten el flujo de energía térmica porque no absorben calor radiante; comprenden materiales como metal y vidrio.

conectores En construcción, pieza que fija dos o más elementos de una estructura entre sí. Las uniones empernadas se usan para sujetar dos elementos bien apretados, especialmente para resistir cizalle y flexión, como en la conexión de una columna y una viga. Los PERNOS con rosca se utilizan siempre en conjunto con sus respectivas tuercas. Otro conector con rosca es el TORNILLO, que tiene incontables aplicaciones, especialmente para construcciones de madera. El tornillo para madera talla una rosca gemela en la madera, asegurando un ajuste firme. Los pasadores se emplean para mantener alineados dos o más elementos; como el pasador no es roscado, permite el movimiento de rotación, como en las partes de una maquinaria. Las conexiones de remaches, que resisten fuerzas de cizallamiento, se usaron mucho en construcciones de acero antes de ser reemplazadas por la soldadura. El remache, claramente visible en los antiguos puentes de acero, es un conector metálico tipo pasador, con un extremo aplanado o cabeza que se forma al martillarlo a través de una chapa de nudo. El CLAVO común, menos resistente a las fuerzas de cizallamiento o de extracción, es útil para trabajos de ebanistería y acabado, donde los esfuerzos son mínimos.

conejillo de Indias *o* **cuy** Especie domesticada (*Cavia porcellus*) de COBAYO de Sudamérica (familia Caviidae). Se parece a la mayoría de otros cobayos en que es rechoncho y mide unos 25 cm (10 pulg.) de largo. Tiene orejas pequeñas, no posee cola visible y su pelaje es negro, canela, crema, marrón, blanco o una combinación de ellos. Las variedades difieren en el largo y textura del pelo. Se alimenta principalmente de hierbas y otras plantas tiernas. Se domesticó en la época preincaica y se introdujo en Europa a comienzos del s. XVI. Es una mascota popular y un valioso animal de laboratorio.

Conejillo de Indias (*Cavia porcellus*).

conejo Cualquier mamífero pequeño, brincador y roedor de la familia Leporidae. Los conejos tienen orejas largas, cola corta, patas traseras largas y dos pares de incisivos superiores –un par es posterior al otro que es funcional y mayor–. Muchas de las especies son de color gris o marrón. Crecen hasta 25–45 cm (10–18 pulg.) de largo y pesan 0,5–2 kg (1–4lb). Se alimentan principalmente de hierbas. Su tasa reproductiva es muy alta; a diferencia de las LIEBRES, nacen desnudos, ciegos e indefensos. La mayoría de las especies son nocturnas y viven solas en madrigueras, pero el conejo del Viejo Mundo, o europeo (*Oryctolagus cuniculus*), de Europa y Asia, el ancestro de todas las razas domésticas, vive en conejeras formadas por varias madrigueras. Las 13 especies de conejo común de Norteamérica (género *Sylvilagus*) tienen blanca la parte inferior de la cola.

Especies de conejo.

Conestoga, carreta de Carreta de carga cubierta tirada por caballos. Se originó en el s. XVIII en la región de Conestoga Creek, en Pensilvania, EE.UU. Tenía una estructura plana con barandas laterales bajas; su piso curvo en ambos extremos impedía que la carga se desplazara, haciéndola apropiada para viajar por los caminos estadounidenses de los primeros tiempos. Cobró popularidad gracias a su adaptación posterior para acarrear las pertenencias de los pioneros que viajaban hacia el oeste; con su cubierta alta de lona blanca, desde la distancia asemejaba un velero, y se la llamó "goleta de la pradera".

Carreta de Conestoga, EE.UU.

conexionismo En CIENCIA COGNITIVA, enfoque que sostiene que el procesamiento humano de la información se ciñe al modelo de una red de unidades interconectadas que operan en forma paralela. Por lo general, las unidades se dividen en unidades de potencia de entrada, unidades ocultas y unidades de potencia de salida. Cada unidad tiene un nivel de activación de error que puede variar en función de la fuerza de (1) la potencia de entrada que recibe de otras unidades, (2) las diferentes cargas asociadas a sus conexiones con las otras unidades y (3) su propia propensión. A diferencia de los modelos computacionales tradicionales en ciencia cognitiva, el conexionismo sostiene que la información se distribuye a través de redes completas, y no está localizada en estados semánticamente interpretables y funcionalmente discretos.

Coney Island Zona de esparcimiento del sur de BROOKLYN, Nueva York, N.Y., EE.UU. Era una isla en el océano Atlántico hasta que quedó conectada con LONG ISLAND por la acumulación de cieno. En 1844 se construyeron las primeras casetas de playa y se hizo popular con la llegada del tren subterráneo en 1920. Tiene un paseo costero de 5,6 km (3,5 mi), un parque de diversiones conocido por su montaña rusa y otros espectáculos. Se encuentra allí también el Acuario de Nueva York.

Confederación, artículos de la Primera constitución estadounidense (1781–89) durante el gobierno del Congreso CONTINENTAL, reemplazada en 1787 por la Constitución de los ESTADOS UNIDOS DE AMÉRICA. Establecía la existencia de una confederación de estados soberanos y facultaba al congreso para regular las relaciones exteriores, la guerra y el servicio de correos, controlar los asuntos indígenas y contratar empréstitos. De acuerdo con sus artículos, el congreso resolvió las reclamaciones de los estados sobre tierras en el oeste y estableció las ORDENANZAS DE 1784, 1785 Y 1787. Sin embargo, el congreso carecía de facultades para hacer cumplir sus peticiones de dinero o de tropas a los estados, razón por la cual el gobierno ya a fines de 1786 carecía de toda eficacia, tal como quedó demostrado en la rebelión de SHAYS (1786–87) contra los tribunales que habían embargado propiedades por deudas. Los delegados a la convención de ANNAPOLIS convocaron a una reunión de todos los estados para enmendar los artículos.

Confederación de Alemania del Norte (1867–71). Unión de los estados alemanes al norte del río Meno, formada después de la victoria prusiana en la guerra de las SIETE SEMANAS. La Confederación reconoció los derechos de cada Estado individual, pero quedó bajo el control de Prusia, cuyo rey ocupó el cargo de presidente. El canciller fue OTTO VON BISMARCK. Su constitución sirvió de modelo para la del futuro Imperio alemán, con el que se fusionó en 1871.

Confederación del Rin (1806–13). Unión de todos los estados de Alemania, con excepción de Austria y Prusia, bajo la égida de NAPOLEÓN I. Además de facilitar a los franceses la unificación y dominación del país, a Napoleón le interesaba principalmente que la Confederación sirviera de contrapeso a Austria y Prusia. Fue abolida después de la caída de Napoleón, pero la consolidación alcanzada contribuyó al movimiento de unificación alemana.

Confederación germánica (1815–66). Organización de los estados de Europa central, establecida por el Congreso de VIENA para reemplazar al destrozado SACRO IMPERIO ROMANO germánico. Consistió en una asociación política poco rígida de 39 estados alemanes, cada uno de los cuales conservaba su soberanía, que fue creada para su mutua defensa y que carecía de un poder ejecutivo o judicial central. Los delegados se reunían en una dieta federal dominada por Austria. En medio de crecientes demandas en favor de la reforma y la integración económica, líderes conservadores, entre ellos el príncipe Klemens von METTERNICH, persuadieron a los príncipes miembros para que aprobaran los represivos decretos de CARLSBAD (1819). En la década de 1830, Metternich logró que la dieta federal aprobara medidas adicionales para aplastar al liberalismo y al nacionalismo. La formación del ZOLLVEREIN y las REVOLUCIONES DE 1848 minaron la Confederación. Se disolvió a causa de la guerra austro-prusiana (1866) y el establecimiento de la CONFEDERACIÓN DE ALEMANIA DEL NORTE.

Confederación sudista ver ESTADOS CONFEDERADOS DE AMÉRICA

Conferencia de las Naciones Unidas sobre Comercio y Desarrollo ver UNCTAD

Conferencia de las Naciones Unidas sobre el Medio Ambiente y el Desarrollo ver CUMBRE DE LA TIERRA

conferencia de partido ver CONVENCIÓN POLÍTICA

Conferencia Internacional para la Limitación Naval ver conferencia de WASHINGTON

Conferencia Monetaria y Financiera de las Naciones Unidas ver Conferencia de BRETTON WOODS

confesante, Iglesia *alemán* **Bekennende Kirche** Movimiento de renacimiento religioso dentro de las iglesias protestantes alemanas que surgió en la década de 1930 en oposición al intento de ADOLF HITLER de convertir a las iglesias en un instrumento de propaganda y política del nazismo. La Iglesia confesante, que contaba entre sus líderes a MARTIN NIEMÖLLER y DIETRICH BONHOEFFER, se opuso a los "cristianos alemanes" simpatizantes de Hitler y se vio obligada a actuar en la clandestinidad al intensificarse la presión nazi. El movimiento continuó durante la segunda guerra mundial, a pesar del reclutamiento militar forzado de sacerdotes y laicos. En 1948, la Iglesia desapareció luego de la reorganización de la Iglesia Evangélica.

confesión *o* **sacramento de la reconciliación** En la tradición judeocristiana, reconocimiento del pecado, en público o en privado, considerado como requisito para obtener el perdón divino. En el período del templo, el YOM KIPPUR incluía una expresión colectiva de reconocimiento de los pecados. La idea continuó en el JUDAÍSMO como un día de oración, ayuno y confesión. La Iglesia cristiana primitiva siguió el ejemplo de san JUAN BAUTISTA, llamando a la confesión antes del BAUTISMO, pero pronto instituyó la confesión y la penitencia para obtener el perdón de los pecados cometidos después del bautismo. El cuarto concilio de LETRÁN (1215) exigió una confesión anual. La Iglesia católica y las iglesias ortodoxas orientales consideran la penitencia como un SACRAMENTO, no así la mayoría de las iglesias protestantes.

Representación del sacramento de la confesión, según un cuadro de Giuseppe Maria Crespi.
FOTOBANCO

confesión luterana ver confesión de AUGSBURGO

configuración En química, la disposición espacial de los ÁTOMOS en una MOLÉCULA. Es muy importante en química orgánica (ver COMPUESTO ORGÁNICO), en la que cada átomo de CARBONO en una molécula puede formar de dos a cuatro enlaces covalentes (ver ENLACE) con hasta cuatro átomos distintos. Un átomo de carbono con cuatro enlaces simples, por ejemplo, se encuentra en el centro de un tetraedro, con un enlace que se extiende a cada esquina; si tres o los cuatro átomos enlazados al carbono son diferentes, la estructura que resulta tiene dos formas especulares diferentes (ver ACTIVIDAD ÓPTICA; ISÓMERO), similar a los guantes izquierdo y derecho. Los temas de configuración también se aplican a algunos compuestos inorgánicos. Hasta fines del s. XX, los químicos se esforzaron por determinar experimentalmente la forma tridimensional verdadera (configuración absoluta) de una molécula, pero los métodos ópticos y químicos modernos han simplificado en gran medida la tarea. El término "configuración electrónica" se refiere al número de electrones en las diferentes capas de un átomo, que define su reactividad química y el tipo de enlace en el cual participa.

confirmación Rito cristiano por el que los creyentes reafirman la fe en la que fueron bautizados como infantes o niños pequeños. El rito de admitir a los adultos en calidad de miembros plenos de la comunidad de fieles no existía como una ceremonia aparte en la iglesia primitiva, pero probablemente coincidía con el bautismo, ya que aquellos que se unieron a la comunidad lo hicieron como adultos y fueron bautizados después de ser catequizados. Como el BAUTISMO de infantes se volvió habitual, fue necesario idear un medio de constatar el nivel de conocimiento y compromiso con la fe de los jóvenes. Se introdujo un período de catequización después del cual los candidatos eran examinados y confirmados en la fe. En el catolicismo, la confirmación se convirtió en SACRAMENTO, que normalmente realiza un obispo. El rito también se celebra en las Iglesias anglicana y luterana.

confiscación Acto que consiste en la incautación de bienes sin derecho a indemnización, y su entrega a beneficio fiscal. La policía puede confiscar narcóticos, armas de fuego, o las ganancias provenientes de la venta de objetos de comercio ilícito. Se ha sostenido que constituyen confiscación los actos administrativos (p. ej., el ORDENAMIENTO TERRITORIAL o la fijación de precios) que reducen el valor de los bienes de una persona a una suma prácticamente irrisoria. Ver también ALLANAMIENTO E INCAUTACIÓN; EXPROPIACIÓN.

conflicto En psicología, la pugna que emerge de necesidades, impulsos, deseos o exigencias incompatibles u opuestas. El conflicto interpersonal representa, como tal, una lucha entre dos o más personas; en cambio el conflicto interno constituye una lucha mental. Un niño que experimenta un conflicto interno, por ejemplo, puede depender de su madre y a su vez temerle, porque ella a su vez lo rechaza y castiga. Los conflictos que no son resueltos con prontitud pueden conducir a que la persona sufra de desesperanza o ANSIEDAD. Ver también DESESPERANZA APRENDIDA.

conflicto de leyes Oposición o contradicción entre las leyes de distintos estados o jurisdicciones aplicables a un determinado asunto, en relación con los derechos de las partes. Se han adoptado normas que permiten establecer cuáles son las leyes aplicables a un caso determinado, el sistema judicial más adecuado para juzgarlo y en qué medida otras jurisdicciones deben acatar o hacer cumplir lo resuelto en el juicio.

confucianismo *o* **confucionismo** Tradición erudita y estilo de vida propagados por CONFUCIO en el s. VI–V AC y seguido por los chinos por más de dos milenios. Aunque no está organizado como una religión, ha influido de manera comparable y profundamente en la vida espiritual y política del Asia oriental. La idea medular es el *jen* ("humanidad", "benevolencia"), que expresa carácter excelente según *li* (normas rituales), *zhong* (lealtad a la verdadera naturaleza de uno mismo), *shu* (reciprocidad) y *xiao* (piedad filial). Todos los anteriores constituyen el *de* (virtud). MENCIO, XUNZI y otros adhirieron al confucianismo, pero este no fue influyente hasta que DONG ZHONGSHU surgió en el s. II AC. El confucianismo fue reconocido, entonces, como el culto oficial del imperio Han, y los CINCO CLÁSICOS pasaron a ser el eje del sistema educativo. A pesar de la influencia del TAOÍSMO y del BUDISMO, la ética confuciana es la que más ha influido en la textura moral de la sociedad china. En el s. XI, el renacimiento del pensamiento confuciano produjo el NEOCONFUCIANISMO, de gran influencia en Corea durante la dinastía CHOSŎN y en Japón durante el período TOKUGAWA.

Confucio, primer gran filósofo chino; pintura encontrada en la provincia de Shandong, China.
YANN LAYMA/THE IMAGE BANK/GETTY IMAGES

Confucio *chino* **Kongfuzi** *o* **K'ung-fu-tze** (551 AC, Ch'ü-fu, reino de Lu–479, Lu). Antiguo educador, filósofo y teórico político chino. Nacido en el seno de una familia pobre, administró establos y trabajó como tenedor de libros mientras se educaba. El dominio de las seis artes –ritual, música, arquería, manejo de carruajes, caligrafía y aritmética– y su familiaridad con la historia y la poesía le permitió comenzar una brillante carrera docente siendo un treintañero. Confucio concibió la educación como un proceso de superación permanente, y sostuvo que su función primordial era la preparación de hombres nobles (*junzi*). Consideró el servicio público como la consecuencia natural de la educación y procuró revitalizar las instituciones sociales chinas, a saber, la familia, la escuela, la comunidad, el Estado y el reino. Sirvió en puestos de gobierno, convirtiéndose con el tiempo en ministro de justicia del reino Lu, pero sus políticas despertaron poco interés. Tras 12 años de autoexilio, tiempo en que su círculo de discípulos se extendió, regresó a Lu a la edad de 67 años a enseñar y escribir. Su vida y pensamientos están registrados en el *Lunyu* (*Analectas*). Ver también CONFUCIANISMO.

Bosque en el Congaree Swamp National Monument, Carolina del Sur, EE.UU.
ROBERT C. CLARK–STOCK OPTION

Congaree Swamp National Monument Reserva nacional en el centro del estado de Carolina del Sur, EE.UU. Autorizado en 1976, cubre una superficie de 6.126 ha (15.138 acres) de tierras aluviales que se inundan por las crecidas del río Congaree. Contiene la última extensión importante de bosques vírgenes sureños de madera dura de tierras bajas del sudeste de EE.UU., como el pino taeda, el tupelo acuático, el nogal americano y el roble; algunos de ellos alcanzan un tamaño sin precedentes.

congelación Exposición al frío de tejidos vivos en climas bajo el punto de congelación, ocasionando pérdidas tales de calor que se forma hielo. El viento fuerte, la piel húmeda, las ropas ajustadas y el uso de alcohol aumentan el riesgo de congelación. El daño celular, la deshidratación tisular y la hipoxia producida por la congelación y el deshielo pueden causar alteraciones en las células sanguíneas, coagulación en los capilares y GANGRENA. Los ortejos, dedos, orejas y nariz se afectan habitualmente primero, poniéndose fríos, duros, blancos o exangües. La ausencia de dolor es peligrosa. La temperatura central debe casi normalizarse antes de deshelar con rapidez la parte congelada en agua caliente (bajo 46 °C [115 °F]). Se recomiendan inyecciones de refuerzo de toxoide tetánico. El pronóstico es mejor si la congelación es breve, si se logra deshelar por recalentamiento rápido y si se forman precozmente grandes ampollas que se extienden hasta el extremo de la parte afectada. Los tejidos que vuelven a congelarse después de haber sido deshelados casi siempre deben amputarse. Las partes afectadas se tornan más susceptibles a las recidivas. La congelación se previene mejor usando vestimentas secas, en capas, sueltas y manteniéndose alerta. Ver también HIPOTERMIA.

congelación, proceso de Método de CONSERVACIÓN DE ALIMENTOS en el cual a través de bajas temperaturas (–18 °C [0 °F] o más baja) se inhibe el crecimiento de microorganismos. Usado durante siglos en las regiones frías, luego del advenimiento de la REFRIGERACIÓN mecánica, a mediados del s. XIX, el proceso pasó a ser muy utilizado comercialmente. En el s. XX, el método de congelación rápida (o *flash*) fue desarrollado por CLARENCE BIRDSEYE. Con excepción de las carnes de vacuno y venado, para las que un proceso de envejecimiento es provechoso, la carne es congelada lo más pronto posible luego de la matanza del animal. A menudo las frutas y verduras se congelan en un sirope o se sellan al vacío para eliminar el aire y evitar la oxidación y la desecación.

congestión pulmonar Distensión de los vasos sanguíneos pulmonares e inundación de los ALVÉOLOS PULMONARES con sangre. Es consecuencia de infecciones, HIPERTENSIÓN o inadecuado funcionamiento del corazón (p. ej., INSUFICIENCIA CARDÍACA izquierda). La congestión afecta seriamente el intercambio de gases, provocando dificultad respiratoria, esputo sanguinolento y un tinte azuloso de la piel.

conglomerado En petrología, roca sedimentaria litificada constituida por fragmentos redondeados de roca de diámetro mayor que 2 mm (0,08 pulg.). Comúnmente es contrastada con la BRECHA. Los conglomerados por lo general se subdividen de acuerdo al tamaño promedio de sus materiales constituyentes: guijarro (fino), guijón (medio) y bloque (grueso).

conglomerado En los negocios, empresa ampliamente diversificada, en especial una CORPORATION, que adquiere otras empresas cuyas actividades no guardan relación con su actividad principal. La fusión de conglomerados obedece a numerosas razones, entre ellas la posibilidad de aprovechar mejor las instalaciones existentes, mejorar la posición general que ocupa la sociedad en el mercado, disminuir el riesgo de depender de un solo tipo de producto y la perspectiva de reorganizar la empresa. La práctica se generalizó en las décadas de 1960 y 1980, pero en la década de 1990 muchos conglomerados comenzaron a vender las filiales que no servían a sus intereses.

Congo Francés ver ÁFRICA ECUATORIAL FRANCESA

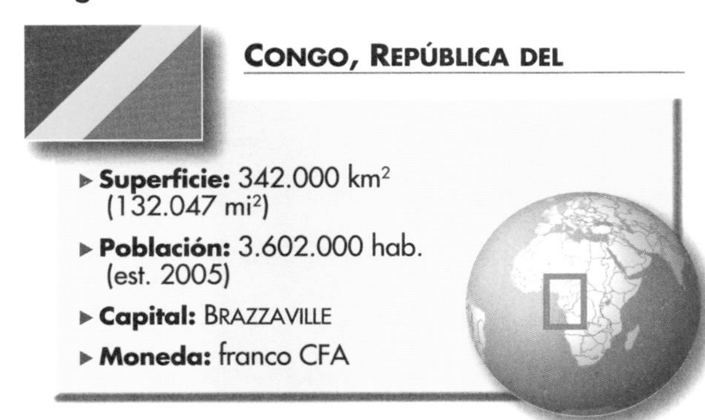

Congo, República del *ant.* **Congo Medio** República de la región centro-occidental de África. Cerca de la mitad de la población pertenece a una de las tribus KONGO. Otros grupos como los teké y los ubangui son menos numerosos. Idiomas: francés (oficial) y varias lenguas bantúes. Religiones: cristianismo y religiones tradicionales. Una estrecha planicie costera bordea su litoral atlántico de 160 km (100 mi), que luego se eleva y forma montañas bajas y mesetas que descienden hacia el este en una extensa llanura hasta el río CONGO. El país se extiende a ambos lados de la línea del ecuador; la selva tropical cubre casi el 66% del territorio y la fauna silvestre es abundante. El Congo tiene una economía de planificación centralizada en vías de desarrollo. Más del 90% de sus exportaciones consisten en productos mineros, petróleo crudo y gas natural. En 1997, una constitución transitoria entregó el poder ejecutivo al presidente y el poder legislativo a un consejo nacional de transición. Antes del colonialismo, la región fue la sede de varios reinos prósperos, entre ellos el de Kongo, que se inició en el primer milenio DC. La trata de ESCLAVOS comenzó en el s. XV con la llegada de los portugueses; este comercio sustentó los reinos locales y predominó en la región hasta su supresión en el s. XIX. Los franceses llegaron a mediados del s. XIX y suscribieron tratados con dos de los reinos, los que quedaron bajo su protección antes de pasar a formar parte de la colonia del Congo Francés. La región fue conocida como Congo Medio; en 1910 pasó a formar parte del ÁFRICA ECUATORIAL FRANCESA. En 1946, el Congo Medio se transformó en un territorio francés de ultramar, y en 1958 por medio del voto se constituyó en una república autónoma perteneciente a la COMUNIDAD FRANCESA. La independencia plena llegó dos años más tarde. La región ha sufrido de inestabilidad política desde entonces. El primer presidente del Congo fue expulsado en 1963. Un partido marxista, el Partido Congoleño del Trabajo, se fortaleció, y en 1968 otro golpe, liderado por el mayor Marien Ngouabi, creó la República Popular del Congo. Ngouabi fue asesinado en 1977. Siguieron una serie de gobiernos militares, primero de tendencia socialista militante, pero más adelante de orientación socialdemócrata. En 1997, la lucha entre milicias locales provocó una grave desorganización de la economía; a comienzos del s. XXI estaba en curso un proceso de paz.

CONGO, REP. DEMOCRÁTICA DEL

▸ **Superficie:** 2.344.858 km² (905.354 mi²)

▸ **Población:** 57.549.000 hab. (est. 2005)

▸ **Capital:** KINSHASA

▸ **Moneda:** franco congoleño

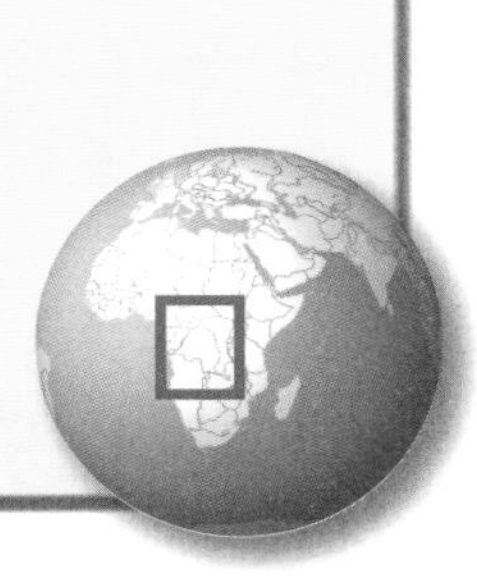

Congo, República Democrática del *ant. (1971–97)* **República de Zaire** *(1960–71)* **República Democrática del Congo** *(1908–60)* **Congo Belga** *(1885–1908)* **Estado Libre del Congo** País de África central. Diversos pueblos de habla bantú, entre ellos los mongo, KONGO y LUBA, constituyen la mayoría de la población; entre los pueblos de otras lenguas figuran algunos grupos sudaneses del norte. Idiomas: francés (oficial). Religión: cristianismo. El país, el tercero en superficie de África, ocupa el corazón de la cuenca del río CONGO, desde la cual se elevan altas mesetas en todas las direcciones. El río Congo desemboca en el océano Atlántico en la estrecha franja costera que posee el país. Este se extiende a ambos lados de la línea ecuatorial; su clima es húmedo y tropical. Es una de las naciones más pobres del mundo. Su economía se basa en la agricultura y la minería. Entre los cultivos de exportación destacan el café, los productos derivados de la palmera, el té, el cacao y el algodón; los principales productos mineros son cobre, cobalto y diamantes industriales. El país está gobernado por un régimen militar; el jefe de Estado es el presidente, cargo que ha ocupado el líder del régimen desde fines de la década de 1990. Antes de la colonización europea, varios reinos habían surgido en la región, entre ellos el reino luba en el s. XVI y la federación kuba, que alcanzó su apogeo en el s. XVIII. La intervención europea se inició hacia fines

Mujeres cargando leños en las cercanías del parque nacional Virunga, República Democrática del Congo.

FOTOBANCO

del s. XIX, cuando el rey LEOPOLDO II de Bélgica financió la exploración de HENRY MORTON STANLEY al río Congo. La conferencia de Berlín sobre África occidental de 1884–85 reconoció el Estado Libre del Congo y a Leopoldo como su soberano. La demanda de caucho favoreció la explotación y los abusos que sufrían los habitantes nativos del Congo, lo que provocó un descontento de las naciones occidentales que obligaron a Leopoldo a otorgar al Estado Libre la condición de colonia bajo la denominación de Congo Belga (1908), a la que se le concedió independencia en 1960. El período siguiente estuvo marcado por la inestabilidad, que culminó en 1965 con un golpe militar que llevó al poder al gral. MOBUTU SESE SEKO, que en 1971 dio al país el nombre de Zaire. La mala administración, la corrupción y la violencia creciente devastaron la infraestructura y la economía. Mobutu fue depuesto en 1997 por LAURENT KABILA, quien restableció el nombre de República Democrática del Congo. La inestabilidad imperante en los países vecinos, la afluencia de refugiados hutus desde Ruanda y el interés por la riqueza mineral del Congo impulsaron la intervención militar de varios países africanos. La inestabilidad persistía a comienzos del s. XXI.

Congo, río *o* **río Zaire** Río del centro-oeste de África. Nace en Zambia con el nombre de Chambeshi y fluye por 4.700 km (2.900 mi) a través de la República Democrática del Congo hasta el océano Atlántico. Es el segundo río más largo de África. Discurre a través de tres regiones contrastantes: alto Congo, caracterizada por lagos, saltos y rápidos; Congo medio, con siete saltos llamados las cataratas de Boyoma (Stanley); y bajo Congo, que se bifurca en dos brazos formando una zona pantanosa y lacustre llamada Malebo (Stanley) Pool.

congregacionalismo Movimiento que surgió en las iglesias cristianas protestantes inglesas a fines del s. XVI y comienzos del XVII. Se desarrolló como una rama del PURITANISMO y enfatizó el derecho y deber de cada congregación a gobernarse con independencia de una autoridad humana superior. Su mayor influencia y número de miembros estaban en EE.UU., donde los puritanos lo establecieron primero en la colonia de Plymouth. El Half Way Covenant (Alianza de la vía media) (1662) relajó los requisitos de ingreso a la iglesia, y el GRAN DESPERTAR apartó al congregacionalismo estadounidense de sus raíces calvinistas. Muchas iglesias desertaron hacia el UNITARISMO. En general, los congregacionalistas rehúyen los credos, enfatizan la prédica sobre los sacramentos, aceptando sólo el BAUTISMO y la EUCARISTÍA. Los congregacionalistas ingleses forman ahora parte de la Iglesia reformada unida, así como la mayoría de los congregacionalistas estadounidenses, de la Iglesia de Cristo unida. Las iglesias baptistas, Discípulos de Cristo y unitaria universalista también practican la política congregacional.

Congreso Nacional Africano (ANC) Partido político sudafricano y organización nacionalista de raza negra. Fundado en 1912 (con el nombre de Congreso nacional de nativos sudafricanos), el ANC se dedicó por mucho tiempo al objetivo de eliminar el APARTHEID. En respuesta a las masacres de manifestantes en Sharpeville (1960) y Soweto (1976) llevadas a cabo por efectivos de gobierno, el ANC realizó actos de sabotaje y emprendió una guerra de guerrillas. Esta estrategia fue muy poco eficaz debido a las enérgicas medidas de seguridad interna del gobierno sudafricano, entre ellas la proscripción oficial del ANC entre 1960 y 1990. En 1991, con la prohibición ya levantada, NELSON MANDELA sucedió a OLIVER TAMBO como presidente del ANC. En 1994, el partido arrasó en las primeras elecciones nacionales de sufragio universal; el ANC encabezó un gobierno de coalición que inicialmente incluyó a miembros de su antiguo rival, el PARTIDO NACIONAL, y Mandela se convirtió en presidente de Sudáfrica. En 1999, THABO MBEKI lo reemplazó como presidente del ANC y de Sudáfrica. Ver también ALBERT LUTHULI; movimiento PANAFRICANO; PARTIDO DE LA LIBERTAD INKATHA.

Congreso Nacional Indio *o* **Partido del Congreso** Partido político de India, de amplia base social, fundado en 1885. Fue un partido reformista moderado hasta 1917, año en que tomó el control su ala "extremista", partidaria de la autonomía (ver BAL GANGADHAR TILAK). En las décadas de 1920 y 1930, bajo la dirección de MOHANDAS K. GANDHI, promovió la resistencia pasiva para protestar por la debilidad de las reformas constitucionales de 1919. Durante la segunda guerra mundial, el partido declaró que India no respaldaría el esfuerzo bélico británico hasta que no se le concediese completa independencia. En 1947 un proyecto de independencia india se transformó en ley y en 1950 comenzó a regir la constitución correspondiente. JAWAHARLAL NEHRU dominó el partido desde 1951 hasta 1964. El partido formó la mayoría de los gobiernos de India entre 1947 y 1996, pero a fines del s. XX perdió gran parte del apoyo ciudadano. Después de varios años fuera del poder, regresó al gobierno en 2004.

Congreve, William (24 ene. 1670, Bardsey, cerca de Leeds, Yorkshire, Inglaterra–19 ene. 1729, Londres). Dramaturgo inglés. Protegido de JOHN DRYDEN, causó sensación con el estreno de su primera obra, *The Old Bachelour* [El solterón] (1693). Más tarde vendrían otras dos comedias, *The Double-Dealer* [El traidor] (1693) y *Love for Love* [Amor por amor] (1695), así como la tragedia *The Mourning Bride* [La novia de luto] (1697), muy popular en su momento, y *Así va el mundo* (1700), su mejor trabajo. Publicó además numerosos poemas y traducciones, y escribió dos libretos de ópera. La ironía con que Congreve desenmascaraba las afectaciones de su época marca el origen de la COMEDIA DE COSTUMBRES inglesa, a la que dio forma con sus diálogos chispeantes, sus sátiras de la alta sociedad y una obscenidad hilarante. Ver también LITERATURA INGLESA DE LA RESTAURACIÓN.

William Congreve, pintura al óleo de Sir Godfrey Kneller, 1709.

GENTILEZA DE LA NATIONAL PORTRAIT GALLERY, LONDRES

congrio Cualquiera de unas 100 especies de ANGUILAS (familia Congridae) marinas sin escamas, cabeza y hendiduras branquiales grandes, boca ancha y dientes fuertes. Los congrios suelen ser entre grisáceos y negruzcos, con un vientre más claro y aletas con bordes negros. Se hallan en todos los océanos, a veces en aguas profundas, y pueden crecer hasta unos 1,8 m (6 pies) de largo. Son carnívoros. Muchas especies, como el congrio europeo (*Conger conger*) se aprecian como alimento. El congrio americano (*C. oceanicus*) es un pez deportivo feroz.

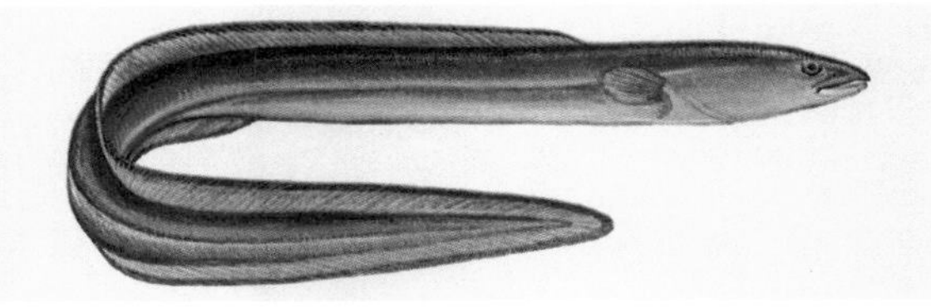

Congrio americano (*Conger oceanicus*).

conífera Cualquier miembro del orden Coniferales, plantas leñosas que producen SEMILLA y POLEN en estructuras cónicas (ver CONO) separadas. Constituyen la división más grande de las GIMNOSPERMAS, con más de 550 especies. La mayoría son árboles y arbustos verticales y siempreverdes. Crecen en todo el mundo (a excepción de la Antártida) y prefieren zonas de climas templados. Las coníferas abarcan especies de los géneros JUNIPERUS, PICEA, TSUGA, además de PINOS (*Pinus*), ABETOS (*Abies*), ALERCES (*Larix*), TEJOS (*Taxus*), CIPRESES (*Cupressus*), CIPRESES CALVO (*Taxodium*), PINOS DE OREGÓN (*Pseudotsuga*), TUYAS (*Thuja*) y grupos emparentados. Comprenden los árboles más bajos y más altos del mundo. Suministran leños blandos (ver MADERA BLANDA) que se usan para la construcción en general, en minas, para postes de vallas, postes, cajas, embalajes y otros artículos, así como fuente de pulpa para papel. La madera también se utiliza como combustible y en la manufactura de artículos de celulosa, contrachapados y chapas. Los árboles son fuente de RESINAS, aceites volátiles, TREMENTINA, alquitranes y productos farmacéuticos. Las hojas de coníferas poseen formas diferentes, pero en general tienen un área superficial reducida para minimizar la pérdida de agua. En pinos, abetos y piceas, las hojas son largas, rígidas y aciculares. Los cipreses, CEDROS y otras coníferas cuentan con hojas más pequeñas y escamiformes. Las coníferas fueron el tipo de vegetación dominante hasta la víspera de la aparición de las ANGIOSPERMAS.

conjugación Interacción de enlaces contiguos en un COMPUESTO químico con ENLACES COVALENTES alternos simples y dobles. Los enlaces conjugados muestran características modificadas a causa de que aumentan la deslocalización de electrones y los electrones compartidos. La conjugación tiene lugar, por ejemplo, dentro de una molécula que contiene una cadena de átomos de carbono unidos por enlaces simples y dobles alternados. Tal sistema conjugado a menudo da origen a sustancias con colores intensos, p. ej., los pigmentos biológicos llamados CAROTENOS. Otro ejemplo es el grupo carboxilo (ver ácido CARBOXÍLICO; GRUPO FUNCIONAL), en el cual el enlace doble del grupo carbonilo ($-C{=}O$) es contiguo al enlace simple que une el grupo hidroxilo ($-OH$) al átomo de carbono.

conjuntivitis Inflamación de la conjuntiva, delicada cubierta interior de los párpados y del blanco anterior del OJO. Puede ser causada por infecciones (caso en que suele llamarse "ojo rojo"), quemaduras químicas, daño físico o alergia. A menudo también está inflamada la córnea (queratoconjuntivitis). Las causas infecciosas comprenden varios virus y bacterias, como las que producen tracoma y GONORREA, pudiendo ambas provocar ceguera. La conjuntivitis del eritema multiforme, una erupción de la piel, también puede causar ceguera.

conjunto En matemática y lógica, cualquier colección de objetos (elementos) que pueden o no ser matemáticos (p. ej., números, FUNCIONES). La idea intuitiva de un conjunto es probablemente aun más antigua que la de NÚMERO. Los miembros de un rebaño de animales, por ejemplo, pueden asociarse uno a uno con piedras contenidas en un saco, sin que los miembros de uno u otro conjunto hubiesen sido efectivamente contados. La noción se extiende hasta el infinito. Por ejemplo, el conjunto de los enteros de 1 a 100 es finito, mientras que el conjunto de todos los enteros es infinito. Un conjunto es comúnmente representado como una lista de todos sus miembros encerrada entre paréntesis. Un conjunto sin miembros se llama un conjunto vacío, o nulo y se lo denota $\varnothing$. Debido a que un conjunto infinito no puede ser listado, por lo general se representa por una fórmula que genera sus elementos al aplicarla a los elementos del conjunto de los números naturales. Así $\{2x|x = 1,2,3,...\}$ representa al conjunto de los números pares positivos (la barra vertical significa "tal que").

conjuntos, teoría de Rama de la matemática que trata de las propiedades de los CONJUNTOS. Su mayor valor está en su aplicación a otras áreas de la matemática, que recurren a adaptaciones de su terminología y conceptos. Estos conceptos comprenden las operaciones de unión ($\cup$) e intersección ($\cap$). La unión de dos conjuntos es el conjunto que contiene todos los elementos de ambos, cada uno listado sólo una vez. La intersección es el conjunto de los elementos comunes a ambos conjuntos originales. La teoría de conjuntos es útil para analizar conceptos difíciles en matemática y LÓGICA. Fue puesta en una base teórica sólida por GEORG CANTOR, quien descubrió el valor de conjuntos formulados en forma clara en el análisis de problemas en lógica simbólica y teoría de los NÚMEROS.

Conkling, Roscoe (30 oct. 1829, Albany, N.Y., EE.UU.–18 abr. 1888, Nueva York, N.Y.). Político estadounidense. Fue abogado, orador y dirigente del PARTIDO WHIG. Se desempeñó en la Cámara de Representantes (1859–65) y en el Senado (1867–81). Como dirigente de los republicanos radicales, apoyó medidas de RECONSTRUCCIÓN rigurosas. Resistió las iniciativas del pdte. RUTHERFORD B. HAYES para la reforma de la administración pública y conservó el control del sistema de influencias en el estado de Nueva York. En la convención republicana de 1880, encabezó la facción leal en apoyo del ex pdte. ULYSSES S. GRANT. En 1881 renunció al Senado en una disputa con el pdte. JAMES GARFIELD.

Roscoe Conkling, político estadounidense.

GENTILEZA DE LA BIBLIOTECA DEL CONGRESO, WASHINGTON, D.C.

conmutación, teoría de la Teoría de CIRCUITOS basada en dispositivos digitales ideales, que comprende su estructura, comportamiento y diseño. Incorpora la lógica booleana (ver álgebra BOOLEANA), componente básico de los sistemas de conmutación digital modernos. La conmutación es esencial en la telefonía, telegrafía, procesamiento de datos y otras tecnologías en las cuales es necesario tomar decisiones rápidas acerca del ruteo de la información. Ver también teoría de COLAS.

conmutatividad, ley de Dos leyes estrechamente relacionadas sobre operaciones numéricas. En símbolos, se enuncian así: $a + b = b + a$ y $ab = ba$. En palabras: cantidades a sumar o a multiplicar pueden combinarse en cualquier orden. Más en general, si dos procedimientos dan el mismo resultado al llevarse a cabo en un orden arbitrario, se dice que son conmutativos. Existen excepciones a la conmutatividad (p. ej., en la multiplicación vectorial). Ver también ley de ASOCIATIVIDAD; ley de DISTRIBUTIVIDAD.

Connacht *o* **Connaught** Provincia (pob., est. 2002: 464.050 hab.) del noroeste de Irlanda. Comprende los condados de Galway, Leitrim, Mayo, Roscommon y Sligo con una superficie total de 17.122 km^2 (6.611 mi^2). Connacht fue un reino antiguo, cristianizado por san PATRICIO en el s. V. Dominada a partir del s. XI por los O'Connor de Roscommon, luego sufrió la invasión de los anglonormandos en el s. XII.

Connecticut Estado (pob., 2000: 3.405.565 hab.) del nordeste de EE.UU. El más meridional de los estados que constituyen NUEVA INGLATERRA, se encuentra junto al estrecho de LONG ISLAND, limitado por los estados de Massachusetts, Rhode Island y Nueva York. Cubre una superficie de 12.966 km^2 (5.006 mi^2); su capital es HARTFORD. Los habitantes originales fueron indios de habla ALGONQUINA. La zona fue colonizada por puritanos ingleses provenientes de la colonia de la bahía de MASSACHUSETTS en la década de 1630. Es uno de los estados originales de la Unión y el quinto que ratificó la constitución de EE.UU. Fue una región agrícola hasta principios del s. XIX, cuando se establecieron plantas textiles, y en 1850 el empleo en el sector manufacturero superaba al del sector agrícola. En la actualidad, el estado sigue siendo un centro de manufacturas. NEW HAVEN, cuna de la Universidad de YALE, es uno de los puertos más grandes de Nueva Inglaterra, mientras que STAMFORD es sede de las oficinas centrales de algunas de las compañías estadounidenses más importantes. New London alberga a la Academia de Guardacostas de EE.UU. El ferrocarril y las carreteras atraviesan Connecticut y atienden las regiones densamente pobladas del valle del río CONNECTICUT y de la costa. El estado tiene una gran cantidad de monumentos conmemorativos y sitios históricos, como asimismo numerosos parques y bosques.

Connecticut, río Río de NUEVA INGLATERRA, en el nordeste de EE.UU. Nace en los lagos de Connecticut en el norte de New Hampshire y corre hacia el sur 655 km (407 mi) hasta desembocar en el estrecho de LONG ISLAND. Constituye el límite entre Vermont y New Hampshire. El curso inferior del río, de 97 km (60 mi), tiene régimen de marea. Es el río más largo de la región de Nueva Inglaterra y ha sido ampliamente explotado para producir energía hidroeléctrica.

Connecticut, Universidad de Universidad del estado de Connecticut, EE.UU. Su campus principal se encuentra en Storrs-Mansfield, y cuenta con sedes en Groton, Hartford, Stamford, Torrington y Waterbury, además de un centro de salud en Farmington. La facultad de agricultura que dio origen a la universidad fue fundada en 1881. El campus principal incluye un *college* (colegio universitario) de agricultura y recursos naturales, un *college* de artes liberales o humanidades y ciencias, y 12 escuelas profesionales, entre ellas las escuelas de derecho, ingeniería, medicina y odontología.

Connelly, Marc(us Cook) (13 dic. 1890, McKeesport, Pa., EE.UU.–21 dic. 1980, Nueva York, N.Y.). Dramaturgo, guionista y director estadounidense. Como periodista cubrió noticias de teatro en Pittsburgh y Nueva York. Colaboró con GEORGE S. KAUFMAN en la obra *Dulcy* (1921). Ambos continuaron con las comedias *To the Ladies* (1922) y *Beggar on Horseback* (1924) y con los libretos para los musicales *Helen of Troy, Nueva York* (1923) y *Be Yourself* (1924). Más tarde Connelly escribió su obra más famosa, *Green Pastures* (1930, Premio Pulitzer; película, 1936), y luego, *The Farmer Takes a Wife* (1934; película, 1935).

Connery, Sir Sean *orig.* **Thomas Connery** (n. 25 ago. 1930, Edimburgo, Escocia). Actor escocés. Trabajó en diversos oficios y participó en competencias de fisicoculturismo antes de debutar en el teatro en el coro del musical *Al sur del Pacífico* (1951), en Londres. Después de varios papeles menores, Connery interpretó a James Bond en la versión cinematográfica de la novela *Dr. No* de IAN FLEMING (1962) y continuó interpretando al agente secreto 007 en otras seis películas. Es un preciso actor de carácter y un eterno símbolo sexual. Actuó en películas como *El hombre que pudo reinar* (1975), *El nombre de la rosa* (1986), *Los intocables* (1987, premio de la Academia) y *Descubriendo a Forrester* (2000).

Connolly, Maureen (Catherine) (17 sep. 1934, San Diego, Cal., EE.UU.–21 jun. 1969, Dallas, Texas). Tenista estadounidense. Con 14 años fue la jugadora más joven en ganar el National Girl's Tournament. Conocida como "Little Mo", obtuvo su primer título nacional adulto en 1951. En 1953 fue la primera mujer en ganar el Grand Slam (Wimbledon, EE.UU., Australia y Francia). Su carrera terminó en 1954 debido a un accidente ecuestre.

Connor, Ralph *orig.* **Charles William Gordon** (13 sep. 1860, Indian Lands, cond. de Glengarry, Ontario, Canadá–31 oct. 1937, Winnipeg, Manitoba). Novelista canadiense. Ordenado ministro presbiteriano en 1890, fue misionero en campamentos forestales y mineros de las montañas Rocosas canadienses; estas vivencias y los recuerdos de su infancia en Glengarry, Ontario, están presentes en sus novelas *El piloto celestial* (1899) y *The Prospector* [El prospector] (1904), entre otras. Sus novelas, que narran aventuras provistas de un mensaje religioso y describen los sentimientos sanos de sus personajes, lo convirtieron en el escritor canadiense más popular de principios del s. XX. Las obras más apreciadas son *El hombre de Glengarry* (1901) y *Glengarry School Days* [Días de colegio en Glengarry] (1902).

Connors, Jimmy *p. ext.* **James Scott Connors** (n. 2 sep. 1952, East St. Louis, Ill., EE.UU.). Tenista estadounidense. En 1974 ganó tres de los cuatro torneos del Grand Slam (los abiertos de EE.UU., Australia y Wimbledon), y fue excluido del Abierto de Francia por haberse integrado a la liga de jugadores profesionales World Team Tennis (WTT). Conocido por su estilo agresivo y su fiero temperamento, Connors triunfó en 1975 en la competencia de dobles de Wimbledon y EE.UU. (en pareja con Ilie Nastase), además de la competencia individual de Wimbledon en 1982, y de EE.UU., en 1976, 1978, 1982 y 1983.

Jimmy Connors, ganador en el Abierto de EE.UU., 1974.
FOTOBANCO

cono En botánica, una agrupación de escamas o brácteas, normalmente ovadas, que contiene los órganos reproductores de ciertas plantas sin flores. El cono es un rasgo característico de PINOS y otras CONÍFERAS, siendo aproximadamente análogo a la FLOR de otras plantas. También está presente en LICOPODIOS y COLAS DE CABALLO.

cono de cenizas *o* **cono de escorias** Depósito alrededor de una chimenea volcánica formado por la acumulación gradual de fragmentos de roca o escoria, en forma de una colina cónica rematada por un cráter en forma de embudo. Los conos de ceniza se desarrollan a partir de erupciones explosivas de lava y se encuentran comúnmente a lo largo de los costados de volcanes de escudo (con pendiente suave). Desde el cono pueden emerger flujos de lava, o estos pueden escurrir bajo el cono a través de túneles. Los conos de escoria son comunes en casi todas las áreas volcánicas. Aunque están compuestos de ceniza suelta o medianamente consolidada, muchos poseen una durabilidad sorprendente, ya que la lluvia que cae sobre ellos penetra en la escoria de alta permeabilidad en lugar de escurrir por su pendiente y erosionarlos.

conodonto FÓSIL minúsculo con forma de diente compuesto de apatita (fosfato de calcio). Los conodontos figuran entre los fósiles encontrados más frecuentemente en rocas marinas sedimentarias del paleozoico. Son restos de animales que vivieron hace 543–248 millones de años y que se cree eran pequeños invertebrados marinos que vivían en el océano abierto y en aguas costeras en toda la zona tropical y templada.

conquistador Cualquier aventurero de los pequeños grupos que emprendieron la conquista española de América Central y de Norte y Sudamérica en el s. XVI. Al mando de HERNÁN CORTÉS, una fuerza de unos 500 hombres con 16 caballos conquistó el Imperio AZTECA de México. A continuación, una fuerza al mando de PEDRO DE ALVARADO sometió Guatemala. FRANCISCO PIZARRO derrotó a los INCAS en el Perú con 180 hombres y 37 caballos; su compañero DIEGO DE ALMAGRO condujo una expedición a Chile. Otras empresas de descubrimiento y conquista extendieron el dominio español sobre la mayor parte de América del Sur. Aunque renombrados por su valentía, también se destacaron por su avaricia y por la destrucción que acarrearon a las poblaciones y civilizaciones nativas. Pronto fueron reemplazados por administradores y colonos provenientes de España.

Conrad, Joseph *orig.* **Józef Teodor Konrad Korzeniowski** (3 dic. 1857, Berdichev, Ucrania, Imperio ruso–3 ago. 1924, Canterbury, Kent, Inglaterra). Novelista y cuentista británico de origen polaco. Su padre, un patriota polaco, fue exiliado al norte de Rusia, y Conrad quedó huérfano a los 12 años. Logró integrarse a la marina mercante francesa y en 1878 a la flota mercante inglesa, en la que hizo carrera la mayor parte de los 15 años siguientes; sus experiencias como marino proveerían el material para muchas de sus novelas. Aunque apenas hablaba inglés antes de los 20 años, llegaría a desarrollar un estilo magistral en ese idioma. Sus narraciones, caracterizadas por una prosa exuberante, a menudo giran en torno a los peligros de la vida en alta mar o en lugares exóticos, aunque en realidad se valía de esos parajes para revelar su visión profundamente pesimista de la condición humana. De sus numerosas novelas –entre ellas *La locura de Almáyer* (1895), *El negro del Narcissus* (1897), *Lord Jim* (1900), *Nostromo* (1904), *El agente secreto* (1907) y *Bajo la mirada de Occidente* (o Alma rusa, 1911)–, más de una es considerada una obra maestra. Publicó además siete colecciones de relatos y su famosísima novela corta *El corazón de las tinieblas* (1902), que sirvió de inspiración para la película *Apocalipsis ahora* (1979) de FRANCIS FORD COPPOLA. Conrad ejerció una profunda influencia en novelistas posteriores.

Joseph Conrad, c. 1905.
FOTOBANCO

Conrado I (m. 23 dic. 918). Rey germano (911–918). Duque de Franconia y miembro de la poderosa dinastía franconiana llamada los conradinos, fue elegido rey a la muerte del último gobernante franco oriental de la dinastía CAROLINGIA. Su reinado estuvo marcado por la encarnizada lucha por mantener las tradiciones de la monarquía carolingia contra el creciente poder de los duques de Sajonia, Baviera y Suabia. No logró ganar el apoyo de la Iglesia y sus campañas militares no tuvieron éxito. Imposibilitado de consolidar a su familia como la casa real de los francos orientales, se dice que propuso a su adversario Enrique de Sajonia como su sucesor.

Conrado II (c. 990–4 jun. 1039, Utrecht [Alemania]). Rey de Germania (1024–39) y emperador (1027–39), fundador de la dinastía salia (o franconiana). En 1016 contrajo matrimonio con una duquesa con la que estaba lejanamente emparentado, situación que el emperador ENRIQUE II usó como pretexto para exiliarlo. Más tarde ambos se reconciliaron y fue coronado rey de Germania en 1024. Una rebelión de nobles germanos y príncipes de Lombardía fracasó en 1025, y se convirtió en rey de Italia (1026) y luego emperador (1027). Instituyó reformas legislativas y promulgó un conjunto de nuevas constituciones feudales para Lombardía. Su hijo Enrique fue elegido rey en 1028 y fue su principal consejero. Derrotó a Polonia (1028), reconquistando territorios que había perdido. Heredó Borgoña (1034) y resolvió disputas entre los grandes príncipes de Italia (1038).

Conrado III (1093–15 feb. 1152, Bamberg [Alemania]). Rey germano (1138–52), el primero de la dinastía HOHENSTAUFEN. Sobrino del emperador germánico Enrique V, se rebeló cuando los electores lo ignoraron como heredero. Fue coronado antirrey en Nuremberg (1127) y rey de Italia (1128). Regresó a Germania en 1132 y luchó contra el monarca alemán Lotario II hasta 1135, año en que se sometió y obtuvo el perdón. Cuando Lotario falleció se convirtió en rey, sofocando la resistencia en Baviera y Sajonia. Viajó a Palestina en la segunda de las CRUZADAS (1147) y visitó Constantinopla (1148), donde consolidó una alianza con MANUEL I COMNENO. Imposibilitado de visitar Roma, nunca recibió la corona imperial.

Conrado III, sello, s. XII; Bayerisches Nationalmuseum, Munich.
GENTILEZA DEL BAYERISCHES NATIONALMUSEUM, MUNICH; FOTOGRAFÍA, FOTO MARBURG

conscripción Reclutamiento obligatorio para el servicio en las fuerzas armadas de un país. Ha existido al menos desde el tiempo del Antiguo Imperio egipcio en el s. XXVII AC. Por lo general, toma la forma de un servicio selectivo más que el de una conscripción universal (esta última a menudo se refiere a un servicio militar obligatorio por parte de todos los hombres aptos entre ciertas edades, a pesar de que algunos países, entre los que se destaca Israel, también han reclutado a las mujeres). En el s. XIX, el sistema de Prusia para generar un gran ejército permanente a base de conscripción se convirtió en el modelo para las potencias europeas rivales. Durante la guerra de Secesión, tanto el gobierno federal como la Confederación establecieron la conscripción, pero EE.UU. no la usó nuevamente hasta entrar en la primera guerra mundial, en 1917. Al igual que EE.UU., Gran Bretaña abandonó la conscripción al final de la primera guerra mundial, pero la reimpuso con la amenaza de la segunda guerra mundial. Durante la subsiguiente guerra fría, Gran Bretaña mantuvo la conscripción hasta 1960, y EE.UU. hasta 1973. Ver también Ejército de los ESTADOS UNIDOS DE AMÉRICA.

consecuencialismo En ÉTICA, doctrina conforme a la cual las acciones deben ser consideradas correctas o incorrectas según sus consecuencias. La forma más simple del consecuencialismo es el UTILITARISMO clásico (o hedonístico), que afirma que una acción es correcta o incorrecta si maximiza el balance neto de placer y dolor en el universo. El consecuencialismo de G.E. MOORE, conocido como "utilitarismo ideal", declara que la belleza y la amistad, al igual que el placer, son bienes intrínsecos que las acciones del individuo deben tratar de maximizar. Según el "utilitarismo de preferencia" de R.M. Hare (n. 1919–m. 2002), las acciones son correctas si maximizan la satisfacción de preferencias o deseos, cualesquiera que sean tales preferencias. El consecuencialismo difiere también sobre si cada acción individual debe juzgarse según sus consecuencias o si, por el contrario, deben juzgarse de ese modo únicamente las reglas generales de conducta, de tal manera que las acciones individuales sean juzgadas sólo según si concuerdan o no con una regla general. Los representantes del primer grupo son conocidos como "utilitaristas del acto", y los del segundo como "utilitaristas de la regla". Ver también ÉTICA DEONTOLÓGICA.

Conseil Européen pour la Recherche Nucléaire Ver CERN

Consejo de Administración Fiduciaria de las Naciones Unidas Uno de los principales órganos de las Naciones Unidas, compuesto por los cinco miembros permanentes del Consejo de Seguridad. Supervisó la administración de territorios en fideicomiso (sin autogobierno), como las ex colonias en África y el Pacífico. La función del consejo era enviar misiones de inspección a los territorios, examinar peticiones, revisar informes y hacer recomendaciones. Suspendió sus operaciones después de que el último territorio en fideicomiso, Palau, obtuviera su independencia en 1994.

Consejo de Asistencia Económica Mutua *o* **Comecon** Organización fundada en 1949 con el fin de facilitar y coordinar el desarrollo económico de los países del bloque soviético. Sus miembros fundadores fueron la Unión Soviética, Bulgaria, Checoslovaquia, Hungría, Polonia y Rumania; se incorporaron más tarde Albania (1949) y la República Democrática Alemana (1950). Entre sus logros se cuentan la organización de una red ferroviaria en Europa oriental, la creación del BANCO INTERNACIONAL DE COOPERACIÓN ECONÓMICA y la construcción del oleoducto de la "Amistad". Después de las revoluciones democráticas de 1989, perdió en gran medida su propósito y su poder. En 1991 cambió su nombre por el de Organización para la Cooperación Económica Internacional.

Consejo de Cooperación del Golfo Organización internacional del golfo Pérsico fundada en Abu Dhabi, Emiratos Árabes Unidos (EAU), en 1981. Está constituido por Kuwait, Arabia Saudita, Bahrein, Qatar, EAU y Omán. Su propósito es facilitar la cooperación entre sus miembros en las áreas del comercio internacional, la educación, la navegación y los viajes. Su sede está en Arabia Saudita y se reúne dos veces al año. Su estructura administrativa incluye un consejo supremo, un consejo ministerial de relaciones exteriores, una comisión de arbitraje y una secretaría general.

Consejo de Indias Organismo encargado del gobierno de las Indias, ejercido por el rey de España a través de autoridades creadas para tales efectos, tanto en la metrópoli como en el territorio americano. Las instituciones con radicación en la metrópoli fueron el Consejo de Indias y la CASA DE CONTRATACIÓN. El Consejo de Indias tenía igual jerarquía que el Consejo de Castilla y estaba integrado por un presidente, cinco consejeros, un fiscal y un canciller. El Consejo contaba con atribuciones legislativas, judiciales, políticas y administrativas, económicas y militares. Elaboraba las leyes relativas a la América hispana y revisaba las disposiciones legales dictadas por las autoridades residentes en Indias. Conocía de la apelación en los juicios por CONTRABANDO, cuya primera instancia correspondía a la Casa de Contratación; del recurso de segunda suplicación contra las sentencias definitivas dictadas en juicios civiles por las audiencias; de los JUICIOS DE RESIDENCIA y de las contiendas de jurisdicción entre autoridades civiles y religiosas. Otorgaba el pase a las resoluciones de autoridades peninsulares con efecto en las Indias y a las bulas pontificias, y autorizaba la impresión y envío de libros a América. El Consejo de Indias organizaba el comercio de Indias a través de la Casa de Contratación. La institución fue suprimida en 1834.

Consejo de Seguridad de las Naciones Unidas División de las NACIONES UNIDAS cuyo principal propósito es mantener la paz y la seguridad internacionales. El Consejo de Seguridad se componía originalmente de cinco miembros permanentes –Taiwán (sucedido en 1971 por China), Francia, el Reino Unido, EE.UU. y la Unión Soviética (sucedida en 1991 por Rusia)– y seis miembros rotativos elegidos por la ASAMBLEA GENERAL DE LAS NACIONES UNIDAS por períodos de dos años. En 1965 el número de miembros no permanentes fue aumentado a diez. Los miembros de las Naciones Unidas aceptan acatar las resoluciones del Consejo de Seguridad cuando ingresan al organismo internacional. El Consejo de Seguridad de las Naciones Unidas investiga los conflictos que amenazan la paz internacional y aconseja sobre cómo resolverlos. Para impedir o detener una agresión, puede imponer sanciones económicas o diplomáticas o autorizar el uso de la fuerza militar. Cada miembro permanente tiene derecho a veto en decisiones sobre materias de fondo, como la aplicación de sanciones. Las decisiones que comprenden tanto materias de fondo como de procedimiento requieren de nueve votos a favor, incluido el voto afirmativo de todos los miembros permanentes (aunque en la práctica los miembros permanentes pueden abstenerse sin afectar la validez de la decisión).

Sesión plenaria de 2005 del Consejo de Seguridad de las Naciones Unidas, Nueva York, EE.UU.

FOTOBANCO

Consejo Mundial de Iglesias Organización cristiana de carácter ecuménico fundada en 1948 en Amsterdam, Países Bajos. Funciona como un foro para protestantes y confesiones ortodoxas orientales, que cooperan a través del Consejo en una variedad de tareas, así como explora similaridades y diferencias doctrinales. Emanó de dos movimientos ecuménicos posteriores a la primera guerra mundial: Vida y Acción, que se enfocó en actividades prácticas; y Fe y Constitución, que se concentró en asuntos doctrinales y en la posibilidad de reunificación. El ímpetu de esas dos organizaciones surgió de la Conferencia misionera mundial de Edimburgo, celebrada en 1910, el primer esfuerzo cooperativo de esa naturaleza desde la época de la REFORMA. La Iglesia católica, si bien no es un miembro del Consejo Mundial de Iglesias, envía representantes a sus conferencias. Las confesiones protestantes más fundamentalistas han rehusado participar en él.

Consejo Nacional de Relaciones Laborales ver NATIONAL LABOR RELATIONS BOARD (NLRB)

Consejo nacional de seguridad Organismo estadounidense que aconseja al presidente en cuestiones relacionadas con la seguridad nacional, ya sea a nivel de políticas internas, exteriores o militares. Junto con la CIA, fue creado en 1947 por la ley de seguridad nacional. Le proporciona a la Casa Blanca un instrumento para elaborar la política exterior, independiente del Departamento de Estado. Tiene cuatro miembros –el presidente, el vicepresidente, el secretario de Estado y el de defensa– y su personal es encabezado por el consejero de seguridad nacional.

Consejo Privado del Monarca *inglés* **Privy Council** Históricamente, consejo privado del soberano británico. Poderoso en alguna época, hace mucho que el Consejo Privado del Monarca dejó de ser un organismo activo, ya que a partir de mediados del s. XVII fue perdiendo la mayoría de sus funciones judiciales y políticas. Surgió de la CURIA medieval (*curia regis*), integrada por los inquilinos reales, los funcionarios de palacio y otros consejeros. La curia ejercía todas las funciones de gobierno, ya sea en grupos pequeños que con el tiempo se convirtieron en el consejo del rey, o en grupos más numerosos que pasaron a ser el gran consejo y el parlamento. Actualmente se ocupa en especial de la emisión de los documentos reales, de la dirección de las investigaciones del gobierno y del servicio de tribunal de alzada de los tribunales eclesiásticos y de otros tribunales inferiores. Ver también TRIBUNAL DE PRIVILEGIO.

Consejo Soberano Organismo administrativo que gobernó la colonia de NUEVA FRANCIA en Canadá (1663–1702). El consejo se componía del gobernador y el obispo (quienes nombraban a los demás miembros), cinco consejeros, un fiscal y un secretario. Nombraba a los jueces y funcionarios de menor rango, controlaba los fondos públicos y el comercio con Francia, y regulaba el comercio de pieles con los indios. Las decisiones estaban sujetas al veto del gobernador. En 1675, un edicto real aumentó a siete el número de consejeros y dejó al rey la facultad de llenar las vacantes. A partir de 1685, el intendente, funcionario administrativo francés, asumió muchas de las obligaciones del consejo. En 1702 se le cambió el nombre por el de Consejo Superior.

conservación Gestión planificada de un recurso natural o de un ECOSISTEMA particular para prevenir su explotación, contaminación, destrucción o abandono a fin de asegurar que el recurso se pueda usar en el futuro. Los recursos vivos son renovables, mientras que los minerales y combustibles fósiles son no renovables. En Occidente, los esfuerzos conservacionistas se inician en el s. XVII con los intentos de proteger los bosques europeos frente a las demandas crecientes de combustible y materiales de construcción. Los PARQUES NACIONALES, establecidos por primera vez en el s. XIX, se destinaron a preservar la tierra incultivada, no sólo como un refugio seguro para la vida silvestre, sino para proteger las cuencas hidrográficas y contribuir a asegurar el suministro de agua limpia. La legislación nacional y los tratados y reglamentos internacionales buscan lograr un equilibrio entre la necesidad de desarrollo y la necesidad de conservar el medio ambiente para el futuro.

conservación de alimentos Cualquiera de los métodos mediante los cuales se protegen los alimentos del deterioro por oxidación o acción de bacterias, de moho o de otros microorganismos. Entre los métodos tradicionales figuran el proceso de DESHIDRATACIÓN, el ahumado, el salado, la FERMENTACIÓN controlada (incluido el encurtido) y el acaramelado; ciertas especias también han sido utilizadas por largo tiempo como antisépticos y preservantes. Entre los procesos modernos de conservación de alimentos están la REFRIGERACIÓN (incluido el proceso de CONGELACIÓN), el ENLATADO, la PASTEURIZACIÓN, la irradiación y la adición de preservantes químicos.

conservación de vida silvestre Manejo de animales y plantas silvestres de modo de sostener su continuidad. Los esfuerzos de conservación se dirigen a prevenir la merma de las poblaciones existentes y asegurar la permanencia de los hábitats que las especies seleccionadas necesitan para sobrevivir. Las técnicas comprenden el establecimiento de santuarios y controles sobre la caza, el uso del suelo, la importación de especies exóticas, la contaminación y el uso de pesticidas. Ver también BIODIVERSIDAD; CONSERVACIÓN; ESPECIES EN PELIGRO DE EXTINCIÓN.

conservación, ley de En física, principio que afirma que ciertas cantidades en un sistema cerrado no cambian con el tiempo. Cuando una sustancia en un sistema cerrado cambia de FASE, la cantidad total de MASA no cambia. Cuando la ENERGÍA cambia de una forma a otra en un sistema cerrado, la cantidad total de ella no cambia. Cuando una transferencia de MOMENTO ocurre en un sistema aislado, el momento total se conserva. Lo mismo vale para la CARGA ELÉCTRICA en un sistema: la carga que pierde una partícula la gana otra. Las leyes de conservación hacen posible predecir el comportamiento macroscópico de un sistema sin tener que considerar los detalles microscópicos de un proceso físico o de una reacción química.

conservadurismo Actitud o ideología política que denota una preferencia por las instituciones y prácticas que han evolucionado históricamente y que son, por tanto, manifestaciones de continuidad y estabilidad. Se expresó por primera vez en los tiempos modernos en las obras que escribió EDMUND BURKE como reacción a la REVOLUCIÓN FRANCESA, cuyos ideales estimaba empañados en razón de sus excesos. Los conservadores creen que los cambios deben ponerse en práctica en forma mínima y gradual; aprecian la historia y son más bien realistas que idealistas. Entre los partidos conservadores más conocidos se cuentan el PARTIDO CONSERVADOR británico, la UNIÓN DEMÓCRATA CRISTIANA (CDU) alemana, el PARTIDO REPUBLICANO en EE.UU. y el PARTIDO LIBERAL DEMOCRÁTICO japonés. Ver también DEMOCRACIA CRISTIANA; LIBERALISMO.

Conservatoire des Arts et Métiers (francés: "Conservatorio de artes y oficios"). Institución pública de enseñanza superior en París, dedicada a la ciencia aplicada y la tecnología, que otorga títulos universitarios, principalmente en ingeniería. También es un laboratorio que se especializa en ensayos, mediciones y normalización. Su tercer componente es un museo nacional de tecnología. Fue fundado por JACQUES DE VAUCANSON en 1794, en el antiguo priorato de St.-Martin-des-Champs, para albergar inventos propios y ajenos; su TELAR automatizado, encontrado después de su muerte por JOSEPH-MARIE JACQUARD, constituyó la base para el diseño revolucionario de Jacquard. El museo contiene numerosas automatizaciones complicadas y otros dispositivos mecánicos populares en el s. XVIII.

conservatorio En música, institución dedicada a la educación en composición e interpretación musical. El término y la institución derivan de la palabra italiana "conservatorio", que durante el Renacimiento y anteriormente denotaba un orfanato, anexo por lo general a un hospital, donde los niños recibían educación musical. El término se aplicó en forma gradual a las escuelas de música. La primera escuela de música profana fue fundada en París en 1784. Durante el s. XIX, el modelo francés fue copiado con algunas modificaciones en Europa, EE.UU. y luego en Canadá y Australia. Los conservatorios ofrecen a menudo instrucción musical a personas de todas las edades, aunque están dirigidos principalmente a estudiantes de entre 10 y 25 años. Entre los conservatorios importantes de EE.UU. se encuentran el Instituto de música CURTIS, la Eastman School y la JUILLIARD SCHOOL.

Conservatorio de plantas del Museo de Horniman, Londres, Inglaterra.
FOTOBANCO

conservatorio de plantas En arquitectura, estructura casi enteramente cubierta de vidrio, con frecuencia adosada a una vivienda y con acceso directo desde ella, en la cual se conservan plantas para su protección y exhibición. A diferencia del INVERNADERO, una estructura informal situada en el área de trabajo de un jardín, el conservatorio se transformó en un popular elemento decorativo del s. XIX que proclamaba el nivel social de su dueño. El ejemplo más sobresaliente es el Palacio de CRISTAL de Joseph Paxton.

consonancia y disonancia Cualidades percibidas de los ACORDES e INTERVALOS musicales. La consonancia se describe generalmente como una "estabilidad" relativa y la disonancia como una "inestabilidad". En determinados contextos musicales, algunos intervalos parecen exigir el movimiento de alguna nota para "resolver" una disonancia percibida. Por lo general, se reconoce al unísono y a la octava como los intervalos más consonantes, seguidos de la quinta perfecta o justa. La consonancia tiende a reflejar los primeros intervalos de la serie de los ARMÓNICOS (que incluyen, junto con la octava y la quinta justa, las terceras mayor y menor más la cuarta perfecta), pero la percepción de la consonancia y la disonancia puede ser afectada por muchos factores musicales.

consonante Sonido del habla que se caracteriza por una ARTICULACIÓN en que un cierre o estrechamiento del tracto vocal bloquea de manera parcial o completa el flujo del aire. Asimismo, letra o símbolo que representa tal sonido. Las consonantes suelen clasificarse de acuerdo con su punto de articulación (p. ej., paladar, dientes, labios); su manera de articulación, como en las oclusivas (mediante el cierre completo del tracto oral, liberadas con un estallido de aire), las fricativas (forzando el paso del aire por un pasaje restringido), y las vibrantes (haciendo vibrar la punta de la lengua o la úvula), y la presencia o ausencia de voz, nasalización, aspiración y otras características.

conspiración En el derecho estadounidense, acuerdo entre una o más personas para realizar un acto ilícito o para lograr un fin lícito por medios ilegítimos. En algunos estados de EE.UU., para que haya conspiración, además del acuerdo se requiere un acto manifiesto. Un conspirador, ni siquiera necesita conocer la existencia o identidad de los demás conspiradores. En una cadena conspirativa, las partes actúan separada y sucesivamente (como en la distribución de narcóticos). El acuerdo para cometer un ilícito no se persigue de oficio, pero sirve de fundamento para iniciar una acción judicial. En la ley ANTIMONOPOLIOS, la conspiración para obstaculizar el comercio (p. ej., la fijación de precios) es severamente sancionada. En EE.UU., el acuerdo para cometer un delito suele sancionarse con más severidad que el propio acto, pero se observa una creciente tendencia a seguir el ejemplo europeo y castigar la conspiración con la misma pena aplicable al delito o con una inferior.

Autorretrato de John Constable, detalle de un dibujo a lápiz y acuarela, c. 1804.

GENTILEZA DE LA NATIONAL PORTRAIT GALLERY, LONDRES

Constable, John (11 jun. 1776, East Bergholt, Suffolk, Inglaterra–31 mar. 1837, Londres). Pintor británico. Su padre fue un hombre adinerado, dueño de molinos en Flatford y Dedhamh en las riberas del Stour, en los condados de Suffolk y Essex, respectivamente. Constable inició su carrera en 1799 luego de entrar a la Royal Academy de Londres. Desde 1809 hasta 1816 estableció su maestría y evolucionó su género individual, concentrándose en las escenas que lo habían deleitado de niño; los senderos del pueblo, los campos y praderas a lo largo del Stour, barcazas tiradas por caballos de remolque y las embarcaciones que pasaban las esclusas en Flatford o Dedham. En 1813–14 completó dos cuadernos de bosquejos que todavía se conservan intactos, con más de 200 dibujos de paisajes. Alrededor de 1816, Constable comenzó a plasmar su concepto de la campiña de Suffolk en una serie de telas lo suficientemente monumentales como para causar impresión en las exposiciones de la Royal Academy. Su obra más conocida de este período es *El carro de heno* (1821). Estas obras revelan el detallado estudio del pintor acerca de la formación de las nubes, el colorido de las praderas y los árboles, y el efecto de la luz brillando sobre las hojas y el agua. Más tarde en su carrera fue especialmente considerado un maestro de la acuarela así como de la pintura al óleo sobre tela. Se le considera, junto con J.M.W. TURNER, uno de los paisajistas británicos más grandes del s. XIX.

Constancio I Cloro *latín* **Flavius Valerius Constantius** (latín: "el Pálido") (c. 250, Dacia Ripensis–verano 306, Eboracum, Britania). Emperador romano y padre de CONSTANTINO I. Miembro de una tetrarquía (cuerpo gobernante de cuatro personas) junto con MAXIMIANO, su padre adoptivo, DIOCLECIANO y GALERIO, fue nombrado césar (subemperador) en Occidente (293–305) y más tarde césar augusto (emperador más antiguo) (305–306). Como gobernante de la GALIA, sometió una rebelión en Britania (296), puso fin a la piratería, restableció la frontera e hizo caso omiso en gran parte de los edictos contra los cristianos.

Constancio I Cloro, busto de mármol; Museo Capitolino, Roma.

ALINARI—ART RESOURCE

Constant (de Rebecque), (Henri-) Benjamin (25 oct. 1767, Lausana, Suiza–8 dic. 1830, París, Francia). Novelista y ensayista político francosuizo. Mantuvo una tormentosa relación de 12 años con GERMAINE DE STAËL, cuyas ideas llevaron a Constant a apoyar la Revolución francesa y después a oponerse a Napoleón I, lo que le significó el exilio desde 1803 hasta 1814. Más tarde integró la Cámara de Diputados (1819–30). Su *Adolfo* (1816) fue un precursor de la novela psicológica moderna. También escribió un voluminoso análisis histórico del sentimiento religioso, *De la Religion considérée dans sa source et ses développements* (5 vol., 1824–31), y unos reveladores diarios íntimos (primera edición completa, 1952).

Benjamin Constant, detalle de una pintura al óleo de Hercule des Roches, c. 1830; Musée Carnavalet, París.

J.E. BULLOZ

Constanta *turco* **Kustenja** *antig.* **Constantiana** *o* **Tomis** Ciudad (pob., est. 2002: 715.200 hab.), principal puerto marítimo de Rumania. El primer poblado conocido en la zona fue la antigua ciudad de Tomis, fundada en el s. VII AC por los griegos. En el s. I AC los romanos anexionaron la región; fue el lugar de exilio de OVIDIO en 9–17 DC. En el s. IV Tomis fue reconstruida por CONSTANTINO I el Grande y denominada Constantiana. Desde el s. VI en adelante fue objeto de numerosas invasiones y declinó luego de la conquista turca a principios del s. XV. Su progreso como centro industrial, mercantil y cultural data desde su reincorporación a Rumania en 1878.

constante cosmológica Factor que ALBERT EINSTEIN incluyó a regañadientes en sus ecuaciones de la RELATIVIDAD general para obtener una solución de las ecuaciones que describían un universo estático, tal como creía que era entonces. Esta constante tiene el efecto de una fuerza repulsiva que actúa en contra de la atracción gravitacional de la materia en el universo. Cuando Einstein se enteró de las pruebas de que el universo se estaba expandiendo, llamó a la introducción de la constante cosmológica el "mayor desacierto" de su vida. Las últimas novedades sugieren que en los albores del universo bien puede haber existido una constante cosmológica con un valor no nulo.

Constante II Pogonato (7 nov. 639, Constantinopla–15 sep. 668, Siracusa, Sicilia). Emperador bizantino (641–68). Su reinado fue testigo de la pérdida de las provincias meridionales y orientales de Bizancio a manos de los árabes musulmanes. Estos tomaron Egipto (642), invadieron Armenia (647) y derrotaron a los bizantinos en una batalla naval en 655. Una guerra civil entre los árabes les impidió atacar Constantinopla, y Constante consiguió un tratado de no agresión con Siria (659). Dentro del imperio trató de forzar la unidad de la Iglesia prohibiendo el debate sobre cuestiones teológicas que la dividían y exiliando al papa cuando se opuso (653). Convirtió a su hijo en coemperador (654) y sufrió el repudio público por ordenar el asesinato de su propio hermano (660). Abandonó Constantinopla (663) y se estableció en Sicilia, donde fue asesinado.

Constantina *antig.* **Cirta** Ciudad (pob., 1998: 807.371 hab.) del nordeste de Argelia. Es una fortaleza natural, situada en un promontorio rocoso a unos 250 m (800 pies) sobre el valle del río Rummel. En el s. III AC ya era uno de los poblados más importantes de NUMIDIA, y alcanzó la cúspide de su prosperidad bajo Micipsa en el s. II AC. Arruinada por guerras sucesivas, fue restaurada en 313 DC y se le asignó un nuevo nombre en honor a su patrono, el emperador romano CONSTANTINO I. Invadida por los árabes en el s. VII, fue gobernada por una serie de dinastías árabes y berberiscas y, de manera intermitente, por el Imperio otomano hasta que fue capturada por los franceses en 1837. Ocupada en 1942 por tropas estadounidenses, fue destinada como una importante base militar durante la segunda guerra mundial (1939–45). La ciudad aún mantiene sus murallas medievales y hay ruinas romanas en las cercanías. Es un mercado agrícola para los productores aledaños.

Puente el-Kantara que atraviesa el desfiladero en Constantina, Argelia.
H.K. BRUSKE—ARTSTREET

Constantine Unitas, John ver Johnny UNITAS

Constantino I *llamado* **Constantino el Grande** *latín* **Flavius Valerius Constantinus** (27 feb. ¿después de 280?, Naissus, Moesia–22 may. 337, Ancyrona, cerca de Nicomedia, Bitinia). Primer emperador romano en profesar el cristianismo. Hijo mayor de CONSTANCIO I CLORO, pasó su juventud en la corte de DIOCLECIANO. Postergado como sucesor al trono, luchó para convertirse en emperador. Su victoria en el puente Milvio en las afueras de Roma (312) lo convirtió en emperador de Occidente; según la leyenda, una cruz y las palabras *in hoc signo vinces* ("con esta señal serás el vencedor") se le aparecieron en ese lugar y en el acto se convirtió al cristianismo. En 313 promulgó, con LICINIO, el edicto de Milán, que concedió la libertad de culto a los cristianos; también otorgó tierras para templos y le reconoció a la Iglesia privilegios especiales. Se opuso a las herejías, especialmente el DONATISMO y el ARRIANISMO, y convocó al famoso concilio de NICEA. Después de derrotar y ejecutar a Licinio, obtuvo el control de Oriente, convirtiéndose en el único emperador. Trasladó la capital desde Roma hasta Bizancio, a la que llamó Constantinopla (324). En 326 ordenó matar a su esposa y a su hijo mayor por razones que aún permanecen en la oscuridad. Provocó el disgusto de los romanos al rehusar participar en un rito pagano y nunca más visitó Roma. Bajo su protección, el cristianismo empezó a convertirse en una religión mundial. Es reverenciado como un santo en la Iglesia ortodoxa.

Colosal busto de Constantino I, período romano tardío, c. 330 DC.
ARCHIVO EDIT. SANTIAGO

Constantino I *griego* **Constantinos** (2 ago. 1868, Atenas, Grecia–11 ene. 1923, Palermo, Italia). Rey de Grecia (1913–17, 1920–22). Hijo del rey Jorge I (n. 1845–m. 1913), fue educado en Alemania y se desempeñó como comandante en jefe de las fuerzas griegas durante las guerras BALCÁNICAS. Sucedió a su padre en 1913. Durante la primera guerra mundial sostuvo una política de neutralidad, si bien esencialmente pro germánica, que provocó que los aliados y la oposición griega lo depusieran en 1917. Aunque fue restablecido en el trono en 1920, tras una catastrófica guerra en Anatolia abdicó en favor de su hijo JORGE II en 1922.

Constantino II *griego* **Constantinos** (n. 2 jun. 1940, Psijikó, cerca de Atenas, Grecia). Rey de Grecia (1964–74). Hijo de Pablo I (n. 1901–m. 1964), sucedió a su padre en 1964. Un golpe militar en 1967 lo hizo huir a Roma con su familia. El régimen militar nombró a un regente en su reemplazo y le garantizó la libertad si decidía regresar. En 1973, el gobierno militar proclamó la república y abolió la monarquía, cuyo fin oficial fue ratificado en 1974 mediante un referéndum ciudadano.

Constantino V Coprónimo (718, Constantinopla–14 sep. 775). Emperador bizantino (741–75). Hijo de LEÓN III, fue asociado al trono por su padre en 720. Pasó su vida derrotando a los árabes y búlgaros que amenazaban al imperio, aunque fue incapaz de impedir que los lombardos tomaran Ravena (751), dando así término a la influencia bizantina en el norte y centro de Italia. Convencido iconoclasta (ver ICONOCLASIA), persiguió a los monjes que no compartían su posición. Murió en los Balcanes en una campaña militar contra el reino búlgaro.

Constantino VII Porfirogéneta (sep. 905, Constantinopla–9 nov. 959). Emperador bizantino (913–59). Coemperador junto a su padre León VI a partir de 911, se convirtió en único gobernante en 913. Su suegro ROMANO I LECAPENO fue coronado coemperador en 920 y pronto pasó a ser el gobernante principal. Excluido del gobierno, se dedicó al estudio; sus escritos incluyen obras sobre los pueblos eslavo y turco y sobre las ceremonias bizantinas. En 944, los hijos de Romano, impacientes por obtener el poder, deportaron a su padre. La consiguiente protesta popular animó a Constantino a desterrarlos en 945, gobernando como único emperador hasta su muerte.

Constantino IX Monómaco (c. 980–11 ene. 1055). Emperador bizantino (1042–55). Ascendió al trono imperial al casarse con ZOÉ PORFIROGÉNETA, emperatriz de la dinastía macedónica. Contrario a los grandes líderes militares, descuidó las defensas imperiales y , en cambio, gastó en lujos extravagantes y edificaciones suntuosas. Estallaron rebeliones tanto internas como en el extranjero, y los territorios bizantinos fueron amenazados por invasiones en el sur de Italia, Tracia, Macedonia y Armenia. Intentó aliarse con el papado para impedir que el sur de Italia cayera en manos de los normandos, pero las crecientes diferencias entre Roma y Constantinopla desembocaron en el CISMA DE 1054.

Constantino XI Paleólogo (9 feb. 1404, Constantinopla–29 may. 1453, Constantinopla). Último emperador bizantino (1449–53), a veces llamado Constantino XII debido a la errónea creencia de que Constantino Lascaris fue coronado en 1204. Se convirtió en emperador cuando su hermano JUAN VIII PALEÓLOGO murió sin dejar descendencia. Debió enfrentar una guerra perdida de antemano contra los turcos otomanos, quienes concentraron todos sus recursos en la captura de Constantinopla. Con el fin de conseguir ayuda de Occidente, reconoció la obediencia de la Iglesia griega a Roma, pero resultó en vano. Murió combatiendo en las murallas de Constantinopla cuando los turcos penetraban sus defensas.

Constantino, donación de Documento relativo a la supuesta donación del emperador CONSTANTINO I (el Grande) al papa Silvestre I (314–335) y sus sucesores, del poder temporal sobre Roma y el Imperio occidental. Según se afirmó, la entrega fue motivada por la gratitud de Constantino a Silvestre por la milagrosa curación de su lepra y su conversión al cristianismo. Inspirada en leyendas del s. V sobre Silvestre y Constantino, la donación fue probablemente escrita en Roma a mediados del s. VIII y estuvo relacionada con la coronación de PIPINO EL BREVE, el primer rey franco de la dinastía CAROLINGIA. Aunque cuestionado por el emperador OTÓN III (r. 996–1002), el documento fue a menudo citado en los s. XI–XV en apoyo de las demandas papales en la lucha entre la Iglesia y el Estado. En el s. XV, LORENZO VALLA demostró que era una falsificación.

Constantino el Africano *latín* **Constantinus Africanus** (c. 1020, Cartago o Sicilia–1087, monasterio de Montecassino, principado del Benevento). Médico erudito medieval. Fue el primero en traducir al latín las obras médicas árabes. Entre sus 37 libros traducidos destaca *Pantechne* [El arte total], versión abreviada de *Liber Regius* [El libro real] del médico persa del s. X ʿAlī ibn al-ʿAbbās, introduciendo en Occidente el extenso conocimiento que tenía el Islam de la medicina griega. Sus traducciones de HIPÓCRATES y GALENO dieron a Occidente la primera visión de conjunto de la medicina griega.

Constantinopla ver ESTAMBUL

Constantinopla, concilio de Cualquiera de varios concilios de la Iglesia cristiana, algunos de los cuales se reconocen como ecuménicos, celebrados en la ciudad de Constantinopla. El primer concilio de Constantinopla y segundo concilio ecuménico de la Iglesia cristiana fue convocado en 381 por el emperador TEODOSIO I. En ese concilio se promulgó el credo de NICEA y se declaró finalmente la doctrina trinitaria de la igualdad del Padre, el Hijo y el ESPÍRITU SANTO. Dio al patriarca de Constantinopla una posición sólo superada por la del PAPA. Fueron convocados sólo obispos orientales al concilio, mas los griegos sostuvieron que era ecuménico. Llegó a ser considerado así, aunque la Iglesia occidental no aceptó hasta el s. XIII la clasificación jerárquica de Constantinopla como segunda después de Roma. El segundo concilio de Constantinopla se efectuó en 553 convocado por JUSTINIANO I; al avalar un decreto de este emperador, le dio apoyo al monofisismo y desmereció lo aprobado en el anterior concilio de CALCEDONIA. El tercer concilio de Constantinopla, llevado a cabo en 680, condenó a los monotelitas que declaraban que Cristo tenía una sola voluntad, a pesar de sus dos naturalezas. El cuarto concilio de Constantinopla tuvo lugar en 869–870 por sugerencia de BASILIO I, y resultó en la excomunión de san FOCIO e incrementó la animosidad entre las Iglesias oriental y occidental.

Constanza (1154–27 nov. 1198, Palermo). Reina de Sicilia (1194–98) y emperatriz consorte del emperador germánico (1191–97). Hija del rey ROGELIO II de Sicilia, se casó con el futuro emperador ENRIQUE VI en 1186. Fue luego coronada junto a él en Roma. A través de este matrimonio, la dinastía HOHENSTAUFEN obtuvo derecho al trono siciliano, derecho que ella hizo valer contra la oposición de su sobrino TANCREDO. Cuando Enrique murió (1197), consiguió la protección del papa INOCENCIO III e hizo que su hijo FEDERICO II fuese coronado rey de Sicilia en 1198.

Constanza, concilio de (1414–18) Decimosexto concilio ecuménico de la Iglesia católica. Convocado por el emperador SEGISMUNDO DE LUXEMBURGO para ocuparse de tres papas rivales, examinar los escritos de JAN HUS y JOHN WYCLIFFE y reformar la Iglesia. Las rivalidades políticas nacionales dividieron el concilio de Constanza. Se depusieron dos de los tres papas contendientes y el tercero abdicó; finalmente, en 1417, el concilio seleccionó a Martín V como el nuevo papa. El concilio condenó las proposiciones de Hus y Wycliffe. Hus fue quemado en la hoguera por las autoridades seculares.

Constanza, lago *alemán* **Bodensee** *antig.* **Lacus Brigantinus** Lago bordeado por Suiza, Alemania y Austria. Se ubica en la cuenca de un antiguo glaciar a 396 m (1.299 pies) de altitud, tiene una superficie de 541 km² (209 mi²) y una profundidad media de 90 m (295 pies). Forma parte del curso del río RIN y en la Edad Media constituía un centro neurálgico importante. Gracias al espectacular paisaje alpino, la ribera del lago se ha transformado en una frecuentada zona de veraneo. Es posible encontrar en la zona restos de palafitos del NEOLÍTICO.

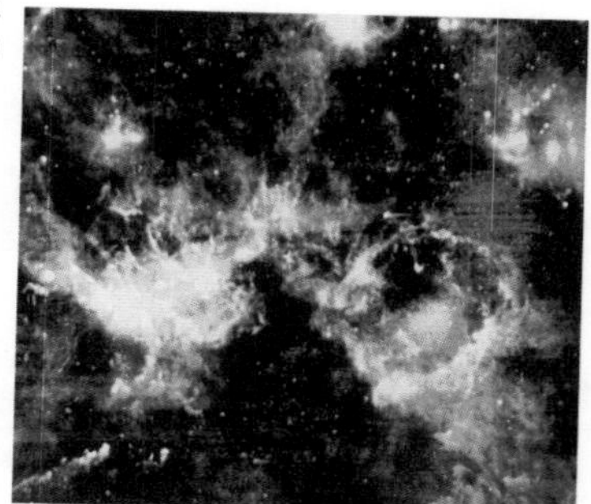

Iras II, formación estelar en la constelación de Orión.
ARCHIVO EDIT. SANTIAGO

constelación Cualquiera de ciertas agrupaciones de ESTRELLAS que fueron visualizadas por quienes las bautizaron de acuerdo a cómo formaban imágenes de figuras mitológicas, objetos o criaturas en el cielo. Son útiles para que los observadores de la bóveda celeste y los navegantes puedan localizar ciertas estrellas. Las que pertenecen a una constelación se designan a menudo con el nombre de la constelación en la cual se encuentran y con una letra del alfabeto griego de acuerdo con su brillantez. De las 88 constelaciones bautizadas en la astronomía occidental, cerca de la mitad conserva los nombres que TOLOMEO les dio a las 48 que identificó en su *Almagesto*. Ver también ZODÍACO.

constitución Conjunto de doctrinas y prácticas que conforman el principio de organización fundamental de un Estado político. Puede ser escrita (p. ej., la Constitución de los ESTADOS UNIDOS DE AMÉRICA) o escrita en parte y no codificada (p. ej., la constitución británica). Sus disposiciones habitualmente especifican la forma de organización del gobierno, los derechos que tendrá, así como los derechos que mantendrían los ciudadanos. La ideas modernas sobre el constitucionalismo se desarrollaron en la época de la ILUSTRACIÓN, cuando filósofos como THOMAS HOBBES, JEAN-JACQUES ROUSSEAU y JOHN LOCKE sugirieron que los gobiernos constitucionales deberían ser estables, adaptables, responsables y abiertos, representar a los gobernados y dividir el poder según su propósito. En EE.UU., la constitución escrita más antigua, todavía vigente, es la del estado de Massachusetts (1780). Ver también CONTRATO SOCIAL.

Constitución civil del clero (12 jul. 1790). Ley aprobada por la Asamblea Nacional durante la REVOLUCIÓN FRANCESA que subordinó la Iglesia católica francesa al Estado. La norma legal dispuso que los ciudadanos con derecho a voto elegirían a obispos y párrocos, y que el clero recibiría un salario del Estado. Los sectores católicos la rechazaron inmediatamente y muchos sacerdotes rehusaron prestar juramento de apoyo a la

Constitución civil del clero cuando la Asamblea Nacional se los ordenó. El cisma resultante al interior de la Iglesia francesa provocó que muchos católicos devotos se opusieran a la Revolución.

Constitución de 1791 Constitución francesa establecida por la ASAMBLEA NACIONAL durante la REVOLUCIÓN FRANCESA. Mantenía la monarquía, pero la soberanía efectiva residía en la asamblea legislativa, la que se elegía por un sistema de votación indirecta. El derecho a voto se restringió a los ciudadanos "activos" que pagaban una suma mínima de impuestos; aproximadamente dos tercios de los hombres adultos tenía derecho a votar por electores y a elegir a ciertos funcionarios locales en forma directa. La constitución estuvo vigente por menos de un año.

Constitución de 1795 (Año III) Constitución francesa establecida por la reacción TERMIDORIANA durante la REVOLUCIÓN FRANCESA. Conocida como la Constitución del año III según el CALENDARIO DE LA REPÚBLICA FRANCESA, fue elaborada por la Convención termidoriana. Fue más conservadora que la abortada constitución democrática de 1793. Estableció una república liberal con el derecho a voto basado en el pago de impuestos, similar al de la CONSTITUCIÓN DE 1791; una legislatura bicameral para hacer más lento el proceso legislativo; y un DIRECTORIO de cinco miembros. El gobierno central concentraba un gran poder, que incluía facultades extraordinarias que permitían restringir la libertad de prensa y de asociación en caso de emergencia.

Constitución del año VIII (1799). Constitución francesa establecida después del golpe de Estado del 18–19 de BRUMARIO durante la REVOLUCIÓN FRANCESA. Redactada por EMMANUEL-JOSEPH SIEYÈS, encubrió el verdadero carácter de la dictadura militar establecida por NAPOLEÓN I; tranquilizó a los partidarios de la Revolución al proclamar el carácter irrevocable de la venta de bienes de propiedad nacional y al apoyar las leyes contra la NOBLEZA EMIGRADA. Creó el régimen conocido como el CONSULADO, que concentró todo el poder efectivo en manos de Napoleón. Fue aprobada abrumadoramente en un plebiscito realizado en 1800.

constitucional, ley *o* **ley de Canadá** (1791). Ley británica que revocó ciertas secciones de la ley de QUEBEC de 1774. La nueva ley dispuso una nueva constitución más democrática para la zona, por primera vez en aquella parte de Canadá, y estableció en cada provincia un poder legislativo elegido, además de un gobernador y un consejo ejecutivo nombrados por la Corona. Los proyectos de ley podían originarse en el poder legislativo, pero la Corona podía vetarlos.

constitucionales de 1875, leyes Serie de leyes fundamentales en Francia que, consideradas colectivamente, llegaron a conocerse como la constitución de la TERCERA REPÚBLICA. Estableció un poder legislativo bicameral (con un Senado escogido en forma indirecta, que servía de contrapeso conservador a la Cámara de Diputados elegida por votación popular); un consejo de ministros, responsable ante la Cámara, y un presidente con poderes semejantes a los de un monarca constitucional. Dejó sin alterar muchos aspectos de la estructura del gobierno francés.

El *USS Constitution*, escapando de la fragata británica *Guerrière* frente a la costa de Nueva Jersey, EE.UU., 18 de julio de 1812; detalle de una pintura de F.C. Muller.

GENTILEZA DE LA ARMADA DE EE.UU.

Constitution, USS *llamado* **Old Ironsides** Una de las primeras FRAGATAS construidas para la marina de EE.UU. Botada en 1797, tenía 62 m (204 pies) de eslora, y generalmente llevaba más de 50 cañones y una tripulación superior a las 450 personas. Exitoso buque insignia en la guerra de TRIPOLITANIA (1801–05) y en la guerra ANGLO-ESTADOUNIDENSE, derrotó a la fragata británica *Guerrière*; la tradición sostiene que su apodo se lo dieron los marineros que vieron cómo los proyectiles británicos no podían penetrar sus costados de roble. En 1828 fue destinada al desguace por considerársela poco marinera, sin embargo, el poema *Old Ironsides* de OLIVER WENDELL HOLMES provocó una campaña pública de conservación. Restaurada en 1927–31, permanece actualmente fondeada en Boston y abierta al público.

construcción, piedra de ver PIEDRA

constructivismo Teoría que interpreta los enunciados matemáticos como verdaderos, si y sólo si hay una prueba de ellos y como falsos, sólo en caso de que haya una refutación de los mismos. El constructivismo se opone a la interpretación platónica, según la cual los enunciados matemáticos se refieren a un dominio de objetos matemáticos atemporales que existen independientemente del conocimiento que tengamos de ellos (ver FORMA; PLATONISMO). Para el constructivista, es posible que ciertas formas clásicamente válidas de inferencia lógica (p. ej., la ley del tercero excluido, la ley de la doble negación, la postulación de conjuntos infinitos) no puedan utilizarse más de modo irrestricto para construir pruebas matemáticas (ver LÓGICA). Por lo tanto, el constructivista reconoce menos pruebas y teoremas matemáticos que el platónico. Ver también INTUICIONISMO.

constructivismo Movimiento artístico y arquitectónico ruso iniciado en 1914 con las construcciones geométricas abstractas de VLADÍMIR TATLIN. En 1920 se unieron a este ANTÓN PEVSNER y NAUM GABO. Su *Manifiesto realista*, que daba instrucciones a sus seguidores para "construir arte", dio el nombre al movimiento. El grupo, al que pronto se incorporaron ALEXANDR RODCHENKO y EL LISSITZKY, produjo obras abstractas que reflejaban la maquinaria y la tecnología moderna, usando plástico, vidrio y otros materiales industriales. Aplicando los mismos principios a la arquitectura, y después de que la oposición soviética dispersara al grupo, difundieron los ideales del movimiento por Europa y EE.UU. Ver también BAUHAUS; DE STIJL.

consuelda Cualquier hierba del género euroasiático *Symphytum*, de la familia de las Borragináceas (ver BORRAJA). La más conocida es aquella con propiedades medicinales, la consuelda mayor (*S. officinale*), que se usa para tratar heridas y como fuente de GOMA para el tratamiento de la lana. Tradicionalmente, también se ingirió para curar varios males. Se emplea en agricultura orgánica para ahuyentar las babosas y como ABONO VERDE. Las inflorescencias son acampanadas, péndulas, rizadas y normalmente polinizadas por abejas. La consuelda mayor tiene unos 90 cm (3 pies) de altura, con tallos vellosos y alados, y flores azules, púrpuras o amarillas.

Consuelda menor (*Prunella vulgaris*).

consuelda menor Hierba perenne (*Prunella vulgaris*) de la familia de las Labiadas (ver MENTA), originaria de Norteamérica y difundida en todo el continente. La consuelda menor, que crece entre 14–36 cm (6–14 pulg.) de alto, suele ser una maleza baja que se da en los prados. Las ramas, comúnmente tendidas, se arraigan fácilmente donde tocan el suelo. Las flores diminutas, bilabiadas, blancas o lilas, se arraciman en espigas tupidas y notorias. Las hojas tienen bordes lisos o poco dentados. En la Edad Media se consideraba una panacea, y aún se preparan brebajes con sus hojas y flores secas para aliviar dolores de garganta.

cónsul En la República romana (ver República e Imperio de ROMA), nombre que designaba a los dos principales magistrados elegidos anualmente. Los cónsules gozaban de derechos sagrados y de una autoridad casi absoluta. Eran propuestos por el Senado y elegidos por la asamblea popular. Cada uno de ellos podía vetar las decisiones del otro. Como jefes de Estado, dirigían el ejército, presidían el Senado y las asambleas influyendo en sus decretos, y manejaban los asuntos de política exterior. Al término de su mandato anual, un cónsul generalmente era nombrado gobernador de una provincia. Durante el Imperio, el cargo continuó existiendo, aunque con menos atribuciones.

Cónsules de la antigua Roma, principales magistrados durante la República.
FOTOBANCO

Consulado (1799–1804). Gobierno francés establecido después del golpe de Estado del 18–19 de BRUMARIO. La CONSTITUCIÓN DEL AÑO VIII creó un poder ejecutivo integrado por tres cónsules, pero el primer cónsul, NAPOLEÓN I, manejaba realmente todo el poder, mientras que los otros dos, EMMANUEL-JOSEPH SIEYÈS y Pierre-Roger Ducos (n. 1747–m. 1816), eran figuras decorativas. Se prescindió de los principios de representación y supremacía legislativa. La rama ejecutiva recibió el poder de redactar nuevas leyes y la rama legislativa en la práctica no tenía otra función que refrendar las políticas del ejecutivo. Las elecciones tuvieron una compleja apariencia participativa, con votantes despojados de todo poder efectivo. Fue abolido por Napoleón cuando se autoproclamó emperador.

consumidor, defensa del Movimiento o políticas para regular productos, servicios, métodos y normas de fabricantes, vendedores y anunciadores, a fin de resguardar los intereses de los compradores. Esta regulación puede ser una norma institucional o legal, un código voluntario aceptado por una industria en particular, o bien el resultado indirecto de la presión ejercida por las organizaciones de consumidores. Los gobiernos crean a menudo organismos reguladores formales para garantizar la PROTECCIÓN AL CONSUMIDOR (en EE.UU., p. ej., la Federal Trade Commission y la FDA). Algunas de las primeras leyes de protección al consumidor se crearon para evitar la venta de alimentos contaminados y de medicamentos dañinos. El movimiento estadounidense de protección al consumidor ganó fuerza en las décadas de 1960 y 1970 debido a que los activistas en materia de defensa de los consumidores, liderados por RALPH NADER, ejercieron presión para que se promulgaran leyes que definieran normas de seguridad para automóviles, juguetes y diversos artículos para el hogar. Los defensores de los consumidores también han logrado la aprobación de leyes que obligan a los anunciadores a describir verazmente sus productos y a evitar que los vendedores utilicen tácticas de venta engañosas. La entidad que vela por la defensa de los consumidores en todo el mundo es la Organización Internacional de Uniones de Consumidores (IOCU).

consumo En economía, la utilización o gasto final de un bien o servicio por el consumidor. El término excluye el uso de productos intermedios en la elaboración de otros bienes (p. ej., la compra de edificios y maquinarias por una empresa). Los economistas ocupan información estadística sobre ingresos y compras para averiguar las tendencias del consumo y así graficar la demanda de bienes y servicios. En ECONOMÍA CLÁSICA se supone que los consumidores son racionales y que distribuyen los gastos de manera de maximizar la satisfacción en relación a todas las compras efectuadas. Se considera que los ingresos y los PRECIOS constituyen dos importantes factores determinantes del consumo. Los críticos del modelo señalan que el comportamiento racional del consumidor tiene muchas excepciones, como el fenómeno del consumo ostentoso en que el precio alto de un producto acrecienta su prestigio y aumenta la demanda.

consumo, impuesto al Gravamen pagado directa o indirectamente por el consumidor como un impuesto específico, un impuesto sobre las VENTAS o un ARANCEL. Los impuestos al consumo gravan más fuertemente a los grupos de menores ingresos que a los de más altos ingresos, puesto que las personas menos adineradas dedican una proporción mayor de su ingreso al consumo en comparación con aquellas que cuentan con más recursos. Ver también IMPUESTO PROGRESIVO; IMPUESTO REGRESIVO.

consunción ver TUBERCULOSIS (TB)

contabilidad Desarrollo y análisis sistemáticos de la información sobre los aspectos económicos de una organización. El registro y resumen propiamente tal de las transacciones financieras se conoce como CONTABILIZACIÓN. El proceso se denomina contabilidad financiera, cuando la información que se genera es extractada en informes (comúnmente trimestrales o anuales) destinados a personas fuera de la organización. Por lo general, la contabilidad financiera consta de tres informes: el BALANCE, que resume los activos y pasivos de la compañía; el estado de resultados, que registra los ingresos brutos de la empresa, sus gastos y las pérdidas o ganancias, y el estado de FLUJO DE FONDOS, que analiza los flujos de fondos que entran y salen de la compañía. La elaboración de informes (habitualmente mensuales) para la planificación interna y la toma de decisiones se llama contabilidad gerencial. Su objetivo es entregar a los gerentes una información confiable sobre los costos operacionales y los estándares con los cuales estos se pueden comparar, con el fin de contribuir a la elaboración del presupuesto.

contabilización Registro del valor monetario de las operaciones comerciales. La contabilización entrega la información con la que se elaboran las cuentas, pero difiere de la CONTABILIDAD. La contabilización suministra información sobre el valor actualizado o PATRIMONIO neto de una empresa y sobre el cambio de dicho valor (debido a pérdidas o ganancias) en un determinado período de tiempo. Los gerentes necesitan esa información para examinar los resultados de las operaciones y elaborar presupuestos para el futuro; los inversionistas la necesitan para tomar decisiones sobre la compra o venta de valores, y los prestamistas la usan para determinar si otorgan o no un préstamo. Tanto en Babilonia como en la antigua Grecia y Roma se llevaban registros financieros. El sistema de contabilización por partida doble se inició con el desarrollo de las repúblicas comerciales italianas en el s. XV. La Revolución industrial promovió la expansión de la contabilización, y las regulaciones gubernamentales y tributarias del s. XX la han transformado en una necesidad. Se continúan empleando dos tipos de registros para llevar el libro diario y el libro mayor: registros ingresados en forma manuscrita y registros en forma electrónica. El libro diario contiene las operaciones diarias (ventas, compras, etc.), en tanto que el libro mayor lleva el registro de las cuentas individuales. En el libro mayor se ingresa mensualmente un estado de resultados y un BALANCE.

contacto cultural Contacto entre pueblos de culturas diferentes que conduce por lo general a cambios en uno o ambos sistemas. El contacto cultural suele adoptar diversas formas, como la aculturación, la asimilación y la amalgamación. La aculturación es el proceso de cambio de la cultura material, las prácticas tradicionales y las creencias que tienen lugar cuando un grupo interfiere en el sistema cultural de otro, y desafía de manera directa o indirecta a este último a adaptarse a las costumbres del primero. Por siglos, la mayoría de las conquistas y expansiones políticas se han caracterizado por este tipo de cambio. La asimilación consiste en el proceso mediante el cual personas o grupos de origen étnico diferente son absorbidos, no siempre de manera total, por la cultura dominante en la sociedad. En EE.UU., millones de inmigrantes europeos se asimilaron al cabo de dos o tres generaciones; entre los factores de ese proceso se cuentan las dificultades para volver al país de origen, la influencia del sistema de educación pública y otras fuerzas de la vida estadounidense. Se habla de amalgamación (o hibridización) cuando en una sociedad se produce un mestizaje étnico tal, que representa más una síntesis entre ambos grupos que la eliminación o absorción de uno por otro. En México, por ejemplo, las culturas hispánica e indígena se fueron amalgamando progresivamente por los siglos de contacto.

contador Geiger-Müller ver contador GEIGER

contaminación del aire Liberación de gases, sólidos finos (polvo) o aerosoles en la atmósfera a tasas que exceden la capacidad de la atmósfera de disiparlos o eliminarlos a través de su incorporación en la BIOSFERA. Las tormentas de polvo en áreas desérticas y el humo de incendios forestales y de pastizales contribuyen a la contaminación química y particulada del aire. La actividad volcánica es la principal fuente natural de contaminación del aire, liberando gran cantidad de cenizas y gases tóxicos en la atmósfera. La contaminación del aire puede afectar directamente a los seres humanos, causando irritación de los ojos y tos. Sus efectos pueden ser más indirectos medidos lejos de la fuente, como por ejemplo, la precipitación de tetraetilo de plomo de los escapes de automóviles, que se observaba hasta hace algunos años en los océanos y en la capa de hielo de Groenlandia. Aún más indirectos son los posibles efectos en el clima global. Ver también SMOG.

Contaminación del aire por emisiones de gas de una planta industrial en Rochester, Minnesota, EE.UU.

KAZ CHIBA/THE IMAGE BANK/GETTY IMAGES

contaminación hídrica Estado que resulta cuando se descargan sustancias en un cuerpo de agua, donde se disuelven o suspenden o depositan en el fondo, acumulándose hasta el punto de saturar su capacidad de absorberlas, descomponerlas o reciclarlas, perturbando así el funcionamiento de los ecosistemas acuáticos. Contribuyen a esta contaminación sustancias provenientes del aire (ver LLUVIA ÁCIDA), sedimento proveniente de la erosión del suelo, FERTILIZANTES y PESTICIDAS químicos, escurrimientos de pozos sépticos, descargas de comederos de ganado de engorda, desechos químicos (algunos tóxicos) industriales y aguas servidas y otros desechos urbanos de ciudades y pueblos. Así una comunidad situada bien río arriba en una cuenca puede recibir agua relativamente limpia, mientras que una situada aguas abajo recibe una mezcla parcialmente diluida de desperdicios urbanos, industriales y rurales. Cuando la materia orgánica sobrepasa la capacidad de los microorganismos en el agua para descomponerla y reciclarla, el exceso de nutrientes en ella estimula FLORACIONES ALGALES. Cuando estas algas mueren, los restos incrementan aún más los desechos orgánicos ya presentes en el agua y, finalmente, esta última entra en deficiencia de oxígeno. Organismos anaerobios atacan entonces a los desechos orgánicos, desprendiendo gases como metano y sulfuro de hidrógeno, que son tóxicos para las formas de vida aeróbicas. El resultado es un cuerpo de agua maloliente y lleno de desperdicios. Ver también EUTROFIZACIÓN.

contención Política exterior estratégica de EE.UU. de fines de la década de 1940 y comienzos de la siguiente, que tenía por finalidad controlar los planes expansionistas de la Unión Soviética a través de medios económicos, militares, diplomáticos y políticos. Fue concebida por GEORGE KENNAN poco después de la segunda guerra mundial. Una primera aplicación de esta política fue la doctrina TRUMAN (1947), que garantizó la ayuda de EE.UU. a los "pueblos libres" que resistieran la "subyugación armada" de las fuerzas comunistas. Ver también Plan MARSHALL.

Conti, familia Rama francesa de la casa de BORBÓN. El título de príncipe de Conti, creado en el s. XVI, fue restablecido en favor de Armand de Borbón, príncipe de Conti (n. 1629–m. 1666), quien fue uno de los líderes en la Fronda. Fue el hermano menor y rival del príncipe de CONDÉ ("el Gran Condé"). Entre los miembros más importantes de la familia se encuentran los príncipes de Conti François-Louis de Borbón (n. 1664–m. 1709), que fue candidato al trono polaco, y Louis-François de Borbón (n. 1717–m. 1776), que participó en la guerra de sucesión AUSTRÍACA. La dinastía Conti se extinguió con la muerte de Louis-François-Joseph de Borbón, príncipe de Conti (n. 1734–m. 1814), quien se había distinguido en la guerra de los Siete Años.

continental, Congreso Grupo de delegados que actuaron por las colonias y los estados norteamericanos durante la guerra de independencia de los ESTADOS UNIDOS DE AMÉRICA y después de ella. Se reunió por primera vez en septiembre de 1774 en Filadelfia, convocado por los COMITÉS DE CORRESPONDENCIA coloniales. Los delegados aprobaron una declaración de derechos personales, rechazaron la tributación sin representación, pidieron a la corona británica el resarcimiento de sus reivindicaciones y llamaron a boicotear las mercaderías británicas. El segundo Congreso continental, reunido en mayo de 1775, nombró a GEORGE WASHINGTON comandante en jefe del ejército. Más adelante, aprobó la Declaración de INDEPENDENCIA (1776) y preparó los artículos de la CONFEDERACIÓN (1781), que otorgaron al congreso determinadas facultades.

continental, divisoria La divisoria de aguas más notable del continente norteamericano. Las montañas que la constituyen se extienden en general de norte a sur, y separan de esta forma las corrientes fluviales que discurren en dirección este (p. ej., la bahía de HUDSON en Canadá o el río MISSISSIPPI en EE.UU.) y las que se dirigen hacia el oeste (para desembocar en el océano Pacífico). La mayor parte de esta divisoria de aguas corre a lo largo de las cumbres de las montañas ROCOSAS, a través de la Columbia Británica en Canadá y por los estados de Montana, Wyoming, Colorado y Nuevo México en EE.UU. Su punto central es Colorado, donde muchas cumbres sobrepasan los 3.962 m (13.000 pies). Continúa hacia el sur para internarse en México, a lo largo de las cumbres de la SIERRA MADRE y adentrándose en América Central.

continental, sistema Bloqueo establecido por NAPOLEÓN I durante las guerras NAPOLEÓNICAS con el fin de paralizar a Gran Bretaña por medio de la destrucción de su comercio. En los decretos de Berlín (1806) y MILÁN (1807), Francia declaró que sus aliados y los países neutrales no debían comerciar con los británicos. El gobierno de Gran Bretaña respondió con un contrabloqueo, que llevó en forma indirecta a la guerra ANGLO-ESTADOUNIDENSE. El esfuerzo por imponer el sistema resultó desastroso para Napoleón debido a la superioridad naval británica.

continente Una de las siete grandes masas continuas de tierra: Asia, África, Norteamérica, Sudamérica, Antártida, Europa y Australia (en orden de tamaño). A veces se considera que Europa y Asia forman un solo continente, Eurasia. Los continentes varían mucho en tamaño y en la proporción entre línea costera y área total. Más de dos tercios de la tierra continental yace al norte del ecuador, y todos los continentes, excepto la Antártida, tienen forma de cuña, más anchos en el norte que en el sur. Ver también DERIVA CONTINENTAL.

continentes, deriva de los ver DERIVA CONTINENTAL

continuidad En matemática, propiedad de las FUNCIONES y sus GRÁFICOS. Una función continua es una cuyo gráfico no tiene quiebres, aberturas o saltos. Se define usando el concepto de LÍMITE. Específicamente, se dice que una función es continua para el valor x si el límite de la función existe en dicho valor x y es igual al valor de la función en ese punto. Cuando esta condición es verdadera para todos los valores de NÚMEROS REALES de x en un intervalo, el resultado es un gráfico que puede ser dibujado para ese intervalo sin levantar el lápiz. Dichas funciones son cruciales para la teoría del CÁLCULO, no sólo porque modelan la mayor parte de los sistemas físicos, sino porque los teoremas que conducen a la DERIVADA y a la INTEGRAL suponen la continuidad de las funciones involucradas.

continuidad, principio de *o* **ecuación de continuidad** Principio de la MECÁNICA DE FLUIDOS. Expresado en términos simples: lo que fluye hacia adentro de un volumen definido en un tiempo definido, menos lo que fluye hacia afuera de ese volumen en ese mismo tiempo, deberá acumularse en dicho volumen. Si el signo de la acumulación es negativo, entonces el material de ese volumen se está agotando. El principio es una consecuencia de la ley de conservación de la MASA. Esta ecuación, más una segunda ecuación basada en la segunda de las leyes del movimiento de NEWTON, y una tercera ecuación basada en la conservación de la ENERGÍA, describen plenamente el comportamiento de los fluidos en movimiento.

continuo *o* **bajo continuo** En la música barroca, subgrupo especial de un conjunto instrumental. Consiste en dos instrumentos que interpretan la misma parte: un instrumento melódico de registro bajo, como el VIOLONCHELO o el FAGOT, y un instrumento polifónico, generalmente el CLAVECÍN, aunque a veces puede ser el ÓRGANO o el LAÚD. Su aparición a principios del s. XVII reflejó la textura musical radicalmente nueva de melodía con acompañamiento, muy propia del nuevo género vocal de la ÓPERA. El continuo (que tiene su contraparte en el bajo y la guitarra rítmica de una banda de rock) se usó en casi toda la música de conjuntos de la era barroca.

contra Miembro de la fuerza contrarrevolucionaria que buscó derrocar al gobierno nicaragüense de los izquierdistas SANDINISTAS. Los miembros originales de los contras habían sido hombres de la guardia nacional durante el régimen de Anastasio Somoza (ver familia SOMOZA). La CIA de EE.UU. desempeñó un papel clave en el entrenamiento y financiamiento del grupo, cuyas tácticas fueron deploradas por las organizaciones internacionales de derechos humanos. En 1984, el Congreso de EE.UU. prohibió la ayuda militar a los contras; los esfuerzos de la administración del presidente estadounidense RONALD REAGAN para eludir el impedimento condujeron al escándalo IRANGATE. El presidente de Costa Rica ÓSCAR ARIAS SÁNCHEZ negoció una paz general para la región y en 1990 la presidenta nicaragüense VIOLETA BARRIOS DE CHAMORRO negoció su desmovilización. Ver también DANIEL ORTEGA.

contrabajo El más grave de los instrumentos de CUERDA modernos. Su tamaño varía hasta 2 m de alto (80 pulg.). Su forma también es variable; sus laterales se inclinan algo más que los del violín, lo que refleja su condición de híbrido de las familias de la VIOLA DA GAMBA y del VIOLÍN (el nombre deriva de la viola da gamba contrabajo). Surgió de estos instrumentos a fines del Renacimiento y su forma ha sido siempre menos uniformada que la de sus primos de la familia del violín. Normalmente tiene cuatro cuerdas, aunque el contrabajo de orquesta tiene a menudo una quinta cuerda más baja (con frecuencia, se añade una extensión a la cuarta cuerda) y el contrabajo de jazz tiene una quinta cuerda más alta. Su rango corresponde a una octava por debajo del VIOLONCHELO. En la música orquestal a menudo, se toca con arco, mientras que en el jazz se puntea. En bandas de rock y en algunas de jazz, el contrabajo es sustituido por el bajo eléctrico.

contrabando Acto de importar o exportar algo secreta e ilegalmente para evitar el pago de aranceles aduaneros o eludir el cumplimiento de determinadas leyes (p. ej., las leyes sobre control de narcóticos o de armas de fuego). El contrabando es probablemente tan antiguo como el primer impuesto o la primera reglamentación del comercio. Existen dos modalidades principales: el traslado de carga a través de las fronteras sin ser descubierto y el ocultamiento de mercancías en lugares poco probables de ser detectadas de buques o automóviles, en el equipaje o la carga, o en la propia persona.

Al Capone, gángster estadounidense, famoso por el contrabando de licores en la década de 1920.

FOTOBANCO

contrabando (de bebidas alcohólicas) Tráfico ilegal de bebidas alcohólicas en EE.UU. El término en inglés *bootlegging* (de *bootleg*, literalmente, "pierna de la bota") nació, es probable, de la costumbre de ocultar botellas de licores ilícitos en la parte alta de las botas, para ir a comerciar con los indígenas. Su uso se extendió en forma amplia en la década de 1920, cuando la XVIII enmienda constitucional y la ley de Volstead, de 1919, impusieron la prohibición de su fabricación y venta. Los primeros contrabandistas ingresaban a EE.UU. licores producidos en el extranjero, procedentes de Canadá y México, o transportados en barcos que anclaban en aguas internacionales. Más adelante se agregó el whisky medicinal, el alcohol desnaturalizado y la fabricación de alcohol de maíz. El contrabando de bebidas alcohólicas condujo al auge de los consorcios del CRIMEN ORGANIZADO que controlaban las operaciones, desde la fabricación hasta su distribución en restaurantes y en bares clandestinos. En 1933 se revocó la PROHIBICIÓN con la XXI enmienda. El consumo de alcohol sigue prohibido en algunos condados y municipios, y el contrabando sigue vigente.

contracción espacial ver contracción de LORENTZ-FITZGERALD

contracepción Control de la natalidad que impide la concepción o la fertilización. El método más común es la ESTERILIZACIÓN. Los métodos temporales más efectivos son positivos en casi 99% de los casos, si se emplean en forma consistente y correcta. Muchos tienen riesgos para la salud; los dispositivos barrera y la abstención del coito vaginal durante la fase más fértil del ciclo menstrual son los más seguros. Los contraceptivos hormonales emplean ESTRÓGENO y/o PROGESTERONA para inhibir la ovulación. La "píldora del día después" (hormonas en altas dosis) es efectiva aun después del coito. El efecto secundario más serio de los anticonceptivos orales es el riesgo de trastornos de la coagulación sanguínea. Los dispositivos intrauterinos (DIU) causarían una leve inflamación del endometrio, que inhibe la fertilización o impide la implantación del huevo fertilizado. Ciertos tipos fueron retirados del mercado en las décadas de 1970–80 cuando se descubrió, entre sus efectos secundarios, una alta incidencia de enfermedades inflamatorias de la PELVIS, EMBARAZOS ECTÓPICOS y abortos sépticos espontáneos. Los dispositivos de barrera, como condones, diafragmas, capuchas cervicales, condones femeninos (bolsas vaginales) y esponjas vaginales, impiden que el ESPERMIO entre al ÚTERO. Los condones también previenen las enfermedades de TRANSMISIÓN SEXUAL (ETS). Los condones empleados con espermicidas son casi 100% efectivos. Las técnicas de seguimiento de la fertilidad han evolucionado desde el seguimiento del ciclo menstrual (llamado "método del ritmo"; ver MENSTRUACIÓN) hasta evitar el coito en los días cercanos a la ovulación; el control de la temperatura corporal y la consistencia del moco cervical, pueden aumentar su efectividad a más de 80%. Entre las formas experimentales de control de la natalidad están los anticonceptivos orales para varones.

contrachapada, madera ver MADERA CONTRACHAPADA

contradanza Tipo de danza social para parejas que se popularizó en el s. XVII. Tiene sus orígenes en el baile folclórico inglés y se puede bailar de tres formas distintas: circular o redonda; "a lo largo", con hileras de parejas enfrentadas; y geométrica, en cuadrados o triángulos. La principal fuente de información sobre los pasos y canciones de la contradanza es *The English Dancing Master* (1650), de John Playford. La CUADRILLA del s. XIX se modeló a partir de la contradanza. Los colonos ingleses la llevaron a América del Norte, donde se la conoció como Virginia reel (danza escocesa) y, con ciertas modificaciones, como SQUARE DANCE. Tuvo un leve resurgimiento en el s. XX.

contrafuerte Soporte exterior, generalmente de mampostería, que se proyecta desde la cara de un muro y sirve para reforzarlo o para resistir el empuje lateral de un arco o un techo. Los contrafuertes también tienen una función decorativa. Aunque han sido usados desde tiempos antiguos (los templos mesopotámicos presentaban contrafuertes decorativos, así como las estructuras romanas y bizantinas), están asociados especialmente con la arquitectura GÓTICA. Ver también ARBOTANTE.

contralto *o* **alto** Voz o registro que se extiende aproximadamente desde dos octavas hacia arriba a partir del mi o del fa inferior al do central. Es la segunda voz más alta en la música a cuatro voces y a menudo es cantada por mujeres. El nombre deriva del contratenor *altus*, la voz que se ubica por encima del TENOR. El término se usa para algunos instrumentos que tocan principalmente en el rango del contralto (saxofón alto, flauta contralto, etc.). Ver también CONTRATENOR.

contrapunto Arte de combinar diferentes líneas melódicas en una composición musical. El término se usa por lo general como sinónimo de polifonía (música que consiste en dos o más líneas melódicas diferentes), pero el contrapunto se refiere más específicamente a la técnica de composición que radica en el manejo de estas líneas melódicas. El primer uso registrado de dos líneas melódicas simultáneas aparece en tratados del s. IX, en los que se muestran ejemplos de ORGANUM (tipo de música para varias voces). Sin embargo, el contrapunto improvisado, en el que las voces se movían probable y principalmente en forma paralela, y por lo tanto no transmitían una impresión de independencia entre ellas, puede datar de algunos siglos más atrás. El deseo de asegurar consonancias gratas y de evitar disonancias desagradables en la improvisación (ver CONSONANCIA Y DISONANCIA) requirió establecer principios de movimiento simultáneo de voces (conducción de la voz). Se crearon reglas que norman distintos tipos de movimientos de voces interdependientes, ya que se pensaba que los movimientos de acercamiento hacia determinados INTERVALOS y de alejamiento de ellos por parte de las voces interdependientes producían efectos más o menos gratos. El aspecto "vertical" del contrapunto –la relación entre las líneas melódicas– pasó a ser estudiado con el nombre de ARMONÍA, en especial a partir del s. XVIII. Aunque la armonía y el contrapunto están íntimamente relacionados, se considera que la mayor parte de la música a varias voces de la Edad Media y del Renacimiento es, de manera esencial, polifónica o contrapuntística, es decir, que consiste en la combinación de líneas melódicas relativamente independientes e integrales. En la era barroca, con la invención del bajo cifrado y del CONTINUO, el péndulo empezó a inclinarse hacia una orientación armónica.

Contrarreforma *o* **Reforma católica** En el CATOLICISMO ROMANO, los esfuerzos desplegados durante los s. XVI y comienzos del XVII para oponerse a la REFORMA y transformar la Iglesia católica. Los primeros esfuerzos emanaron de la crítica de mundanalidad y corrupción del papado y del clero durante el Renacimiento. PAULO III (papa 1534–49) fue el primero en responder y convocar el decisivo concilio de TRENTO (1545–63), que reaccionó a las enseñanzas protestantes sobre la fe, la gracia y los sacramentos, e intentó reformar la preparación para el sacerdocio. La INQUISICIÓN romana se estableció en 1542 para controlar la HEREJÍA en los territorios católicos, y los JESUITAS bajo IGNACIO DE LOYOLA emprendieron una labor educativa y misionera destinada a la conversión o reconversión. Los emperadores CARLOS V y FELIPE II combatieron con las armas el crecimiento protestante. Los papas posteriores a la Contrarreforma, como PÍO V, GREGORIO XIII y SIXTO V, y los santos CARLOS BORROMEO, FELIPE NERI, JUAN DE LA CRUZ, TERESA DE JESÚS, FRANCISCO DE SALES y VICENTE DE PAÚL se cuentan entre las personalidades reformadoras más influyentes.

Sesión del concilio de Trento, convocado por la Iglesia católica, pieza clave de la Contrarreforma.

FOTOBANCO

contratación interna Sistema de fabricación intermedio entre el sistema de trabajo a domicilio (industria casera) y la plena producción en fábrica. Un propietario fabril suministra trabajo a un artesano, quien a su vez contrata a los trabajadores que se necesitan para hacer una pieza en particular bajo contrato con el propietario. La contratación interna fue muy usada en EE.UU. en el s. XIX.

contratenor Voz adulta masculina CONTRALTO, ya sea natural o falsete. Algunos escritores usan el término solamente para referirse a la voz natural alta de un TENOR y prefieren emplear el término "contralto masculino" para la voz de falsete. Al igual que la tradición del CASTRATO, el contratenor se desarrolló como resultado de la prohibición que tenían las mujeres de formar parte de los coros eclesiásticos. Debido a que no tiene mucha potencia, la voz de falsete se usó poco en la ópera. Sin embargo, la tradición del contratenor fue preservada en los coros de las catedrales inglesas. En la actualidad, esta voz se vuelve a cultivar en todo el mundo, sobre todo en la música barroca y renacentista.

contrato Acuerdo entre una o más partes en virtud del cual cada una de ellas se obliga a hacer (p. ej., entregar mercancías a un precio y en un plazo determinados) o no hacer algo (p. ej., divulgar a terceros los secretos comerciales o la situación financiera del empleador). El incumplimiento del contrato por una de las partes da lugar a que la otra u otras ejerciten una acción de indemnización de PERJUICIOS, aunque pueden recurrir al ARBITRAJE a fin de mantener la confidencialidad del asunto. Para que el contrato sea válido, debe haberse celebrado voluntaria y libremente. Los contratos que no cumplan con este requisito, como aquellos celebrados con menores de edad o dementes, pueden declararse nulos. Además, los contratos deben tener objeto lícito.

contrato de adhesión Contrato que se genera sobre la base de un clausulado preestablecido por una de las partes contratantes y cuyo texto no puede, por regla general, ser discutido por la otra parte. Estos contratos responden a la exigencia de un tráfico jurídico intenso y a la necesidad de unificar relaciones semejantes por la gran cantidad de ellos que celebra uno de los contratantes. El problema del contrato de adhesión radica en que el contratante más poderoso a veces impone cláusulas abusivas al adherente. Ver también CONTRATO.

contrato dirigido Contrato reglamentado en forma imperativa por la autoridad. Las normas de los códigos generalmente son supletorias de la voluntad de las partes, vale decir, se aplican en silencio de los contratantes. En los contratos dirigidos (también conocidos como contratos normados), la reglamentación legal asume carácter imperativo, sin que las partes puedan alterar, en el contrato particular que celebren, lo estatuido de manera general y anticipada por el legislador, sea en materia de contenido o efectos de la convención. La dirección de los contratos por el legislador se inicia en Europa a partir de 1900, en materia de contrato de trabajo, como una forma de proteger a los asalariados. El contrato dirigido implica una limitación del principio de la AUTONOMÍA DE LA VOLUNTAD o de la libertad contractual. Ver también CONTRATO.

contrato social Pacto real o hipotético entre los gobernados y sus gobernantes. La inspiración original de esta noción puede derivar de la alianza bíblica entre Dios y ABRAHAM, pero está más estrechamente asociada con los escritos de THOMAS HOBBES, JOHN LOCKE y JEAN-JACQUES ROUSSEAU. Hobbes argüía que el poder absoluto del soberano se justifica en virtud de un contrato social hipotético, en el cual el pueblo acepta obedecerle en todo a cambio de una garantía de paz y seguridad, de la que carece en el "estado natural" que existía con anterioridad al contrato social. Locke creía que los gobernantes estaban también obligados a proteger la propiedad privada y el derecho a la libertad de pensamiento, de expresión y de culto. Rousseau sostenía que en el estado natural el pueblo no es belicoso, pero que asimismo no es desarrollado en cuanto a razonamiento y moralidad; al renunciar a su libertad individual adquiere libertad política y derechos civiles dentro de un sistema de leyes basado en la "voluntad general" de los gobernados. La idea de un contrato social influyó en los forjadores de la guerra de independencia de los ESTADOS UNIDOS DE AMÉRICA y de la REVOLUCIÓN FRANCESA y en las CONSTITUCIONES siguientes.

Contreras, batalla de (19–20 ago. 1847). Combate decisivo en la guerra MEXICANO-ESTADOUNIDENSE entre ambas tropas. En su marcha sobre Ciudad de México, la fuerza estadounidense, al mando de WINFIELD SCOTT, fue bloqueada por tropas mexicanas, acción que la obligó a desviarse por un camino escarpado y cruzar campos de lava que estaban en poder de otro contingente enemigo. Luego de un enfrentamiento que duró menos de 20 minutos, los soldados de Scott lograron controlar varias vías a Ciudad de México. Posteriormente, en Churubusco lograron capturar al principal ejército mexicano, comandado por ANTONIO SANTA ANNA.

Victoria del general Wingfield Scott en la batalla de Contreras, librada durante la guerra mexicano-estadounidense.
FOTOBANCO

control de armamentos Limitación del desarrollo, prueba, producción, despliegue, proliferación o uso de armamentos mediante acuerdos internacionales. El control de armamentos no surgió en la diplomacia internacional hasta la primera convención de La HAYA (1899). La conferencia de WASHINGTON (1921–22) y el pacto KELLOGG-BRIAND (1928) fueron violados sin mucho temor a sanciones. Se tomaron en serio los tratados celebrados entre EE.UU. y la Unión Soviética para el control de las armas nucleares durante la GUERRA FRÍA. En 1968, las dos superpotencias y Gran Bretaña auspiciaron el Tratado de No Proliferación de Armas Nucleares (firmado también por otros 59 países), que comprometió a los países signatarios a no promover la propagación o proliferación de armas nucleares a países que no estuvieran ya en posesión de dichas armas. Ver también negociaciones sobre la limitación de ARMAS ESTRATÉGICAS; negociaciones sobre la reducción de ARMAS ESTRATÉGICAS; TRATADO DE PROHIBICIÓN COMPLETA DE LOS ENSAYOS NUCLEARES.

control de cambios Restricciones gubernamentales aplicadas a las transacciones privadas o créditos en divisas. Los residentes están obligados a vender a un banco central u otro organismo público especializado las divisas que estén en su poder a los TIPOS DE CAMBIO que fija el gobierno. La función principal de la mayoría de los sistemas de control de cambios es mantener una BALANZA DE PAGOS favorable. Ver también cambio de DIVISAS.

control de la constitucionalidad Examen de los actos de las ramas legislativa, ejecutiva y administrativa de un gobierno, que realizan los tribunales de un país para asegurar que cumplan con lo establecido por la constitución. Los actos que no se ajusten a ella son inconstitucionales y, por lo tanto, nulos y sin valor. Por lo general, se considera que la práctica se inició con la sentencia de la Corte Suprema de los ESTADOS UNIDOS DE AMÉRICA en el caso MARBURY V. MADISON (1803). Varias constituciones europeas y asiáticas posteriores a la segunda guerra mundial incorporaron este recurso. En EE.UU. están particularmente sujetos a revisión los actos relacionados con los derechos civiles (o LIBERTADES CIVILES), el DEBIDO PROCESO, la IGUALDAD ANTE LA LEY, la libertad de culto, la LIBERTAD DE EXPRESIÓN y el derecho a la INTIMIDAD. Ver también CONTROLES Y CONTRAPESOS.

control de la natalidad Limitación voluntaria de la reproducción humana mediante métodos como la CONTRACEPCIÓN, la abstinencia sexual, la ESTERILIZACIÓN quirúrgica y el ABORTO inducido. MARGARET SANGER acuñó el término en 1914–15. Desde un punto de vista médico, suele aconsejarse el control de la natalidad cuando tanto el embarazo como el parto pueden poner en peligro la salud de la madre o existe el claro riesgo de dar a luz a una criatura con incapacidades graves. Desde un punto social y económico, la limitación de la reproducción suele reflejar el deseo de mantener o mejorar los estándares de vida familiar. En la actualidad, la mayoría de los líderes religiosos concuerdan en que es deseable algún tipo de regulación de la fertilidad, aunque existe un debate acalorado en cuanto a los medios para lograr ese fin. Ver también PLANIFICACIÓN FAMILIAR.

control de precios y salarios Establecimiento de directrices gubernamentales para limitar los aumentos de PRECIOS y salarios. Es uno de los enfoques más extremos de la política de INGRESO. Al controlar los precios y salarios, los gobiernos esperan controlar la INFLACIÓN y prevenir fluctuaciones extremas del CICLO ECONÓMICO. Los países que aplican métodos altamente centralizados para fijar los salarios, tienden a tener el mayor grado de regulaciones públicas o colectivas sobre los niveles de precios y salarios. Por ejemplo, en los Países Bajos, los ajustes salariales deben ser aprobados por el gobierno, en tanto que los aumentos de precios son analizados por el Ministerio de Asuntos Económicos. Otros países, como EE.UU., también han hecho un esfuerzo para restringir los aumentos de precios y salarios y para ello recurren a menudo a la cooperación voluntaria del empresariado y de los trabajadores. En EE.UU., los controles de precios y salarios fueron establecidos por los presidentes FRANKLIN D. ROOSEVELT durante la segunda guerra mundial y RICHARD M. NIXON a principios de la década de 1970, cuando la alta inflación sumada a un aumento del desempleo creaba un clima de inestabilidad.

control numérico (CN) Control de un sistema o dispositivo mediante el ingreso directo de datos en forma de números, letras, símbolos, palabras o una combinación de ellas. Es un elemento principal de la FABRICACIÓN INTEGRADA POR COMPUTADORA, en especial para el control de la operación de máquinas herramienta. El CN es también esencial en la operación de los ROBOTS industriales modernos. Los dos tipos básicos de sistemas de CN son punto a punto, en el cual un dispositivo es programado para ejecutar una serie de movimientos con puntos fijos de arranque y detención; y el de trayectoria continua, en el que un dispositivo programado punto a punto tiene suficiente memoria para "percatarse" de sus acciones y resultados anteriores y actuar de acuerdo con esta información.

control, sistema de Medios por los cuales un conjunto de cantidades variables se mantienen constantes o se hacen variar de un modo prescrito. Los sistemas de control están íntimamente relacionados con el concepto de la AUTOMATIZACIÓN, pero tienen una historia antigua. Los ingenieros romanos mantenían los niveles de agua en los acueductos por medio de válvulas flotantes que se abrían y cerraban al llegar a niveles preestablecidos. El regulador de bolas centrífugas de JAMES WATT (1769) regulaba el flujo de vapor hacia una máquina de vapor, a fin de mantener constante la velocidad de la máquina a pesar de una carga cambiante. En la segunda guerra mundial se aplicó la teoría del sistema de control a las baterías antiaéreas y a los sistemas de control de tiro. La introducción de computadoras analógicas y digitales allanó el camino para una complejidad mucho mayor en la teoría de CONTROL automático. Ver también DISPOSITIVO NEUMÁTICO; SERVOMECANISMO; telar JACQUARD.

control, teoría de Campo de las matemáticas aplicadas de importancia en el control de ciertos procesos y sistemas físicos. Llegó a ser una disciplina por derecho propio a fines de la década de 1950 y comienzos de la década de 1960. Después de la segunda guerra mundial se advirtió que algunos problemas de ingeniería y economía eran variantes de problemas de las ECUACIONES DIFERENCIALES y del CÁLCULO de variaciones, aun cuando estas variantes no estaban cubiertas por las teorías existentes. Se idearon modificaciones especiales de las técnicas y teorías clásicas para resolver problemas individuales, hasta que se reconoció que estos problemas aparentemente distintos tenían todos la misma estructura matemática, surgiendo así la teoría de control. Ver también sistema de CONTROL.

controlador Programa computacional que actúa como intermediario entre el sistema operativo y un dispositivo, como la disquetera, tarjeta de vídeo, impresora o teclado. El controlador debe contener un conocimiento detallado del dispositivo, incluido su conjunto de comandos especializados. La presencia de un programa controlador separado libera al sistema operativo de tener que comprender los detalles de cada dispositivo; en lugar de ello, el sistema operativo emite los comandos generales al controlador, el cual a su vez los convierte en instrucciones específicas para el dispositivo, o viceversa.

controles y contrapesos Principio de gobierno conforme al cual los distintos poderes del Estado están facultados para impedir medidas de los otros poderes y son inducidos a compartir el poder. El sistema de controles y contrapesos se aplica principalmente en estados constitucionales. Es de fundamental importancia en estados tripartitos, como el de EE.UU., que separan los poderes entre las ramas legislativa, ejecutiva y judicial. El sistema, que modifica la separación de poderes, puede operar en sistemas parlamentarios ejerciendo la prerrogativa parlamentaria de adoptar votos de censura contra el gobierno; este o el gabinete, a su vez, pueden generalmente disolver el parlamento. En sistemas políticos de partido único puede operar un sistema de controles y contrapesos no oficial, cuando los órganos de un régimen autoritario o totalitario compiten por el poder. Ver también CONTROL DE LA CONSTITUCIONALIDAD; DOCUMENTOS FEDERALISTAS; SEPARACIÓN DE PODERES.

contusión cerebral ver CONCUSIÓN; HEMATOMA

convección Proceso mediante el cual se transfiere calor mediante el flujo de un fluido calentado, como aire o agua. La mayoría de los fluidos se expanden al calentarse. Se hacen menos densos y más boyantes, y de esa forma se elevan. Las moléculas calentadas después se enfrían y se acercan entre sí, con lo que el fluido se hace más denso y desciende. La repetición de este proceso establece corrientes de convección que explican el calentamiento uniforme del aire en una habitación o del agua en una tetera. La convección en el aire puede forzarse con un ventilador, y la del agua con una bomba. Las corrientes de convección atmosférica pueden establecerse por efectos de calentamiento local, como la radiación solar o el contacto con superficies frías. Tales corrientes son por lo general verticales y explican fenómenos atmosféricos como nubes y tormentas.

convección ver FLUJO DE MASAS

Convención constitucional *inglés* **Constitutional Convention** (may.–sep. 1787). Asamblea que redactó la Constitución de los ESTADOS UNIDOS DE AMÉRICA. Todos los estados, excepto Rhode Island, enviaron delegados a la asamblea en respuesta al llamado que hizo la convención de ANNAPOLIS para reunirse en Filadelfia con el fin de modificar los artículos de la CONFEDERACIÓN. Los delegados resolvieron que estos serían reemplazados por un documento que fortaleciera el gobierno federal. Uno de los asuntos relevantes fue el de la distribución de la representación legislativa. Se presentaron dos planes: el plan de Virginia, apoyado por los estados grandes, que distribuía a los representantes por población o riqueza; y el plan de Nueva Jersey, preferido por los estados pequeños, que disponía la representación igualitaria para cada estado. En una solución intermedia, se estableció el congreso bicameral para asegurar la representación igualitaria y proporcional. El documento fue aprobado el 17 de septiembre y se repartió a los estados para su ratificación.

Convención Nacional *francés* **Convention Nationale** Asamblea que gobernó Francia (1792–95) durante la REVOLUCIÓN FRANCESA. Estuvo integrada por 749 diputados elegidos después del derrocamiento de la monarquía (1792) y se propuso promulgar una nueva constitución para Francia. Estuvo dominada por la lucha entre los radicales MONTAÑESES y los moderados GIRONDINOS hasta que estos últimos fueron expulsados en 1793. La asamblea aprobó una constitución democrática que no se puso en práctica mientras los montañeses la controlaron (1793–94). Tras la reacción TERMIDORIANA (1794), el poder pasó a manos de los miembros de la LLANURA. Se llamó a los girondinos de regreso y la CONSTITUCIÓN DE 1795 fue aprobada por el DIRECTORIO que reemplazó a la Convención.

convención política *o* **conferencia de partido** En política, reunión de los miembros de un PARTIDO POLÍTICO a nivel local, estatal-provincial-departamental o nacional para elegir a sus dirigentes y candidatos y establecer las políticas del partido. En años de elecciones presidenciales en EE.UU., los principales partidos políticos celebran convenciones que sirven de vitrina para sus candidatos a presidente y vicepresidente y para elevar la moral de los miembros del partido para las campañas que vienen. Las convenciones fueron instituidas en EE.UU. en la década de 1830 para reemplazar el sistema de asambleas locales (*caucus*) que con frecuencia eran exclusivas y reservadas; se esperaba que la transparencia de las convenciones las haría menos vulnerables al control de los dirigentes de los partidos. La mayoría de los candidatos a cargos de elección popular en todos los niveles en EE.UU. son designados en la actualidad mediante ELECCIONES PRIMARIAS, y las convenciones simplemente ratifican a los candidatos ya escogidos por los votantes. En otros países (p. ej., Gran Bretaña), los partidos políticos a menudo celebran conferencias anuales.

Convenio sobre la Diversidad Biológica ver tratado de RÍO

convergencia Propiedad matemática de SERIE INFINITA, INTEGRALES en regiones no limitadas y ciertas secuencias o sucesiones de números. Una serie infinita es convergente si la suma de sus términos es finita. La serie $^1/_2 + ^1/_4 + ^1/_8 + ^1/_{16} + ^1/_{32} + ...$ suma 1 y por lo tanto es convergente. La serie armónica $1 + ^1/_2 + ^1/_3 + ^1/_4 + ^1/_5 + ...$ no es convergente. Una integral calculada en un intervalo de ancho infinito, llamada integral impropia, describe una región que es ilimitada al menos en una dirección. Si tal integral converge, la región ilimitada descrita tiene un área finita. Una sucesión de números converge a un número particular cuando la diferencia entre términos sucesivos se hace arbitrariamente pequeña. La sucesión 0,9; 0,99; 0,999, etc., converge a 1.

conversación, programa de *o* **talk show** Programa de radio o televisión en el cual una figura conocida entrevista a celebridades y a otros invitados. Los programas de trasnoche estadounidenses conducidos por JOHNNY CARSON, Jay Leno, DAVID LETTERMAN y Conan O'Brien enfatizaron la entretención al incorporar interludios musicales y cómicos. Otros programas de conversación se centraron en la política (ver DAVID SUSSKIND), en la terapia emocional (ver OPRAH WINFREY) y en temas sensacionalistas o de controversia emocional (Phil Donahue). Ver también LARRY KING; JACK PAAR.

conversión digital analógica *inglés* **digital-to-analog conversion (DAC)** Proceso mediante el cual las señales digitales (las cuales tienen un estado binario) son convertidas en señales analógicas (las que teóricamente tienen un número infinito de estados). Por ejemplo, un módem convierte datos digitales computacionales en señales de audiofrecuencia analógicas que pueden ser transmitidas por medio de líneas telefónicas.

convertidor catalítico En los AUTOMÓVILES, componente de los sistemas de control de emisiones que se usa para reducir la descarga de gases nocivos provenientes del MOTOR DE COMBUSTIÓN INTERNA. El convertidor catalítico se compone de una cámara aislada que contiene gránulos del CATALIZADOR, a través de los cuales se hacen pasar los gases de escape. Los HIDROCARBUROS y el MONÓXIDO DE CARBONO contenidos en los gases se convierten en vapor de agua y DIÓXIDO DE CARBONO.

Convolvuláceas Familia compuesta de unas 1.400 especies de angiospermas distribuidas en 50 géneros, cultivadas profusamente por sus flores infundibuliformes y coloridas. La mayoría son plantas herbáceas erguidas y volubles; unas pocas son enredaderas, árboles o arbustos leñosos. La familia abunda en zonas templadas y tropicales. Las más populares son las del género *Ipomoea*, como la BATATA. Varias especies de CORREHUELAS son pestes agrícolas. Las semillas de dos especies, *Rivea corymbosa* e *I. violacea*, contienen compuestos alucinógenos de interés histórico.

Aurora o manto de la virgen (*Ipomoea purpurea*), familia de las Convolvuláceas.

convoy Conjunto de barcos que navega bajo la protección de una escolta armada. Desde el s. XVII, las potencias neutrales han reclamado el derecho a formar convoyes en tiempos de guerra, proveyendo buques de guerra para escoltar a sus mercantes y mantenerlos a salvo de revisión o captura. En la primera guerra mundial, los británicos organizaron convoyes transatlánticos protegidos por un cordón de buques de guerra; en la segunda guerra mundial, el mismo sistema protegió la navegación aliada de los submarinos alemanes durante la batalla del Atlántico. Durante la guerra entre Irán e Irak (1980–90), los buques petroleros que transitaban por el estrecho de Ormuz, para entrar y salir del golfo Pérsico, eran escoltados por buques de guerra de EE.UU. y de otras marinas occidentales.

Conway, Thomas (27 feb. 1735, Irlanda–c. 1800). General del ejército estadounidense durante la guerra de independencia de EE.UU. Enviado por Francia en ayuda del ejército revolucionario, combatió en las batallas de Brandywine y Germantown, tras lo cual el congreso lo ascendió a mariscal de campo, aun cuando GEORGE WASHINGTON estaba en desacuerdo. Procuró hacer reemplazar a Washington como comandante en jefe y nombrar a HORATIO GATES. El "complot", al que se denominó la cábala de Conway, salió a la luz y debió renunciar.

coñac *francés* **cognac** BRANDY de los departamentos franceses de Charente y Charente-Maritime. Con orígenes que se remontan al s. XVII, el coñac, llamado así por el pueblo de Cognac, se destila a partir de vino blanco en alambiques especiales (en francés, *alembics*) y se envejece en toneles de roble del Lemosín. La mayoría de los coñacs permanecen entre uno y cinco años en madera, pero variedades más finas pueden tener envejecimientos mucho más largos. El uso de la palabra inglesa brandy, en lugar de coñac, es a veces necesario para cumplir acuerdos internacionales de control de origen.

Elaboración del coñac en una destilería en Charente, Francia.

Cook, estrecho de Estrecho que separa las islas del Norte y del Sur de Nueva Zelanda. Se extiende desde el mar de TASMANIA hasta el océano Pacífico y mide cerca de 23 km (14 mi) de ancho en su punto más angosto y tiene una profundidad media de 128 m (420 pies). Ambas costas están conformadas por acantilados muy empinados y la isla del Sur tiene numerosas ensenadas. La navegación es peligrosa debido a las traicioneras corrientes y violentas tormentas. El capitán JAMES COOK exploró el estrecho en 1770.

Cook Inlet Ensenada del golfo de Alaska, en el océano Pacífico norte. Limita con la península de Kenai por el este, se extiende hacia el nordeste 350 km (220 mi) y su anchura varía entre 129 y 14 km (80 a 9 mi). ANCHORAGE está ubicada cerca de su cabecera. Es una zona de yacimientos petrolíferos y de pesca de salmón y arenques.

Cook, islas Grupo insular (pob., est. 1998: 17.100 hab.) del Pacífico sur. Situadas a unos 3.000 km (2.000 mi) al nordeste de Nueva Zelanda, las 15 islas, dispersas de norte a sur a lo largo de más de 1.450 km (900 mi) de océano, están divididas en un grupo meridional de ocho islas que incluye a Raratonga (la sede de gobierno) y un grupo septentrional de siete. Todas las Cook del norte son atolones verdaderos; la mayoría del grupo del sur tiene un interior volcánico. Probablemente fueron colonizadas por polinesios provenientes de TONGA y SAMOA; existen indicios de una sociedad altamente organizada c. 1100 DC. El capitán JAMES COOK exploró varias de ellas durante la década de 1770. Se establecieron como protectorado británico en 1888 y fueron anexadas por Nueva Zelanda en 1901. Desde 1965 cuenta con su propio gobierno en asociación libre con Nueva Zelanda.

Encuentro de James Cook con nativos en Tahití durante su primera expedición al Pacífico sur.

FOTOBANCO

Cook, James *llamado* **Capitán Cook** (27 oct. 1728, Marton-in-Cleveland, Yorkshire, Inglaterra–14 feb. 1779, Kealakekua Bay, Hawai). Marino y explorador británico. Se incorporó a la Armada Real (1755) y en 1763–67 reconoció el río San Lorenzo y la costa de Terranova. En 1768 fue nombrado comandante de la primera expedición científica al Pacífico. Navegando en el *Endeavour*, llegó a Nueva Zelanda, en donde levantó cartas de las dos islas principales y exploró la costa oriental de Australia. En este viaje (1768–71) obtuvo abundante material recolectado según métodos científicos y también fue notable su prevención del escorbuto entre los miembros de su tripulación. Promovido a comandante, fue enviado con dos naves a realizar la primera circunnavegación y penetración de la Antártida. En esa expedición (1772–75), considerada uno de los más grandes viajes realizados en velero, llevó a feliz término la primera circunnavegación en dirección oeste-este en altas latitudes. En un tercer viaje (1776–79) exploró la costa noroccidental de América del Norte en infructuosa búsqueda de una salida hacia el Atlántico. En su viaje de regreso murió a manos de nativos polinésicos en Hawai.

Cook, Thomas (22 nov. 1808, Melbourne, Derbyshire, Inglaterra–18 jul. 1892, Leicester, Leicestershire). Innovador británico, fundador de los viajes organizados. Misionero bautista, en 1841 dispuso un tren especial dirigido a una reunión de abstinencia de bebidas alcohólicas; tal vez, esta fue la primera excursión en tren anunciada públicamente en Inglaterra. Comenzó a organizar excursiones en forma regular; en 1856 dirigió su primer gran *tour* de Europa. A principios de la década de 1860 se convirtió en agente de ventas de boletos de viaje; junto con su hijo John Mason Cook (n. 1834–m. 1899) fundó la agencia de viajes Thomas Cook & Son. En la década de 1880 la firma también organizaba el transporte militar y el servicio de correos.

Cooke, (Alfred) Alistair (20 nov. 1908, Manchester, Inglaterra–29 mar. 2004, Nueva York, N.Y., EE.UU.). Periodista y comentarista angloestadounidense. Se estableció en Nueva York después de estudiar en las universidades de Cambridge, Yale y Harvard. Desde fines de la década de 1930 se destacó por sus amenas y perspicaces observaciones sobre la cultura e historia norteamericanas, preparadas para medios radiales y escritos británicos. Su programa de radio semanal *Letter from America* se inició en 1946 y sigue al aire después de más de medio siglo. *One Man's America* [Mi Estados Unidos] (1952) y *Talk About America* [Hablemos de Estados Unidos] (1968) reúnen las transcripciones de muchas de esas emisiones. Entre sus programas de televisión se cuentan *Omnibus* (1956–61) y la serie *América* (1972–73), producida por la BBC. Cooke fue el presentador del programa *Masterpiece Theatre* desde la década de 1970 hasta principios de la década de 1990.

Cooke, Jay (10 ago. 1821, Sandusky, Ohio, EE.UU.–18 feb. 1905, Ogontz, Pa.). Financista estadounidense y recolector de fondos para el gobierno federal durante la guerra de Secesión. A los 18 años ingresó a trabajar en una institución bancaria en Filadelfia, para luego abrir su propio banco en 1861. Ese mismo año colocó un préstamo de guerra por US$ 3 millones para el estado de Pensilvania. Durante los cuatro años siguientes, Cooke organizó la venta de cientos de millones de dólares en BONOS para el gobierno federal. En 1870, el esfuerzo realizado para financiar la construcción del Northern Pacific Railway llevó su firma a la quiebra, a pesar de lo cual logró reconstruir su fortuna en una década.

cookie Archivo, o parte de un archivo, puesto en el DISCO DURO de un usuario de la web por un SITIO WEB. Las cookies se utilizan para almacenar datos de inscripción, que permiten la personalización de información para los visitantes de un sitio web, para focalizar la propaganda de la web y mantener un rastreo de los productos que un usuario desea ordenar en línea. Los primeros navegadores habilitaban las *cookies* para rastrear los sitios que el usuario había visitado y para recuperar datos de otras partes del disco duro del usuario; los navegadores actuales impiden esto y permiten a un sitio tener acceso sólo a las *cookies* escritas por ese sitio.

Cookstown Distrito (pob., 2001: 32.581 hab.) de Irlanda del Norte. Región agrícola con una importante explotación lechera, ganadera, avícola y ovina. La ciudad de Cookstown (pob., 1991: 9.842 hab.) es el centro administrativo del distrito; fue inicialmente un asentamiento colonial inglés en el s. XVII y lleva el nombre de su fundador, Alan Cooke.

Cooley, Charles Horton (17 ago. 1864, Ann Arbor, Mich., EE.UU.–8 may. 1929, Ann Arbor). Sociólogo estadounidense. Hijo de un eminente jurista de Michigan, fue docente de sociología en la Universidad de Michigan desde 1894. Sostenía que la mente es una entidad social, que la sociedad es una estructura intelectual y que la unidad moral de la sociedad se deriva de las relaciones cara a cara que tienen lugar en grupos primarios como la familia y el barrio. En *Human Nature and the Social Order* [Naturaleza humana y orden social] (1902), alude a esta forma de referencia social como el "yo espejo". Otros trabajos de Cooley son *Social Organization* (1909) y *Social Process* (1918).

Coolidge, (John) Calvin (4 jul. 1872, Plymouth, Vt., EE.UU.–5 ene. 1933, Northampton, Mass.). Trigésimo presidente de los EE.UU. (1923–29). Ejerció como abogado en Massachusetts a partir de 1897 y fue vicegobernador antes de ser elegido gobernador en 1918. Se dio a conocer en todo el país cuando movilizó a la guardia del estado durante la huelga de la policía de BOSTON, en 1919. En la convención republicana de 1920, "Silent Cal" (Cal silente), como era apodado, fue nombrado candidato a vicepresidente y elegido junto con WARREN G. HARDING. Cuando Harding murió en el cargo, en 1923, asumió la presidencia. Restauró la confianza en un gobierno desacreditado por sus escándalos y ganó la elección presidencial de 1924, en la que derrotó con facilidad al demócrata John W. Davis y al candidato del partido progresista ROBERT LA FOLLETTE. Vetó medidas de asistencia a la agricultura y de bonificaciones a los veteranos de la primera guerra mundial. Su gobierno se distinguió por una prosperidad aparente. El congreso mantuvo un arancel protector elevado e instituyó reducciones tributarias que favorecieron el capital. Se negó a ser candidato por segunda vez. Sus políticas conservadoras de inacción, tanto interna como externa, simbolizan hoy la época entre la primera guerra mundial y la GRAN DEPRESIÓN.

Coolidge, William D(avid) (23 oct. 1873, Hudson, Mass., EE.UU.–3 feb. 1975, Schenectady, N.Y.). Ingeniero y fisicoquímico estadounidense. Fue docente en el Instituto de Tecnología de Massachusetts (MIT) (1897, 1901–05) antes de incorporarse al laboratorio de investigación de la General Electric, donde en 1908 perfeccionó un proceso para hacer dúctil el tungsteno y, por tanto, más adecuado para bombillas incandescentes. En 1916 patentó un revolucionario tubo de rayos X capaz de producir cantidades de radiación altamente predecibles; fue el prototipo del tubo de rayos X moderno. Con IRVING LANGMUIR desarrolló también el primer sistema exitoso de detección de submarinos.

Coomassie ver KUMASI

Cooper, Alfred Duff, 1er vizconde Norwich de Aldwick (22 feb. 1890–1 ene. 1954). Político británico. Fue parlamentario conservador (1924–29 y 1931–45). Luego de ocupar el cargo de secretario de guerra (1935–37), se convirtió en primer lord del almirantazgo (1937), pero renunció en protesta por el acuerdo de MUNICH. Más tarde fue ministro de información en el gobierno de WINSTON CHURCHILL (1940–41) y embajador en Francia (1944–47). Escribió varios libros entre los que se incluyen *Talleyrand, Haig* y su autobiografía *Old Men Forget* [Los viejos olvidan].

Cooper Creek *o* **río Barcoo** Corriente intermitente en el centro-este de Australia. Nace con el nombre de Barcoo en los faldeos septentrionales de los montes Warrego en QUEENSLAND, se une al río Alice y su curso gira al sudoeste para recibir las aguas de su principal afluente, el Thomson; es a partir de este punto que se conoce como Cooper Creek. Al cruzar el límite con Australia Meridional, desemboca en el lago EYRE. Su extensión total es de 1.420 km (880 mi).

Cooper, Dame Gladys (18 dic. 1888, Lewisham, Londres, Inglaterra–17 nov. 1971, Henley-on-Thames, Oxfordshire). Actriz británica. Después de su debut en Londres en 1906, actuó en musicales y en obras dramáticas como *La importancia de llamarse Ernesto* (1911). Codirigió el Teatro Playhouse de Londres (1917–27) y después fue su única directora (1927–33). Su actuación en *La segunda señora Tanqueray* (1922) la convirtió en estrella. Debutó en los escenarios de EE.UU. en *The Shining Hour* (1934), y después actuó en *Relative Values* (1951) y *Mujer sin pasado* (1955). Personificó la serenidad británica en películas estadounidenses como *La extraña pasajera* (1942) y *Mesas separadas* (1958).

Cooper, Gary *orig.* **Frank James Cooper** (7 may. 1901, Helena, Mont., EE.UU.–13 may. 1961, Los Ángeles, Cal.) Actor de cine estadounidense. Se mudó a Hollywood en 1924 e interpretó papeles menores en westerns de bajo presupuesto antes de convertirse en estrella con *The Virginian* (1929). Fue un actor apuesto y espigado y personificó al hombre decidido, fuerte y de suave hablar, en películas como *Adiós a las armas* (1932), *El secreto de vivir* (1936), *Beau Geste* (1939), *Juan Nadie* (1941), *El sargento York* (1941, premio de la Academia) y *El manantial* (1949). Su trabajo en *Solo ante el peligro* (1952, premio de la Academia) es considerado su mejor actuación. Entre sus películas posteriores se cuentan *La gran prueba* (1956) y *Ariane* (1957).

Gary Cooper, actor estadounidense.
FOTOBANCO

Cooper, James Fenimore (15 sep. 1789, Burlington, N.J., EE.UU.–14 sep. 1851, Cooperstown, N.Y.). Primer gran novelista estadounidense. Creció en el seno de una familia acomodada en Cooperstown, levantado por su padre. *The Spy* [El espía] (1821), novela ambientada en la guerra de independencia de EE.UU., lo hizo famoso. Su obra más conocida, la serie de novelas *Leatherstocking Tales* [Historias de cazadores de pieles], narra las aventuras en la frontera oeste del país del explorador de las praderas Natty Bumppo e incluye *Los pioneros* (1823), *El último de los mohicanos* (1826), *The Prairie* [La pradera] (1827), *The Pathfinder* [El explorador] (1840) y *El cazador de ciervos* (1841). También escribió novelas del mar como *The Pilot* [El piloto] (1823), y una historia de la marina de su país (1839). Aunque aclamado en el extranjero, en sus últimos años enfrentó problemas judiciales y se vio envuelto en conflictos políticos, al tiempo que declinaban su popularidad y sus ingresos.

Cooper, Leon N(eil) (n. 28 feb. 1930, Nueva York, N.Y., EE.UU.). Físico estadounidense. Enseñó en la Universidad estatal de Ohio (1954–58) y en la Universidad de Brown (desde 1958). Por su papel en el desarrollo de la teoría de BCS de la superconductividad, compartió en 1972 el Premio Nobel de Física con JOHN BARDEEN y J. Robert Schrieffer (n. 1931). Su contribución principal a la teoría fue su descubrimiento de un acoplamiento especial entre dos electrones, llamados pares de Cooper (1956), que se repelen en condiciones normales, pero que se atraen en los superconductores.

Cooper, Peter (12 feb. 1791, Nueva York, N.Y., EE.UU.–4 abr. 1883, Nueva York). Inventor estadounidense. Se relacionó con la compañía Canton Iron Works, formada para abastecer a la empresa ferroviaria BALTIMORE AND OHIO RAILROAD (B&O), para la cual ideó y construyó la pequeña pero poderosa locomotora Tom Thumb. Su fábrica en Trenton, N.J., produjo las primeras vigas de hierro estructural para edificios. Apoyó el proyecto del cable atlántico de Cyrus Field (n. 1819–m. 1892) y llegó a ser presidente de la empresa North American Telegraph Co. Sus inventos comprenden una máquina lavadora, un motor de aire comprimido para barcos transbordadores y un dispositivo hidráulico para mover barcazas fluviales. Idealista y reformador social, fundó en 1859 la Cooper Union para la promoción de la ciencia y el arte.

Cooperación Económica de Asia y del Pacífico ver APEC

cooperativa Asociación de personas administrada en beneficio de quienes usan sus servicios. Las cooperativas han tenido éxito en ciertos campos, como el procesamiento y la comercialización de productos agrícolas, y la adquisición de diversos tipos de equipo y materias primas; el comercio mayorista y minorista, la generación eléctrica, créditos y operaciones bancarias y vivienda. Las cooperativas de consumo modernas tienen sus raíces en una organización británica creada en 1844 y llamada Rochdale Society of Equitable Pioneers (Sociedad de pioneros justos de Rochadle). El movimiento se expandió con rapidez en el norte de Europa. En el s. XIX se desarrollaron cooperativas de comercialización agrícola en las áreas rurales de EE.UU. Actualmente existen, entre otras, cooperativas de consumo y de vivienda. Ver también COOPERATIVA DE CRÉDITO.

cooperativa de crédito Grupo de personas unidas por algún vínculo común (ver COOPERATIVA), quienes ahorran dinero colectivamente y se otorgan en forma recíproca préstamos a tasas reducidas. Los préstamos son a menudo créditos de consumo a corto plazo, principalmente para automóviles, necesidades familiares, deudas médicas y emergencias. Por lo general, las cooperativas de crédito funcionan bajo mandato y supervisión gubernamental. Juegan un papel muy importante en los países menos desarrollados, donde estas cooperativas pueden ser la única fuente de crédito para sus miembros. Las primeras sociedades cooperativistas en otorgar CRÉDITOS a sus miembros fueron fundadas en Alemania e Italia a mediados del s. XIX. Por su parte, las primeras cooperativas de crédito de América del Norte fueron creadas por Alphonse Desjardins en Lévis, Quebec (1900), y en Manchester, N.H. (1909). En 1934 se creó la Asociación nacional de cooperativas de crédito (inglés CUNA), una federación de cooperativas de crédito estadounidense, que se transformó en asociación mundial en 1958.

Co-operative Commonwealth Federation (inglés: "Federación de mancomunidad cooperativa"). Partido político que se destacó en Canadá occidental en las décadas de 1930-40. Fue fundado en Calgary, Alberta, en 1932, por una federación de partidos agrícolas, laborales y socialistas; su meta era transformar el sistema capitalista en una "mancomunidad cooperativa" a través de medios democráticos. Aspiraba a la socialización de los bancos y la propiedad pública del transporte, las comunicaciones y los recursos naturales. Triunfó en la elección general en Saskatchewan en 1944 y se hizo cargo del gobierno provincial. Posteriormente ganó otras elecciones en Saskatchewan, pero decayó en otras provincias. En 1961 se fusionó con el NUEVO PARTIDO DEMOCRÁTICO.

coordenada galáctica En astronomía, una latitud o longitud galáctica, útil para describir la posición y movimiento relativos de las componentes de la VÍA LÁCTEA. La latitud galáctica se mide en grados, hacia el norte o hacia el sur del plano de la Vía Láctea. La longitud galáctica se mide en grados hacia el este, a partir del centro galáctico en la constelación de Sagitario.

coordenadas celestes Conjunto de números usados para ubicar en el firmamento un objeto celeste (ver ESFERA CELESTE). Los sistemas de COORDENADAS que se usan comprenden el sistema horizontal (ACIMUT), las COORDENADAS GALÁCTICAS, la ECLÍPTICA (medida en relación con el plano orbital de la Tierra) y el sistema ecuatorial (ascensión recta y declinación, análogo con la LATITUD Y LONGITUD terrestres).

coordenadas esféricas, sistema de En geometría, sistema de COORDENADAS en el cual cualquier punto en el espacio de tres dimensiones queda determinado por su ángulo con respecto a un eje polar y su ángulo de rotación con respecto a un meridiano principal sobre una esfera de radio dado. En coordenadas esféricas un punto queda especificado por el trío (r, θ, φ), donde r es la distancia del punto al origen (radio), θ es el ángulo desde el eje polar (análogo a un rayo desde el origen que pase por el Polo Norte) y φ es el ángulo de rotación desde el plano meridiano inicial.

coordenadas, sistema de Disposición de líneas de referencia rectas o curvas usadas para identificar la ubicación de puntos en el espacio. En dos dimensiones, el sistema más común es el cartesiano (por RENÉ DESCARTES). En este, los puntos se designan por su distancia a un eje horizontal (x) y uno vertical (y) desde un punto de referencia, el origen, designado por (0,0). Las coordenadas cartesianas también pueden ser usadas para tres (o más) dimensiones. Un sistema de coordenadas polares ubica un punto por su dirección relativa a una de referencia, y su distancia a un punto dado, también el origen. Tal sistema se usa en el rastreo por radar o sónar y es la base de sistemas de navegación por rumbo y distancia. En tres dimensiones, conduce a coordenadas cilíndricas y esféricas.

Coosa, río Río en los estados de Georgia y Alabama, EE.UU. Formado por la confluencia de los ríos Etowah y Oostanaula en Roma, Ga., corre hacia el sur en un curso de 460 km (286 mi) a través de la región del valle y los montes Apalaches hasta internarse en la llanura costera del golfo de México. Se une al río Tallapoosa al norte de MONTGOMERY para formar el río ALABAMA. Esclusas y represas hacen posible su navegación hasta Roma, Ga.

Copa del Mundo Principal campeonato internacional de FÚTBOL. El torneo reúne a 32 selecciones nacionales de todo el mundo y culmina en un partido entre las dos mejores. Se ha disputado cada cuatro años desde 1930, excepto durante la segunda guerra mundial. Seguida por miles de millones de personas en todo el mundo, es lejos el torneo deportivo de mayor audiencia del planeta. Varias otras competencias deportivas llevan también el nombre de "Copa del Mundo".

Copacabana Distrito sudoccidental de RÍO DE JANEIRO, Brasil. Ocupa una angosta faja de tierra entre la montaña y el mar y es un lugar turístico muy visitado, famoso por su magnífica playa curvada de 4 km (2,5 mi) a lo largo de la entrada de la bahía de Guanabara. Hay hoteles, clubes nocturnos y restaurantes a lo largo del borde costero.

Copán Ruinas de una antigua ciudad MAYA en Honduras. Se sitúa cerca de la frontera con Guatemala, en la ribera del río Copán, a unos 55 km (35 mi) de la ciudad moderna de Santa Rosa de Copán. Fue un importante centro artístico y astronómico maya del período clásico (c. 300–c. 900) y alcanzó su apogeo durante el s. VIII; puede haber albergado hasta 20.000 personas. El lugar comprende templos de piedra, dos grandes pirámides, varias escaleras y plazas y una cancha de juego de pelota; se destaca especialmente por los frisos en sus edificaciones. Los mayas habían abandonado completamente la ciudad c. 1200.

Estela con retrato esculpido, Copán, Honduras.
WALTER AGUIAR

Cope, Edward Drinker (28 jul. 1840, Filadelfia, Pa., EE.UU.–12 abr. 1897, Filadelfia). Paleontólogo estadounidense. Se dedicó durante 22 años a explorar e investigar, con predilección por la descripción de peces, reptiles y mamíferos extinguidos del oeste de EE.UU. Descubrió unas 1.000 especies de vertebrados extintos y desarrolló las historias evolutivas del caballo y de la dentición de los mamíferos. Su teoría de la cinetogénesis, que afirma que los movimientos naturales de los animales ayudaron a la modificación y desarrollo de las partes móviles, lo llevó a apoyar la teoría de la evolución de LAMARCK. Se trenzó en una disputa amarga y larga con O.C. MARSH. Entre sus 1.200 libros y artículos destacan *Reptilia and Aves of North America* [Reptiles y aves de América del Norte] (1869–70) y *Relation of Man to Tertiary Mammalia* [Relación del hombre con los mamíferos del terciario] (1875).

copelación Separación del ORO o la PLATA de las impurezas, fundiendo el metal impuro en una copela (cubeta porosa y plana, hecha de un material refractario) y bañándolo con un chorro de aire caliente en un horno especial. Las impurezas, como plomo, cobre, estaño y otros metales no deseados, se oxidan y luego en parte se vaporizan y en parte son absorbidas por los poros de la copela.

Edificaciones típicas en la ribera del canal de Nyhavn, Copenhague, Dinamarca.
ARCHIVO EDIT. SANTIAGO

Copenhague *danés* **København** Capital y mayor ciudad (pob., 2001: ciudad, 499.148 hab.; área metrop., 1.081.673 hab.) de Dinamarca. Se ubica en las islas de Seelandia (Sjælland) y Amager. En dicho lugar existió un pequeño poblado hacia comienzos del s. X. En 1167, el obispo Absalón construyó allí un castillo y fortificó el sitio. En 1445, Copenhague se convirtió en la capital y en residencia de la familia real. Entre sus palacios se incluyen Amalienborg, morada de los monarcas daneses, y Christiansborg, que hoy alberga al parlamento. El parque de diversiones Tivoli constituye una atracción popular. Copenhague es uno de los principales centros culturales y educacionales de Europa; su universidad más antigua fue fundada en 1479. Además de haber sido históricamente un centro de comercio y portuario, se ha convertido en ciudad industrial. La construcción naval, la industria metalmecánica, la elaboración de conservas y la fabricación de cerveza se cuentan entre las principales actividades manufactureras.

Copenhague, batalla de (2 abr. 1801). Victoria naval británica sobre Dinamarca en las guerras NAPOLEÓNICAS. Inglaterra consideró un acto de hostilidad el tratado de neutralidad militar de 1794 acordado por Dinamarca y Suecia, al cual Rusia y Prusia adhirieron en 1800. En 1801, un destacamento de la armada británica fue enviado a Copenhague. Tras una encarnizada batalla en el puerto, el almte. HORATIO NELSON hizo caso omiso de las órdenes de retirada del comandante de la flota, Sir Hyde Parker, y permaneció en su posición hasta destruir la mayor parte de la flota local. Las pérdidas danesas ascendieron a cerca de 6.000 muertos y heridos, seis veces más que las bajas británicas. Posteriormente Dinamarca se retiró del tratado de neutralidad.

Copenhague, Universidad de Universidad pública de Dinamarca, la más antigua del país, inaugurada en 1479 por el rey Cristián I, tras aprobación del papa SIXTO IV. Se constituyó como centro de enseñanza teológica de la Iglesia católica, aun cuando también tenía facultades de derecho, medicina y filosofía, y cuyos cursos se dictaban en latín. Fue organizada según los lineamientos de la Universidad de París, si bien su modelo más directo fue la Universidad de Colonia. En la actualidad es una institución pública integral de educación superior e investigación, que ofrece programas de licenciatura y de posgrado en las principales disciplinas de sus facultades en Copenhague: teología, derecho, ciencias sociales, ciencias de la salud, humanidades, y ciencias. Además cuenta entre sus instalaciones con hospitales clínicos, museos, y diversos centros e institutos.

copépodo Cualquiera de las 10.000 especies conocidas de CRUSTÁCEOS de la subclase Copépoda. Los copépodos tienen una distribución amplia y son importantes desde el punto de vista ecológico, ya que son el alimento de muchos peces. La mayoría de las especies son formas marinas de vida libre, que se encuentran desde la superficie hasta las grandes profundidades marinas. Algunas viven en agua dulce o humedales; otras son parásitas. La mayoría de las especies tienen un largo de 0,5–2 mm (0,02–0,08 pulg.). La especie mayor de todas, un parásito del RORCUAL COMÚN, llega a 32 cm (13 pulg.) aprox. de largo. A diferencia de la mayoría de los crustáceos, no tienen caparazón. Las formas no parásitas se alimentan de plantas o animales microscópicos o incluso de animales de su mismo tamaño. Ver también GUSANO DE GUINEA.

Copérnico, Nicolás *polaco* **Mikołaj Kopernik** (19 feb. 1473, Toru, Polonia–24 may. 1543, Frauenburg, Prusia Oriental). Astrónomo polaco. Se educó en Cracovia, Bolonia y Padua, donde dominó todos los conocimientos de su época en matemática, astronomía, medicina y teología. Elegido canónigo de la catedral de Frauenburg en 1497, aprovechó su seguridad económica para iniciar sus observaciones astronómicas. En 1543 su publicación *Seis libros referentes a revoluciones de las órbitas celestes* marcaron un hito del pensamiento occidental (ver sistema de COPÉRNICO). Décadas antes concibió su revolucionario modelo, pero postergó su publicación porque, aunque explicaba el movimiento de los planetas (y daba solución al ordenamiento de estos), presentaba nuevos problemas que debían ser explicados, requería verificación de observaciones anteriores y debía ser presentado de manera tal que no provocara a las autoridades religiosas. El libro no se imprimió sino hasta que él estuvo en su lecho de muerte. Al sostener que la Tierra giraba a diario en torno a su propio eje y que daba cada año una vuelta alrededor de un sol inmóvil, elaboró una idea que tuvo implicaciones profundas en el desarrollo de la ciencia moderna. Afirmó, contrariamente al instrumentalismo platónico, que la astronomía debía describir el sistema real y físico del mundo. Sólo con JOHANNES KEPLER fue posible que el modelo de Copérnico se transformara en una nueva filosofía sobre la estructura fundamental del universo.

Nicolás Copérnico, astrónomo polaco.
FOTOBANCO

Copérnico, sistema de *o* **sistema copernicano** *o* **principio de Copérnico** Modelo del sistema SOLAR formulado por NICOLÁS COPÉRNICO a mediados del s. XVI; sostenía que el Sol era el centro alrededor del cual giran la Tierra y los planetas. El Sol en esta posición central explicaba el movimiento aparente de los PLANETAS relativo a las estrellas fijas, y era más real que el sistema de TOLOMEO, basado en la Tierra como centro. Científicamente, el sistema de Copérnico llevó a una creencia en un universo mucho mayor de lo que se pensaba (porque si la Tierra gira en torno al Sol, las estrellas tendrían que estar muy distantes para aparecer fijas en el cielo); de manera más amplia, el principio de Copérnico se ha invocado para rebatir cualquier teoría que pretenda dar al sistema solar un lugar privilegiado en el universo. El hecho de destronar a la Tierra del centro del universo produjo un profundo impacto: el sistema de Copérnico desafió todo el sistema de la antigua autoridad y requirió de un cambio completo en la concepción filosófica del universo.

copiadora ver FOTOCOPIADORA

Copland, Aaron (14 nov. 1900, Brooklyn, N.Y., EE.UU.–2 dic. 1990, North Tarrytown, N.Y.). Compositor estadounidense. Nacido de padres rusojudíos inmigrantes, estudió composición en París con NADIA BOULANGER. En sus primeras obras experimentó con ritmos del jazz y posteriormente con un estilo abstracto influido por el neoclasicismo. A partir de la segunda mitad de la década de 1930 se preocupó por hacer música accesible para una audiencia más numerosa, y adoptó rasgos particulares estadounidenses en sus composiciones. De reconocido espíritu cívico y generoso, llegó a ser considerado extraoficialmente como el compositor nacional de EE.UU. Debe su fama a sus tres ballets basados en material del folclore estadounidense: *Billy the Kid* (1938), *Rodeo* (1942) y *Appalachian Spring* (1944, Premio Pulitzer). También escribió música para películas, obras orquestales y óperas. En sus últimos años, Copland refinó su tratamiento de lo estadounidense, haciendo sus referencias menos obvias, y produjo algunas obras en las que usó la técnica experimental del SERIALISMO. Continuó dictando clases y dirigiendo hasta mediados de la década de 1980.

Copley, John Singleton (3 jul. 1738, Boston, Mass., EE.UU.–9 sep. 1815, Londres, Inglaterra). Pintor estadounidense de retratos y personajes históricos. Hijastro de un grabador, antes de los 20 años de edad era un talentoso dibujante y prosperó como artista de retratos en su Boston natal. Fue famoso por sus *retratos d'apparat*, retratos de personajes con los objetos asociados a sus vidas cotidianas o profesiones. En 1775 se estableció en Londres, volcándose a la pintura histórica de moda. Fue acogido por la Royal Academy en 1779. Era manifiesto su don para retratar acciones heroicas en composiciones de múltiples figuras. Se lo considera el mejor pintor estadounidense del s. XVIII y el mejor artista de la época colonial.

Copperhead Término acuñado durante la guerra de SECESIÓN para referirse a un norteño opuesto a la política de guerra y partidario de un acuerdo negociado con el Sur. La expresión apareció por primera vez en 1861, en el *New York Tribune*, y aludía a la víbora del mismo nombre, que muerde sin aviso. En su mayoría, los Copperheads (que también se llamaban demócratas de la paz) venían del Medio Oeste, donde los intereses agrarios desconfiaban del creciente poder federal. Entre los líderes del movimiento se contaba a Clement Vallandigham. Si bien la organización no logró influir en la dirección de la guerra, los republicanos usaron dicha expresión para desacreditar al Partido Demócrata.

Coppermine, río Río en los Territorios del Noroeste, Canadá. Nace en los *Barren Grounds* (tundra del norte de Canadá), región subártica de llanuras, corre hacia el norte en un curso de 845 km (525 mi) en dirección al golfo Coronación, brazo del océano Ártico, cerca del asentamiento inuit de Coppermine. El río no es navegable a causa de los numerosos rápidos, salvo una breve estación libre de hielo; también es conocido porque se puede pescar la trucha ártica.

Coppola, Francis Ford (n. 7 abr. 1939, Detroit, Mich., EE.UU.). Director, guionista y productor de cine estadounidense. Trabajó bajo la tutela de ROGER CORMAN antes de alcanzar su primer éxito con *Ya eres un gran chico* (1967), una película de bajo presupuesto, pero con estilo. Escribió y coescribió los guiones de muchos largometrajes, entre ellos, *Patton* (1970, premio de la Academia), y fue aclamado por escribir y dirigir la épica película sobre la mafia, *El padrino* (1972, premios de la Academia por mejor película y guión). Entre sus otros filmes se cuentan *La conversación* (1974), *El padrino II* (1974, premios de la Academia por mejor director, película y guión), *Apocalypse Now* (1979), *Peggy Sue se casó* (1986), *El padrino III* (1990) y *Legítima defensa* (1997).

coprocesador Procesador adicional utilizado en algunas COMPUTADORAS PERSONALES para ejecutar tareas especializadas, como cálculo aritmético en gran escala o procesamiento de presentaciones gráficas. Con frecuencia, el coprocesador es diseñado para ejecutar dichas tareas en forma más eficiente que el procesador principal, lo que resulta en velocidades mucho mayores para la computadora en su conjunto.

copta ortodoxa, Iglesia Principal Iglesia cristiana en Egipto. Hasta el s. XIX se llamó simplemente la Iglesia egipcia. En lo doctrinario, concuerda con la ORTODOXIA ORIENTAL, excepto que sostiene que Jesús posee una naturaleza puramente divina y nunca llegó a ser humano, creencia que fue rechazada en el concilio de CALCEDONIA en 451 DC (ver herejía MONOFISITA). Después de la conquista árabe (s. VII), los misales fueron escritos en textos paralelos, copto y árabe. El gobierno de la Iglesia es democrático, y el patriarca que reside en El Cairo es elegido. Hay congregaciones fuera de Egipto, sobre todo en Australia y EE.UU., y la Iglesia está en comunión con las iglesias etíope, armenia y sirio jacobita.

coque Residuo sólido que resulta después de calentar ciertos tipos de CARBONES a alta temperatura, sin contacto con el aire, hasta que sustancialmente todos los componentes que se vaporizan con facilidad hayan sido expulsados. El residuo contiene principalmente CARBONO, con pequeñas cantidades de hidrógeno, nitrógeno, azufre y oxígeno. Los minerales existentes en el carbón original permanecen en el coque alterados y descompuestos químicamente. El agotamiento gradual de la leña en Inglaterra condujo primero a la prohibición de la tala para combustible y después a la introducción del coque. De allí en adelante, la industria del HIERRO se expandió rápidamente y Gran Bretaña llegó a ser el mayor productor de hierro del mundo (ver ABRAHAM DARBY). El proceso al CRISOL (1740) dio por resultado el primer ACERO confiable emanado de un proceso de fundición. El coque metalúrgico (de un tamaño de alrededor de 40–100 mm o 1,5–4 pulg.) se usa en los ALTOS HORNOS para producir HIERRO. Se utiliza coque en cantidades menores en otros procesos metalúrgicos (ver METALURGIA), como en la fabricación de ciertas aleaciones. El coque de gran tamaño y más resistente, conocido como coque de fundición, se emplea en la FUNDICIÓN DE MINERALES. Los tamaños menores de coque (15–30 mm o 0,6–1,2 pulg.) se usan para la calefacción de edificios.

coquina PIEDRA CALIZA formada casi íntegramente por restos de fósiles de tamaño uniforme y cementados, en especial conchas gruesas y fragmentos de conchas. Las microcoquinas son rocas sedimentarias similares compuestas de material más fino. Entre las microcoquinas son comunes aquellas formadas por restos de crinoides (invertebrados marinos, como lilas de mar, que poseen discos y esqueletos ricos en cal). Se distingue entre la coquina, que es una roca formada por fragmentos de fósiles, y la piedra caliza coquinoidea, que está compuesta de conchas gruesas con una matriz de grano fino.

coquina Cualquier ALMEJA del género *Donax*, que vive en playas arenosas de todo el mundo. Las coquinas son muy activas; suben y bajan las playas siguiendo la marea y se pueden volver a enterrar entre dos golpes de ola. Poseen sifones cortos y se alimentan de material vegetal y detrito en suspensión. Una especie típica, *D. variabilis*, mide unos 10–25 mm (0,4–1 pulg.) de largo. Su concha es cuneiforme y sus colores van del blanco, amarillo y rosado al azul y malva.

Coquina (*Donax variabilis*).

coral Melodía de un himno métrico asociada, en la usanza inglesa común, con la iglesia luterana en Alemania. Desde los inicios de la REFORMA, la congregación debía cantar corales durante la liturgia protestante. La letra de los corales luteranos eran a menudo textos de himnos en latín, procedentes del canto gregoriano, traducidos a la lengua vernácula. Las melodías frecuentemente se tomaban de canciones seculares y por lo tanto mostraban gran simplicidad melódica y estructural. En los tiempos modernos, se considera al coral como un arreglo musical, por lo general polifónico (con múltiples voces), de un texto religioso tradicional.

coral Cualquiera de unas 2.300 especies de CNIDARIOS marinos de la clase Anthozoa que se caracterizan por esqueletos (externos o internos) calcáreos, córneos o coriáceos. Los esqueletos de estos animales también se llaman coral. Los corales se hallan en los mares cálidos de todo el mundo. El cuerpo corresponde al tipo PÓLIPO. Los corales blandos, córneos y azules forman colonias (i.e., viven en grupos grandes). Los corales calcáreos, los más familiares y de mayor distribución, viven en colonias y solitarios. Los ATOLONES y ARRECIFES DE CORAL, que se componen de este coral, crecen a una tasa promedio anual de 0,5–2,8 cm (0,2–1,1 pulg.). Ver también ABANICO DE MAR.

Coral, mar de Porción del océano Pacífico sur. Se ubica entre QUEENSLAND, Australia, por el oeste y VANUATU y NUEVA CALEDONIA por el este; al norte lo rodean PAPÚA Y NUEVA GUINEA y las islas SALOMÓN. Ocupa una superficie de 4.791.000 km^2 (1.849.800 mi^2) y se fusiona con el mar de TASMANIA y el mar de las Salomón; se comunica con el mar de Arafura por el estrecho de TORRES. Su nombre proviene de sus muchas formaciones coralinas, entre ellas la GRAN BARRERA AUSTRALIANA. Durante la segunda guerra mundial fue escenario de victorias navales y aéreas estratégicas de EE.UU. sobre Japón (1942).

Coralli, Jean *orig.* **Giovanni Coralli Peracini** (15 ene. 1779, París, Francia–1 may. 1854, París). Bailarín y coreógrafo francés. Debutó en la Ópera de París en 1802. Su nombramiento como maestro de ballet de la Ópera (1831–50) coincidió con el período cumbre del ballet romántico. En 1841, Coralli empezó a trabajar con la bailarina CARLOTTA GRISI en *Giselle*, considerada hoy un clásico del ballet. Pese a que esta obra se atribuye exclusivamente a Coralli, JULES PERROT compuso gran parte de su argumento. La coreografía de *La péri* [La perdida] (1843), sin embargo, pertenece enteramente a Coralli.

Jean Coralli, grabado de Charles Vogt, c. 1852.
GENTILEZA DE IVOR GUEST

Corán Sagrada escritura (ver ESCRITURAS) del ISLAM considerada por los musulmanes como la palabra infalible de Dios revelada al profeta MAHOMA. Compilado primero en su forma autoritaria en el s. VII, el libro consta de 114 capítulos (SŪRAS) de extensión variable, escritos en árabe. Los *sūras* más antiguos llaman a la obediencia moral y religiosa a la luz de la venida del Día del Juicio; los otros *sūras*, más tardíos, entregan directrices para la creación de una estructura social que sostenga la vida moral que exige Dios. El Corán da además descripciones detalladas de los goces del paraíso y de los terrores del infierno. Los musulmanes creen que el Dios que habló a Mahoma es el mismo Dios adorado por los judíos y los cristianos, pero que las revelaciones recibidas por esas religiones están incompletas. El énfasis en la severa justicia de Dios se mitiga con las frecuentes referencias a su misericordia y compasión. El Corán demanda absoluta sumisión (*islam*) a Dios y a su palabra, y es la fuente fundamental del derecho islámico. Es tenido por inmutable, tanto en su forma como en su contenido; por tradición, la traducción del Corán estaba prohibida. Las traducciones actuales se consideran paráfrasis para facilitar la comprensión de la verdadera escritura.

Corantijn, río ver río COURANTYNE

corazón Órgano que bombea la sangre y la hace circular por todo el organismo (ver CIRCULACIÓN). El corazón humano es una bomba doble de cuatro cavidades, con sus lados derecho e izquierdo completamente separados por un séptum y subdividido en ambos lados, en una aurícula por arriba, y un ventrículo por abajo. La aurícula derecha recibe la sangre venosa de las VENAS CAVAS superior e inferior y pasa al ventrículo derecho que la impele hacia la circulación pulmonar. La aurícula izquierda recibe la sangre de las venas pulmonares y la envía al ventrículo izquierdo, que la impulsa hacia la circulación sistémica. Las señales eléctricas del MARCAPASO natural permiten que el músculo cardíaco se contraiga. Las válvulas cardíacas hacen que el flujo sanguíneo sea unidireccional. Su chasquido al cerrarse después de cada contracción causa los ruidos que se oyen como latidos. Ver también sistema CARDIOVASCULAR.

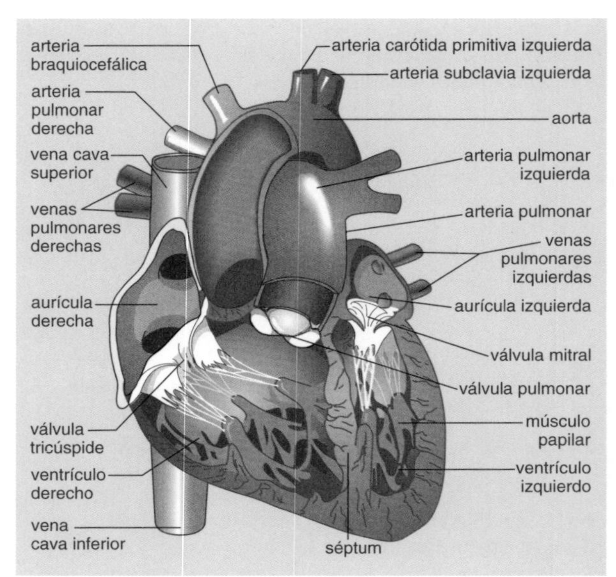

Estructura del corazón humano. La sangre oxigenada que proviene de los pulmones ingresa al corazón a través de las venas pulmonares, y pasa a la aurícula izquierda para seguir al ventrículo izquierdo. La contracción de los músculos del ventrículo izquierdo impulsa sangre a la aorta. La válvula mitral evita que la sangre regrese a la aurícula izquierda durante la contracción. Desde la aorta se ramifican varias arterias para distribuir sangre a todo el cuerpo. La sangre pobre en oxígeno, que es drenada desde todo el cuerpo hacia las venas cavas superior e inferior, llega a la aurícula derecha y, a través de la válvula tricúspide, al ventrículo derecho. Cuando este último se contrae, la sangre pobre en oxígeno pasa a través de la válvula pulmonar hacia las arterias pulmonares y a los pulmones para recibir oxígeno.

corazón abierto, cirugía a ver CIRUGÍA CARDÍACA

corazón artificial Máquina o bomba mecánica que mantiene la circulación de la sangre en el cuerpo humano. La máquina de circulación extracorpórea es una bomba mecánica que puede mantener la circulación por pocas horas, mientras el corazón se detiene para realizar operaciones quirúrgicas. Desvía la sangre del corazón, la oxigena y la devuelve al cuerpo. Aún no se ha desarrollado un dispositivo capaz de reemplazar totalmente el corazón a largo plazo; los corazones artificiales disponibles reducen la carga de trabajo del corazón, bombeando entre sus latidos o actuando como ventrículos auxiliares y sólo sirven en forma transitoria en pacientes a la espera de trasplantes. Ver también MARCAPASO.

corazón, enfermedad del ver CARDIOPATÍA

corazón pulmonar ver CARDIOPATÍA PULMONAR

corazoncillo *o* **lágrimas de la virgen** Cualquiera de varias especies de *Dicentra*, un género de angiospermas herbáceas de la familia de las Fumariáceas. La favorita de siempre de los jardines es *D. spectabilis* de Japón, que tiene florecillas acorazonadas, rojo rosadas y blancas, que cuelgan de tallos arqueados. La oriental o silvestre o con bandas (*D. eximia*) da racimos de florecillas rosadas entre abril y septiembre en la región de los montes Allegheny en EE.UU. La del Pacífico u occidental o yerba palomilla (*D. formosa*) se extiende desde California hasta la Columbia Británica (Canadá) y tiene diversas variedades de jardín.

corbeta Buque de guerra veloz de menor tamaño que una FRAGATA. En los s. XVIII–XIX, las corbetas eran buques de tres palos con aparejo cuadrado y llevaban alrededor de 20 cañones en cubierta. Se usaban con frecuencia para enviar despachos dentro de la flota de combate, y también escoltaban a barcos mercantes. Las primeras corbetas de EE.UU. se destacaron en la guerra anglo-estadounidense. Desaparecieron como clase en la mitad del s. XIX, después del cambio a propulsión a vapor, pero durante la segunda guerra mundial, el nombre fue empleado para designar a pequeñas naves armadas que servían como escoltas a los CONVOYES. Las corbetas modernas, que por lo genral desplazan entre 450–900 Tm (500–1.000 t) y están armadas con misiles, torpedos y ametralladoras, realizan labores antisubmarinas, antiaéreas y de patrullaje costero en armadas pequeñas.

Corbusier, Le ver LE CORBUSIER

Córcega, isla *francés* **Corse** Isla (pob., 1999: 260.196 hab.) del mar Mediterráneo y región administrativa de Francia. La cuarta isla más grande del Mediterráneo, tiene una superficie de 8.681 km² (3.352 mi²). Los primeros vestigios de seres humanos datan por lo menos del tercer milenio AC, mientras que los registros históricos datan de 560 AC, cuando los griegos de Asia Menor fundaron un poblado en el lugar. Ocupada por los romanos en el s. III–II AC, se transformó, junto con CERDEÑA, en una próspera provincia romana. Conquistada posteriormente por numerosos pueblos, entre ellos los bizantinos y los árabes, en el s. XI DC fue cedida a PISA. Gobernada después principalmente por GÉNOVA hasta mediados del s. XVIII, en 1768 pasó a ser provincia de Francia. Fue el lugar de nacimiento de NAPOLEÓN I. La economía de la isla depende del turismo y la agricultura.

corcho Corteza externa del alcornoque (*Quercus suber*), árbol SIEMPREVERDE, originario del Mediterráneo. En sentido amplio, el corcho está formado por las células irregulares, enceradas y de paredes delgadas que constituyen la CORTEZA descamable de muchos árboles, pero comercialmente se llama corcho sólo a la del alcornoque. El corcho se obtiene de la corteza exterior nueva que se forma después de que se ha quitado la rugosa original. Esta capa externa puede descortezarse en forma repetida sin dañar el árbol. El corcho es único porque está formado de células impermeables y llenas de aire que constituyen un medio aislante notablemente efectivo. Las celdas aéreas lo hacen muy liviano. Aunque los plásticos especiales y otras sustancias artificiales han reemplazado al corcho en algunos de sus usos previos, ha conservado su importancia tradicional como tapón de botellas de vino y otras bebidas alcohólicas.

Alcornoque (*Quercus suber*), de cuya corteza externa se obtiene el corcho.

cordado Cualquier miembro del filo Chordata, el cual incluye los animales más evolucionados de todos, los VERTEBRADOS y los invertebrados marinos cefalocordados (ver ANFIOXO) y TUNICADOS. Todos los cordados poseen, en algún punto de su ciclo vital, una barra de sostén dorsal (notocorda), hendiduras branquiales y un cordón nervioso dorsal. A diferencia de los vertebrados, los tunicados y cefalocordados no tienen ningún tipo de cerebro o esqueleto. El cuerpo de los cordados está constituido por una pared corporal que encierra el intestino, con una cavidad entre ambos llamada celoma. Normalmente el cuerpo es largo y con simetría bilateral, con la boca y los órganos sensoriales en el extremo frontal.

Charlotte Corday, grabado de É.-L. Baudran según un retrato de J.-J. Hauer.

Corday (d'Armont), (Marie-Anne-) Charlotte (27 jul. 1768, Saint-Saturnin, cerca de Séez, Normandía, Francia–17 jul. 1793, París). Activista política francesa. Perteneciente a la nobleza de Caen, se trasladó a París para trabajar por la causa de los GIRONDINOS en la REVOLUCIÓN FRANCESA. Horrorizada por los excesos del régimen de El TERROR, solicitó una entrevista con JEAN-PAUL MARAT, uno de sus líderes. El 13 de julio de 1793, lo apuñaló en el corazón mientras este se daba un baño. Fue arrestada en el lugar, declarada culpable por el Tribunal revolucionario y guillotinada.

Cordeliers, club de los *ofic.* **Sociedad de amigos de los derechos del hombre y del ciudadano** Círculo fundado en 1790 durante la REVOLUCIÓN FRANCESA para impedir el abuso de poder y las "infracciones a los derechos del hombre". Su nombre popular proviene del lugar en donde se reunía originalmente, el nacionalizado monasterio de los Cordeliers (franciscanos). El club se convirtió en una fuerza política bajo JEAN-PAUL MARAT y GEORGES DANTON. Más tarde el liderazgo recayó en JACQUES-RÉNE HÉBERT y otros, quienes ayudaron a derrocar a los GIRONDINOS y le dieron al club una orientación más radical. Cayó en el olvido después de la ejecución de Hébert en 1794.

cordero Cría de OVEJA que no pasa de un año; su carne recibe igual nombre. La del ovino de uno o más años se llama carne de carnero u oveja; la del ovino de 12–20 meses puede llamarse carne de carnerillo o borrego. La carne del ovino de 6–10 semanas normalmente se vende como cordero lechal, y la del ovino de 5–6 meses es de cordero ternasco. Los países con mayor consumo per cápita de carne de cordero y oveja son Nueva Zelanda y Australia.

Córdoba Ciudad (pob., est. 1999: 1.275.585 hab.), la segunda más populosa de la Argentina. Se ubica en la ribera del río Primero, siguiendo los faldeos de la sierra de Córdoba. Fundada en 1573, su ubicación entre la costa y los asentamientos del interior favorecieron un desarrollo temprano. En 1599, los jesuitas se instalaron en la ciudad y fundaron la primera universidad del país (1613). El crecimiento de Córdoba fue estimulado con la finalización de las conexiones ferroviarias con el este en 1869 y el dique de San Roque en 1866, que suministra riego para los huertos y cultivos de granos de la zona, así como la energía hidroeléctrica para las numerosas industrias de la zona.

Córdoba *antig.* **Corduba** Ciudad (pob., 2001: 308.072 hab.), capital de la provincia del mismo nombre, en el sur de España. Ubicada a orillas del río GUADALQUIVIR, probablemente tuvo un origen cartaginés. Fue ocupada por los romanos en 152 AC, y, bajo el gobierno de AUGUSTO, se convirtió en la capital de la provincia romana de Bética. Cayó en decadencia bajo los visigodos (s. VI–VIII DC), y fue capturada por los musulmanes en

711. Abd al-Rahman I, de la dinastía OMEYA, estableció ahí su capital en 756 y fundó la gran mezquita de Córdoba, que aún existe. En el s. X era la mayor ciudad de Europa, llena de palacios y mezquitas. Fernando III, rey de Castilla, tomó la ciudad en 1236 y la integró a la España cristiana. Las calles y edificios de la Córdoba moderna recuerdan su herencia morisca.

Cordobés, El *orig.* **Manuel Benítez Pérez** (n. ¿4 may. 1936?, Palma del Río, Córdoba, España). Torero español. Huérfano analfabeto, creció en Córdoba, ciudad a la que debe su apodo, donde fue encarcelado una vez por entrar sin autorización al ruedo. Comenzó su carrera en 1959, y se convirtió en matador cuatro años más tarde. En agosto de 1965 batió un récord al matar 64 toros, por lo que se cree obtuvo 35 millones de pesetas. La tosquedad de su técnica quedaba compensada por sus reflejos y coraje excepcionales. Guapo, elegante y ostentoso fue el torero mejor pagado de la historia.

El Cordobés.
MICHAEL KUH—BLACK STAR

cordofanas, lenguas ver lenguas KORDOFANAS

corea Afección neurológica que se expresa en movimientos irregulares, involuntarios, sin propósito. Se cree que es causada por degeneración de los núcleos basales del cerebro. La corea de Sydenham (baile de san Vito) se asocia habitualmente con la FIEBRE REUMÁTICA. Sucede de preferencia entre los 5–15 años de edad, más a menudo en niñas. Los típicos movimientos espasmódicos, sobre todo de las extremidades y la cara, pueden afectar el lenguaje y la deglución, variando desde leves a incapacitantes; los ataques duran varias semanas y con frecuencia son recurrentes. La corea senil es una enfermedad progresiva, parecida a la corea de Sydenham, que ocurre a edad avanzada. La corea de HUNTINGTON es rara, hereditaria y fatal. Suele comenzar entre los 35 y 50 años de edad y evolucionar con espasmos aleatorios, a menudo violentos y finalmente incapacitantes por completo, que sólo ceden durante el sueño. Después, se agrega deterioro mental, y la muerte sobreviene en 10–20 años. No hay tratamiento efectivo. Los hijos de los afectados tienen 50% de probabilidades de desarrollar la enfermedad.

Corea *coreano* **Choson** *o* **Taehan** Antiguo reino y península (península coreana) en la costa oriental de Asia. En 1948 fue dividida en dos repúblicas, Corea del Norte y Corea del Sur. De acuerdo con la tradición, el antiguo reino de Choson fue establecido en el tercer milenio AC en la región septentrional de la península, probablemente por pueblos del norte de China. Conquistada por China en 108 AC, surgieron más tarde tres reinos SILLA, KOGURYO y PAEKCHE. El reino de Silla conquistó a los otros dos en el s. VII DC y mantuvo el control hasta 935, cuando la dinastía Paekche comenzó a dominar. Invadido por los mongoles en 1231, el reino de Choson, con su capital en SEÚL, fue gobernado por la dinastía Yi (ver YI SONG-GYE) desde 1392 hasta 1910. A partir de c. 1637 se cerró a los contactos con el exterior, pero en 1876 fue forzada a abrir sus puertos a Japón. La rivalidad por Corea llevó a la guerra RUSO-JAPONESA (1904–05), tras la cual Corea se transformó en un protectorado japonés. En 1910 fue oficialmente anexada a Japón y liberada de su control en 1945 al finalizar la segunda guerra mundial. Después de la guerra fue dividida en dos zonas de ocupación, bajo control soviético en el norte y estadounidense en el sur; las dos repúblicas fueron establecidas en 1948. Para la historia más reciente de Corea, ver COREA DEL NORTE y COREA DEL SUR; ver también guerra de COREA.

corea de Huntington ver corea de HUNTINGTON

COREA DEL NORTE

- **Superficie:** 122.762 km² (47.399 mi²)
- **Población:** 22.488.000 hab. (est. 2005)
- **Capital:** P'YONGYANG
- **Moneda:** won

Corea del Norte *ofic.* **República Democrática Popular de Corea** País que ocupa la mitad septentrional de la península de Corea, en Asia oriental. En términos étnicos, la población es casi completamente coreana. Idioma: coreano (oficial). Religiones: confucianismo, budismo, chamanismo (antiguamente predominante, en la actualidad suprimido) y CH'ONDOGYO. Los misioneros extranjeros fueron expulsados durante la segunda guerra mundial. El 80% del territorio de Corea del Norte está compuesto de cadenas montañosas y mesetas; su montaña más alta es el volcán Paektu (2.750 m [9.022 pies]). Corea del Norte tiene una economía centralmente planificada basada en la industria pesada (hierro, acero, maquinarias, productos químicos y textiles) y la agricultura. Las granjas cooperativas cultivan arroz, maíz, cebada y hortalizas. El país es rico en recursos minerales, entre ellos el carbón, el mineral de hierro y la magnesita. Es una república unicameral; el jefe de Estado es el presidente de la Comisión de defensa nacional, y el jefe de Gobierno es el primer ministro. Para su temprana historia, ver COREA. Después de que los japoneses fueron derrotados en la segunda guerra mundial, la Unión Soviética ocupó Corea en el paralelo 38º latitud norte, mientras EE.UU., la región al sur de esta línea. En 1948 se estableció el estado comunista de la República Democrática Popular de Corea. En busca de la unidad de la península por medio de la fuerza, emprendió la invasión de Corea del Sur en 1950, lo que dio origen a la guerra de COREA. Las tropas de la ONU intervinieron del lado de Corea del Sur, mientras los soldados chinos reforzaron el ejército norcoreano durante la guerra, que concluyó con un armisticio en 1953. Dirigida por KIM IL SUNG, Corea del Norte se transformó en una sociedad gobernada por uno de los regímenes más duros del mundo, con una economía estatista que no logró producir suficiente suministros de alimentos y bienes de consumo para sus ciudadanos. Bajo su hijo y sucesor, KIM JONG IL, el país resistió períodos de fuerte escasez de alimentos desde fines de la década de 1990; hasta un millón de coreanos pueden haber muerto. Las esperanzas de que Corea del Norte estu-

Puente peatonal en la zona desmilitarizada de Corea del Norte, llamado "el puente sin retorno" por los surcoreanos.
FOTOBANCO

viera buscando finalizar su largo aislamiento, especialmente a través de los encuentros entre Kim y los líderes de Corea del Sur (2000) y Japón, se han moderado por la preocupación que existe con respecto a su programa de armas nucleares.

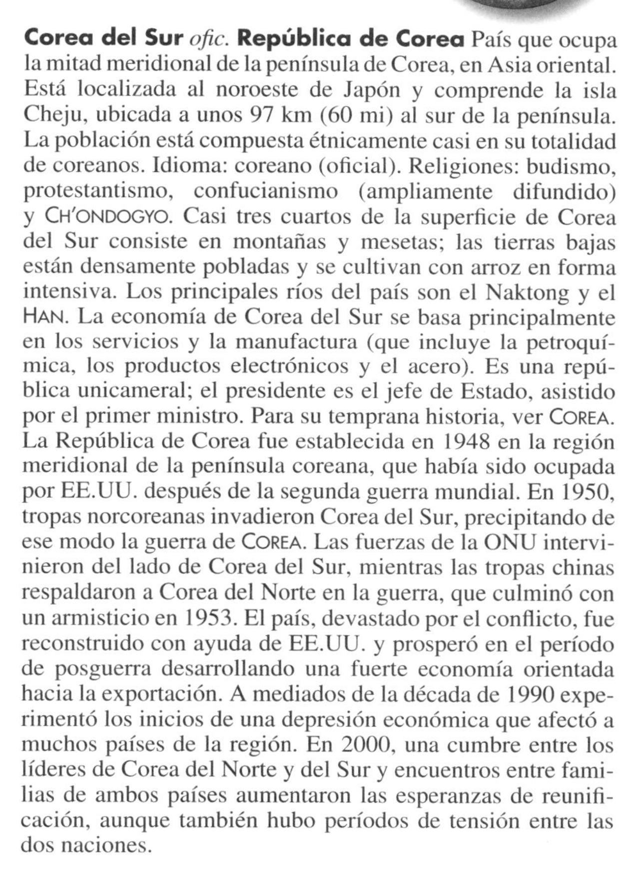

COREA DEL SUR

▸ **Superficie:** 99.601 km² (38.456 mi²)

▸ **Población:** 48.294.000 hab. (est. 2005)

▸ **Capital:** SEÚL

▸ **Moneda:** won

Corea del Sur *ofic.* **República de Corea** País que ocupa la mitad meridional de la península de Corea, en Asia oriental. Está localizada al noroeste de Japón y comprende la isla Cheju, ubicada a unos 97 km (60 mi) al sur de la península. La población está compuesta étnicamente casi en su totalidad de coreanos. Idioma: coreano (oficial). Religiones: budismo, protestantismo, confucianismo (ampliamente difundido) y CH'ONDOGYO. Casi tres cuartos de la superficie de Corea del Sur consiste en montañas y mesetas; las tierras bajas están densamente pobladas y se cultivan con arroz en forma intensiva. Los principales ríos del país son el Naktong y el HAN. La economía de Corea del Sur se basa principalmente en los servicios y la manufactura (que incluye la petroquímica, los productos electrónicos y el acero). Es una república unicameral; el presidente es el jefe de Estado, asistido por el primer ministro. Para su temprana historia, ver COREA. La República de Corea fue establecida en 1948 en la región meridional de la península coreana, que había sido ocupada por EE.UU. después de la segunda guerra mundial. En 1950, tropas norcoreanas invadieron Corea del Sur, precipitando de ese modo la guerra de COREA. Las fuerzas de la ONU intervinieron del lado de Corea del Sur, mientras las tropas chinas respaldaron a Corea del Norte en la guerra, que culminó con un armisticio en 1953. El país, devastado por el conflicto, fue reconstruido con ayuda de EE.UU. y prosperó en el período de posguerra desarrollando una fuerte economía orientada hacia la exportación. A mediados de la década de 1990 experimentó los inicios de una depresión económica que afectó a muchos países de la región. En 2000, una cumbre entre los líderes de Corea del Norte y del Sur y encuentros entre familias de ambos países aumentaron las esperanzas de reunificación, aunque también hubo períodos de tensión entre las dos naciones.

Corea, estrecho de Canal entre Corea del Sur y el sudoeste de Japón. Comunica el mar de China oriental con el mar de JAPÓN (mar Oriental), tiene 195 km (120 mi) de ancho y en su centro se encuentra la isla de Tsushima. Su paso hacia el este es conocido como estrecho de Tsushima, lugar de la batalla de TSUSHIMA (1905); el paso hacia el oeste tiene el nombre de Canal occidental.

Corea, guerra de (1950–53). Conflicto que surgió tras la división de Corea, en el paralelo 38º latitud norte, que dio origen a Corea del Norte y Corea del Sur. Al final de la segunda guerra mundial, las fuerzas soviéticas aceptaron la rendición de las fuerzas japonesas al norte de esa línea, mientras que las fuerzas estadounidenses aceptaron la rendición japonesa al sur de la misma. Las negociaciones para reunificar las dos mitades fracasaron, y la mitad norte permaneció como satélite de los soviéticos, mientras que la mitad sur contaba con el respaldo estadounidense. En 1950, Corea del Norte invadió Corea del Sur y el presidente de EE.UU., HARRY TRUMAN, ordenó a sus tropas apoyar a Corea del Sur. El Consejo de Seguridad de la ONU, con la ausencia del delegado soviético, aprobó una resolución que llamaba a todos los miembros de la organización a contribuir a detener la invasión. Inicialmente, las tropas norcoreanas hicieron retroceder a las fuerzas surcoreanas y estadounidenses hasta el extremo meridional de la península coreana, pero un brillante desembarco anfibio en Inch'ŏn, concebido por el gral. DOUGLAS MACARTHUR, cambió el curso de la guerra en favor de las tropas de la ONU, las que avanzaron casi hasta la frontera entre Corea del Norte y China. Los chinos entraron entonces en la guerra e hicieron retroceder a las fuerzas de la ONU hacia el sur, quedando la primera línea estabilizada en el paralelo 38º latitud norte. MacArthur persistió en expresar de manera pública sus objeciones a los objetivos de guerra de EE.UU., por lo que Truman lo relevó del mando. DWIGHT D. EISENHOWER, el siguiente presidente estadounidense, participó en la conclusión de un armisticio que aceptó la primera línea como la frontera de facto entre las dos Coreas. La guerra provocó la muerte de 2.000.000 de coreanos, 600.000 chinos, 37.000 estadounidenses y otros 3.000 hombres entre turcos, británicos y demás nacionalidades presentes en las fuerzas de la ONU.

coreano Lengua oficial de Corea del Norte y Corea del Sur, hablada por más de 75 millones de personas, incluidas amplias comunidades de etnias coreanas en el exterior. El coreano no está relacionado estrechamente con ninguna otra lengua, aunque algunos investigadores creen que puede existir un parentesco distante con el JAPONÉS, como asimismo una relación remota con las lenguas ALTAICAS. Ya en el s. XII, el coreano se escribía con caracteres chinos (ver sistema de escritura CHINA) para representar de distintas formas los significados y sonidos de esta lengua, aunque no existe una documentación fundamentada hasta la invención de una escritura fonética única ocurrida en 1443. Esta escritura, ahora llamada hangul, representa sílabas disponiendo símbolos simples para cada FONEMA en forma cuadrada, como la de un carácter chino. Gramaticalmente, el coreano tiene un orden sintáctico básico de sujeto-complemento-verbo y ubica los modificadores antes de los elementos que estos modifican.

corégono Cualquiera de varios peces plateados comestibles (familia Salmonidae o Coregonidae), que viven en los lagos fríos del norte de Europa, Asia y Norteamérica. Pesan 1–2 kg (2–5 lb) aprox. y comen larvas de insectos y otros animales pequeños. El corégono del lago Superior (*Coregonus clupe aformis*), también llamado corégono de lago o farra, es el más grande de las especies lacustres. Los arenques de lago (*Coregonus artedi*) son peces comestibles parecidos al arenque y aptos para la pesca deportiva. Los mejores peces de la familia para la pesca deportiva son el corégono de montaña (*Prosopium williamsoni*) y otros corégonos cilíndricos.

Arenque de lago (*Coregonus artedi*).

Corelli, Arcangelo (17 feb. 1653, Fusignano, cerca de Imola, Estados Pontificios–8 ene. 1713, Roma). Compositor y violinista italiano. Estudió en Bolonia antes de establecerse en Roma. Llegó a ser ampliamente conocido como violinista, director y profesor, y vivió con su familia en los palacios de los cardenales Pamphili y Ottoboni. Entre sus estudiantes figuran Francesco Geminiani (n. 1687–m. 1762) y Pietro Locatelli (n. 1695–m. 1764). Como violinista tuvo una considerable influencia en el desarrollo del estilo del violín. Siendo el primer compositor cuya fama se basó en forma exclusiva en música no vocal, su reputación estriba principalmente en sus sonatas y sus 12 *Concerti Grossi*, los cuales establecieron la forma *concerto grosso*. Escribió cuatro colecciones de 12 sonatas-trío cada una (1681–95), una colección de 12 sonatas para solista (1700) y los *concerti grossi* (1714). Mucho después de su muerte, sus obras fueron extensamente estudiadas e imitadas por su elegancia y serenidad clásicas. Con su música se asentó por primera vez en forma sólida el ideal del SISTEMA TONAL maduro.

coreografía Arte de crear y componer danzas. El término proviene de las palabras griegas *choreos* "bailar" y *graphos* "escribir", lo que refleja su acepción original de registro escrito de bailes. En el s. XIX el término se usaba principalmente para la creación de danzas, y el registro escrito llegó a conocerse como NOTACIÓN COREOGRÁFICA. En el s. XVI los maestros de baile de la corte francesa compusieron sus danzas de salón según pautas específicas. En el s. XVII estos bailes se tornaron más complejos y fueron interpretados como BALLETS teatrales por bailarines profesionales. A fines del s. XVIII, JEAN-GEORGES NOVERRE y GASPARO ANGIOLINI introdujeron la coreografía, que combinaba la mímica con pasos de baile para producir el ballet dramático. MARIUS PETIPA, JULES PERROT y AUGUST BOURNONVILLE perfeccionaron este arte en los ballets románticos del s. XIX. En el s. XX, coreógrafos de los BALLETS RUSOS, como MICHEL FOKINE y LEONID MASSINE, iniciaron cambios radicales que continuaron con GEORGE BALANCHINE, MARTHA GRAHAM, FREDERICK ASHTON, JEROME ROBBINS, MERCE CUNNINGHAM y TWYLA THARP. Ver también ALVIN AILEY; AGNES DE MILLE; SERGE LIFAR; BRONISLAVA NIJINSKA; SALVATORE VIGANÒ.

El New York City Ballet combina en sus coreografías elementos del ballet clásico europeo con creaciones propias.
FOTOBANCO

coreopsis Cualquier planta ornamental de floración estival del género *Coreopsis*, de la familia de las COMPUESTAS, que comprende unas 100 especies de plantas herbáceas anuales y perennes originarias de América del Norte. Tienen inflorescencias capitulares con flores tubulares amarillas y flores radiadas amarillas, rosadas, blancas o jaspeadas. Los capítulos son solitarios o forman racimos bifurcados y algunas variedades tienen flores dobles. La planta anteojos del poeta (*C. tinctoria*) es popular en jardines; la especie sueño americano (*C. rosea*) se cultiva en jardines rústicos.

Corfú, incidente de (1923). Breve ocupación de la isla griega de Corfú por fuerzas italianas. En agosto de 1923, un grupo de italianos que formaban parte de una delegación internacional que investigaba el conflicto fronterizo entre Grecia y Albania fueron asesinados en suelo griego, razón por la cual BENITO MUSSOLINI ordenó el bombardeo naval de Corfú. Cuando los griegos recurrieron a la SOCIEDAD DE NACIONES, los italianos recibieron la orden de evacuar, pero Grecia fue obligada a pagar una indemnización a Italia.

Corfú, isla *griego* **Kérkira** Una de las islas JÓNICAS en el noroeste de Grecia. Junto con otras pequeñas islas aledañas, constituye la provincia del mismo nombre (pob., est. 1995: 108.000 hab.); la ciudad de Corfú (pob. est. 1995: 36.000 hab.) es su capital. La superficie de la isla es de 593 km^2 (229 mi^2). Fue colonizada por los corintios en c. 734 AC. La primera batalla naval de la historia de Grecia, entre Corfú y CORINTO, tuvo lugar frente a sus costas, en c. 664 AC. Alrededor del año 435 AC pidió ayuda a ATENAS en su lucha contra Corinto, lo que desencadenó la guerra del PELOPONESO. Estuvo bajo dominio romano en 229 AC, más tarde en manos de los bizantinos y luego, de los normandos. Venecia la gobernó desde 1386 hasta 1797 y más tarde quedó bajo la administración de los británicos, desde 1815 hasta 1864, año en que fue cedida a Grecia. Durante la segunda guerra mundial fue ocupada por los alemanes y los italianos. Actualmente, es un destino turístico muy concurrido; la isla produce higos, aceite de oliva, cítricos y vino.

Olivos y cipreses con las montañas de fondo, norte de Corfú, Grecia.
ION GARDEY—ROBERT HARDING PICTURE LIBRARY, LONDRES

coribante En la mitología oriental y grecorromana, cualquiera de los seres salvajes semidemoníacos ayudantes de CIBELES. A menudo identificados o confundidos con los curetes cretenses (sirvientes de ZEUS), eran claramente de origen asiático y sus ritos más orgiásticos. A su danza frenética se le atribuyó el poder de curar los trastornos mentales.

corindón Mineral de óxido de aluminio (Al_2O_3), la sustancia natural conocida más dura después del diamante. El ZAFIRO y el RUBÍ son variedades de piedras preciosas; mezclas con óxidos de hierro y otros minerales son llamadas ESMERIL. El corindón es común en la naturaleza, aunque son escasos los depósitos grandes. Yacimientos ricos se encuentran en India, Rusia, Zimbabwe y Sudáfrica. Además de ser una piedra preciosa, el corindón se usa como abrasivo para pulir vidrio óptico y dar brillo a metales, y también se ha usado para hacer papel de lija y esmeriles. Sin embargo, para la mayoría de las aplicaciones industriales ha sido sustituido por materiales sintéticos como la alúmina; también se fabrica corindón sintético.

Corinth, Lovis (21 jul. 1858, Tapiau, Prusia oriental–12 jul. 1925, Zandvoort, Países Bajos). Pintor y artista gráfico alemán. Se formó en París con el pintor WILLIAM BOUGUEREAU. En 1902 se estableció en Berlín y, junto con MAX LIEBERMANN, se convirtió en el exponente líder del IMPRESIONISMO alemán. Después de recuperarse de un derrame cerebral en 1911, su estilo se volvió mucho más suelto y de gran contenido expresionista (ver EXPRESIONISMO). Fue principalmente conocido por sus paisajes y retratos, entre ellos, numerosos autorretratos de fuerte expresividad. Realizó muchos grabados en aguafuerte y litografías (p. ej., *Apocalipsis*, 1921).

Corinto *griego* **Kórinthos** Antigua ciudad del PELOPONESO en Grecia. Ubicada en el golfo de Corinto, estuvo habitada antes del 3000 AC, pero se desarrolló como centro comercial sólo en el s. VIII AC. A fines del s. VI AC fue eclipsada por ATENAS. En 338 AC, FILIPO II ocupó Corinto y en 146 AC fue destruida por Roma. En 44 AC, Julio CÉSAR restableció Corinto como colonia romana; en el Nuevo Testamento se encuentran las cartas que san PABLO escribió a su comunidad cristiana. En la Edad Media cayó en decadencia; sus ruinas están ubicadas cerca de la moderna ciudad de Corinto.

Corinto, Liga de Alianza establecida en CORINTO en 337 AC para oponerse a Persia y liberar las ciudades griegas de Asia. Estaba integrada por los antiguos estados griegos, con excepción de ESPARTA, y la encabezó FILIPO II de Macedonia. Los delegados, elegidos en proporción al poder militar de los estados integrantes, decidían las políticas de la federación. La liga declaró la guerra a Persia, pero bajo ALEJANDRO MAGNO contribuyó poco al esfuerzo bélico. Su principal actuación fue condenar a los tebanos a la esclavitud y distribuir sus tierras entre los restantes estados después de las rebeliones de 336 y 335. Fue disuelta después de la muerte de Alejandro (323).

Coriolano, Gneo Marcio Legendario héroe romano. Se dice que habría vivido a fines del s. VI y principios del s. V AC y que su apellido se debía a su valor en el sitio de Corioli (493 AC) durante la guerra contra los VOLSCOS. Intentó ocupar el cargo de TRIBUNO, abolido durante una hambruna en Roma, por lo que fue enviado al exilio. Encontró refugio con el rey de los volscos, cuyo ejército dirigió contra Roma, pero retrocedió debido a las súplicas de su familia. Es el tema de la obra *Coriolanus* de WILLIAM SHAKESPEARE.

Coriolis, fuerza de FUERZA ficticia que debe incluirse para poder usar las leyes del movimiento de NEWTON en un sistema en rotación. Descrita inicialmente por Gustave-Gaspard Coriolis (n. 1792–m. 1843) en 1835, esta fuerza actúa hacia la derecha de la dirección del MOVIMIENTO del cuerpo para rotaciones en el sentido contrario de los punteros del reloj, y hacia la izquierda para rotaciones en el sentido de los punteros del reloj. En la Tierra, un objeto que se mueve de norte a sur, o en sentido longitudinal, tenderá a desviarse aparentemente hacia la derecha en el hemisferio norte y hacia la izquierda en el hemisferio sur. Esta desviación está relacionada con el movimiento del objeto, con el movimiento de la Tierra y con la latitud. El efecto Coriolis es importante en meteorología y en oceanografía, así como en BALÍSTICA; también es muy significativo en ASTROFÍSICA.

Cork Ciudad portuaria (pob., est. 2002: 123.338 hab.) del sudoeste de Irlanda. Es la capital del condado del mismo nombre, y está situada junto al río Lee, en la cabecera de la cala de Cork Harbour. Fundada en el s. VII como monasterio. Fue asaltada en muchas oportunidades y finalmente colonizada por los daneses. En 1172 pasó a manos de ENRIQUE II de Inglaterra. Las fuerzas parlamentarias bajo el mando de OLIVER CROMWELL (1649) tomaron la ciudad y posteriormente lo hizo el duque de MARLBOROUGH (1690). Quedó muy dañada durante el alzamiento de los irlandeses contra Inglaterra en 1920. Sus principales actividades económicas son la industria del cuero, la fabricación de cerveza y las destilerías.

Cormack, Allan M(acLeod) (23 feb. 1924, Johannesburgo, Sudáfrica–7 may. 1998, Winchester, Mass., EE.UU.). Físico estadounidense de origen sudafricano. Después de investigar sobre la interacción de las partículas subatómicas, se interesó en el problema de obtener con rayos X imágenes de los tejidos blandos y de capas tisulares de diferentes densidades. Estableció las bases físicas y matemáticas de la tomografía axial computarizada (escáner). Junto con Godfrey Hounsfield (n. 1919–m. 2004) recibió en 1979 el Premio Nobel por sus estudios conducentes al desarrollo de la TOMOGRAFÍA AXIAL COMPUTARIZADA.

Corman, Roger (William) (n. 5 abr. 1926, Detroit, Mich., EE.UU.). Director y productor de cine estadounidense. Dirigió sus primeras películas, *Cinco pistolas* y *Apache Woman* en 1955, y ya en 1960 era uno de los realizadores más prolíficos de filmes de bajo presupuesto y "rápida ejecución". Sus versiones cinematográficas de los cuentos de EDGAR ALLAN POE, entre ellas, *La caída de la casa Usher* (1960) y *La máscara de la muerte roja* (1964), lo convirtieron en objeto de culto como maestro de lo macabro. En 1970 formó New World Pictures, una compañía independiente de distribución que produjo trabajos de jóvenes directores perseverantes como Peter Bogdanovich, FRANCIS FORD COPPOLA y MARTIN SCORSESE.

cormo Tallo subterráneo, vertical y carnoso que hace las veces de estructura reproductora vegetativa en ciertas espermatofitas. Produce hojas y yemas membranosas o escamosas. Los cormos típicos son el GLADIOLO y los pertenecientes al género CROCUS. A veces se los denomina BULBOS sólidos o túberobulbos, pero se los distingue de los bulbos genuinos y TUBÉRCULOS.

cormorán Cualquiera de las 26–30 especies de aves acuáticas que constituyen la familia Phalacrocoracidae, que bucean para alimentarse de peces, principalmente aquellos que tienen poco valor para los seres humanos. Estos buceadores de color negro lustroso han sido adiestrados para pescar en el Oriente y otros lugares. Su guano es valioso como fertilizante. Los cormoranes viven en los litorales, lagos y algunos ríos, y nidifican en acantilados o en arbustos y árboles. Tienen un pico largo terminado en gancho, manchas de piel desnuda en el rostro y una bolsa pequeña en la garganta (saco gular). La especie más extendida es el cormorán grande o común (*Phalacrocorax carbo*), que crece hasta 100 cm (40 pulg.) de largo y se reproduce desde Canadá oriental hasta Islandia, a través de Eurasia hasta Australia y Nueva Zelanda y en partes de África.

Cormorán (*Phalacrocorax auritus*).

Corn Belt Región tradicional del Medio Oeste de EE.UU. Abarca aproximadamente el oeste de Ohio, Indiana, Illinois, Iowa, Minnesota del sur, el este de Dakota del Sur, Missouri, el este de Nebraska y el este de Kansas. Es una región donde predominan los cultivos de maíz y soya. Muchas granjas son de administración familiar y tienen en promedio más de 120 ha (300 acres). A pesar de su nombre ("cinturón del maíz"), la región tiene una producción agrícola muy variada, donde se cultivan diversos cereales para forraje y se cría ganado.

Corn Islands *español* **islas del Maíz** Dos islas pequeñas en el mar Caribe, que son conocidas como Great Corn (Mangle Grande) y Little Corn (Mangle Pequeño), a unos 64 km (40 mi) de la costa de Nicaragua, país que las otorgó en arriendo a EE.UU. para ser usadas como base naval (1916–71). Estas islas producen copra, aceite de coco, langostas y camarones congelados. En la isla Great Corn también es importante el turismo.

Corn Laws ver leyes del GRANO

cornalina Variedad translúcida y semipreciosa de la CALCEDONIA, un mineral de sílice que debe su color rojo a café-rojizo a la incorporación de pequeñas cantidades de óxido de hierro. Una variedad muy cercana de calcedonia, el sardo, difiere sólo en su tono de rojo. La cornalina fue muy valorada por los griegos y romanos, quienes la usaban en anillos y sellos, algunos de cuyos tallados han mantenido su pulido mejor que aquellos hechos de piedras más duras. La cornalina se extrae principalmente en India, Brasil y Australia. Sus propiedades físicas son las del CUARZO.

Pierre Corneille, detalle de una pintura al óleo atribuida a Charles Le Brun, 1647.

Corneille, Pierre (6 jun. 1606, Ruán, Francia–1 oct. 1684, París). Poeta y dramaturgo francés. Estudió derecho y luego fue consejero del rey en Ruán (1628–50). Escribió su primera comedia, *Mélite* (estrenada en 1629), antes de cumplir los os, y con posterioridad, otras comedias. Se sintió desa- a abordar la tragedia clásica de una forma novedosa con obras *Medea* (1635) y después con *El Cid* (1637), el que fue un éxito inmediato que lo consagró como el creador de la tragedia clásica francesa. Esta obra es considerada la más significativa en la historia del teatro francés. A sus siguientes tragedias, *Horacio* (1641), *Cinna* (1643) y *Poliuto* (1643), junto con *El Cid*, se les denomina la "tetralogía clásica" de Corneille. Volvió a escribir comedias con *El embustero* (1644), pieza que ocupa un lugar central en la comedia clásica francesa. A contar de 1660 produjo una obra por año, finalizando con la tragedia *Suréna* (1674).

corneja Cualquiera de las más de 20 especies de pájaros posantes negros (ver PASERIFORME), del género *Corvus* (familia Corvidae), que son más pequeños y tienen un pico más delgado que la mayoría de los CUERVOS. La corneja común vive en Norteamérica y Eurasia. Comen granos, bayas, insectos, carroña y huevos de otras aves. Pueden dañar las cosechas de granos, pero también comen muchos insectos que causan perjuicios económicos. En ocasiones, decenas de miles se posan juntas, pero la mayor parte de las especies no nidifica en colonias. Se las considera los más inteligentes de los pájaros (está documentado que usan herramientas) y como mascotas pueden aprender a imitar el habla.

cornejo Cualquier arbusto, árbol o planta herbácea del género *Cornus*, de la familia de las Cornáceas, que vive en zonas templadas, templadocálidas y montañas tropicales. La familia es notable por sus especies leñosas ornamentales, originarias de ambas costas de América del Norte y de Asia oriental y Europa. Algunos miembros, como el cornejo florido (*Cornus florida*), son esencialmente ornamentales; el cornejo macho (*C. mas*) también es decorativo y de fruto comestible; otros suministran madera para muebles. Los cornejos floridos tienen flores pequeñas; las estructuras con expansiones conspicuas son brácteas coloridas que rodean al racimo de flores genuinas.

Cornejo florido (*Cornus florida*).

cornejo enano Planta herbácea perenne y rastrera (*Cornus canadensis*) de la familia de las Cornáceas (ver CORNEJO). Las florecillas amarillentas y sencillas se agrupan en capítulos rodeados de cuatro brácteas petaloides blancas (rara vez rosadas), grandes y llamativas, y generan racimos de frutas rojas. Crece en suelos ácidos, pantanos y laderas de regiones montañosas de Asia y de Groenlandia a Alaska y por el sur llega hasta Maryland, Nuevo México y California, en EE.UU.

Cornell, Joseph (24 dic. 1903, Nyack, N.Y., EE.UU.–29 dic. 1972, Nueva York, N.Y.). Artista estadounidense del ensamblaje. No tuvo educación artística formal. En las décadas de 1930–40 se asoció con los surrealistas en Nueva York (ver SURREALISMO). Fue el creador del ENSAMBLAJE; sus obras más distintivas fueron "cajas", generalmente con frentes de cristal, que contenían objetos y pedazos de *collage* dispuestos en composiciones elegantes pero enigmáticas. Sus temas recurrentes incluyen la astronomía, la música, los pájaros, las conchas marinas, las fotografías glamorosas y los recuerdos de viajes. Su atractivo se basó en la técnica surrealista de la yuxtaposición irracional y el uso de la nostalgia.

Katharine Cornell.

BIBLIOTECA DEL CONGRESO, WASHINGTON, D.C.; NEG. NO. LC USZ 62 67721

Cornell, Katharine (16 feb. 1893, Berlín, Alemania–9 jun. 1974, Martha's Vineyard, Mass., EE.UU.). Actriz estadounidense. Nacida en Alemania de padres estadounidenses, realizó giras con una compañía de repertorio antes de ser aclamada en Londres por *Mujercitas* (1919). En 1921 debutó en Broadway y ese mismo año se convirtió en estrella con *A Bill of Divorcement*. A partir de 1931 se hizo cargo de sus propias producciones e hizo extensas giras. La mayoría de sus obras fueron dirigidas por su esposo, Guthrie McClintic (n. 1893–m. 1961). Protagonizó obras como *Cándida* (1924), *The Letter* (1925), *Los Barretts de Wimpole Street* (1931, 1945) –en la que interpretó su rol más recordado como la poetisa Elizabeth Barrett Browning– y *Mi querido embustero* (1960). Con frecuencia se la llamó la primera dama del teatro estadounidense.

Cornell, Universidad de Universidad de investigación integral con sede en Ithaca, Nueva York, EE.UU., miembro tradicional de la IVY LEAGUE. Es mantenida mediante aportes privados y públicos. Fundada al amparo de la ley de concesiones, según el estatuto de 1862 LAND-GRANT COLLEGE, fue financiada en forma privada por Ezra Cornell (n. 1807–m. 1874), uno de los fundadores de la WESTERN UNION. Desde sus comienzos no tuvo carácter confesional, y a contar del inicio de sus actividades en 1868, ofrecía una gran variedad de programas de estudio. Fue la primera universidad del país en admitir a estudiantes de sexo femenino y la primera en ser subdividida en *colleges* (colegios universitarios) que ofrecían distintos grados académicos. La agronomía siempre ha sido importante en Cornell; asimismo, se ofrecen destacados programas en ciencias humanas, administración de empresas, ingeniería, ciencias sociales y humanidades. Se otorgan títulos profesionales y de posgrado en derecho, medicina y artes y ciencias.

corneta Instrumento METÁLICO de válvulas. Fue desarrollado en la década de 1820 a partir del corno. Como la TROMPETA, tiene tres pistones pero su ánima es algo más cónica. Es un instrumento transpositor (su música se escribe un tono por encima del sonido real), construido normalmente en la tonalidad de si bemol, aunque también se usa un tipo más agudo en mi bemol. Su alcance es paralelo al de la trompeta. Debido a su agilidad, se hizo muy popular como instrumento solista hasta el punto de desplazar con frecuencia a la trompeta en las orquestas del s. XIX, y precedió a esta en las bandas modernas de música bailable y de jazz. Los últimos adelantos han hecho que los dos instrumentos sean muy similares, y como resultado la popularidad de la corneta ha menguado considerablemente.

Corneto ver TARQUINIA

cornezuelo Enfermedad de las HIERBAS DE CEREAL, en especial el CENTENO, causada por el HONGO *Claviceps purpurea*. Una espiga de centeno infectada con cornezuelo exuda un moco dulce y amarillento. Es fuente de medicamentos para controlar las hemorragias posparto y tratar las migrañas. El ácido lisérgico, del cual se sintetiza el potente ALUCINÓGENO LSD, proviene del cornezuelo. Una sobredosis de medicinas derivadas del cornezuelo o la ingestión de harina proveniente de centeno infectado pueden causar ergotismo (llamado también fiebre de san Antonio) en los seres humanos y el ganado. Los síntomas pueden incluir convulsiones, aborto y gangrena seca, que pueden provocar la muerte.

cornisamento Conjunto de molduras y bandas horizontales que descansan sobre columnas en los edificios clásicos. El cornisamento se divide por lo general en tres secciones principales: la banda inferior o arquitrabe, que originalmente era una viga que iba de un soporte a otro; la banda central o friso, que consiste en una franja sin moldura con o sin ornamento, y la banda superior o cornisa, consistente en una serie de molduras que nacen del borde del friso. La mayoría de los cornisamentos pertenecen o emanan de los ÓRDENES dórico, jónico o corintio.

corno francés Instrumento METÁLICO de orquesta y bandas militares. Consiste en un corno circular de campana amplia con pistones. Es un instrumento transpositor (su música se escribe con una tonalidad diferente a su sonido real) afinado en fa. Tiene un tubo amplio y tres (a veces cuatro) pistones rotatorios. La boquilla es cónica y produce un sonido más dulce que las de otros instrumentos metálicos con forma de copa. Los cornos contaron por mucho tiempo con tubos curvos accesorios (tubos circulares que podían ponerse o quitarse rápidamente) para modular la música a tonalidades nuevas. Desde c. 1900, el corno común ha sido un instrumento "doble", con tubos accesorios en fa y en si bemol ya incorporados en él, y que pueden ser seleccionados rápidamente por medio de un pistón, accionado con el pulgar. Las orquestas sinfónicas modernas cuentan, por lo general, con cuatro cornos. A pesar de ser un instrumento difícil de tocar y propenso a producir errores notorios, su sonido es ampliamente admirado.

corno inglés Instrumento orquestal de VIENTO-MADERA, que consiste en un gran OBOE cuyo registro corresponde a una quinta por debajo del oboe común. Tiene una lengüeta doble alojada en un codo curvo de metal y su campana posee forma de bulbo. Es un instrumento transpositor (su música se escribe en un tono diferente al que realmente suena) afinado en fa. No es inglés ni tampoco es un corno; en su nombre original, *cor anglais*, *cor* ("corno") se refiere a su forma corniforme original, pero la razón del vocablo *anglais* ("inglés") es un misterio. Desde su primera aparición c. 1750 se ha mantenido básicamente como un instrumento de orquesta.

Polperro, pequeño puerto pesquero y balneario, Cornualles, Inglaterra.
PAUL POPPER LTD.

Cornualles *inglés* **Cornwall** Condado administrativo (pob., 2001: 501.267 hab., incluidas las islas de SCILLY) e histórico del sudoeste de Inglaterra. Situado en una península que se adentra en el océano Atlántico y acaba en el cabo LAND'S END, es el condado más remoto de Inglaterra; su capital es TRURO. El sur de Cornualles es una concurrida zona turística; actualmente, gran parte de la costa está protegida por el National Trust (organización británica propietaria y encargada del patrimonio nacional). El estaño que se extrae de las minas de Cornualles desde hace al menos 3.000 años, atrajo a sus primeros habitantes en la prehistoria, de los cuales quedan vestigios líticos. A partir de 1337, los feudos y mansiones de este condado han pertenecido al primogénito del soberano de Inglaterra, reconocido como duque de Cornualles.

Cornwallis, Charles Cornwallis, 1er marqués y 2° conde (31 dic. 1738, Londres, Inglaterra –5 oct. 1805, Gazipur, India). Militar y estadista británico. En 1780, durante la guerra de independencia de los ESTADOS UNIDOS DE AMÉRICA, fue nombrado comandante de las fuerzas británicas destacadas en el Sur. Venció a HORATIO GATES en Camden, S.C., luego entró en Virginia y acampó en Yorktown (ver sitio de YORKTOWN). Atrapado y sitiado en ese lugar, se vio obligado a rendirse con su ejército (1781), lo que puso fin a las operaciones militares de la guerra. A pesar de la derrota, mantuvo su honra en Inglaterra. Como gobernador general de la India (1786–93, 1805), introdujo reformas legales y administrativas; el Código de Cornwallis (1793) estableció una tradición de funcionarios británicos incorruptibles. En la tercera guerra de Mysore, en 1792, derrotó al sultán Tipu Sahib. Como virrey de Irlanda (1798–1801), apoyó la unión parlamentaria de Gran Bretaña e Irlanda. En 1802 negoció el tratado de AMIENS entre Inglaterra y Francia. En 1805 fue nombrado nuevamente gobernador general de la India, pero murió poco después de llegar a ese país.

Charles Cornwallis, detalle de un dibujo a lápiz de John Smart, 1792; National Portrait Gallery, Londres.
GENTILEZA DE LA NATIONAL PORTRAIT GALLERY, LONDRES

coro Grupo de cantantes con más de una voz para cada parte. Por muchos siglos, los coros de iglesia cantaron sólo canto llano (ver CANTO GREGORIANO). La complejidad relativa de la polifonía temprana requirió de voces solistas en lugar de coros propiamente tales; sin embargo, la polifonía del s. XV era interpretada por coros. El crecimiento del coro profano coincidió con los inicios de la ÓPERA. El coro de ORATORIO es parte de una tradición diferente que emana de los coros eclesiásticos aumentados para interpretar las partes corales de un oratorio determinado, que se ejecutaba dentro o fuera de la iglesia.

coro En teatro, grupo de actores, cantantes o bailarines que actúan como un conjunto para describir y comentar lo que sucede en una obra. Las interpretaciones corales, que se originaron con el canto de los DITIRAMBOS en honor a DIONISO, dominaron el teatro griego hasta mediados del s. V AC, cuando ESQUILO agregó un segundo actor y redujo el coro de 50 a 12 intérpretes. A medida que aumentaba la importancia de los actores individuales, el coro fue desapareciendo gradualmente. Fue revivido en obras modernas como *El luto le sienta bien a Electra* (1931) de EUGENE O'NEILL y *Asesinato en la catedral* (1935) de T.S. ELIOT. Los coros de cantantes y bailarines fueron introducidos en los musicales, especialmente durante el s. XX, primero como entretenimiento y luego para apoyar el desarrollo de la trama.